KB085927

애타는 로맨스

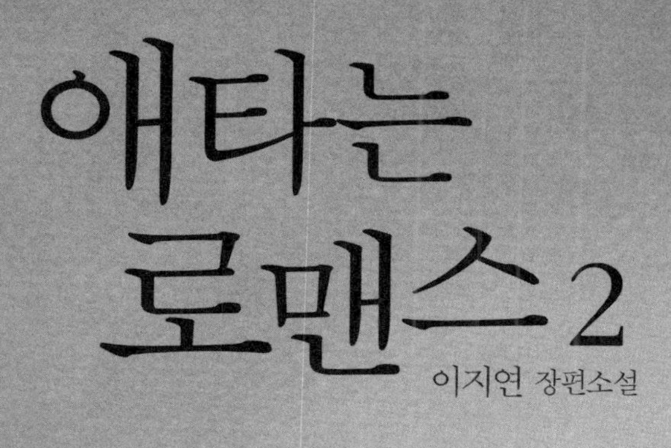

애타는 로맨스 2

이지연 장편소설

극본 김하나 김영윤

Terrace Book

CONTENTS

1권

2권

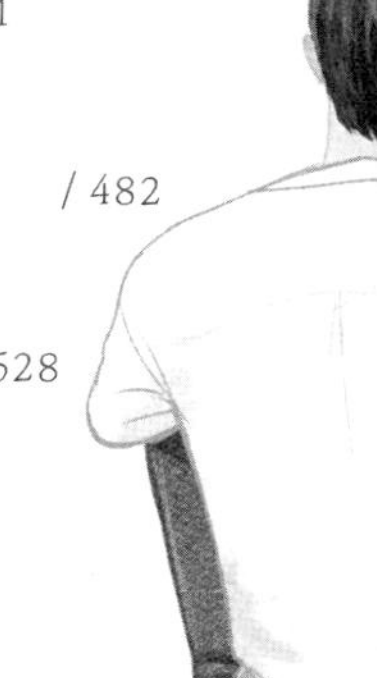

Episode 19

쪽! 방금 그건 애피타이저

"잠깐만 엄마, 나 전화 좀 받고……."

휴대폰을 꺼내 수신 상대를 확인한 유미의 눈이 놀람으로 커다래졌다.

"어머!"

단체 급식 운영 관리팀 정 팀장에게서 온 전화였다.

"팀장님, 어쩐 일이세요?"

[어, 토요일인 건 아는데 기쁜 소식이 있어서 유미 씨에게 빨리 알려주고 싶어서.]

휴대폰 너머에서 부드러운 정 팀장의 목소리가 흘러나왔다.

"기쁜 소식이요?"

[전에 로테이션하게 되면 먼 지방으로 보내달라고 했었지?]

"네."

[먼 지방은 아니고 대전이야. 거기 대학에서 근무 중인 송 영양사가 이번에 아기를 가졌대. 워낙 어렵게 가진 아기라서 엄청 조심해야 하나 봐. 그래서 다음 달쯤에 육아 휴가를 신청할 거라네. 새로 영양사를 그곳에 보낼 예정이지만 만약에 유미 씨가 원하면 보내줄 수 있어.]

"아, 네."

정 팀장에게 부탁한 걸 깜빡 잊고 있었다. 진욱과 재회했던 그때는 정말 지푸라기라도 잡는 심정으로 전화했었다. 그런데 사람 마음이 참 간사하다고, 선뜻 가겠다는 말이 안 나오는 건 왜일까?

[목소리에 왜 그렇게 힘이 없어? 왜? 그새 마음이 변했어?]

유미의 망설임을 눈치챘는지 정 팀장이 조심스럽게 물었다.

"그런 건 아니고."

[그래, 대복이 워낙 근무 조건이 좋으니까 생각이 바뀔 수도 있겠지. 급한 거 아니니까 천천히 생각하고 대답해줘. 아직 시간은 충분하니까.]

"네, 감사합니다. 팀장님."

어쩌면 좋을까?

유미는 통화가 끊긴 휴대폰을 멍하니 바라보았다.

"그걸로 되겠어?"

언제 출근했는지 복자가 아침 도시락 준비로 바쁜 유미에게 다가왔다. 잉글리시 머핀과 구운 베이컨을 접시에 담던 유미가 화들짝 놀라 뒤를 돌아보았다.

"오셨어요? 오늘은 일찍 나오셨네요?"

"비켜봐."

복자는 유미를 옆으로 밀어내더니 끓는 물에 소금과 식초를 넣어 단숨에 수란을 만들어 잉글리시 머핀과 베이컨 위에 올려놓았다. 그리고 녹인 버터에 달걀노른자를 섞어 거품기로 휘젓더니 홀랜다이즈 소스를 뚝딱 만들어냈다.

"와아!"

유미가 했다면 엄청 오래 걸렸을 과정이 복자의 손을 거치자 순식간이었다. 어느새 화려한 색상의 야채와 함께 먹음직스러운 에그 베네딕트가 완성됐다.

"그리고 이건 별거 아닌데."

감탄의 눈으로 접시를 바라보는 유미에게 복자가 무언가를 불쑥 내밀었다.

"보니까 안 하던 일을 해서 그런지 손이 많이 상했더라고. 핸드크림이야. 집에 두 개 있길래 하나 가져왔어."

방송 팀 도시락 사건 이후, 매몰차게 거절한 게 마음에 걸렸던 복자는 이것저것 유미를 챙겨주기 시작했다. 복자의 깊은 속을 알기에 유미는 두 손으로 공손히 그녀가 내민 핸드크림을 받아 들었다.

"감사합니다."

"얼른 가봐. 늦겠다."

"네!"

서둘러 본부장실로 향하는데 이상한 기분에 목구멍이 간질간질해졌다. 요즘 들어 다른 근무지로 가지 말고 계속해서 남고 싶다는 유혹이 들었다. 조리 팀도 모두 마음에 들고, 우려했던 진욱과의 관계도 조금씩 풀려가는 것 같고.

"후우."

층마다 들어오는 엘리베이터 불빛을 바라보던 유미의 입에서 작은 한숨이 흘러나왔다.

다른 곳으로 가지 않고 대복에 남을까?

어리석은 생각일지도 모르겠지만, 자꾸만 욕심이 나기 시작했다.

"들어와요."

노크 소리에도 진욱은 시선을 서류에 고정한 채 빠르게 대답했다. 문이 열리며 피크닉 바구니를 든 유미가 안으로 들어섰다.

"오늘 아침은 에그 베네딕트로 준비했습니다."

유미가 테이블 위에 접시를 올려놓자 진욱은 펜을 집어 들며 그녀를 향해 부드럽게 웃어주었다. 그리고 결재 서류에 휘갈기듯 서명하기 시작했다.

"수고했어요. 나가봐요."

그러나 유미는 나갈 생각이 없는 듯 제자리에 선 채 멀뚱멀뚱 진욱을 바라다보았다.

혹시 할 말이라도 있나? 서류를 보던 진욱이 고개를 들었다.

"왜요?"

"드세요."

큰마음 먹고 하는 말이지만 은근히 겸연쩍었기에 유미는 손끝으로 가운의 단추를 만지작거렸다.

"혼자 먹기 싫다고 하셨잖아요."

진욱이 지금까지 외롭게 식사했다는 걸 알기에 유미는 차마 발을 뗄 수가 없었다. 나름대로 어떤 도움을 줄 수 있을까 고민하다 내린 결론은…….

"드시는 동안 제가 같이 있어줄게요."

그녀의 한마디에 갑자기 목구멍이 뜨끔했다. 아주 뜨겁고 강한 무엇인가가 가슴을 강하게 내리치는 것만 같아서 진욱은 결재 서류로 서둘러 시선을 돌렸다.

"음, 그럼 이것도 횟수에서 차감되는 건가?"

사실은 엄청 감동했지만, 괜히 속을 내보이기 싫어서 진욱은 제법 무뚝뚝한 목소리로 물었다.

"그래주시면 좋고요."

"안 돼. 나가봐요."

그냥 한 소린데 진욱은 그냥 나가보란다. 그래도 바로 나가버리기도 그렇고, 그냥 있기도 그렇고.

"좋아요. 그러면……."

진욱의 눈치를 보며 유미가 조심스럽게 제안했다.

"절반은 어때요?"

그는 잠시 고민하는가 싶더니 다시 홍정에 들어갔다.

"절반의 반."

"후, 좋아요. 절반의 반."

유미가 마지못해 승낙하자 진욱의 입에 승리의 미소가 떠올랐다. 그는 자리에서 일어나 도시락이 놓인 테이블로 걸어갔다. 진욱이 테이블에 앉자 유미도 나란히 옆에 앉았다.

"혼자 먹기 민망한데 같이 먹지?"

"전 만들면서 많이 먹었어요."

"이제 이거 그만해요."

포크를 들며 진욱이 말했다.

"네?"

"도시락 만드는 거 그만해도 된다고요. 밥 같이 먹어주는 것도 일인데, 도시락까지 만들게 할 순 없잖습니까."

"정말요?"

도시락 노동에서 해방된다고 하니까 신이 나야 정상인데 왜 은근히 섭섭하지?

"오늘 저녁에 시간 비워요. 식당 예약해뒀으니까."

"저, 순서가 바뀐 거 같은데요."

섭섭한 마음에 대답이 삐딱하게 나와버렸다.

"순서가 바뀌었다니요?"

"식당 예약하기 전에 저에게 먼저 오늘 저녁에 시간이 괜찮은지 물어봤어야 하는 거 아닌가요?"

듣고 보니 그녀의 말이 옳았다. 진욱은 빠르게 자신의 실수를 인정했다.

"좋습니다. 이유미 씨, 오늘 저녁에 시간 있습니까?"

"아뇨. 오늘은 선약이 있어서 안 되겠습니다."

"중요한 약속입니까?"

"우리 똥…… 아, 그러니까 우리 똥강아지가 집에만 있어서 요새 시무룩하거든요. 그래서 같이 산책하러 가기로 했어요."

토요일에도 강아지 때문에 그러더니 오늘도야?

"강아지를 무척 좋아하나 봐요?"

"본부장님도 고양이 키우시니까 아시잖아요. 걔들이 얼마나 손이 많이 가는지."

"내가 키우는 거 아닙니다. 자기가 마음대로 들어와서 사는 거지."

"아무튼, 오늘은 안 되겠어요. 그리고 앞으로는 적어도 하루 전에 알려주세요. 저도 나름대로 스케줄이 있으니까요."

"그러죠."

말은 그렇게 하면서도 조금 기분이 상한 진욱은 수란의 노른자를 포크로 팍 터뜨려버렸다.

오늘따라 카페 문을 열자마자 손님들이 밀어닥쳤다. 현태 혼자 바쁘게 홀과 주방을 왔다 갔다 하는 중에 휴대폰이 요란하게 울리기 시작했다.

"여보세요?"

[정현태 작가님?]

"그런데요."

[안녕하세요. 지금 통화 가능하세요? 전 주혜리 아나운서입니다.]

주혜리 아나운서? 전혀 모르는 사람인데 누구지?

"제 전화번호는 어떻게……."

[시간 괜찮으시면 조만간 한번 뵀으면 하는데요. 제안 드리고 싶은 것도 있고 해서.]

제안이라면 방송 섭외? 작가가 전화해서 안 되니까 이젠 아나운서가 전화하나? 참나.

"전 방송 출연 안 합니다. 그럼."

현태가 단호하게 전화를 끊어버리자, 옆에서 통화 내용을 듣던 단골 여대생이 호기심 어린 얼굴로 물었다.

"오빠, 누구예요?"

"몰라. 아나운서라는데, 주혜리라나?"

"주혜리?"

"왜? 너도 알아?"

"오빠, 지금 주혜리 아나운서를 모른다는 말이에요? 아무리 TV와 담을 쌓고 산다지만 너무했다."

단골 여대생은 휴대폰을 꺼내더니 열심히 주혜리의 사진을 검색해 현태의 눈앞에 들이밀었다.

"정말 주혜리를 몰라요?"

안다! 이 여자, 안다고!

사진을 본 현태의 눈이 휘둥그레 커졌다.

"어? 이 여자는? 지난번 아침에!"

"네, 맞아요. 주혜리 아나운서, 주말 빼고 매일 아침 방송해요."

"아니, 아니. 아침 방송이 아니라."

현태는 이마에 주름을 깊게 잡으며 휴대폰 화면 속의 주혜리를 빤히 들여다보았다.

현태가 일방적으로 전화를 끊어버리자 혜리는 믿을 수 없다는 듯 입을 벌렸다.

"뭐야, 이 싸가지 없는 작가 나부랭이 녀석은!"

감히 내 전화를 끊어버려?

길지 않은 그녀의 인생 중에서 차진욱 이후로 두 번째 굴욕이었다.

진짜 요새 뭐 하나 제대로 되는 일이 없네!

혜리는 화를 꾹 참으며 차 회장의 단축 번호를 눌렀다. 기분이 꿀꿀할 땐 미래의 시아버지 목소리가 치유에 도움이 되니까.

“아버님, 저 혜리예요.”

[오, 그래. 혜리야. 저번에 여기까지 와서 촬영하느라 고생이 많았다.]

자상하고 포근한 미래 시아버지의 목소리가 그녀를 반겼다.

“어머, 아니에요. 저야말로 아버님 덕분에 인터뷰 촬영 잘 마쳤답니다. 정말 감사해요.”

[감사는 무슨. 내가 한 게 뭐가 있다고. 이럴 때 내가 확실하게 지원사격 해줘야지. 진욱이 녀석이 괜히 또 뻔대거나 하진 않았지?]

뻔대기만 했나? 방송 스태프 앞에서 완전 망신당하게 했다고요!

하지만 고자질했다간 나중에 진욱에게 어떤 보복을 당할지 모르니 그냥 꾹 참고 입을 다물어야 한다.

“호호, 아뇨. 오빠가 말로만 그렇지, 촬영장에서 얼마나 저를 자상하게 챙겨줬는데요. 고생한다고 스태프 도시락까지 준비했더라고요.”

[그랬어? 녀석, 이제야 좀 철이 들려나. 그래서 방송은 언제지?]

“오늘이에요, 아버님. 제가 편집실에 가서 미리 봤는데 완전 대박이에요. 아버님도 꼭 본방 사수하세요. 아셨죠?”

[그럼. 우리 며느리, 혜리가 나오는 건데 꼭 봐야지. 본방도 사수하고 재방도 사수하고.]

“감사합니다, 아버님.”

[혜리야, 올해 안으로 후딱 결혼해서 제발 손주 좀 보자. 전에 어떤 여자를 길거리에서 우연히 마주쳤는데 똘똘한 손자를 안고 있더라. 얼마나 귀엽던지 아직도 눈앞에 선해. 너도 그런 귀여운 손주 녀석, 내 품에 안겨줘야지.]

“물론이죠, 아버님.”

잠시 후, 차 회장과 통화를 끊은 혜리는 나오려는 웃음을 참으려 두 손으로 입을 틀어막았다. 그러나 행복에 겨워 발 구르는 것마저 참을 순 없었다.

들었지? 우리 며느리라고! 손주를 안겨달라고 했다고!

혜리는 휴대폰을 가슴에 꼭 끌어안으며 비장한 미소를 떠올렸다.

"조금만 기다려, 차진욱!"

흥, 내가 아주 확 보쌈해버릴 거야!

"아까 예약한 거 취소해."

회의를 끝내고 본부장실로 돌아가는 복도에서 진욱은 우진을 쳐다보지도 않은 채, 무뚝뚝하게 말했다.

"네에?

난데없는 지시에 우진은 복도 중간에 멈춰 서며 인상을 찌푸렸다.

"제가 얼마나 어렵게 예약한 건데 그걸 취소하라는 겁니까?"

진욱은 대답하지 않고 시무룩한 얼굴로 시선을 피했다. 손쉽게 모든 걸 눈치챈 우진은 고개를 내저으며 '쯧쯧쯧' 혀를 찼다.

"그러길래 제가 뭐라고 했습니까? 예약하기 전에 시간이 되는지 먼저 물어봐야 한다고 했죠."

"지금까지 내 사전에 미리 물어보는 건 없었다고."

차진욱 앞에서 'No'를 외친 여자는 아무도 없었으니까. 선약이 아니라 선선약이 있어도 모두 취소하고 진욱을 따라왔었으니까! 그런데 이 유미란 여자 앞에서는 전혀 통하지 않았다.

"데이트 매너에 대해서 진짜 모르시네."

"데이트?"

왈칵 몰려온 서러움에 진욱의 입에서 마음에도 없는 소리가 튀어나왔다.

"데이트는 무슨 데이트야! 이건 일이라고, 일! 비, 즈, 니, 스! 난 채권자고 그쪽은 채무자고!"

에고, 말은 저리 하면서도 표정은 전혀 아니구먼.

그런 진욱이 안쓰러워 우진은 할 수 없이 동의했다.

"네에, 어련하시겠어요. 곧 죽어도 비, 즈, 니, 스."

"거기 예약 취소하기 싫으면 형이 대신 가! 여자 친구 있다며!"

"거기가 얼마나 비싼데 거길 가요? 돈 펑펑 쓴다고 여자 친구에게 혼납니다!"

"이제 데이트한다면서 벌써 그렇게 잡혀 살아?"

"하, 여자 친구에게 잡혀 사는 것처럼 행복한 게 없는데, 그걸 모르시네."

진욱은 붉으락푸르락한 얼굴로 지갑에서 신용카드를 꺼내 우진에게 건넸다.

"그러면 특별 보너스라고 생각하고 가서 펑펑 써! 이거 한도액 없는 거니까."

정말 열 받았나 보군. 이리 쉽게 신용카드를 줘버리다니. 하지만 공은 공, 사는 사다!

우진은 진욱이 내미는 신용카드를 조용히 밀어냈다.

"마음만 감사하게 받겠습니다. 내 여자 먹을 거, 내 돈으로 사줍니다."

"뭐?"

"알았어요. 오늘 내가 거기 갈 테니까 그러지 말고……."

두 사람은 투덜거리며 긴 복도를 지나, 층 맨 끝에 있는 엘리베이터로 걸어갔다.

두 사람이 지나가고 잠시 후, 여자 화장실 문이 '스윽' 열리며 유미가 힘없이 걸어 나왔다.

"뭐? 비즈니스……?"

그녀는 실망스러운 얼굴로 진욱이 사라진 복도 끝을 바라보았다.

"아까 혜리에게서 연락 왔다. 오늘 방송한다더라."

아주 중요하고 급한 일이라고 해서 달려왔더니 차 회장의 입에선 전혀 중요하지 않고 급하지도 않은 말이 흘러나왔다. 진욱은 괜히 시간을 낭비한 것 같아 짜증이 밀려왔다.

"관심 없습니다."

"그만 고집부리고, 올해 안으로 날 잡아. 계속 기다리게 하는 것도 예의가 아니다."

진욱이 못마땅한 표정으로 노려본다는 걸 뻔히 알면서도 차 회장은 자신의 주장을 밀어붙였다.

"사랑하지도 않는데 결혼하는 것도 예의는 아닙니다만."

"네가 뭐 대단한 로맨티시스트라도 되냐? 무슨 말도 안 되게 사랑 타령이야. 잔말 말고 그냥 혜리랑 식 올려."

"아버지도 한때는 로맨티시스트셨잖아요. 아닙니까?"

진욱의 그 한마디가 차 회장의 아픈 상처를 건드렸다. 차 회장은 주먹으로 소파 팔걸이를 '쾅' 내리치며 얼굴을 붉혔다.

"이 녀석이! 야, 인마!"

차 회장에게 단 하나뿐이었던 여자, 진욱이란 선물을 세상에 태어나게 해준 여자, 애령.

하지만 봄처럼 푸근하고 아름답던 사랑은 얼마 가지 못하고 허공에 산산이 흩어져버렸다.

그래서 그는 더 이상 사랑을 믿지 않는다. 그런 덧없는 감정으로 시간을 낭비할 필요도, 가슴 아플 필요도 없었다.

그런데 그의 아들인 진욱은 아직도 사랑이라는 존재하지도 않는 뜬구름을 믿나 보다.

"어리석은 놈."

"아버지 눈에는 제가 어리석어 보일지 몰라도 제 눈에는 아버지가 그렇게 보입니다."

"뭐야?"

"죽도록 사랑해도 살다 보면 헤어지기도 하는데, 사랑하지도 않는 사람과 어떻게 살을 맞대고 삽니까? 하다못해 동물도 서로 원하는 상대와 산다고요. 제 말이 틀렸나요?"

"이게 지금 나 하나 좋자고 이러는 거냐? 다 너를 위해서라고!"

"저를 위해서라면 제발 저 좀 내버려두세요! 그게 아니라면 이건 다 아버지의 이기심 때문입니다."

진욱이 정곡을 찌르자 차 회장은 말문이 막혀 더 이상 뭐라고 할 수 없었다.

"그럼 먼저 일어나겠습니다."

필요 없는 감정싸움으로 괜히 소중한 시간을 허비했다. 진욱은 손목시계로 시간을 확인하며 자리에서 일어나 뒤도 돌아보지 않고 빠른 걸음으로 회장실을 빠져나갔다.

—데이트는 무슨 데이트야! 이건 일이라고, 일! 비, 즈, 니, 스! 난 채권자고 그쪽은 채무자고!

솔직히 틀린 말은 아니었다. 그가 언제 데이트하자고 했나?

이건 데이트가 아니라 일의 연장이라고 처음부터 못 박은 주제에 몇 번 자상한 행동을 보였다고 혼자 김칫국이나 마시면서 싱숭생숭한 꼴이라니.

하여간 이유미, 못 말린다, 못 말려!

"퇴근 안 하나?"

탈의실에서 사복으로 갈아입고 나온 제니가 멍하니 앉아 있는 유미에게 다가왔다. 제니는 퇴근 후, 어디 좋은 데를 가는지 빨간 립스틱에 한창 들뜬 모습이었다.

"누구 기다리는 사람이라도 있나 보네?"

"아냐. 재료 발주할 게 좀 남아서. 먼저 퇴근해."

서둘러 말을 둘러댔지만, 눈치 빠른 제니에겐 통하지 않았다. 제니는 유미에게 얼굴을 기울이며 킁킁 냄새를 맡기 시작했다.

"흠, 뭔가 냄새가 나는데……."

"아니야, 그런 거!"

괜히 혼자 찔린 유미가 빽 소리를 지르자, 제니는 다 안다는 표정으로 짧게 웃음을 터뜨렸다.

"큭, 알았어. 나, 그럼 먼저 갈게. 오늘 남친이 근사한 곳에서 저녁 하자고 했거든. 거기 예약하기 엄청 어려운 곳이래. 음…… 청혼하려는 건 아니겠지? 아, 난 아직 결혼하기 싫은데."

후우, 누구는 청혼 받을까 봐 걱정하고.

"그새 남친 생겼어?"

"응, 뭐……. 깔 맞춤 패션에 영 내 타입은 아닌데, 마른 장작이 잘 타오른다고 그 남자, 밤에 좀 끝내주거든. 내 말, 무슨 뜻인 줄 알지?"

유미는 아무 말도 못 하고 목덜미까지 빨갛게 물들었다. 가끔 제니의 입에서 툭툭 튀어나오는 19금 농담은 아직도 적응하기 어려웠다.

제니는 상기된 얼굴로 어쩔 줄 모르는 유미를 보며 구제 불능이라는 듯 고개를 내저었다.

"내가 말을 말아야지. 무슨 유치원생 데리고 이야기하는 것도 아니고. 유미 쌤, 연애 좀 해, 제발. 오는 남자 그만 좀 밀어내고."

"……밀, 밀어내다니 뭘?"

"원래 아궁이에 불을 때면 아무리 숨겨도 연기가 나기 마련이야. 내 눈에 훤히 보인다고."

제니는 손가락으로 유미의 이마를 꾹 누르며 찡끗 윙크를 던졌다. 콧노래를 부르며 유유히 구내식당을 걸어나가는 제니를 바라보던 유미는 슬며시 테이블 위에 놓아둔 휴대폰으로 시선을 돌렸다.

"후우."

길게 한숨을 내쉰 유미는 꾹꾹 자판을 누르며 문자를 보내기 시작했다.

퇴근하기 위해 재킷을 걸치는데 '띠링' 소리와 함께 문자가 날아왔다.

> 오늘 저녁 같이 하시죠.

문자를 확인한 진욱의 얼굴에 미소가 떠올랐다.

"그러면 그렇지."

흠, 그러니까 밀당이었단 말이군.

진욱은 서둘러 뒷정리를 끝내고 집무실을 나섰다. 지하 주차장에서 차를 꺼내 건물 앞으로 가자, 이미 밖으로 나온 유미가 건물 모퉁이에 고개를 푹 숙이고 서 있었다. 진욱이 살짝 클랙슨을 울리자, 유미는 화들짝 놀라며 후다닥 차에 올라탔다. 그녀는 시선을 마주칠 생각은 하지 않고 고개를 돌려 주위를 살피기에 바빴다.

"뭘 그렇게 두리번거려요? 내가 지금 사람이 아니라 미어캣을 태웠나?"

"누가 보면 안 되잖아요."

전장에 나온 병사처럼 힘이 들어간 목소리에 진욱은 피식 입꼬리를 비틀었다.

"강아지랑 함께 산책하러 간다더니, 갑자기 마음이 바뀐 이유가 뭡니까?"

"빚 갚아야 하니까요."

유미는 앞만 바라보며 딱딱한 말투로 짧게 대답했다.

"가만 생각해보니까 이게 맞는 거 같더라고요. 원래 빚지곤 못 사는 성격이기도 하고요. 이자 불어나기 전에 얼른 갚아야죠. 그래야 마음 편하게 두 발 뻗고 잘 수 있을 것 같아요. 우리 강아지도 넓은 마음으로 이해해줄 거예요."

아침과는 뭔가 다른 분위기였다. 진욱은 눈을 가늘게 모으며 조심스럽게 유미의 기색을 살폈다.

"무슨 일, 있었어요?"

"일은 무슨 일이요."

아까 들은 말을 다다다 쏘아주고 싶었지만, 꾹 참기로 했다. 채무자가 무슨 할 말이 있다고.

"오늘 저녁은 어디로 가죠?"

무척이나 사무적인 말투였지만 진욱은 신경 쓰지 않기로 했다. 그녀가 왜 저렇게 나오는지 감이 잡혔기 때문이다.

낮말은 새가 듣고 밤말은 쥐가 듣는다고 하더니……. 복도 말은 들소와 곰의 성격을 가진 토끼가 듣나 보다.

"벌써 예약을 취소해서 거긴 안 될 것 같고……."

그곳은 이미 우진이 여자 친구와 가기로 했으니까 안 될 테고.

손끝으로 운전대를 툭툭 치던 진욱은 갈 곳을 정한 듯 빠르게 시동을 걸었다.

"오늘은 내 집으로 가죠."

"그러죠."

무심결에 대답했던 유미의 눈이 갑자기 동그랗게 커졌다.

"잠깐만요. 지금 본부장님 집이라고 했어요?"

"네. 내 집으로 가자고 했습니다."

왜? 왜? 왜? 왜 집으로 가자는 건데?

유미는 당황한 마음을 감추며 차분하게 반대 의견을 늘어놓았다.

"저기, 그러니까. 음…… 이 밤중에 남자 혼자 사는 집에 가는 건 그렇고. 그냥 근처 해장국 집에서 간단하게 먹는 건 어떨까요? 뼈 해장국 잘하는 집을 아는데……."

"그런데 얼굴은 왜 그렇게 빨개집니까?"

"네?"

"괜한 이상한 상상하지 말아요."

"이상한 상상이라뇨? 넘겨짚지 마세요. 내가 무슨……!"

말은 그렇게 하면서도 지금 유미의 머릿속에는 그녀가 즐겨 읽던 로맨스 소설 내용이 좌르르 쏟아지기 시작했다.

"그냥 갑시다. 배고프니까."

진욱은 혼란스러운 표정의 유미에게 슬쩍 윙크를 던진 후, 빠르게 차를 몰았다.

유미는 어떻게 하면 교묘하게 목적지를 바꿀 수 있을까 고민에 고민을 거듭했지만, 끝내 성공하지 못했다.

어느새 차는 진욱의 집 앞에 서 있었다.

"들어와요."

먼저 대문을 연 진욱이 어물거리는 유미를 향해 고개를 돌렸다.

유미는 긴장한 얼굴로 마른침을 꿀꺽 삼켰다. 저번에는 동구도 함께 있었고, 대낮이기도 했고. 그런데 이번엔 그때와 상황이 전혀 다르다. 그와 나, 단둘뿐이고 주위가 어둑어둑해진 밤이라고. 어쩌면 좋지?

진욱은 그녀를 기다려주겠다는 듯 앞으로 팔짱을 끼며 대문에 기대어 섰다.

오히려 느긋하게 나오니까 더 압박당하는 것 같았다.

"흡!"

유미는 아랫입술을 깨물며 숨을 크게 들이마셨다.

모르겠다! 무슨 일이야 있겠어? 너무 불편해서 체하는 것 빼곤 큰일은 없을 거야.

그렇게 결론을 내린 유미는 진욱을 따라 조심스럽게 대문 안으로 들어갔다. 야간 조명이 미치는 정원 한가운데를 빼곤 나머지 부분은 으슥한 느낌이 날 정도로 어두웠다.

현관으로 향하려는데 갑자기 어둠 속에서 정체불명의 검은 물체가 툭 튀어나왔다.

"꺅!"

유미는 얼떨결에 비명을 지르며 옆에 있는 진욱의 팔에 매달렸다. 검은 물체는 유미의 앞을 그대로 가로지르더니 수풀 속으로 사라졌다.

"왜요?"

진욱은 자신에게 바짝 붙어버린 유미를 무덤덤한 표정으로 내려다보았다. 검은 물체가 너무 빨라서 보지 못한 걸까?

"저, 저기, 저!"

유미는 떨리는 손가락으로 검은 물체가 사라진 쪽을 가리켰다.

"야옹."

때맞추어 수풀 속에서부터 고양이 울음소리가 흘러나왔다.

"난 또 뭐라고……."

진욱이 피식 실소를 흘렸다.

"저 녀석이 지금 임신 중이라 신경이 예민해서 그래요. 못 본 척하고 들어가요."

그렇다면 그때 현관 앞에 주인 마나님처럼 누워 있던 풍만한 검은 고양이? 과체중이 아니라 새끼를 가져서 아랫배가 빵빵했던 거구나.

"그런데 그 팔, 계속 잡고 있을 겁니까?"

진욱은 아직도 매달리듯 팔을 잡고 선 유미를 내려다보았다.

"네? 아, 아뇨!"

유미는 전기에 감전된 듯 화들짝 놀라며 뒤로 한 발 물러섰다. 말이 팔을 잡고 있는 거지, 거의 그에게 푹 안긴 자세였다.

"흠, 흠."

멋쩍어진 유미는 일부러 헛기침을 하며 슬그머니 고개를 숙였다.

"앉아 있어요."

진욱은 집 안에 들어서자마자 재킷을 벗어 소파 위에 던지고 소매를 걷어붙였다.

"그래도 우리 집에 온 손님인데, 손님 대접은 제대로 해야 하니까."

손님이라고 하니까 더더욱 어색했다. 유미는 소파에 앉기도 그렇고 계속 서 있기도 그래서 어정쩡한 모습으로 주위를 둘러보았다. 그런 그녀의 눈에 소파 위에 놓인 이불과 베개가 들어왔다.

"그런데 왜 소파에 이불이랑 베개가 있어요?"

"아, 내가 밤에 잠을 잘 못 자서, 새벽까지 소파에 누워 있다가 잠들 때가 많아요."

"불면증 있어요?"

"뭐, 그렇다고 할 수 있죠."

"언제부터요?"

"음, 글쎄요. 언제부터였더라……."

과거를 떠올리는 진욱의 얼굴에 어두운 그림자가 내려앉았다.

어머니가 떠난 날부터가 아닐까?

—엄마, 엄마, 어디 있어? 엄마!

유일하게 엄마의 체취가 남은 담요를 끌어안고 엄마를 찾아 헤매던 어린 시절이 눈앞에 펼쳐졌다.

여느 때와 같은 아침, 구름 한 점 없이 푸르기만 한 하늘 아래 엄마는 사라지고 없었다.

그날의 충격과 슬픔은 아직도 날카로운 흉기가 되어 그의 가슴을 아프게 도려냈다.

"……하도 오래돼서 이젠 기억도 안 나."

소파 옆에 놓인 낡은 담요를 바라보던 진욱의 얼굴에 씁쓸한 미소가 어렸다.

잠시 후, 그는 잡념을 떨쳐버리려는 듯 고개를 흔들었다.

"배고프죠? 빨리 준비할게요."

그대로 주방으로 걸어간 진욱은 냉장고에서 이것저것 음식 재료를 꺼내기 시작했다.

"스테이크, 괜찮죠?"

"네, 뭐……."

저번에 왔을 때 보니 생수병 빼곤 냉장고 안이 거의 텅 비어 있던데……. 양념 하나 제대로 없고. 그런데 어떻게 요리를 해주겠다는 거지?

진욱의 특별 지시를 받은 나영이 두 사람이 오기 전, 부리나케 달려와 완벽하게 준비해놓고 갔다는 사실을 유미는 알 턱이 없었다.

이러다 어디서 배달시켜 먹어야 하는 건 아닐까?

유미는 가만히 휴대폰을 꺼내 배달 서비스 업체 전화번호를 검색하기 시작했다.

탁—. 탁—. 탁—.

노련한 솜씨가 느껴지는 일정한 박자의 칼질 소리가 주방에 울려 퍼졌다. 너무나도 능숙히 야채를 손질하는 진욱의 모습에 유미의 입이 벌어졌다. 남자가 멋지게 요리하는 걸 보면 감동해야 정상인데, 왜 자꾸만 배신감이 드는 거지? 혼자 저렇게 잘하면서 왜 지금까지 쫄쫄 굶어 영양실조에 걸린 건데? 그저 여자에게 잘 보이려는 접대용 솜씨인가? 왠지 모르게 입 안이 씁쓸했다.

"칼질을 아주 잘하시네요?"

"뭐, 이 정도는 기본이죠."

채칼로 썬 것처럼 일정한 간격으로 썰어놓고 기본이라고?

"그러면서 왜 지금까지 아무 말 안 했어요?"

"물어본 적 있었습니까?"

뭐래?

유미는 긴 손가락을 움직여 찬물에 야채를 씻는 진욱을 보며 미간을 좁혔다.

물어보지 않았으니까 말해주지 않았다? 다 맞는 말인데도 괜스레 울화가 치밀어 오른다.

"여자 데려와서 요리 자주 해주셨나 봐요?"

그녀도 모르게 속마음이 툭 튀어나와 버렸다.

"이유미 씨가 처음이에요. 도우미 아주머니 빼고 이 집에 여자 데리고 온 건."

진욱은 요리에 집중하며 대수롭지 않다는 말투로 대답했다.

"아, 네에. 그러시겠죠."

"방금까진 고양이에게 당근을 빼앗긴 토끼처럼 시무룩하더니 이젠 질투 모드인가?"

"……지, 질투라뇨!"

유미는 흠칫 놀라며 말을 더듬거렸다.

이런 감정이 질투일 리가 없잖아? 이유는 알 수 없지만, 그냥 마음에 들지 않는 것뿐이다!

"마음대로 넘겨짚지 마세요! 누가 본부장님 좋아한다고, 질투래요?"

"그래? 내가 만든 음식 먹어보면 생각이 달라질 텐데……."

"흥!"

유미는 고개를 돌리며 아랫입술을 삐죽 내밀었다. 그런 모습이 진욱의 눈에는 토라진 토끼처럼 귀엽게만 보였다.

"이유미 씨."

"네?"

"직업으로 왜 영양사를 택했어요?"

유미는 방금까지 자신이 토라졌었다는 사실을 잊어버린 듯 초롱초롱 눈을 빛냈다.

"좀 긴 이야긴데…… 나쁘게 말하면 엄마가 편식하게 내버려둔 거고, 좋게 말하면 저에게 선택권을 준 거고. 제가 좋아하는 음식만 먹어도 그냥 내버려두셨어요. 처음에는 예쁘게 모양을 만들어서 주곤 했는데 제가 하도 가리는 게 많으니까 네가 어련히 알아서 잘 먹겠지…… 하면서 포기하셨어요."

—어머, 얘 좀 봐? 넌 어릴 때 안 그런 줄 아니. 너 때문에 내가 얼마나 고생했는데. 하도 밥을 안 먹어서 김으로 배트맨을 만들었다가, 미키 마우스를 만들었다…….

유미는 미희의 하소연을 떠올리며 미안한 듯 혀를 내밀었다. 동구가 지금 까다롭게 구는 걸 보면 둘은 똑같이 편식으로 미희의 속을 썩이나 보다.

"결국 초등학교 6학년 때 학교에서 쓰러졌어요. 학교 급식만으로 충분한 영양소를 섭취할 수 없었던 거죠. 그때 학교 영양사 선생님이 저와 엄마를 만나 상담해주셨어요. 제게 필요한 영양소를 꼼꼼하게 넣은 식단표를 엄마에게 주셨고……."

추억을 더듬는 유미의 얼굴에 환한 미소가 떠올랐다.

"그런 영양사 선생님이 제 눈엔 천사처럼 보였어요. 상냥하게 웃으시며 '편식하지 말고 골고루 먹어야 발육에 이상이 없단다.'라고 절 설득하셨죠. 그 이후로 장래에 되고 싶은 사람이 영양사가 됐어요. 지금도 엄마는 가끔 그 선생님 이야기를 하세요. 좀 더 일찍 그분 말을 듣고 제대로 먹였으면 제가 좀 더 키도 크고, 가슴……."

가슴도 커졌을 거라는 부분에서 유미는 황급히 입을 다물었다.

"좀 더 커서…… 가, 가수가 될 수 있었을 텐데 하면서. 하하."

"가수요? 걸 그룹 같은?"

"네, 뭐……. 가수 하려고 했던 거, 아무에게도 말하지 마세요. 시크

릿이니까요!"

되는 대로 입에서 나오는 말로 둘러대느라 등에서 주르륵 식은땀이 흘러내렸다. 진욱은 다 안다는 눈빛으로 유미를 힐끗 보더니 하던 요리를 계속했다. 프라이팬을 앞뒤로 흔들며 녹인 버터 물을 간간이 스테이크 위에 부어주는 걸 보니 한두 번 해본 솜씨가 아니었다. 그녀가 이 집에 초대된 유일한 여자라는 말은 그저 접대용 멘트라고 쳐도, 소매를 걷어붙이고 요리하는 진욱의 모습에 가슴이 콩닥콩닥 뛰는 건 어쩔 수 없었다.

"제가 뭐 도울 것 없어요?"

"없습니다. 거의 끝나가니까 그냥 앉아 있어요."

"어색해서 그래요. 테이블 세팅이라도 할게요."

할 수 없다는 듯이 진욱은 턱짓으로 냉장고를 가리켰다.

"그러면 샐러드에 넣게 아보카도 꺼내서 잘라줘요."

"네."

유미는 능숙한 솜씨로 아보카도를 반으로 잘라 안에 박힌 커다란 씨앗을 칼로 톡 쳐서 빼내었다. 그리고 숟가락으로 아보카도의 살을 퍼낸 후 가지런히 썰어 접시 위에 올려놓았다.

"또 없어요?"

"음, 글쎄요. 소스도 다 된 것 같은데……."

진욱은 다진 양파로 맛을 낸 스테이크 소스의 간을 보기 위해 새끼손가락으로 소스를 찍어 올렸다. 직접 맛보려한 건데, 유미는 그녀에게 맛보라는 줄 오해하고 그의 새끼손가락을 한입에 '앙' 넣어 단번에 '쪽' 빨았다.

그녀의 돌발적인 행동에 진욱은 당황하며 급히 숨을 들이마셨다. 굳어버린 진욱과 달리 유미는 아무렇지 않은 표정으로 입을 오물거리며 빠르게 고개를 끄덕거렸다.

"음, 간 딱 맞아요. 진짜 맛있다!"

이 여자, 자신이 어떤 행동을 했는지 전혀 모르는 걸까?

그녀의 입에 들어갔던 새끼손가락이 감각을 잃어가는 것처럼 욱신거렸다. 주먹을 꽉 움켜쥐었지만, 손끝에서 시작된 간질거림은 이미 온몸으로 퍼져나가고 있었다.

"이제 요리는 다 된 거 같은데……. 아, 그렇지."

진욱은 평소와 같이 행동하려 노력하며 서랍에서 초를 꺼내 테이블 위에 올려놓았다.

"거기, 불 좀 꺼줘요."

진욱은 캔들 라이터로 불을 붙이며 벽 쪽에 서 있는 유미에게 고개를 돌렸다.

"네? 불은 왜 꺼요?"

"소화가 잘되려면 은은한 조명이 좋습니다."

"저는 잘 보여야 소화가 잘되는데……."

"촛불로도 충분히 잘 보입니다. 자, 불 꺼주세요."

유미가 머뭇거리며 재빨리 불을 끄지 못하자, 진욱은 캔들 라이트를 든 채 성큼성큼 벽 쪽으로 다가가 그녀를 향해 상체를 기울였다.

헉! 이 남자, 왜 이래? 유미는 잔뜩 긴장하며 두 눈을 감아버렸다.

탁―.

스위치 누르는 소리에 유미는 감았던 눈을 살며시 뜨며 앞을 바라보았다.

진욱은 어느새 가스레인지 앞으로 돌아가 접시에 담긴 스테이크 위에 소스를 붓고 있었다.

나, 또 괜히 넘겨짚은 건가? 로맨스 소설 후유증이 생각보다 더 심각한 것 같다. 유미는 혼자 착각했던 게 창피해, 서둘러 아무 말이나 둘러댔다.

"전 부먹이 아니라 찍먹이거든요. 소스는 따로 담아주세요."

탕수육만 소스를 부어 먹거나 소스를 찍어 먹는 게 아니니까. 스테이크나 돈가스 같은 요리에도 당연히 찍먹과 부먹이 존재한다.

"그러죠."

진욱은 유미가 주문한 대로 작은 그릇에 스테이크 소스를 담았다.

"이거, 옮기는 것 좀 도와줄래요?"

"네!"

도와달라는 말에 유미는 허겁지겁 진욱에게로 다가갔다.

"손 내밀어봐요."

유미가 얌전히 손을 모아서 내밀자, 진욱은 그녀의 손을 옆으로 떨어뜨리며 각각 양손에 커다란 접시를 올려놓았다.

"이건 내 거, 그리고 이건 이유미 씨 거."

어쩌다 보니 양손에 접시를 들게 된 유미는 균형을 잡기 위해 어깨를 비틀었다. 그러고도 부족했는지 혀로 아랫입술을 축이며 살짝 미간을 찌푸렸다. 그런데 그런 모습이 애써 잠재웠던 감정을 다시금 일깨웠다. 그녀의 입 속에 들어갔던 새끼손가락이 다시금 불에 덴 듯 화끈거렸다.

"절대 떨어뜨리면 안 됩니다."

"그럼요. 당연하죠."

유미는 그런 그의 속도 모르고 이를 드러내며 해맑게 웃어 보였다.

“저, 이런 거…….”

말을 잇기 위해 그녀의 입이 벌어지며 하얀 치아 뒤로 도톰한 핑크빛 혀가 모습을 나타냈다. 이젠 새끼손가락만이 아니라 온몸이 화끈거리기 시작했다.

이건 내 탓이 아니야. 먼저 도발한 당신 잘못이라고!

“아주 잘…….”

유미가 ‘아주 잘해요.’라고 하려는데 미처 말을 끝내기도 전에 진욱이 재빨리 고개를 숙였다. 그리고 그녀의 입술에 ‘쪽’ 입을 맞추었다.

“흡!”

전혀 생각지도 못한 그의 돌발적인 행동에 유미의 눈이 튀어나올 것처럼 커다래졌다. 접시를 들고 있는 양손이 덜덜 떨렸다. 지금 나에게 입 맞춘 거…… 맞지? 아무리 순식간에 일어난 일이라고 하지만, 분명히 그녀의 입술에 내려앉은 그의 뜨겁고 달콤한 숨결을 느꼈다.

“방금 그건 애피타이저.”

휘둥그레 쳐다보는 유미에게 진욱이 윙크를 날렸다. 유미는 아무 말도 하지 못하고 제자리에 멍하니 얼어붙어버렸다. 다리가 후들거려 주저앉지 않은 게 다행일 정도였다.

그녀와 달리 진욱은 아무렇지도 않은 얼굴로 그녀의 손에서 접시를 가로채어 테이블로 날랐다. 그때까지도 유미는 꼼짝도 할 수 없었다. 입술이 너무 얼얼해서 느낌이 없는 것만 같았다.

진욱이 다시 그녀 앞으로 다가왔다.

“왜? 애피타이저가 모자라나?”

“……!”

그게 아닌데, 그런 게 절대로 아닌데! 어떻게 된 게 혀가 마비되었는지 아무 말도 나오지 않았다. 힘겹게 뭐라고 한마디 하려는데 진욱이 먼저 거칠게 허리를 낚아채더니 두 번째로 입술을 겹쳤다. 아까보단 좀 더 진한 입맞춤이었지만, 이번에도 역시 곧바로 떨어져나갔다.

"자, 이제 됐죠? 식기 전에 먹읍시다."

진욱은 엄지손가락으로 유미의 입술을 쓰윽 쓰다듬고는 뚜벅뚜벅 테이블로 걸어가 그녀를 위해 의자를 빼냈다.

"어서 와서 앉아요."

그의 고갯짓에 유미는 넋이 빠진 얼굴로 걸어와 얌전히 의자 위에 앉았다. 티 내지 말자. 키스도 아니고 그냥 입술만 맞춘 건데……. 유미는 손등으로 달아오른 뺨을 꾹꾹 눌렀다.

"먹어봐요."

자리에 앉은 진욱이 스테이크를 한 점 썰어 유미에게 건네었다.

"미디움 레어로 구웠는데, 괜찮죠?"

"아, 네."

유미는 선뜻 받아먹지 못하고 스테이크 조각이 찍힌 포크를 뚫어지게 바라만 보았다. 날름 받아먹기엔 너무 다정한 거 아닐까? 그렇다고 거절하기도 그렇고.

그녀가 망설이고 있자, 진욱은 입꼬리를 씩 올리며 더욱더 포크를 가까이 들이밀었다.

"왜요? 다른 방법으로 먹여주길 원해요?"

다른 방법이라면? '스테이크 키스' 같은 거? 아냐, 아냐. 이상한 상상은 금물이다.

유미는 당황한 얼굴로 냉큼 스테이크를 받아먹었다.

"어때요?"

유미가 음식물을 목구멍으로 넘길 때까지 기다린 후, 진욱이 조심스럽게 물었다.

"맛있어요."

그냥 하는 소리가 아니라, 정말 맛있었다. 팬에서 구울 때부터 녹인 버터 물을 계속 스테이크 위에 뿌려줘서 그런지 레스토랑에서 구운 것만큼 고소했다. 스테이크 조각이 입 안에서 아이스크림처럼 부드럽게 녹아내렸다.

진욱은 밥을 잘 받아먹은 어린아이를 대하듯 다정하게 바라보더니 이어서 다음 조각을 썰었다. 그리고 그녀 앞으로 다시금 포크를 내밀었다.

"저, 제가 썰어서 먹어도 되는데……."

"누가 몰라서 그럽니까? 어서 먹어요. 팔 아프니까."

진욱은 몇 번이나 그렇게 그녀에게 스테이크를 먹여준 후에야 자신의 입으로 고기를 가져갔다.

여러 번 진욱에게 스테이크를 받아먹은 유미는 양심에 걸려 스테이크를 작은 조각으로 썰기 시작했다. 그의 입에 먹여주기는 뭐하고 자신이 먹은 만큼 그의 접시에 놓아주려는 계획이었다.

뚜우—.

다정한 분위기를 깨듯 갑자기 초인종 소리가 울렸다.

"누구지?"

이 시간에 올 사람이 없는데?

"잠깐 있어요."

진욱은 표정을 굳히며 서둘러 거실로 나가 인터폰 화면을 확인했다. 전혀 예상하지 못한 사람이 대문 앞에 서 있었다.

"아버지?"

진욱의 얼굴이 충격으로 일그러졌다.

"아버지가 여길 왜?"

"본부장님의 아버지라면……?"

진욱의 뒤를 따라 거실로 나온 유미가 기겁한 얼굴로 되물었다.

"어머나! ……회, 회장님이요?"

전혀 예상하지 못한 차 회장의 등장에 유미의 동공이 지진을 일으켰다. 어떡해! 어떡해! 하지만 발만 동동 구를 순 없었다. 뭔가 조치를 취해야 하는데……. 우선 유미는 현관으로 쪼르르 달려가 자신의 신발을 가슴에 품고 소파에 놓아두었던 가방을 집어 들었다. 그리고 어디로 숨을까, 머리를 굴리며 왔다 갔다 집 안을 헤맸다.

"어디 숨을 데 없어요?"

진욱은 난처한 얼굴로 고개를 내저었다. 소파 밑에 숨을 수도 없고 그렇다고 지붕 위로 올라갈 수도 없고. 가구 하나 없이 텅텅 빈 실내라 어디 마땅히 숨을 곳이 없었다.

"그러지 말고 그냥 아버지를 만나는 건 어때요?"

"이 시간에 제가 여기 있는 걸 어떻게 설명하죠? 본부장님 코트를 망가뜨려서 그거 배상하느라 같이 밥 먹는다고요? 아니면 내가 해주는 밥을 믿을 수 없어서 대신 같이 밥이나 먹기로 했다고요? 그래놓고 요리는 본부장님이 다 했잖아요."

음, 듣고 보니 그렇긴 하다. 데이트하는 사이라고, 마음에 둔 여자라고 털어놓는 것 역시 시기상조였다. 차 회장이 며느릿감으로 흡족한지 뒷조사하겠다고 난리를 치면 괜히 잘되던 사이에 흙탕물을 끼얹는 꼴이 될 테니까.

"맞다! 드레스 룸!"

갑자기 제자리에 우뚝 멈춰 선 유미가 '유레카!'를 외치듯 말했다.

전에 와보았을 때, 몰래 훔쳐보았던 드레스 룸. 그곳이라면 이 한 몸, 적당히 숨길 수 있을 것이다.

안방으로 뛰어간 유미는 드레스 룸에 신발과 가방을 휙 던진 후, 식당으로 달려가 자신이 먹던 스테이크와 샐러드 접시, 포크와 나이프를 양손에 들고 쏜살같이 돌아왔다.

"됐어요. 어서 문 여세요."

그녀는 손으로 오케이 사인을 보내고는 드레스 룸의 문을 닫았다.

뚜우—. 뚜우—.

잠시 후, 요란하게 초인종이 울리기 시작했다. 빨리 문을 열지 않아 차 회장이 화가 난 모양이었다. 마음 같아선 이대로 집에 없는 척하고 싶었지만, 그렇다고 집 앞까지 찾아온 아버지를 돌려보낼 수도 없고. 왜 하필이면 이런 때……. 진욱은 못마땅한 표정으로 인터폰 화면을 노려보다 열림 버튼을 눌렀다.

"연락도 없이 어쩐 일이세요?"

차 회장이 현관문을 열고 안으로 들어서자, 진욱이 뚱한 얼굴로 맞이했다.

"표정이 그게 뭐냐? 내가 못 올 곳에라도 왔어?"

"누가 그래서 그럽니까? 갑자기 쳐들어오시니까 그렇죠."

소파에 앉으려던 차 회장은 집 안에 가득한 고기 구운 냄새에 식당 안을 힐끔 들여다보았다. 테이블 중앙을 차지한 촛불이 제일 먼저 눈에 들어왔고 그 옆에 놓인 스테이크와 샐러드 접시가 뒤를 따랐다. 레스토랑 디너 코스처럼 제대로 격식을 차린 상차림이라…….

"저녁 먹고 있었냐?"

"네."

"혼자 먹는 녀석이 격식을 다 갖췄네. 촛불에 샐러드까지 챙겨서."

"궁상맞게 라면이나 끓여 먹고 있길 바라셨어요?"

"이 녀석, 말을 해도."

"왜 오셨습니까?"

"너랑 같이 혜리 나오는 방송 보려고 왔다. 아들 혼자 사는 집에 불쑥 찾아오면 안 되는 거냐?"

오뉴월에 서리가 내리듯 싸늘한 진욱을 향해, 차 회장 역시 심기 뒤틀린 얼굴로 되받아쳤다.

"저녁은 드셨어요?"

"난 먹었으니까 저녁, 거실로 가져와라. 같이 TV 보자꾸나."

차 회장의 말에 진욱은 잠자코 식당으로 돌아가 스테이크와 샐러드 접시를 집어 들었다.

방송을 보려면 적어도 30분 이상은 걸릴 텐데……. 제길.

진욱은 주먹을 꽉 쥐며 유미가 숨어 있는 안방을 슬쩍 훔쳐보았다.

Episode 20

딸꾹질을 멈출 수 있게 도와줘요?

드레스 룸은 말만 드레스 룸이지, 맥&북 건물 2층에 있는 그녀의 방만큼이나 널찍해 보였다. 그뿐인가? 모서리마다 설치된 은은한 조명과 벽 위에 달린 유리창 덕분에 그녀의 방보다 훨씬 아늑하고 운치가 있었다. 그래도 드레스 룸은 그저 드레스 룸일 뿐…….

도대체 얼마나 지난 거야? 유미는 주머니에서 휴대폰을 꺼내어 시간을 확인해보았다.

애걔? 오래 있었던 것 같은데 이제 겨우 10분 지났네.

유미는 절망적인 표정으로 아랫입술을 삐죽이 내밀었다.

이게 뭐야! 저녁 먹다 말고 갑자기 드레스 룸에 갇힌 신세라니…….

뱃속에서는 '꼬르륵' 내지는 '그르렁' 하는 소리가 들리기 시작했다.

"야옹."

희미하게 '야옹' 소리가 들리는 것 같기도 하고. 근데, 언제까지 무작정 기다려야 하는 거지?

유미는 초조한 마음에 괜히 애꿎은 스테이크만 조각조각 썰었다. 그러고는 포크로 한 조각을 찍어 질겅질겅 씹자, 식어버린 스테이크가 입 안에서 단물을 뱉어냈다. 그때 옆에서 무언가 싸늘한 시선이 느껴졌다.

"히익!"

옆으로 고개를 돌리자 정원에서 마주친 검은 고양이가 꼬리로 바닥을 탁탁 치며 기분 나쁜 눈초리로 유미를 쳐다보고 있었다.

"너, 여기 어떻게 들어왔어?"

하지만 고양이가 대답해줄 리가 없지. 유미는 창문이 달린 벽 위쪽으로 시선을 돌렸다. 환기를 위해서인지 창문이 조금 열려 있었다. 그 틈을 이용해서 안으로 들어온 모양이다. 새끼를 가졌다고 했었나? 빵빵해진 고양이의 아랫배가 눈에 들어왔다.

"야옹."

깜순이는 불만스러운 눈빛으로 유미를 노려보다 앞에 놓인 스테이크 접시로 고개를 돌렸다.

누구는 생선 쪼가리만 주고 누구는 고기를 대접해? 같이 산 기간만 해도 무려 3년이 넘었거늘…….

"야옹."

"왜? 배고파?"

고양이의 처량한 눈빛을 보니 앞에 놓인 스테이크에 마음이 있는 것 같았다. 유미는 잘게 썬 고기 조각을 집어 고양이에게 내밀었다.

"아웅."

선뜻 받아먹지 않고 경계의 눈길을 보내던 깜순이는 잠시 후, 유미의 손을 할짝할짝 핥기 시작했다.

"야아! 우리 혜리, 정말 예쁘다. 실물도 실물이지만 화면발이 완전 끝내주는구나."

화면에 혜리가 나올 때마다 차 회장의 입에서 찬사가 쏟아져 나왔다. 그러나 진욱은 드레스 룸에 있는 유미가 걱정돼 아무 말도 제대로 들리지 않았다. 그래서일까? 진욱은 은근히 밸이 꼴리기 시작했다. 차 회장이 조금만 더 젊었더라면 '왜요? 새장가 드시게요?'라고 쏘아붙이고 싶을 정도로…….

"뭐 해? 혜리 좀 보라니까. 얼굴에서 빛이 난다, 빛이 나."

"조명 때문에 그런 겁니다."

결국 진욱은 참지 못하고 퉁명스럽게 한마디 내뱉었다.

"촬영하면서 조명을 얼마나 많이 썼는지 아세요? 조명 때문에 후끈후끈해서 땀띠 나는 줄 알았다고요."

"뭐야?"

차 회장은 진욱의 현실적인 지적에 기분이 상한 듯 인상을 찌푸렸다. 혜리처럼 예쁘고 싹싹하고 똑똑한 아이가 어디 있다고. 진욱이 녀석, 뭐가 그리도 잘났다고 뻣뻣하게 나오는지 모르겠다. 어디 으슥한 곳에 여자를 숨겨놓은 것도 아니면서…….

"녀석, 말을 해도……. 쯧쯧, 그냥 혜리한테서 빛이 난다고 해주면 안 돼?"

"전 사실을 말했을 뿐입니다."

"그래, 관두자. 내가 말을 말아야지."

차 회장이 다시 TV로 관심을 돌리자, 진욱은 초조한 기색으로 벽에 걸린 시계를 바라보았다.

아직도 방송이 끝나려면 20분은 더 있어야 했다. 그냥 미친 척하고 TV 콘센트를 확 뽑아버릴까? 진욱은 벽에 설치된 콘센트를 매서운 눈으로 노려보았다.

"괜찮으니까 먹어."

유미가 부드럽게 속삭이자 손을 핥기만 하던 깜순이가 조심스럽게 고기를 물더니 찹찹 씹어 먹기 시작했다.

불쌍해라. 혼자 몸도 아닌데 단백질이 절실하게 필요하긴 하겠네.

어차피 그녀가 먹기엔 스테이크는 이미 차갑게 식어버렸다. 유미는 남은 스테이크를 한입 크기로 잘게 썰어 고양이에게 내밀었다.

"자, 이거 먹어."

잠시 망설이던 깜순이는 이윽고 접시에 얼굴을 들이밀고 한 점 한 점 꼭꼭 씹어 먹기 시작했다.

응? 저건? 뿌듯한 얼굴로 깜순이를 지켜보는 유미의 눈에 어딘지 모르게 낯익은 사물이 들어왔다. 저건 그때 그 보석함? 모서리가 깨진 보석함이 벽 구석에 내동댕이쳐진 채, 뚜껑이 살짝 열려 있었다.

도대체 이 안에 뭐가 들어 있어서 그리 난리를 쳤던 거지? 애써 외면하며 시선을 돌렸지만, 자꾸만 보석함으로 고개가 돌아갔다. 목걸이도 아니고, 주인은 따로 있다고 하고. 이미 뚜껑이 열려 있는데 몰래 슬쩍 본다고 큰일이야 있겠어? 그렇지?

유미는 조심스럽게 보석함을 주워 들고 천천히 뚜껑을 열었다.

"헉!"

전혀 예상하지 못한 내용물에 유미는 화들짝 놀라며 보석함을 바닥에 떨어뜨렸다.

왜? 왜 이게 여기에?

놀란 얼굴로 입을 틀어막고 뒷걸음치던 유미는 대리석 바닥에 깔린 셔츠를 밟아 우당탕 넘어지고 말았다.

"하다 하다 이런 후진 골목에 처박혀 있을 건 또 뭐야?"

조심조심 운전해서 좁은 골목을 겨우 지나니, 저 끝에 어렵게 찾아 헤매던 간판이 눈에 들어왔다.

맥&북

"진짜 가지가지 하네."

투덜거리며 차에서 내린 혜리는 '맥&북' 네온사인을 한심하다는 듯 올려다보았다.

"치, 책도 팔고 술도 판다기에 서점도 하고 술집도 하는 줄 알았더니, 고작 이거였어?"

책도 읽고 술도 마실 수 있는 카페라는 건가? 하여간 후져가지곤. 나, 주혜리가 이런 누추한 가게까지 찾아와서 섭외해야겠어? SNS에서 인기 좀 있고 책 좀 팔았다고 자기가 뭐 꽤 인기 있는 유명인인 줄 아나 보지?

일방적으로 전화를 끊어버린 걸 생각하면 지금도 짜증이 올라왔다. 아무리 전화상으로 땍땍거렸다 해도 실물을 마주하게 되면 곧장 꼬리를 내리리라.

주혜리 아나운서가 친히 가게까지 방문해주셨는데 같이 사진 찍어 달라고 조르지나 않으면 다행이지.

혜리는 차 유리창에 비친 자신의 화려한 모습을 바라보며 사랑스러운 미소를 날렸다. 이 미소에 넘어오지 않는 남자는 이 세상에 차진욱밖에 없다.

그녀는 옷매무새를 정리하고 카페의 유리문을 열었다.

"어?"

텅 비어 있을 줄 알았던 카페는 늦은 시간에도 불구하고 손님들로 꽉 차 있었다. 손님의 대부분은 여자였다. 오늘 여기서 여고 동창회라도 하나?

의아한 표정으로 실내를 두리번거리는데, 다가오는 종업원 하나 없고 카운터 역시 텅 비어 있었다.

"여기 손님이 왔는데…."

혜리가 뭐라고 투덜거리자, 근처에 앉은 손님 한 명이 힐끗 그녀를 쳐다보았다.

손님은 혜리를 알아봤는지 옆에 앉은 동행에게 귓속말로 수군덕거렸다. 그러나 그뿐, 두 사람은 다시 읽던 책으로 시선을 돌렸다.

여기 장사하는 거 맞아? 동창회 한다고 가게 전체를 빌렸나?

혹시나 하는 마음에 다시 밖으로 나가 'OPEN' 팻말을 확인하려는데 그 순간 스쿠터 한 대가 건물 앞에 섰다.

시동을 끄고 스쿠터에서 내린 남자는 헬멧을 벗고 한 손으로 머리를 정리하며 카페 입구로 걸어왔다.

어머, 저 남자는?

깜짝 놀란 혜리가 손가락으로 현태를 가리켰다.

이제야 생각났다! 저 남자는 바로……!

"퀵 서비스?"

우당탕—.

"이게 무슨 소리야?"

TV를 시청하던 진욱과 차 회장이 무언가 요란하게 떨어지는 소리에 뒤를 돌아보았다.

분명히 안방에서 난 소리였다.

"안에 누가 있냐?"

차 회장의 물음에 진욱은 귀찮다는 얼굴로 소파에서 몸을 일으켰다.

"있긴 누가 있다고 그래요? 제가 누굴 집에 데려오는 사람입니까?"

"그런데 저 소린 뭐야?"

"뭔가 떨어졌나 보죠. 제가 가볼게요."

진욱이 안방으로 향하자, 차 회장도 빠르게 뒤를 따랐다. 그리고 안방 문을 여는 순간 진욱을 앞질러 안으로 뛰어들었다.

"아버지! 이건 사생활 침해예요."

"사생활 같은 소리 한다!"

분명히 누가 있는 줄 알았는데 침실은 텅 비어 있었다. 실망한 얼굴로 주위를 두리번거리던 차 회장은 그대로 드레스 룸 문손잡이를 잡아 문을 확 열어젖혔다.

벌컥 문이 열리는 동시에 깜순이가 '캬악' 하고 송곳니를 드러냈고, 차 회장의 입에선 비명이 튀어나왔다.

"흐익! 이게 뭐야?"

차 회장의 어깨 너머로 안을 들여다본 진욱은 속으로 안도의 한숨을 내쉬었다. 다행히도 유미는 다른 곳에 숨었는지 보이지 않았다.

"뭐긴 뭐예요? 고양이지."

진욱은 일부러 짜증스러운 목소리로 퉁명스럽게 말했다.

"식사하는데 방해하지 말고 나오세요."

"이, 이게 도대체……."

깜순이는 불청객인 차 회장을 매섭게 흘겨본 후, 다시 유유히 스테이크를 먹기 시작했다.

뭔 고양이가 집주인처럼 행세하네. 차 회장은 기가 막힌다는 듯 깜순이를 쳐다보다 진욱을 향해 뒤돌아섰다.

"네가 키우는 고양이냐?"

"키운다기보다는 서로 의지하면서 같이 사는 중입니다."

기가 막혀서! 하라는 결혼은 안 하고 고양이랑 살림을 차려?

차 회장은 날카로운 눈으로 진욱을 노려보았다.

"모자란 놈. 혼자 살기 쓸쓸하면 여자를 만날 것이지 유치찬란하게 고기를 구워서 고양이에게 줘?"

"뭐가 어때서요? 요새 홑몸이 아니라서 영양 보충해야 한다고요."

"아무리 그래도 그렇지! 접시까지 세팅해서 스테이크를 갖다 바쳐?"

차 회장이 버럭 소리를 지르자, 진욱은 차 회장의 팔을 잡아당겨 드레스 룸에서 끌어냈다.

"소리 지르지 마세요. 새끼 떨어져요!"

"아니, 고양이도 새끼가 있는데 왜 너만 없어! 이 못난 녀석!"

또 손주 타령이다. 손주 이야기만 나오면 적어도 30분 넘게 잔소리가 이어질 거다.

진욱은 두 손으로 차 회장의 등을 떠밀었다.

"그만 가세요. 외부인 때문에 스트레스라도 받으면 큰일이니까."

"뭐? 고양이 때문에 아비를 쫓아내?"

"아버지, 그런 마음으로 손주를 원하시면 안 되죠. 세상의 모든 새로운 생명은 소중한 거예요."

"이, 이 녀석이……."

"방송도 거의 다 끝났는데 그럼 여기서 더 뭐 하시려고요?"

웅성웅성, 두 사람의 다투는 소리가 점점 멀어져갔다.

"후우."

유미는 옷장 속에서 최대한 몸을 웅크린 채, 작게 안도의 한숨을 내쉬었다.

두 사람이 들이닥치기 전에 보석함을 후다닥 제자리에 돌려놓고 옷장에 숨을 수 있어서 다행이었다. 그래도 혹시라도 소리가 새어 나갈까 유미는 한 손으로 입을 꼭 틀어막았다.

차 회장에게 들키면 국물도 없을 뿐더러, 정말로 크나큰 망신이었다. 유미는 숨을 죽이며 어서 차 회장이 돌아가기만을 빌었다.

그런데…… 어째서 그게 보석함 안에 있었던 거지? 잘못 본 건 아닐까? 몰래 나가서 다시 한 번만 더 확인해볼까?

밖으로 나가기 위해 살며시 옷장 문을 여는데…….

덜거덕—.

무언가에 걸렸는지 문은 조금 열리다 말았다.

유미는 소리 나지 않게 조심하며 두 손으로 옷장 문을 힘껏 밀어보았지만 애석하게도 문은 굳게 닫힌 채로 꿈쩍도 하지 않았다. 다시금 힘껏 밀어보았지만, 결과는 마찬가지였다.

헉! 이거 왜 이래?

공포란 녀석이 저 밑에서부터 슬금슬금 기어오르기 시작했다.

거의 쫓겨나다시피 진욱의 집을 나선 차 회장은 언짢은 표정으로 차에 올랐다.

"좋다. 오늘은 그냥 간다만 혜리에게 방송 잘 봤다고 꼭 전화해라. 결혼 전부터 저리 내조를 잘하는 거 보면 내가 며느리 하난 참 잘 골랐어."

며느리는 무슨 얼어죽을 놈의 며느리! 하늘이 무너져도 혜리와 결혼할 일은 없었지만 여기서 차 회장과 말싸움을 해봤자 시간만 낭비할 뿐이었다. 진욱은 대충 차 회장의 뜻을 따르는 척, 고개를 끄덕였다.

"네, 그럴게요. 어서 들어가세요."

차 회장이 탄 차가 골목을 벗어나자 진욱은 미련 없이 등을 돌려 대문 안으로 뛰어 들어갔다.

드레스 룸으로 돌아오자 접시를 깨끗하게 비운 깜순이가 행복한 포만감에 다리를 쩍 벌리고 누워 있었다. 그러나 유미의 모습은 어디에서도 찾을 수 없었다.

이 여자가 도대체 어디로 간 거야?

"유미 씨? 이유미 씨?"

진욱이 유미를 부르자, 옷장 안에서 쿵쿵거리는 소리가 들렸다.

"……여기요!"

옷장 문이 덜컹거리며 유미가 혼자 빠져나오려고 낑낑 애쓰고 있었다. 들어갈 때는 몰랐는데 혼자 힘으로 나오기엔 자세가 애매했다. 게다가 급하게 들어오느라 문틈에 옷자락이 끼었는지 제대로 열리지 않았다.

"잠시만요. 내가 열어볼게요."

진욱이 힘을 주어 옷장 문을 확 열어젖히자, 유미는 무너지듯 진욱에게 쓰러지며 그의 어깨를 꽉 움켜잡았다.

"으악!"

그 반동으로 진욱은 뒤로 휘청거리다 두 팔로 유미를 꽉 껴안고 말았다. 두 사람은 잠시 서로를 부둥켜안은 채, 말똥말똥 시선을 마주했다. 서로의 몸이 부딪쳐 느껴지는 아픔보다는 서로 밀착되어 퍼지는 느낌이 훨씬 더 강렬했다.

허리와 등을 꼭 잡고 있는 그의 강인한 손길, 따뜻한 가슴과 단단한 허벅지.

"크읍."

그러면 그렇지. 언제나처럼 딸꾹질이 튀어나왔다. 유미는 얼굴을 새빨갛게 물들이며 그에게서 황급히 떨어져나갔다.

"괜찮아요?"

"네…… 딸꾹. 저, 그럼 이만 가봐야겠어요."

"밥 먹다 말고 가긴 어딜 가……."

진욱은 서둘러 드레스 룸을 나가려는 유미의 팔을 붙잡았다.

"저, 다 먹었는데요."

유미는 턱짓으로 깜순이가 해치워버린 빈 접시를 가리켰다.

"얘가 혼자 먹은 거예요?"

"아뇨. 그건 아니고 고양이가 배고파…… 딸꾹…… 보이기에……. 괜찮아요. 제 건 소스가 없는 맨 고기라서…… 딸꾹…… 고양이가 먹어도 상관없어요. 혹시 탈 날까 봐 걱정하는 거라면."

"누가 그런 걱정한대요? 유미 씨, 그거만 먹고 배고플 것 아닙니까?

잠시만 기다려요. 내가 새로 스테이크를 구울 테니까."

"아니에요, 괜…… 딸꾹…… 괜찮아요. 딸꾹…… 같이 나눠 먹어서 배…… 딸꾹…… 불러요."

거짓말을 해서 그런가? 대화가 어려울 만큼 딸꾹질이 쉬지 않고 흘러나왔다. 유미는 숨을 참으며 딸꾹질을 멈추려고 안간힘을 썼다. 가득 바람이 들어간 두 뺨이 빨갛게 달아오르기 시작했다.

그런 그녀를 지켜보던 진욱은 억지로 웃음을 참으려 입매를 비틀었다. 귀엽다. 볼 풍선을 만든 통통한 뺨이 너무나 귀여워서 두 손으로 팡 터뜨리고만 싶다.

"딸꾹질을 멈출 수 있게 도와줘요?"

진욱이 천천히 앞으로 다가오자, 유미는 동그랗게 뜬 눈으로 슬금슬금 뒷걸음을 치기 시작했다. 무슨 소리야! 딸꾹질을 멈추게 도와준다니! 3년 전에도 딸꾹질 때문에 그 밤 사건이 터졌는데……. 유미는 어색하게 웃으며 고개를 설레설레 흔들었다.

"큭……크윽."

이런! 숨을 참는데도 이놈의 딸꾹질은 쉴 새 없이 흘러나온다. 유미의 얼굴은 점점 더 새빨갛게 변해갔다.

"고집부리지 말고 그냥 숨 쉬어요. 그러다 큰일 나요. 내가 도와줄 테니까."

"크흡! 하아, 하아, 하아."

결국 유미는 더는 견디지 못하고 격하게 숨을 토해냈다. 그런데…… 하늘이 도왔는지 딸꾹질이 멈췄다. 유미는 마치 세상을 얻은 것처럼 환한 얼굴로 크게 외쳤다.

"딸꾹질 멈췄어요!"

"그래요?"
"하하, 전 그럼 이만."
"잠깐만."
뒤돌아서려는 유미의 팔을 진욱이 빠르게 잡으며 자신 쪽으로 잡아당겼다.
얼떨결에 그의 가슴에 얼굴을 콩 박아버린 유미가 의아한 표정으로 위를 올려다보았다.
"네? 무슨?"
"마지막 코스 하나가 빠졌는데, 모르겠어요?"
"뭐가요?"
유미는 그가 지금 무슨 말을 하는지 전혀 감을 잡을 수가 없었다.
말없이 유미를 내려다보던 진욱은 서서히 고개를 숙이며 입꼬리를 위로 말아 올렸다.
"디저트가 빠졌는데……."
무슨 뜻인지 깨달은 유미의 눈동자가 불안하게 흔들렸다. 산 넘어 산이라더니. 이젠 뭐? 디저트?
"전, 오늘 디저트는 생략…… 흡."
말을 채 끝내기도 전에 진욱의 입술이 그녀의 입술 위로 빠르게 내려앉았다. 기습적이긴 했지만, 피하려면 충분히 피할 수 있는 전혀 강압적이지 않은 입맞춤이었다. 그러나 유미는 고개를 돌려 피하기는커녕 두 손으로 진욱의 어깨를 꽉 움켜잡았다.
"하아."
아니, 무슨 디저트가 이래? 달콤하고 짜릿하며 부드럽고 말캉거린다. 이런 맛의 디저트가 실제로 존재한다면 세상에 누구도 다이어트는 꿈도 꾸지 못할 거다.

'디저트'라며 다가왔던 기습적인 키스는 애피타이저 때와 별반 다르지 않았다. 서로의 입술만 닿는 수준에서 멈추고 더 이상의 진행은 없었다. 그래서 더 애가 탔고, 짧아서 강렬했다.

온기를 머금은 입술이 파르르 미세하게 경련을 일으켰다. 진욱의 입술이 떨어져나간 후에도 유미는 한동안 멍한 눈빛으로 느릿하게 눈꺼풀을 깜빡거렸다.

어색한 침묵이 잠시 두 사람 사이에 흘렀다.

"늦었어요."

이윽고 진욱이 먼저 말문을 열었다.

"집에 바래다줄게요."

그 말에 유미는 꿈에서 깨어난 듯 현실로 돌아왔다. 유미는 한 발 뒤로 물러서며 진욱의 제안을 조심스럽게 거절했다.

"……아뇨. 집에 가는 길에 똥강아지 간식 사야 해요. 오늘은 그냥 갈게요."

그녀의 말이 의심스럽다는 듯 진욱이 눈을 가늘게 모았다.

"이 시간까지 문을 연 펫 스토어가 있어요?"

유미는 가방을 꼭 움켜쥐며 절실한 표정으로 고개를 끄덕거렸다.

그녀의 표정이 너무나도 비장해서 진욱은 더는 반대할 수 없었다. 사실 이런 감정으로 그녀를 차에 태웠다가 제대로 운전이나 할 수 있을지, 그녀를 태우고 다시 돌아오는 건 아닐지, 그 역시도 장담할 수 없었다.

그녀와 더 함께 있기를 간절히 원했기에 이쯤에서 그녀를 보내주어야 했다.

"좋아요. 그 대신 집에 가면 잘 도착했다고 문자 보내요."

"네. 오늘 저녁 잘 먹었습니다."

인사를 마친 유미는 부리나케 가방을 챙겨 도망치듯이 현관으로 뛰어갔다. 하지만 너무 허둥지둥 서두른 탓에 유리로 된 현관문에 이마를 '꽁' 찍고 말았다.

"악!"

걱정돼서 달려온 진욱이 괜찮으냐고 물어보기도 전에 유미는 새빨갛게 얼굴을 붉히며 쏜살같이 문을 열고 밖으로 튀어나갔다.

"또, 또! 잘 좀 보고 다니지."

유미가 헐레벌떡 달려나가고 현관문이 닫히자, 진욱은 설레설레 고개를 내저으며 실소를 터뜨렸다.

"야옹."

언제 드레스 룸에서 나왔는지 옆으로 다가온 깜순이가 진욱의 다리에 자신의 몸을 비벼댔다. 고양이의 따뜻한 체온이 썰렁한 분위기에 조금이나마 온기를 불어넣는다.

혼자만 있을 때는 몰랐는데 유미가 머물다 간 공간이 너무나도 황량하게 느껴졌다.

아무래도 오늘 밤 자기는 그른 것 같다. 그렇다고 언제 마음 놓고 푹 잘 수 있었던 건 아니지만, 오늘은 더욱더 잠들기 어려울 것 같았다.

"헉, 헉, 헉."

길에 나갈 때까지 유미는 백 미터 달리기를 하는 것처럼 전속력으로 뛰었다. 목까지 숨이 턱턱 차올랐지만, 조금이라도 속도를 줄일 수 없었다. 안 그러면 그대로 자리에 주저앉아 다시는 일어나지 못할 것 같았기에…….

3년 전, 진욱의 차에서 나와 호텔로 미친 듯이 달려가던 때와 비슷한 상황 같았다.

갑자기 보석함에 들어 있던 패드가 머릿속에 떠올랐다.

패드를 잊어버렸다는 걸 알아차린 게 언제였더라? 서울에 다 도착하고 나서였지, 아마?

방을 빼라는 주인아줌마의 성화에 쫓겨, 미친 듯이 서울로 올라가던 버스 안에서 뭔가 허전한 걸 느꼈을 때는 이미 너무 늦은 상태였다. 진욱의 코트를 입은 것도 모르고 이리저리 뛰어다녔는데 패드가 없어진 거야, 당연히 알 리가 없었다.

그런데 왜 그는 내 패드를 소중히 간직하고 있었던 걸까?

버스 정류장에 도착한 유미는 무너지듯 벤치에 주저앉았다.

"하아, 하아, 하아."

―보석함…… 주인은…… 따로 있어. ……그건…… 그……건…… 바……로…….

잠들기 전에 속삭이던 진욱의 목소리가 귀에 아른거린다.

그렇다면 그가 말한 주인이 바로 나였다는 거야? 그래서 그렇게 흥분하며 화를 냈던 걸까? 왜? 혹시 날 잊지 못해서? 그래서? 애피타이저, 디저트라며 다정하게 입을 맞춰준 것도 내게 마음이 있어서?

"에이, 설마!"

그녀도 모르게 소리 내어 중얼거리다 피식 헛웃음을 흘렸다.
모르겠어. 너무 복잡하다! 이럴 땐 누구랑 상담해야 하지?
유미는 두 손으로 얼굴을 감싸며 아주 심각한 고민에 빠져들었다.

"안 합니다."
아주 나긋나긋하고 상냥하게 섭외 이유를 설명했건만 현태로부터 돌아오는 대답은 싸늘했다.
처음부터 그는 아예 관심이 없다는 표정으로 소파 등받이에 기대어 건성으로 고개를 끄덕거렸다.
혜리는 짜증이 올라오는 걸 애써 숨기며 해맑은 작업용 미소를 떠올렸다. 마음 같아서는 그가 하든 말든, 섭외 이런 거 확 다 때려치우고 싶었다. 하지만 자신이 책임지고 섭외하겠다고 큰 소리를 탕탕 쳤기에 그럴 수 없었다. 그날 술이 좀 과했어. 술김에 객기를 부리다니, 술김에 유혹한다면 모를까.
"작가님, 그때는 제가 미처 알아보지 못하고 실수했네요. 정말 죄송해요. 너무 새끈…… 아니, 너무 젊고 잘생기셔서, 작가님일 거라곤 상상도 못했어요."
완전 치켜세워준다고 한 말인데 현태는 기분 나쁘다는 듯 눈살을 찌푸렸다.
"누가 그래요? 작가는 다 나이 지긋이 먹고 배 나오고 못생겼다고?"
"호호호, 아니, 제 말은 그런 뜻이 아니라."
이 남자, 은근히 말꼬리 잡고 늘어지네? 하, 작가라 이거지!

"방송에 나오시게 되면 여러 모로 이익이죠."

혜리는 서둘러 화제를 돌렸다.

"젊고 멋있는 작가가 운영하는 북 카페가 있다는 게 방송을 타면 지금보다 훨씬 더 많은 손님이 몰려올 테고."

"그게 싫어서요."

"네?"

"이렇게 후미진 곳에 있는데도 어떻게들 다 알고 찾아오세요. 그런데 방송이라도 타봐요. 더 많은 분이 찾아올 거라고요."

그게 더 좋은 거 아닌가? 손님 많이 온다는데 싫다는 주인은 지금까지 본 적이 없었다.

그러나 혜리의 예상을 뒤엎는 황당한 대답이 돌아왔다.

"전 싫습니다. 그렇게 되면 제가 마음대로 놀 수가 없어서."

"직원을 더 채용하면 되잖아요."

"손님 상대하는 거나, 직원을 상대하는 거나, 둘 다 똑같이 신경 쓰이는 일이라서요. 전 이대로가 좋습니다."

"아, 그러시구나."

그녀로서는 절대로 이해하지 못할 일이었지만 대충 현태의 맞장구를 쳐주었다.

"그럼 북 카페 홍보나 사적인 부분은 빼고 작품 이야기 위주로 콘셉트를 잡으면 되죠."

"그렇게 되면 재미가 없죠."

"저희 프로그램은 수준이 아주 높답니다. 나오고 싶어도 아무나 못 나와요. 지난번 게스트가 누구였는지 아세요? 대복 그룹 후계자, 차진욱 본부장이었답니다."

'차진욱'이란 말에 현태의 미간이 살짝 일그러졌다.

미끼를 던졌는데 어쩐지 상대가 덥석 물어버린 것 같네? 혜리는 현태를 향해 아주 화사하게 웃어 보였다.

"어때요? 이젠 좀 흥미가 생기시나요?"

"어마(누나)."

동구에게 줄 과자를 사서 편의점에서 나오는데 그녀를 부르는 소리가 들렸다. 뒤돌아보니 동구가 그녀를 향해 두 팔을 벌리고 달려오고 있었고, 그 뒤를 따라오는 미희의 모습이 보였다.

"어마, 보고 띠퍼떠(누나, 보고 싶었어)."

동구를 안아 올리자, 동구는 유미의 목을 꽉 끌어안으며 얼굴을 비벼댔다. 아침에도 봤건만 누가 보면 10년 만에 해후한 모자인 줄 알겠다.

같은 핏줄이라서 그런가? 동구는 유미만 보면 그저 무조건 좋다며 헤헤거렸다.

아무런 대책 없이 동구를 낳아버린 엄마를 철없다고 원망하긴 했지만, 또 이렇게 사랑스러운 동생을 낳아준 엄마에게 고마워해야 하는 건 아닐까 하는 생각이 든다. 지금은 동구가 어려도 결국 나중에는 서로 의지할 수 있는 남매 사이가 될 테니까.

동구의 뺨에 자신의 뺨을 비비던 유미는 가까이 다가온 미희에게 고개를 돌렸다.

"엄마가 웬일로 동구와 같이 와?"

"동구가 심심하다고 해서 키카 갔다가 밤 산책도 할 겸, 동네 한 바퀴 돌고 오는 길이야."

"키카? 키카가 뭐야?"

"키즈 카페. 넌, 무슨 애가 그런 것도 몰라?"

"당연하지! 내가 애 엄마냐? 그런 걸 알게?"

언제나 그렇듯 모녀간의 말싸움이 시작되자, 동구가 잽싸게 둘 사이에 끼어들었다.

"어마, 키즈 카피 재미쪄. 나, 또 가꼬야(누나, 키즈 카페 재밌어. 나, 또 갈 거야)!"

"그래, 그래. 나중에 나랑 같이 가자."

동구는 아직도 키즈 카페에서의 흥분을 잊지 못했는지 두 팔을 허우적거렸다. 맥&북 건물 앞에 막 도착하려는데 카페 문이 열리더니 안에서 혜리가 걸어 나왔다.

저 여자가 왜 여기에?

단번에 혜리를 알아본 유미가 자리에 멈춰 섰다. 그런데 혜리를 알아본 건 유미뿐만이 아니었다.

"쟤, 주혜리인가 뭔가, 그 화상 아냐?"

미희가 화난 목소리로 크게 외쳤다.

"쉿, 엄마. 조용히 해."

유미는 재빨리 미희의 팔을 잡아당겼지만, 너무 늦고 말았다. 건물 옆에 세워둔 차로 걸어가던 혜리가 그들을 향해 뒤돌았다.

"어?"

유미와 미희를 본 혜리가 고개를 살짝 갸우뚱거렸다.

"야, 너, 나 몰라?"

"엄마, 좀 가만히 있어."

"안녕하세요?"

방송국에서 본 그 목소리 큰 아줌마? 그리고 그 옆은 배추 부침개? 뭐야? 둘이 모녀 사이였어?

생각지도 못한 두 사람의 조합에 혜리는 피식 실소를 터뜨렸다.

"우리 집은 또 어떻게 알고 찾아온 거야?"

"우리 집? 여기 살아요?"

"여기까지 왜 왔느냐고 묻잖아! 귀먹었어?"

하여간 방송국에서나 여기에서나 교양이랑은 거리가 먼 아줌마다.

혜리는 인상을 찌푸리며 미희와 그 옆에 난처한 얼굴로 서 있는 유미를 번갈아 보았다.

그런데 배추 부침개 품에 안긴 꼬마는 누구지?

볼이 통통한 귀여운 사내아이가 고사리 같은 손으로 유미의 목을 꼭 끌어안은 채, 불안한 눈으로 그녀를 응시하고 있었다.

그때 카페 문이 열리며 안에서 현태가 걸어 나왔다.

"저기, 휴대폰 놓고 가셨어요."

혜리에게 휴대폰을 건네주던 현태가 옆에 서 있는 유미와 미희를 보고 반갑게 미소 지었다.

"어, 이제 오는 거야? 오늘은 퇴근이 좀 늦었네."

"응."

뭐야, 저 여자? 저 작가와도 아는 사이야? 잠깐만! 저 모녀가 지금 이 건물에 산다는 소리야?

혜리는 의미심장한 눈으로 유미와 그녀 품에 안긴 동구, 그리고 미희와 현태를 번갈아 바라보았다.

이 사람들, 도대체 무슨 관계야?

쉽게 잠들기 힘들 것 같아 와인을 잔에 따르려는데 테이블에 올려 놓은 휴대폰이 울리기 시작했다. 힐끗 화면을 보니 혜리로부터 걸려온 전화였다.

진욱의 미간이 살짝 찌푸려졌다.

옥상 정원에서의 도시락 사건 이후, 될 수 있으면 혜리를 멀리하는 중이었다. 오늘은 인터뷰 프로그램 방영도 있고 해서 전화한 것 같았다. 그냥 무시하고 받지 말까 잠시 고민하다가 차 회장과 헤어지며 한 다짐도 있기에 통화 버튼을 눌렀다.

"어."

[오빠, 그 영양사 말이야. 남자랑 같은 집에 사는 거 알아?]

방송 때문에 전화한 줄 알았는데 혜리의 입에선 예상하지 못한 황당한 내용이 쏟아져 나왔다.

이건 또 무슨 귀신 씻나락 까먹는 소리?

"난데없이 전화 걸어서 그건 또 무슨 소리야?"

[글쎄, 알아? 몰라?]

"알아."

[어? 아, 알아?]

아무 일도 아니라는 듯 진욱이 무심하게 반응하자, 혜리는 당혹스러운 듯 말을 더듬었다.

"그것 때문에 전화한 거야?"

[아니, 뭐. 그것 때문이라는 것보단 아, 맞다. 오빠, 그리고 그 집에 웬 꼬마가…….]

"별일 없으면 내일 아침에 이야기하고 끊자. 늦었다."

혜리가 통화를 길게 끌려는 낌새가 보이자, 진욱은 냉정하게 통화 종료 버튼을 눌러버렸다. 그리고 와인 잔에 와인을 가득 따랐다.

기다리는 사람에게선 연락이 없고……. 집에 도착하면 문자 보내라고 했는데 왜 아직 연락이 없는 거야?

진욱은 와인을 한 모금 들이켜며 아무 반응도 없는 휴대폰을 노려보았다.

"어디 두었더라?"

집으로 돌아온 유미가 제일 먼저 한 일은 옷장 속을 뒤지고 서랍이란 서랍은 다 열어 어딘가에 처박아둔 나머지 패드 한 짝을 찾는 일이었다.

진욱이 간직한 패드에는 'M.H' 이니셜이 새겨져 있었다. 미희에게 받은 패드가 분명했지만, 그래도 직접 두 눈으로 확인하고 싶었다. 마지막 서랍까지 다 뒤진 후에야 유미는 구석에 처박아둔 패드를 찾을 수 있었다.

"찾았다!"

하지만 기쁨은 잠시, 얼마 지나지 않아 패드를 손에 쥔 유미의 얼굴에서 미소가 서서히 사라져갔다. 다른 것도 아니고 패드를 흘린 자신이 너무나도 칠칠치 못하게 느껴졌기 때문이었다.

흘려도 좀 있어 보이는 걸 흘려야지. 스카프나 귀고리 한 짝, 그런 것도 많은데. 왜 하필 볼륨업 패드를…….

"뭐 해?"

뒤에서 잠자코 지켜보던 미희가 넌지시 말을 걸었다.

"너 거기 돈이라도 숨겨놨었니?"

"아무것도 아니야."

유미는 황급히 패드를 도로 서랍에 넣고 빠르게 돌아섰다. 미희는 '쟤가 왜 저러나?'라는 표정으로 한 번 흘낏 보더니 뭔가 생각난 듯 손뼉을 마주쳤다.

"맞다! 너 그런데 그 화상 어떻게 알아?"

"화상?"

"주혜리인지 뭔지, 싸가지 없는 애 말이야."

"어, 저번에 인터뷰 촬영하느라 우리 회사에 온 적 있어. 그런데 엄마는 주혜리 아나운서를 어떻게 알아?"

"엉?"

헉, 방송국에 갔던 거, 유미가 알아버리면 큰일인데!

"에이, 내가 알긴 어떻게 아니. 그냥 방송에 나오는 거 보니까 싸가지가 없더라고. 그나저나……."

미희는 잽싸게 화제를 돌렸다.

"좀 있으면 똥구 생일이니까 시간 비워놔. 우리끼리 간단하게 파티라도 해야지, 안 그래?"

'파티'라는 말에 토끼 인형을 끌어안고 방바닥을 뒹굴던 동구가 자리에서 발딱 일어났다.

누가 미희의 아들 아니랄까 봐, 어린 나이에 파티란 단어를 엄청 빨리 배웠다.

"똥구야, 우리 케이크, '후' 할 거지?"

"엉. '후' 하 꺼야. 후(응. '후' 할 거야. 후)."

동구는 미희를 따라 나름 진지하게 촛불 부는 흉내를 내었다.

"아이고, 우리 똥구, '후' 하실 거예요?"

동생이라서 예뻐 보인다지만 이럴 때 보면 뺨을 '앙' 물어주고 싶을 만큼 귀엽다.

유미는 두 팔로 동구를 꽉 끌어안고 통통한 뺨에 쪽쪽 뽀뽀를 퍼부었다. 그러자 동구도 그녀의 입술에 쪽 소리 나게 뽀뽀했다. 그러더니 헤헤, 눈꼬리를 휘며 웃었다.

"어마, 따라해(누나, 사랑해)."

"어머, 똥구! 누나를 사랑해서 뽀뽀해주는 거야?"

미희의 질문에 동구는 심각한 얼굴로 고개를 크게 끄덕였다.

사랑하니까 뽀뽀하는 거라고! 나, 아무에게나 입 맞추는 가벼운 남자 아니야. 세 살배기 꼬마 동구는 말 대신, 유미를 또랑또랑하게 바라보는 것으로 마음을 표현했다.

유미는 밝게 웃으며 동구의 엉덩이를 톡톡 두드렸다.

오늘은 두 남자에게 뽀뽀를 받았네.

유미는 자신에게 입 맞추던 진욱을 떠올리며 손으로 조심스럽게 아랫입술을 매만졌다.

그도 조금이나마 마음이 있으니까 그런 거겠지? 진정하려고 해도 자꾸만 가슴이 두근거린다.

유미는 괜히 애꿎은 동구를 꽉 끌어안으며 히죽히죽 미소 지었다.

Episode 21

자, 이제 어떻게 할 거지?

괜스레 싱숭생숭한 마음에 유미는 거의 뜬눈으로 밤을 새웠다. 하지만 피곤하기보단 하늘에 붕붕 뜬 것처럼 기분이 몽롱하고 자꾸만 입가에 미소가 떠올랐다.

"유미 쌤, 오늘 좋은 일 있어요?"

"응?"

은비의 눈에도 오늘 유미가 평소와는 좀 달라 보인 모양이다. 점심 배급이 끝나자, 벼르고 별렀다는 듯 호기심 어린 표정으로 물어왔다. 발그레한 얼굴로 어젯밤 일을 회상하던 유미는 은비의 물음에 퍼뜩 정신을 차렸다.

어쩌면 좋아. 남들 눈에도 들떠 있는 게 훤히 보이나 보다.

"아, 내 정신! 보안실에 카트 갖다 주고 온다는 걸 깜빡했네."

자신도 모르게 배시시 웃을 것만 같아 유미는 두 손으로 빨개진 얼굴 감싸며 얼른 자리를 피했다. 기분 나쁜 건 숨길 수 있을지 몰라도 기분 좋은 건 숨기기 어려운 모양이다. 보안실을 향해 카트를 끌고 가는 도중 저절로 흥얼흥얼 콧노래가 흘러나왔다.

"……I'm…… in lov……e with you. ……I'm……."

그때 뒤에서 귀에 익은 낮은 목소리가 들렸다.

"이제 보니 완전 음치네."

유미가 깜짝 놀라 뒤돌아보자, 진욱이 바지 주머니에 한 손을 꽂은 채 벽에 기대어 서 있었다.

"집에 도착하면 문자 보내라니까 그것도 안 하고."

"아, 맞다."

패드를 찾느라고 깜빡하고 말았다.

"그쪽 문자 기다리다가 밤 꼬박 새웠다고……. 어쩔 겁니까?"

자기만 밤 꼬박 새웠는지 아나? 나도 그런데…….

"어쩌긴 뭘 어째요?"

유미가 울상을 지으며 뒷걸음을 치자, 진욱이 빠르게 코앞으로 다가왔다.

"어제도 그렇고 왜 날 피합니까? 못 볼 거라도 봤어요?"

못 볼 거라면?

반사적으로 보석함 속에 담긴 패드 한 짝이 눈앞에 떠올랐다.

감쪽같이 제자리에 돌려놨는데 들킨 건 아니겠지?

유미는 뜨끔한 얼굴로 진욱을 마주 보았다.

"나와 같이 어디 좀 갑시다."

그녀에게서 카트를 빼앗으며 진욱은 조심스럽게 유미의 손을 잡아 이끌었다.

"보여줄 게 있어요."

"여긴 어디……."

진욱에게 이끌려 도착한 곳은 지금까지 대복에서 나온 제품이 전시

된 쇼룸이었다. 평소에는 문이 잠겨 있고 특정한 날에만 바이어나 일반인에게 공개되는 곳이었다.

왜 자신을 여기로 데리고 왔는지 영문도 모른 채, 유미는 진욱을 따라 안으로 들어섰다.

"제대로 본 적 없죠?"

"네에? 뭐를요?"

"직접 보여주고 싶어서 데려왔어요."

뭐를? 속옷을?

유미는 불안한 눈으로 쇼룸 안을 둘러보았다. 10등신이라는 말도 안 되는 비율을 자랑하는 마네킹들이 저마다 야릇한 포즈로 서 있었다. 기본적인 속옷은 입었다지만 유미가 보기엔 홀딱 벗은 거나 다름없었다.

아무리 마네킹이라도 그 부분의 묘사가 너무 적나라하잖아! 포즈는 또 저게 뭐야! 말이 마네킹이지 반나체 모델들에게 둘러싸인 기분이 들어 유미는 얼굴이 화끈거릴 정도로 민망했다.

어디에 시선을 두어야 할지 몰라 안절부절못하는데 진욱은 아무렇지 않은 듯 성큼성큼 안쪽으로 들어갔다. 그러더니 마네킹 중에서도 제일 매끈한 근육질을 자랑하는 남자 마네킹 앞에 멈춰 섰다.

"이게 입사 후, 내가 만든 첫 작품입니다."

"네?"

진욱이 가리킨 마네킹은 허리에 손을 올리고 슈퍼맨처럼 당당하게 가슴을 펴고 다리를 벌리고 있었다. 유미는 첫 작품이라는 남성용 팬티를 슬쩍 훔쳐보았다.

직접 손으로 만져본 남자 팬티라면 토끼 캐릭터가 그려진 동구 팬티

밖에 없는데…….

"남성 속옷이 차별화해봤자 큰 차이 있겠느냐? 그냥 하던 대로 해라. 괜히 앞서 나가지 마라……. 경쟁 회사에서도 대복의 중역들마저도 회의적이었는데, 지금은 우리 대복 그룹을 먹여 살리는 효자 상품이에요. 올해 안으로 해외 진출도 추진 중이고."

"와, 대단하네요."

"이건 두 번째 작품입니다. 첫 번째 작품만큼 크게 대박 난 녀석이죠. 그리고 이건……."

제품 하나하나마다 자세히 설명하는 진욱의 얼굴에는 자부심이 넘쳐흘렀다. 3년 전, 리조트 호텔 말단 직원으로 처음 만났을 때와는 전혀 다른 모습이었다.

그때는 뭐랄까, 불만 투성이인 얼굴로 어쩔 수 없이 일한다는 느낌이었는데, 지금의 차진욱은 자기에게 주어진 업무를 열정적으로 사랑하는 것 같았다.

세상 다 산 사람처럼 아무 의미 없는 하루를 보내던 남자가 이리도 야망이 들끓는 기업인으로 변신하다니. 도대체 3년 동안 그에게 무슨 일이 있었던 걸까?

"그런데 왜 그걸 저에게……?"

"유미 씨에게 내가 어떤 일을 해왔는지 보여주고 싶었어요."

평소와는 달리 어딘지 모르게 진지한 말투였다.

"항상 까칠하고 직원들 닦달하는 모습만 보여준 것 같아서……. 뒤에서 '시한폭탄'이다 뭐다, 욕해도 할 말 없긴 한데, 그래도 그건 다 이유가 있어서라는 걸 알아줬으면 해요. 제대로 된 제품을 만들기 위해서였다는 거. 입맛이 까다로워서 굶었던 게 아니라 일에 몰두해서 그런 거라는 거. 뭐, 이런저런 해명이랄까?"

"그러니까 저에게 왜 갑자기 그런 해명을 하시는 거죠?"

"왜냐면……."

진욱은 대답을 멈추며 말없이 유미를 바라보았다. 정확하게 표현할 순 없지만, 묘한 분위기였다. 유미는 왠지 모를 긴장감에 마른침을 꿀꺽 삼켰다.

"앞으로는……."

잠시 뜸을 들인 진욱이 천천히 말문을 열었다.

"이제부턴 당신에게 내 진짜 모습을 보여주고 싶어."

어젯밤 진욱은 그녀의 문자를 기다리며 뜬눈으로 밤을 새우다시피 했다.

당연히 집에 잘 들어갔겠지만 그래도 자꾸만 걱정돼서 잠이 오지 않았다. 문자를 보내기엔 너무 늦었고……. 그래서 소파에 누워 이런저런 생각에 잠기게 되었다.

누군가의 문자를 기다리며 애가 탔던 적이 한 번이라도 있었던가? 아마도 그녀가 처음인 것 같다.

이유미란 여자에 관해 좀 더 알아보려고 제안한 열 번의 식사였다. 하지만 식사를 거듭할수록 그것만으론 부족하다는 것을 깨달았다. 그리고 어젯밤 확신을 얻었다.

"꼬여버린 우리 관계, 지금이라도 조금씩 풀어가겠습니다."

삐뚤어진 관계를 바로잡지 않는다면 열 번의 식사가 아니라 백 번의 식사가 이어진다고 해도 두 사람의 관계는 수평선을 유지할 것이다.

"꼬인 매듭이 풀기 어려우면 가위로 잘라버리는 한이 있어도. 그래서 열 번 같이 밥 먹는 게 끝났을 때……."

서로 닿지 못하는 수평선이 아닌 서로를 향하는 대각선이 되기를…….

하지만 섣불리 말했다간 부담감이 될지도 모른다. 아직까진 그녀에게 아무 말 하지 않는 게 좋을 것이다.

"뒷이야긴 그때 되면 다시 이어서 하도록 하죠."

조금은 혼란스러웠지만 유미는 잠자코 고개를 끄덕였다.

뒷이야기는 그때 가서 다시 들으면 되니까…….

"네에, 아버님."

평상시처럼 혜리는 봄바람이 산들거리는 목소리로 차 회장의 전화를 받았다.

"방송 잘 보셨어요?"

[잘 보다마다. 혜리야, 너, 정말 멋지더구나. 진욱이가 뭐라더냐? 전화 안 했어?]

전화는커녕 어제 전화했다가 몇 마디 걸어보지도 못하고 일방적으로 끊겼답니다.

하지만 차 회장에게 진욱의 만행을 고자질할 수는 없었다. 그녀는 착한 며느릿감이니까.

"아직이요. 바쁜가 보죠. 저도 지금까지 쭉 촬영이 있어서 휴대폰 꺼놨었어요."

[녀석이 아무리 바빠도 우리 혜리만 하겠어? 하여간 나중에 다 같이 저녁이나 하자.]

"네, 아버님."

전화를 끊자마자, 혜리의 얼굴에서 미소가 연기처럼 사라졌다.

"흥, 휴대폰을 꺼놓긴!"

빵빵하게 충전해서 벨 소리까지 최대 볼륨으로 설정해놓았다고.

혜리는 씩씩거리며 옆에 놓인 의자에 털썩 주저앉았다.

촬영이 있긴 했지만, 휴대폰은 가방 안에 넣어 대기실에 두어서 꺼놓을 필요는 전혀 없었다.

아침에 눈 뜨자마자, '전화가 오겠지!' 눈 빠지게 기다린 혜리였다. 어제 분명히 진욱이 아침에 이야기하자고 했으니까.

그러나 전화는 개뿔! 문자 한 통도 날아오지 않았다. 기다리지 못해 결국 먼저 전화했지만, 진욱은 전화를 받지 않았다. 우진도 마찬가지였다. 나영 역시, 저번 병원에 입원한 사실을 알려준 걸로 한 소리 들었는지 그녀의 전화를 눈에 띄게 피했다.

배추 부침개의 집에서 보았던 꼬마에 관해서 이야기해줘야 하는데. 목소리 큰 무식한 아줌마의 애일 리는 없고. 뭔가 확실히 감이 왔다. 그런데 통화가 되어야 은근슬쩍 이야기하거나 말거나 하지! 진짜 이러다간 속이 빠짝빠짝 타서 죽을 것 같았다.

"주 아나, 오늘은 저녁 뉴스 하나만 있지?"

방금 방송을 끝낸 나 아나운서가 옆으로 다가왔다.

"응. 오늘은 그거 하나밖에 없어."

"부럽다. 난 새벽까지 꽉 찼는데……. 아 참, 그나저나 소식 들었어? 민경희 아나운서 결혼한대."

"민경희 아나운서?"

혜리가 잘 기억나지 않는다는 듯 콧등에 주름을 잡았다.

"기억 안 나? 공채 아나운서 합격하고 한 달 만에 적성에 안 맞는다고 그만둔……. 미스 코리아처럼 늘씬하고 예뻐서 다들 '민 코리아'라고 불렀었는데."

아, 기억난다. 예쁘기만 한 게 아니라 우아하고 기품까지 있어서 막 질투하고 그랬었지.

"태한 그룹 막내아들, 공철민이랑 결혼한대. 그룹에는 전혀 관여하지 않고 이태원이랑 강남에서 클럽이랑 레스토랑을 운영하는 이 시대의 한량. 주 아나도 누군지 알지?"

"이태원 '프리덤' 사장, 공철민?"

"응. 주 아나도 아는구나."

알다마다! 차진욱의 대학 선배 공철민. 진욱을 좇아 클럽에 갈 때마다 인사한 사이였다. 그런데 그 날라리 같아 보이던 남자가 태한 그룹 막내아들이었어? 헐!

"이번 주말이라던데……. 리조트에서 아주 성대하게 한다나 봐."

철민과 진욱은 친형제만큼이나 친한 사이였다. 그러니까 진욱을 결혼식에 초청 안 했을 리가 없었다. 게다가 리조트에서 한다고? 이거야말로 로맨틱한 리조트에서 진욱을 혼자 독차지할 수 있는 절호의 기회였다!

그 배추 부침개가 거기까지 따라오지야 않겠지? 간 김에 꼬마에 관해서도 폭로해버리고 실망한 오빠 옆에 거머리처럼 붙어서 두 사람의 관계를 결혼식 하객에게 쫙 소문나게 하는 거야. 호호호, 난 너무 머리가 좋아!

혜리는 만면에 웃음을 띠며 휴대폰에 저장된 철민의 전화번호를 찾기 시작했다.

혜리의 계략은 며칠 지나지 않아 곧바로 진욱의 귀에 흘러 들어갔다. 어쩔 수 없이 혜리를 결혼식에 초대한 철민이 고해하는 마음으로 진욱에게 곧바로 털어놓았기 때문이다.

"뭐? 혜리를 초대했어?"

청천벽력 같은 소리에 진욱은 자리에서 벌떡 일어났다.

[후우, 정말 미안하다.]

이런 반응을 이미 예상한 듯 철민의 깊은 한숨 소리가 수화기 저 너머에서 들려왔다.

[어찌하다 보니까 혜리도 결혼식에 초대하게 됐어.]

"형, 그 애를 몰라서 그래? 결혼식 참석은 핑계라고. 식 내내 나에게 진드기처럼 달라붙을 거야!"

철민이라고 왜 모르겠는가? 진욱을 찾는다고 클럽에 나타나선 완전 새끼 코알라가 엄마 코알라에게 안기듯 진욱 옆에 착 달라붙어 절대로 떨어지지 않던 혜리인데…….

진욱이 대복에 입사하고 혜리 역시 아나운서가 된 이후, 빡빡한 일정에 맞추느라 클럽 출입이 뜸해지긴 했었다. 그래도 제 버릇 개 못 준다고 혜리가 진욱을 그냥 지나칠 리 없었다.

[그건 나도 아는데……. 알고 보니까 경희랑도 아는 사이더라고. 클럽까지 찾아와서 자기가 나랑 알고 지낸 지가 몇 년인데 초대 안 했느냐고. 섭섭하다고 두 눈에 눈물이 가득해서 훌쩍이는데……. 후, 그러니 어떡해?]

철민은 여자의 눈물에 약했다. 특히 예쁜 여자의 눈물이라면 꼼짝

달싹하지 못했다.

"그 눈물을 믿어? 혜리, 연기 천재인 거 몰라서 그래?"

[알지, 그럼. 아나운서 하지 말고 탤런트 하면 정말 잘했을 텐데 말이지. 얼굴도 예쁘고 몸매도 완전 콜라 병이잖아.]

"형!"

솔직히 철민은 대한민국 1등 며느릿감으로 꼽히는 혜리를 싫다고 밀어내는 진욱이 이해가 가지 않았다.

녀석이 눈이 높아도 너무 높아요. 주혜리 정도면 괜찮은데……. 그래도 그 말은 죽어도 입 밖으로 낼 수 없었다. 대신 철민은 진욱을 살살 달래기로 했다.

[그러면 스토커 비서랑 같이 와. 장 비서가 네 옆에서 철벽 방어하면 되잖아.]

"그래. 내가 알아서 할게."

결혼식을 앞둔 철민에게 계속 화를 낼 순 없어, 진욱은 대충 전화를 끊었다. '쾅' 소리 나게 수화기를 내려놓은 진욱은 한 손으로 앞머리를 헝클어뜨렸다.

"주혜리, 너 진짜!"

인터뷰 촬영할 때 보인 행동을 본다면 결혼식 하객 앞에서 어떻게 나올지 불 보듯 훤했다. 진욱은 손끝으로 책상을 톡톡 두드리다 인터폰으로 우진을 호출했다.

"장 비서, 이번 주 토요일 시간 비워놔."

[네? 이번 토요일이요? 공철민 씨 결혼식에 가시는 거 아닙니까?]

"그래. 그러니까 비워놔."

진욱이 아주 심각한 얼굴로 말했다.

"안녕하세요."

좀처럼 저녁에는 구내식당을 이용하지 않는 나영이 오늘은 웬일인지 식판을 들고 유미에게 다가왔다. 초콜릿 쿠키를 나누어주던 유미는 바로 나영을 알아보고 반갑게 인사했다.

"오늘은 구내식당에서 저녁 드세요?"

"네. 오늘따라 회의가 빽빽하게 맞물려서 점심 먹을 시간이 없었거든요. 너무 배고파서 집에 가기 전에 좀 먹고 가려고요."

나영이 밥을 못 먹을 정도면 삼시 새끼는 어땠을까?

유미의 속마음을 읽은 것처럼 나영이 술술 사연을 털어놓았다.

"저도 못 먹었지만, 부장님과 장 비서님 역시 아직 한 끼도 못 드셨어요. 샌드위치를 사서 들여보내긴 했는데 입맛이 까다로워서 아마 안 드신 것 같아요. 오늘 두 분 다 야근인데 어쩌려고 그러시는지."

"구내식당에 내려와서 저녁 드시고 하시지."

"그러니까요. 아휴, 둘 다 고집이 장난이 아니에요. 그래도 전에는 유미 씨가 꼬박꼬박 도시락을 챙겨줘서 좋았는데……."

나영이 식판을 들고 자리에 가서 앉자, 유미는 걱정스러운 얼굴로 배급대에 담긴 음식을 내려다보았다. 오늘 저녁 메뉴는 냉이 된장찌개, 돼지 불고기 잡채와 해물 파전이었다.

예전에 우진이 주고 간 진욱의 '식성 보고서'에 의하면 그는 냉이 향을 좋아하지 않는다고 했다. 그래서 구내식당에 내려오지 않는 건가? 이럴 줄 알았으면 우렁이 된장찌개로 할 걸 그랬나?

진욱이 오늘 온종일 굶다시피 했다는 사실에 은근히 속이 쓰렸다.

며칠 전, 쇼룸에서 보여준 진심 어린 진욱의 태도 때문일까? 아니면 보석함 안에 무엇이 들었는지 알아버려서? 그것도 아니면 입술이 타버릴 것처럼 달콤했던 애피타이저와 디저트 때문에? 먼저 한 발 다가서진 못해도 진욱을 향한 경계는 조금씩 풀리고 있었다.

진욱 역시 그녀의 의견을 따르기로 했는지 일방적으로 약속을 잡는 대신 먼저 그녀의 스케줄을 묻곤 했다. 이번 주는 두 사람 모두 바빴기에 월요일 이후로는 같이 밥 먹을 기회가 없었다.

주말 역시, 진욱은 중요한 일로 지방에 가야 한다고 했다. 데이트하는 것도 아니면서 왜 입 안이 씁쓸한지 모르겠다.

저녁 배식을 끝내고 조리 팀을 도와 뒷정리하던 유미는 우연히 냉동고에 넣어두었던 장어를 발견했다. 진욱의 도시락을 위해서 예전에 사놓았던 식재료 중 하나였다.

—그래도 전에는 유미 씨가 꼬박꼬박 도시락을 챙겨줘서 좋았는데…….

자꾸만 나영이 해준 말이 귓가에 맴돌았다. 말없이 냉동 장어를 노려보던 유미는 결국 조리대로 돌아가 장어 덮밥을 만들기 시작했다.

온종일 굶었다는 걸 뻔히 알면서 편한 마음으로 퇴근할 수 없었다. 우진도 굶고 있다는 소리에 오늘은 하나가 아닌 두 개의 도시락을 준비했다.

유미가 도시락이 든 피크닉 바구니를 본부장실로 들어오자, 서류를 검토 중이던 진욱이 의아한 얼굴로 그녀를 맞이했다.

"뭐죠?"

"오늘 온종일 굶으셨다고 해서……. 도시락을 준비했어요."

"이제는 도시락 만들 필요 없다고 했을 텐데……."

테이블에 도시락을 내려놓는 유미를 지켜보며 진욱이 살며시 미간을 좁혔다.

"그러면 이것도 횟수에서 차감하는 겁니까?"

횟수에서 차감하자고 하면 저번처럼 도로 가져가라고 하겠지?

"아뇨. 이번엔 그냥 봐드릴게요."

"이런……. 나, 너무 감동해서 2번쯤 차감해주려고 했는데……."

하, 농담 한번 귀가 솔깃하게 한다.

"같이 야근하신다기에 장 비서님 것도 같이 준비했어요. 장어 덮밥입니다."

"음, 이거 먹고 힘내라는 건가?"

"네? 하하하."

그러고 보니 장어가 좀 그런 뜻이 있네? 하지만 그래서 준비한 건 절대로 아니라고요!

"고마워요. 맛있게 먹을게요."

도시락 뚜껑을 열며 진욱이 부드럽게 미소 지었다. 전에는 도시락을 봐도 거들떠보지도 않던 남자가 저리 환하게 웃어주다니……. 심장이 '쿵' 하고 밑으로 떨어지며 얼굴이 화르르 타오르는 것 같아, 유미는 재빨리 고개를 숙였다.

"장 비서는 지금 잠시 밖에 나갔으니까 오면 주도록 할게요."

"네. 맛있게 드세요. 그럼 전 이만."

허둥지둥 집무실을 나선 유미는 손바닥으로 미칠 듯이 뛰는 가슴을 꾹 내리눌렀다. 업무로 도시락을 준비했을 때완 다르게 왠지 남자 친구에게 도시락을 챙겨준 것처럼 기분이 묘했다. 어머, 내가 지금 무슨 생각을 하는 거야? 유미는 붉어진 얼굴을 두 손으로 감싸며 쪼르르 본부장실을 뛰어나갔다.

—고마워요. 맛있게 먹을게요.

진욱의 미소 짓는 모습이 눈앞에 아른거려서 자꾸만 실실 웃음이 흘러나왔다. 요 며칠 사이 완전히 딴 사람을 보는 기분이랄까?

갑자기 사람이 변하면 안 좋은 거라는데……. 그래도 인상 쓴 얼굴만 보여주다가 밝은 모습을 보여주니까 말로 표현할 수 없이 기분이 좋았다.

하지만 구름에 붕 뜬 것 같은 기분은 다음 날 아침, 땅으로 추락해 버렸다. 좋은 의미로 저녁을 해준 건데, 유미는 전혀 상상도 못한 현실과 마주하게 됐다.

"이번 일은 이유미 씨가 책임져요."

유미는 믿기지 않는다는 표정으로 진욱을 바라보았다. 출근하자마자 갑자기 본부장실로 불러들이더니 다짜고짜 뭐?

"갑자기 또 무슨 책임을……."

"장 비서가 오늘 밤, 나와 함께 지방에 내려갈 예정이었는데 어제 유미 씨가 해준 장어 덮밥을 먹고 탈이 났습니다."

보약을 복용하느라 장어 같은 기름진 음식은 피해야 했는데 배고픈 탓에 깜빡 잊고 먹어버린 것이다. 사실은 장어 덮밥을 먹고 퇴근한 후,

여자 친구를 만나 소주를 한잔한 것까지 겹쳐서 일이 터진 거지만, 거기에 관해선 진욱은 침묵하기로 했다.

장에 탈이 난 우진은 어제 밤새도록 화장실을 들락날락했단다. 그는 아침에 녹초가 되어 다 죽어가는 목소리로 전화를 걸어왔다.

[본부장님, 죄송합니……다. 제가 도저히 이 몸으로……는 출근은 고사하고 내일 역시…….]

지금까지 우진이 아프다고 결근을 한 건 맹장이 터져 병원에 실려 간 적 빼곤 처음이었다. 그 정도로 상태가 안 좋다는 말이었다.

"그렇다고 막무가내로 저보고 가자고 하면 어떡해요? 게다가 지방이라면서."

"오늘 밤 내려가려고 한 거 취소하고 내일 아침 일찍 내려가는 걸로 변경할게요. 나영 씨에게도 물어봤지만, 토요일이 아버님 생신이라서 도저히 갈 수가 없답니다."

진욱은 꼭 동행이 필요하다고만 했다. 간단하게 설명하자면 누군가를 축하해줘야 하는 일이란다. 더 자세한 건 내일 장소에 도착하면 알게 될 거라고 했다.

"책임지라고 한 건 농담이고, 이번 한 번만 부탁합시다."

진욱의 얼굴이 너무 절실해서 도저히 거절할 수 없을 것 같았다. 유미는 마지못해 고개를 끄덕였다.

"지방 어디로 가는 거죠?"

"제주도는 아닙니다. 한국에서 지방이라고 해봤자 다 일일권이잖아요."

"토요일에 갔다가 밤늦게라도 바로 서울 올라온다고 약속해주시면 갈게요."

"좋아요. 그렇게 하죠."

진욱이 흔쾌히 대답했다.

토요일 아침, 어딘지 알아서 찾아가겠다는 유미의 말을 모른 척하고 진욱이 집 앞까지 데리러 왔다.

저번 토요일과는 달리 유미는 딱딱한 검정 바지 정장을 선택했다. 저번처럼 괜히 꾸미고 나왔다가 행여 놀림이라도 당할까 봐. 게다가 이번에는 온종일 붙어 있어야 한다니까 더욱더 조심스러웠다.

"장 비서님은 좀 어떠세요?"

차에 오른 유미는 제일 먼저 우진에 관해 물었다.

"어제보단 괜찮지만, 아직도 집에서 꼼짝 못 한답니다."

진욱은 무덤덤한 표정으로 차를 출발시켰다.

오늘 아침, 우진은 여자 친구가 집으로 찾아와서 이것저것 챙겨주고 죽도 끓여주었다고 자랑을 늘어놓았다. 진욱은 그런 우진이 얄미워 말없이 전화를 끊어버렸다.

"그런데 어디로 가는 거예요?"

"가보면 알아요."

누군가를 축하해줘야 하는 일이라면서 왜 혼자 가면 안 되는 건지. 처음으로 긴 시간을 함께하는 거라서 은근히 설레긴 하는데……. 그래도 뭐가 불안했다.

그녀의 막연한 불안감은 몇 시간 후, 차가 익숙한 도로로 들어서며 그 정체를 드러냈다.

세상에 맙소사! 가보면 안다는 말이 바로 이런 뜻이었던 거야?

차가 강원도로 향하는 고속도로에 들어섰을 때부터 눈치챘어야 했는데…….

차에서 내리자 미희의 결혼식이 있었던 리조트, 그를 처음 만났던 대복 리조트가 3년 전과 같이 화려하고 웅장한 모습으로 눈앞에 서 있었다. 충격은 그것뿐만이 아니었다. 넋이 나간 표정으로 리조트 건물을 바라보고 서 있는 그녀에게 진욱이 지나가는 투로 말했다.

"의상은 걱정하지 말아요. 내가 다 준비해두었으니까."

"의상이라뇨?"

"결혼식 하객으로 참석하면서 검은 바지 정장은 좀 그렇지 않나?"

"네에?"

유미의 눈이 튀어나올 것처럼 커다래졌다.

뭐? 결혼식에 참석하는 거라고?

"어쩌면 사람을 감쪽같이 속이고……."

"누군가를 축하해주는 일이라고 했을 텐데? 그게 그거지."

"모르는 사람 결혼식에 오는 거, 불편해요."

"모르는 사람 아닙니다. 유미 씨도 몇 번 봤을 거예요. 통성명만 안 했을 뿐이지. 하여간 옷 갈아입을 수 있게 객실 잡아놨으니까 올라가 있어요. 드레스는 직원 통해서 올려 보낼 테니 입고 나와요. 당신 떠올리면서 직접 고른 거니까."

객실 키를 내밀며 진욱이 말했다. 프런트에서 객실 키를 받지 않고 몸에 지니고 있을 정도라면 처음부터 만반의 준비가 되어 있었다는 소린데……. 아니지, 원래는 장 비서님과 동행하기로 한 거니까 미리 받아놓았을지도 모른다.

유미는 진욱의 전용 객실 키라는 걸 전혀 모른 채, 순순히 받아 들었다.

"난 그럼 결혼식 준비가 잘 되어가는지 둘러보러 갈게요."

"저기요."

뒤돌아 가려는 진욱의 소매를 유미가 살며시 잡아당겼다.

"그런데 누구 결혼식이죠?"

누구 결혼식인 줄은 알아야 준비를 하든지 말든지 할 거 아니야.

"유미 씨, 이태원 '프리덤' 가끔 가곤 했죠? 거기 사장이 공철민이라고, 대학 선배예요. 나에겐 선배라기보다는 친형처럼 가까운 사람이고."

"아……."

'프리덤' 사장이라면 알 것 같기도 하다. 그곳 단골인 소영이 그를 가리키며 여기 주인이라고 했던 것 같다. 당시 철민은 '도도남'이 콘셉트였는지 그녀와 눈이 마주치자 아주 못마땅한 표정으로 위아래를 훑어보았었다. 왠지 살벌하기까지 한 눈빛에 주눅이 들었었는데…….

누가 그 선배에 그 후배 아니랄까 봐, 둘 다 살벌한 게 막상막하네. 그래도 여기까지 따라왔는데 돌아가겠다고 할 수도 없고.

유미는 옷을 갈아입기 위해 진욱이 준 객실 키를 들고 터덜터덜 엘리베이터로 향했다.

"오빠!"

결혼식 준비가 한창인 야외 이벤트 식장에 들어서자마자, 혜리가 앞을 가로막았다. 시작하려면 아직 멀었는데, 뭐가 그리 급해서 이렇게 일찍 왔는지……. 호들갑 떠는 혜리가 영 마음에 들지 않아 진욱은 싸늘한 눈으로 흘겨보았다.

"토요일이면 너, 촬영 있는 날, 아니야?"

네가 여기엔 무슨 일이냐는 둥, 너도 초대받았냐는 둥의 인사를 생략한 채, 진욱은 단도직입적으로 방송 촬영으로 바쁜 애가 여긴 왜 왔느냐는 뜻으로 물었다.

"이번 프로그램 개편하면서 방송 날짜가 바뀌었어. 그래서 토요일엔 촬영 없어."

그것 참, 듣던 중 아쉬운 소식이군.

"저번에 이태원 갈 일 있어서 '프리덤'에 들렀었거든. 철민 오빠가 깜빡 잊고 초대 못 했다면서 청첩장을 주더라고. 그래서 바쁜 일 다 제쳐놓고 왔지, 뭐."

입에 침이나 바르고 거짓말해라.

철민이 이미 자세하게 설명해준 것도 모르고 혜리는 호호 웃으며 진욱에게 살며시 몸을 기댔다. 이러다가 어린애가 애교 부리듯 와락 끌어안는다는 걸 알기에 진욱은 미간을 찌푸리며 재빨리 한 발 물러섰다.

"그래, 잘 왔어. 많이 축하해주고, 차린 것 많으니까 많이 먹고 가. 난 바빠서 이만."

말을 마친 진욱은 곧바로 혜리로부터 뒤돌아 서둘러 자리를 피했다.

"흥."

정원 끝으로 멀어지는 진욱의 뒷모습을 보며 혜리는 아랫입술을 깨물었다. 반갑게 맞아주진 못할망정 저리도 차갑게 대할 거라곤 상상하지 못했다.

차진욱, 밀당이 너무 심한 거 아냐?

아직은 하객이 없어서 그냥 보내주지만, 이따 결혼식이 시작하기만 해봐라. 모두의 앞에서 내 남자라는 걸 각인시켜줄 테다!

띵동—.

벨 소리에 문을 여니, 객실 앞 복도에 커다란 상자가 덩그러니 놓여 있었다. 상자를 안으로 가져와 뚜껑을 열자, 연한 파스텔 색조의 칵테일 드레스가 곱게 접혀 있었고, 그 밑으로 가지런히 놓인 하이힐이 보였다.

“와아.”

드레스는 감탄사가 절로 흘러나올 만큼 아름다웠다. 어깨가 드러나는 디자인으로, 단순하면서 단정한 선이 돋보이는 연한 핑크 빛이었다.

—입고 나와요. 당신 떠올리면서 직접 고른 거니까.

그녀를 떠올리며 직접 골랐다는 진욱의 말이 떠오르자 유미의 얼굴이 발그레 달아올랐다.

“어머, 귀고리도 있네?”

이 남자, 언제 시간이 있었다고 철저하게 준비를 다 해놓았네? 자꾸만 이러면 감동하게 되잖아!

상자 안을 빤히 들여다보던 유미는 깨지기 쉬운 유리 인형을 다루듯이 조심스럽게 드레스를 들어 올렸다.

이왕 부탁을 들어주기로 했으니까 그가 원하는 대로 갈아입어도 상관없겠지.

"혼자 왔어? 스토커 비서는 어디 가고?"

철민은 의외라는 듯 주위를 둘러보았다. 어디에도 우진이 보이지 않자, 철민은 약간은 걱정스러운 얼굴로 진욱에게 귓속말로 속삭였다.

"혜리, 오늘 완전 장난 아니게 꾸미고 왔어. 단단히 벼르고 왔더라고. 아침 일찍 도착했던데."

"걱정하지 마."

"어? 비서랑 같이 왔어?"

"아니, 비서보다 더 확실한 사람과 함께 왔어. 이따 피로연 때 소개해줄게."

진욱은 어리둥절한 철민을 뒤로하고 이벤트 식장 입구로 향했다. 유미에게 준비가 끝났으니 이리로 오겠다는 문자가 왔기 때문이다. 조금이라도 그녀를 기다리게 하고 싶지 않아서, 사실은 자신이 준비한 드레스를 걸친 유미의 모습이 궁금해서 진욱은 최대한 걸음을 빨리했다.

"흠, 못 찾는 건 아니겠지?"

내려온다고 한 지, 벌써 10분이 넘어가는데 유미는 좀처럼 나타나지 않고 있었다. 진욱은 초조하게 손목시계로 시간을 확인하며 자꾸만 입구 쪽으로 시선을 돌렸다.

일분일초가 영원처럼 길게만 느껴졌다. 시간을 확인하기 위해 잠시 시선을 돌린 사이, 드디어 유미가 정원 입구에서 모습을 드러냈다.

투박한 정장을 벗어버린 가녀린 몸을 핑크 빛 칵테일 드레스가 감싸고 있었다. 투명한 입술에는 연한 핑크 빛 립스틱이 더해져 도톰한 입술이 한층 돋보였고, 약간 볼륨을 주어 가지런하게 빗어 내린 머리카락에선 윤기가 흘렀다. 한 걸음씩 옮길 때마다 진욱이 준비한 귀고리가 발그레한 뺨 옆에서 찰랑거렸다.

드레스를 고르며 그녀가 입은 모습을 상상했었지만 상상은 상상일 뿐. 현실의 그녀는 그의 상상을 초월하게 눈이 부셨다. 진욱은 자신의 입이 벌어진다는 사실도 깨닫지 못한 채, 넋이 나간 눈으로 유미를 바라보았다.

"으아!"

평소에 단화나 운동화를 신고 다니는 유미는 하이힐을 신고 걸으려니 여간 곤혹스러운 게 아니었다. 검은 정장에 맞춰 고무신 모양의 검은 단화를 신고 온 탓에 그걸 신고 내려올 수도 없고. 울며 겨자 먹기로 진욱이 준비한 하이힐을 신긴 신었는데……. 헉, 이건 완전 아기가 아장아장 걸음마를 시작한 수준이다.

유미는 어색한 걸음걸이로 조심조심 앞으로 나아갔다. 그 탓에 객실에서부터 야외 이벤트 식장까지 오는 데 시간이 꽤 걸렸다.

야외 이벤트 식장은 어느새 몰려든 하객으로 북적거리고 있었다. 유미는 식장을 메운 하객 중에서 진욱을 찾아내기 위해 주위를 두리번거렸다.

"여기요!"

그녀를 부르는 소리에 옆으로 고개를 돌리자, 진욱이 그녀를 향해 손을 들어 올리고 있었다. 전혀 모르는 사람들 속에서 아는 사람을 만나서일까? 눈물이 핑 돌 정도로 반가웠다.

반가운 마음에 서둘러 진욱에게 가려고 한 발 떼는데, 와인 잔이 담긴 쟁반을 든 리조트 직원이 그녀의 앞을 지나쳤다. 미처 서로를 발견하지 못한 유미와 웨이터는 바로 코앞에서 맞닥뜨렸다.

"어, 어, 어!"

재빨리 옆으로 몸을 틀던 유미는 구두가 삐끗하며 몸의 균형을 잃고 말았다. 다시 균형을 잡기 위해 팔을 내저었지만 아무래도 회복 불가능일 것 같았다. 이대로 꽈당 넘어지는 걸까? 눈앞이 흔들리며 몸 전체가 바닥을 향해 다가간다고 느낄 때쯤, 누군가의 손이 강하게 허리를 잡아채더니 그녀를 품에 안았다. 유미는 단단한 가슴에 뺨을 기댄 채, 멍한 눈으로 눈꺼풀을 느릿하게 깜빡거렸다.

그녀는 머릿속으로 방금 일어난 일을 느린 동작으로 재생해보았다.

웨이터를 피하려다가 구두를 삐끗했고, 그때 진욱이 하객 사이를 헤치고 나타나 허리를 잡아챘고, 그 반동으로 몸이 뒤로 훽 젖혀지며 그의 품으로 빨려 들어간 거……? 어머! 나 지금 그에게 안겨 있는 거야?

유미가 화들짝 놀라며 뒤로 몸을 떼자 진욱은 입꼬리를 씩 말아 올렸다.

"내가 당신 때문에 한눈을 못 팔겠어."

"딸꾹!"

동시에 언제나처럼 유미의 입에서 딸꾹질이 흘러나왔다.

이봐요, 사람 간 떨어지게 그렇게 멋지게 웃으면 어떡해요!

천만다행으로 온몸에 뒤집어쓰진 않았지만, 드레스 여기저기에 와인

이 튀고 말았다. 연한 핑크 빛이라 레드 와인이 그대로 물들어버릴 텐데…….

진욱은 이벤트 식장에서 조금 떨어진, 인적이 드문 곳으로 유미를 이끌더니 손수건을 내밀었다.

"닦아요."

"고마워요."

와인을 닦아내는 유미를 바라보던 진욱이 피식 입꼬리를 비틀었다.

"이유미 씨는 주로 와인을 마시기보다 뒤집어쓰는 쪽인가 봐요?"

그냥 모른 채 넘어가주면 안 되나? 꼭 약을 올려야 직성이 풀리지!

유미는 새침한 눈으로 진욱을 흘겨보았다.

"그래도 그만하길 다행이네. 그때처럼 바닥에 꽈당 넘어지기라도 했으면 어쩔 뻔했어요. 그렇죠?"

"그만하시죠."

"……예뻤는데……."

진욱이 아쉬운 얼굴로 혼잣말처럼 중얼거렸다.

예뻐? 내가? 어머, 와인이 좀 튀기긴 했지만, 그래도…….

유미가 얼굴을 붉히며 살포시 시선을 내리깔자, 진욱은 붉게 물든 드레스 자락을 손으로 만지작거렸다.

"그 드레스 말이에요."

"네?"

"아주 비싼 건데……."

엄마야, 그럼 이것도 물어내야 하는 거야? 캐시미어 코트가 열 장이 넘었는데 그럼 이건? 그의 입에서 비싸다는 말이 나올 정도면 혹시……스무 장? 서……서른 장?

유미의 눈이 휘둥그레졌다.

"음, 밥 열 번으론 절대로 안 되는 건데……."

진욱이 자신을 놀리는 거란 걸 알 턱이 없는 유미는 억울한 마음에 눈물이 핑 돌았다.

로맨스 소설에서 보면 누구는 남자 주인공이 가져다준 드레스를 입고 행복하게 잘도 호호거리던데, 왜 나는 항상 쪽박 차는 신세가 되는 걸까? 여주인공처럼 콜라 병 몸매가 아니라서? 흑, 속상해.

"아니, 그러니까 누가 이런 드레스 입고 싶대요? 자기 맘대로 입고 나와라, 마라 해놓고선……."

유미가 입술을 내밀고 투덜투덜 항의하고 있을 때 누군가 두 사람에게 다가왔다.

"실례하겠습니다."

뒤를 돌아보자 리조트 총지배인과 아까 와인 잔을 들고 부딪혔던 직원이 서 있었다. 총지배인이 허리를 숙이며 공손하게 사과했다.

"저희 직원의 실수로 불편하게 해드려 대단히 죄송합니다."

직원 역시 총지배인을 따라 허리를 숙였다.

"죄송합니다."

진욱은 별거 아니라는 듯 두 사람을 향해 손을 내저었다.

"뭐, 일부러 그런 것도 아닌데 그럴 수도 있죠. 괜찮습니다."

그 말에 총지배인은 싸늘한 눈으로 진욱을 바라보았다. 어째 그녀는 3년 전이나 지금이나 변함이 없었다. 그녀의 눈에 진욱은 아직도 차 회장의 철부지 아들로 보이는 걸까?

"아뇨. 저희는 지금 여기 계신 여성분께 사과드리는 겁니다. 그렇게 가만히 서 있지 말고 같이 사과하시죠."

"내가 왜요?"

진욱이 황당하다는 듯 눈살을 찌푸렸다.

"대복 그룹의 총괄 본부장님이 아니십니까? 직원의 부주의로 벌어진 일이니 당연히 고객님께 사과하셔야죠."

와, 대단해! 유미는 진욱을 쩔쩔매게 하는 총지배인의 카리스마에 감탄하고 말았다.

진욱은 못마땅한 눈으로 총지배인을 바라보다 할 수 없다는 듯 긴 한숨을 내쉬었다. 그녀와 맞서봤자 절대로 이길 수 없다는 걸 이미 예전에 터득했기 때문이다.

"죄송합니다."

진욱이 유미를 향해 꾸벅 허리를 숙이자, 총지배인과 직원도 그를 따라서 다시금 허리를 숙였다.

"아니에요. 전 괜찮아요."

유미는 터져 나오려는 웃음을 참으며 힘겹게 입을 열었다.

"여기 리조트 직원 교육이 아주 잘되어 있네요. 3년 전에 성난 들소가 어쩌고저쩌고 하던 사람과는 차원이 다른걸요."

그 사람이 자신을 뜻한다는 걸 깨달은 진욱이 가늘게 눈을 뜨며 유미를 흘겨보았다.

"그리고 이건, 저희가 준비한 작은 선물입니다."

총지배인이 준비해 온 와인 병을 유미에게 건네었다.

"아니에요. 제 잘못도 있는 걸요. 뭐 이런 것까지……. 저, 정말 괜찮은데요."

말은 그렇게 하면서도 유미는 얼른 손을 내밀어 와인 병을 받아 들었다.

"그럼, 두 분 즐겁게 보내시길 바랍니다."

총지배인과 직원이 정중하게 인사하고 사라지자, 유미는 뜻밖에 생긴 공짜 와인을 요리조리 살펴보았다. 예전에 진욱이 가져온 눈 튀어나오게 비싼 와인은 아니었지만 두툼한 종이로 만든 박스만 봐도 꽤 괜찮아 보였다. 그때 진욱이 갑자기 손을 뻗어 유미의 손에서 와인을 가로챘다.

"어맛! 지금 뭐 하는 거예요?"

"칠칠하지 못하게 또 언제 깨먹을지 모르니까, 내가 안전하게 보관하고 있겠습니다."

어머나! 이 남자, 지금 뭐라는 거야? 칠칠하지 못하게?

"저기요, 본부장님. 그거 제 거거든요. 직원과 부딪힐 뻔한 사람도 나고, 와인을 뒤집어쓴 사람도 난데, 왜 그걸 본부장님이 가져가요? 주세요, 얼른!"

유미가 돌려받기 위해 손을 내밀자 진욱은 재빨리 와인 병을 등 뒤로 숨겨버렸다.

"이런! 싫은데, 어쩌지?"

"네?"

"직원과 부딪혀서 넘어질 뻔한 사람 구해준 것도 나고, 아까 분명 총지배인님이 '두 분' 즐겁게 지내라고 하지 않았나? 나한테도 절반의 소유권이 있다고."

"기가 막혀서. 그럼 그 와인을 꼭 나랑 같이 마셔야 하겠다고요?"

"우리 사이에 못할 건 또 뭐 있습니까?"

"우, 우리 사이요?"

뻔뻔스러운 진욱의 태도에 유미는 기가 막힌 듯 콧등에 주름을 잡았다.

"이리 주세요. 얼른."

말로 해선 도저히 안 되겠어!

유미는 와인 병을 빼앗기 위해 진욱에게 바짝 다가갔다. 그러자 진욱은 와인 병을 등 뒤에 숨긴 채 한 걸음 뒤로 물러섰다. 그녀가 다시 가까이 다가오자 이번에도 진욱은 재빨리 뒤로 몸을 뺐다.

"에이, 진짜!"

유미가 성난 들소처럼 씩씩거리자, 진욱은 약 올리려는 것처럼 이를 드러내며 활짝 웃어 보였다. '웃는 얼굴에 침 뱉으랴?'는 속담이 있지만, 지금 유미의 눈에 진욱은 꼭 잡아야 할 목표물이었다.

"잡히기만 해봐요."

"잡히면 어떻게 할 건데?"

어떻게 하긴! 그런 건, 잡고 나서 나중에 생각하는 거야.

은근히 잡힐 듯 잡히지 않는 진욱이 유미의 승부욕을 건드렸다.

"좋아. 알아서 해요."

유미는 본격적으로 진욱을 잡기 위해 아까부터 걸리적거리는 하이힐을 벗어버렸다. 그리고 진욱을 향해 전속력으로 달려들었다.

곧바로 피할 줄 알았던 진욱은 그녀를 우습게 보고 잠시 방심했는지 허무할 정도로 쉽게 잡혔다. 유미는 대어를 낚은 심정으로 두 팔을 벌려 진욱을 와락 끌어안았다.

"잡았다!"

혹시라도 도망갈까 봐 두 팔로 그를 꼭 껴안은 채, 유미는 의기양양하게 진욱을 올려다보았다.

어라? 그런데 이 남자, 왜 저리도 기쁜 표정이지?

“잡혔네……?”

유미를 내려다보며 진욱이 씨익 한쪽 입꼬리를 올렸다.

잠깐만! 지금 이게 무슨 자세지?

그제야 유미는 자신이 그를 두 팔로 꽉 껴안고 있다는 사실을 깨달았다. 어머, 내가 미쳤나 봐!

그녀가 화들짝 놀라 팔을 풀며 뒤로 물러서려 하자, 이번에는 진욱이 두 손으로 유미를 꽉 끌어안았다.

“자, 이제 어떻게 할 거지?”

진욱이 그녀의 귓가에 고개를 숙이며 작게 속삭였다. 따뜻한 숨결이 간지러움을 피우듯 그녀의 귀 속으로 파고든다. 동시에 머스크 향이 베인 진욱의 은은한 체취가 코끝에 훅 밀려들어 왔다.

“……어떻게 하긴 뭘 어떻게 해요?”

왜 자꾸만 목소리가 떨려 나오는지 모르겠다. 유미는 진욱의 가슴에 얼굴을 묻은 채, 가빠지려는 호흡을 달랬다. 하지만 그녀의 심장은 야속하게도 쿵쿵 소리를 내며 더 빨리 날뛰기 시작했다.

“그, 그냥 같이 마시면 되죠.”

유미는 마른침을 꿀꺽 삼키며 질끈 눈을 감아버렸다. 진욱은 쉽게 놓아줄 생각이 없는 듯, 더욱더 세게 그녀를 품으로 끌어당겼다.

“아후, 오빠는 도대체 어디 간 거야? 조금 있으면 식이 시작되는데…….”

진욱을 찾기 위해 야외 이벤트 식장 주변을 두리번거리던 혜리는 멀리서 보이는 어딘지 익숙한 남자 모습에 고개를 갸우뚱거렸다.

보통 남자에게선 절대로 나올 수 없는 넓디넓은 어깨선과 매끈한 허리, 쭉 뻗은 다리, 그리고 아무나 소화할 수 없는 짙은 잿빛의 슈트 하며……. 저 앞에 서 있는 남자는 차진욱이 분명했다.

그런데 왜 그의 품에 여자가 폭 안겨 있는 거지? 혜리는 이글거리는 눈으로 부둥켜안은 남녀를 쏘아보며 천천히 다가갔다. 여자는 진욱의 품에 안긴 상태라 뒷모습밖에 볼 수 없었다. 하지만 누군지 알 것 같기도 하다. 진욱의 품에 꼭 안기는 아담한 사이즈라면…… 배추 부침개?

혜리는 충격으로 우뚝 걸음을 멈춰 섰다. 순간 이상한 느낌에 고개를 든 진욱과 시선이 마주쳤다.

그녀를 알아본 진욱이 살짝 미간을 찌푸렸다. 진욱은 방해하지 말라는 듯 싸늘한 눈으로 혜리를 쳐다보았다.

자신을 향하는 진욱의 눈빛이 너무나도 차가워서, 혜리는 그저 멍하니 제자리에 서 있을 수밖에 없었다.

Episode 22

그날 밤, 그 일, 후회해요?

"저기 있는 테이블이에요."

두 사람이 이벤트 식장으로 돌아오자, 결혼식이 막 진행되려던 참이었다. 진욱은 유미가 편히 앉을 수 있게 의자를 뒤로 빼주었다. 유미는 진욱의 자상한 행동이 약간 당황스럽고 불편했다.

"앉지 않고 뭐 해요?"

그녀가 바로 앉지 못하고 쭈뼛거리자 진욱은 상냥한 목소리로 재촉했다. 테이블에 앉은 하객들이 호기심 어린 눈으로 두 사람을 힐끗 쳐다보았다.

"네."

시간 끌면 나만 손해야.

유미는 어색한 미소를 띠며 냉큼 의자에 앉고는 화려한 식장을 조심스럽게 둘러보았다. 조금 전 일어난 예기치 못한 스킨십도 그렇고, 자꾸만 얼굴이 달아올라서 도저히 진욱을 똑바로 바라볼 수 없었다. 유미는 식장을 구경하는 척하며 이리저리 시선을 바쁘게 움직였다.

진욱은 느긋하게 한 손으로 턱을 괸 채, 그런 그녀를 빤히 바라보았다. 대놓고 바라보는 진욱의 노골적인 시선을 끝까지 모른 척할 수 없었다. 결국 유미는 그를 향해 시선을 돌렸다.

"왜 그렇게 빤히 쳐다봐요?"

"예뻐서요."

"아, 네. 드레스요."

한 번 속지, 두 번은 속지 않는다. 유미는 새침한 표정으로 고개를 까딱거리며 물 잔을 들어 입으로 가져갔다. 그러나 한 모금도 채 들이켜지 못하고 사레에 걸리고 말았다. 뒤이어 나온 진욱의 말 때문이었다.

"드레스도 예쁘지만, 그걸 입은 여자가 나를 확 끌어안아주는 모습이 훨씬 더 예쁘던데……. "

"컥!"

유미는 얼굴을 빨갛게 물들이며 손으로 입을 틀어막았다. 그리고 재빨리 고개를 숙이고 기침을 내뱉었다. 진욱은 안절부절못하는 그녀가 귀엽다는 듯 싱긋 웃어 보였다. 유미는 겨우 사레를 진정시키고 진욱을 힐끗 흘겨보았다.

"……농담하지 말아요."

"농담하는 거 아닙니다. 유미 씨, 가끔 보면 농담과 진담을 영 구별 못 하던데……."

맨날 헷갈리게 하는 농담과 진담을 오가는 사람이 누군데 그래?

"그러면 이제부터 농담하지 말고 진담만 하면 되잖아요."

"그럴까? 앞으로 내 입에서 쏟아질 진담을 감당할 수 있겠어요?"

갑자기 진지해져버린 진욱의 말투에 유미는 슬그머니 아래로 시선을 떨구었다. 그의 입에서 어떤 말이 나올지, 전혀 예상할 수 없었기 때문이다.

아니다. 어떤 말이 나올지 예측할 수 있었기에 더욱더 무서웠다.

유미는 짐짓 아무렇지 않은 척하며 앞에 놓인 애피타이저를 포크로 찍어 올렸다. 올리브유에 버무린 방울토마토가 입 안에서 톡 터지며 새콤한 즙이 흘러나왔다.

음…… 그런데 어째, 며칠 전에 먹었던 애피타이저보다 맛이 별로인 것 같지?

"와, 이 어여쁜 아가씨는 누구지?"

결혼식이 끝나고 피로연에 들어가자, 신랑 철민이 신부 경희와 함께 진욱의 테이블로 걸어왔다. 진욱의 옆을 차지한 여자의 정체가 퍽이나 궁금했던 모양이다. 멀리서 봤을 때보다 훨씬 더 깜찍하고 청초한 유미의 모습에 철민은 다짜고짜 탄성을 내질렀다.

"이 나쁜 녀석, 이렇게 여자 친구가 있으면서 지금까지 나에게 숨겼단 말이야?"

진욱이 녀석, 왜 그리도 주혜리를 마다했는지 이제야 이해가 가네.

자신이 클럽에서 쫓아내려고 했던 B 사감과 유미가 동일 인물이란 걸 전혀 모르는 철민은 감탄의 눈빛으로 유미를 바라보았다.

"저는 본부장님의 여……."

유미가 자신은 여자 친구가 아니라고 해명하려는 순간, 진욱이 어깨를 한쪽 팔로 끌어안으며 그녀의 말을 도중에 끊어버렸다.

"이유미 씨 아주 바쁜 사람이야. 내가 제발 함께 오자고 부탁해서 겨우겨우 시간 낸 거야."

진욱의 설명에 철민의 눈이 휘둥그레졌다.

"진욱이가 함께 오자고 해서 왔다고요?"

철민은 믿을 수 없다는 얼굴로 유미에게 재차 확인했다.

"네, 그런데요."

"유미 씨가 진욱이를 쫓아온 게 아니라? 와아, 대박!"

"네?"

"내가 지금까지 진욱이를 쫓아다니는 여자는 봤어도 진욱이가 데리고 온 여자는 한 번도 본 적이 없거든요. 와, 진짜 대박!"

"형, 신랑이 품위 좀 지키지 그래."

진욱은 유미 앞에서 자신의 과거가 떠벌려지는 건 원하지 않았다. 특히 모든 걸 세세히 알고 있는 철민의 입으로 말이다. 하지만 애석하게도 흥분한 건 철민뿐만이 아니었다.

신부 경희 역시 철민 만큼 들뜬 얼굴로 유미의 손을 덥석 잡았다. 이미 철민에게서 모든 이야기를 들어버린 경희는 초롱초롱 진지하게 눈을 빛냈다.

"유미 씨, 정말 반가워요. 진욱 씨만 혼자 남게 돼서 걱정 많이 했는데 유미 씨를 보니까 마음이 놓이네요. 내가 지금까지 진욱 씨 옆에 있는 여자는 깜순이 빼곤 본 적이 없거든요."

예전부터 심심할 때마다 등장하는 깜순이는 도대체 누구지? 혹시 첫사랑인가?

"저, 도대체 깜……."

깜순이가 누군지 막 물어보려는데 옆 테이블에 있던 하객이 신랑 신부와의 사진 촬영을 부탁하느라 대화가 끊겨버렸다. 옆 테이블로 향하던 철민은 진욱이 잠시 다른 하객과 대화하는 틈을 타 재빨리 유미에게 귓속말로 속삭였다.

"나한테 진욱이 비리 백서가 있으니까 궁금하면 언제든 연락해요."

"네."

철민과 경희가 옆 테이블로 가버리고 나자 유미는 길게 숨을 내쉬며 긴장을 풀었다. 그런데 숨을 돌리는 것도 잠시, 어디선가 등골이 오싹할 정도의 살기가 느껴졌다.

유미는 슬그머니 고개를 돌려 주위를 둘러보았다. 두리번거리던 그녀의 시선에 익숙한 사람의 얼굴이 들어왔다. 저 여자는?

뒤쪽 몇 테이블 떨어진 곳에 앉은 주혜리가 이글거리는 눈빛으로 그녀를 매섭게 노려보고 있었다.

"저기……."

유미는 진욱의 소매를 잡아당기며 고갯짓으로 뒤 테이블을 가리켰다. 진욱은 힐끗 뒤를 돌아볼 뿐 큰 관심을 보이지 않았다. 오히려 더욱더 다정스럽게 유미가 앉은 의자 등받이에 팔을 올리며 좀 더 가까이 다가왔다.

"커피에 밀크 넣죠?"

혜리에게 보여주려는 듯 진욱은 자상한 몸짓으로 유미의 커피 잔에 우유를 따라주었다. 그리고 디저트로 나온 자신의 초콜릿 무스 케이크를 유미 쪽으로 밀었다.

"하나 가지곤 부족할 테니까 이것도 먹어요."

"아, 네."

초콜릿 무스 케이크를 사양하는 건 예의가 아니지.

유미는 환하게 웃으며 진욱이 내미는 디저트를 덥석 받아 들었다. 맛있게 케이크를 우물거리는 그녀를 흐뭇한 눈으로 바라보며 진욱이 지나가는 투로 물었다.

"이것도 같이 밥 먹는 건데, 횟수에 넣을까요?"

"……아뇨."

당장에 '그래요!'를 외칠 줄 알았던 그녀가 반대하자, 진욱은 의아하다는 듯 미간을 좁혔다.

"왜 아니지?"

"메뉴를 내가 정한 것도 아니고, 본부장님이 정한 것도 아니고. 내가 산 것도 아니고 본부장님이 산 것도 아니고. 이건 그냥 초대받은 거잖아요."

"후, 그거 말 되네."

"왜 처음부터 결혼식에 가는 거라고 말하지 않았어요?"

"그랬으면 부탁 들어줬을 거예요?"

솔직히 모르겠다. 그랬다면 아무리 절실한 일이라고 해도 그의 부탁을 들어줬을까?

유미가 선뜻 대답하지 못하자, 진욱은 피식 웃으며 커피 잔을 입으로 가져갔다.

"거 봐요. 부담 가지고 망설였을 게 분명해."

"부담 가지는 게 당연한 거 아닌가요? 이런 경우, 이성과 동행할 때는……."

"보통 사이는 아니죠."

진욱이 그녀의 말을 중간에 끊으며 말했다.

"그리고 사실 우리도 보통 사이는 아닌 걸로 아는데……."

보통 사이가 아닌 것은 맞는데……. 그렇다면 우리는 어떤 사이인 걸까?

뭔가를 물어보는 것만 같은 진욱의 눈길에 유미는 살며시 다른 쪽으로 고개를 돌려버렸다. 이제부터 농담은 하지 않고 진담만 하겠다는 그의 말이 떠올랐기에. 그리고 그의 말대로 자신이 그것을 감당할 수 있을지 겁이 났다. 하지만 언제까지 진실을 피할 수 있을까?

그녀도 그도 마음속에 담은 진심을 털어놓아야 할 것이다. 과연 그 시기는 언제일까? 그리 오랜 시간이 남은 것 같지 않아 조금 초조해지기 시작했다.

죽일 듯이 유미를 노려보던 혜리는 그녀가 화장실에 가기 위해 자리에서 일어나자 기회를 잡았다. 바로 따라잡으면 진욱이 눈치챌까 봐 조금 뜸을 들인 후 재빨리 화장실로 향했다.

화장실 문을 열고 안으로 들어서니, 유미는 세면대에 허리를 숙인 채 손을 씻고 있었다. 혜리는 가슴 앞에 팔짱을 끼며 유미의 옆으로 다가섰다.

감히 네가 여기까지 따라와서 내 계획을 망쳐? 머리끝까지 화가 난 혜리는 표독스러운 얼굴로 유미를 노려보았다.

"착각하지 말아요."

싸늘한 혜리의 목소리에 유미가 고개를 들었다.

"다짜고짜 그게 무슨 말이죠? 착각하지 말라니요?"

"오빠가 진짜 그쪽을 마음에 두고 있어서 이러는 줄 알아요? 나랑 밀당 하는데, 그쪽을 이용하는 것뿐이라고. 그러니까 꿈 깨라는 말이에요."

이어서 혜리의 예쁜 입술에서 전혀 아름답지 못한 말이 흘러나왔다.

"그쪽이 딱해서 더 늦기 전에 충고하는 거예요. 진욱 오빠가 얼마나 눈이 높은데 그쪽같이 초라하고 구질구질한 여자가 눈에 들어오겠어요? 오빠가 진심으로 그쪽에게 관심 있다고 오해하는 건 아니겠죠?"

듣자 듣자 하니까 주혜리, 선을 넘어도 너무 넘어섰다. 상처받은 까닭에 말이 험하게 나왔다고는 하지만, 유미가 받아줄 수 있는 선은 여기까지였다. 혜리의 독설에 마음이 상한 유미는 살짝 인상을 찌푸렸다.

"왜요? 내가 뭐가 어때서요?"

아무리 혜리가 인형 같은 외모에 대한민국 1등 며느릿감으로 꼽히는 스펙을 가졌다지만, 그래도 이건 아니다.

"혜리 씨 눈에는 내가 초라하고 구질구질해 보일진 몰라도 본부장님 눈에는 그렇게 안 보이나 보죠. 사람마다 다 개인의 취향이라는 게 있는 거잖아요. 안 그래요?"

전혀 예상하지 못한 반격에 혜리의 붉은 입술이 흉측하게 일그러졌다.

"뭐예요?"

"그리고 혜리 씨와 밀당하느라 본부장님이 나를 이용했다고 하는데……. 글쎄요."

유미는 혜리의 부글부글 끓어오르는 분노의 시선을 피하지 않은 채, 또박또박 말을 이었다.

"본부장님은 그런 유치한 짓을 할 사람이 아니에요. 혜리 씨는 어떻게 생각하는지 모르겠지만, 그래도 나는 당신 말보단 내 남자 말을 믿을래요."

잠깐! 내 남자라니! 지금 이거 내 입에서 나온 소리 맞나? 화나서 반격하다 보니 말이 헛나갔어!

"뭐, 뭐라고요? 내 남자?"

유미의 속마음을 알 리 없는 혜리는 한 방 맞은 얼굴로 입을 크게 벌렸다.

"아니, 그러니까……."

유미가 서둘러 말실수를 무마하려고 했지만, 혜리는 한 대 칠 것 같은 얼굴로 부들부들 떨며 그대로 뒤돌아 화장실을 나가버렸다.

쾅 소리와 함께 문이 닫히자, 유미는 마저 다 하지 못한 말을 입 속에서 중얼거렸다.

"저기, 내 남자라기보다는 내가 믿을 수 있는 남자라고…… 하려고 했는데."

가만히 안 놔둘 거야. 내가 오늘 완전 끝장을 내고 만다!

혜리는 주먹을 불끈 쥐고 씩씩거리며 이벤트 식장 안을 둘러보았다. 진욱에게 가서 자신이 본 꼬마에 관해서 다 말해버릴 작정이었다.

그 여자, 유부녀일지도 모른다고! 아니면 미혼모이거나. 하여간 뭔가 이상한 여자야. 많고 많은 여자 중에 왜 하필 남자랑 동거하는 그런 여자를 마음에 두냔 말이야!

하지만 혜리는 진욱을 찾기도 전에 철민에게 팔을 잡히고 말았다.

"혜리야, 잠깐 나랑 얘기 좀 하자."

"오빠, 저 지금 바빠요. 나중에요."

"안 돼. 지금 해야 해. 리조트에 남은 객실이 없대."

"남은 객실이 없다니요?"

아침 일찍 리조트에 도착한 혜리는 우선 급한 대로 경희가 친구를 위해 예약한 방을 사용했었다. 나중에 체크인 할 시간이 되면 철민이 알아서 방을 잡아준다고 했었는데…….

"진짜 미안하게 됐다. 정신이 없어서 객실 잡는 걸 깜빡했어. 지금 가보니까 다 찼단다. 어떡하지? 내가 다른 호텔이라도 잡아줄까?"

근처에 다른 호텔이라면 말만 호텔이지, 여인숙 수준의 지저분한 호텔밖에 없었다. 그렇다고 서울로 올라가기엔 차편도 마땅하지 않았다. 당연히 진욱의 차로 같이 올라갈 줄 알고, 강원도에 볼일이 있는 친구 차를 얻어 타고 왔기 때문이었다. 친구는 내일 오후 늦게 서울로 올라갈 예정이었다.

배추 부침개에게 당한 것도 짜증이 나서 미치겠는데 도대체 왜들 이러는 거야! 너무나도 분한 혜리는 눈물이 그렁그렁한 눈으로 철민을 노려보았다.

이러다 혜리가 엉엉 울어버리는 건 아닐까, 철민은 덜컥 겁이 났다. 그래서 서둘러 다른 방안을 제시했다.

"그러지 말고, 음…… 그러면 우리 형 부부랑 함께 올라갈래? 헬리콥터 타고 왔거든. 아침 교통 방송하느라 헬기 많이 타봐서 무섭거나 그러진 않지? 5분 있다가 출발할 거야. 서둘러."

분명히 배추 부침개는 진욱 오빠랑 묵고 갈 텐데 나보고 그냥 서울로 올라가라고?

혜리는 아랫입술을 깨물며 울분을 삼켰다. 그래도 청승맞게 혼자 후진 삼류 호텔에 묵는 것보단 나을 거다. 괜히 모르는 사람 눈에 띄어 스캔들이 날 수도 있고. 나중에 오해라고 해명해도 되지만 아나운서 이미지에 그런 오명은 아예 처음부터 피해 가는 게 상책이니까.

감히 나를 이렇게 망신시키고! 이유미! 내가 가만히 놔둘 줄 알아! 오늘 내가 피눈물 흘린 거에 대해 두 배, 세 배로 갚아줄 거야.

혜리는 이글거리는 눈으로 식장 안을 쏘아본 후, 짐을 챙기기 위해 객실로 발걸음을 옮겼다.

피로연이 거의 끝나가고 주위도 컴컴하게 어두워지기 시작했다. 진욱은 유미와 약속한 대로 서울로 가기 위해 주위 사람이 권하는 술을 모두 사양하고 물만 들이켰다. 친한 형의 결혼식에 온 건데, 자신 때문에 즐기지 못하는 건 아닌지, 유미는 약간 미안한 감정이 들었다.

"그냥 하룻밤 묵고 가지 그래? 원래 내일 오후 늦게 돌아갈 계획이었잖아."

특히 철민이 계속해서 끈질기게 술을 권했다.

"그러지 말고. 진욱아, 나랑 한잔하자. 응?"

"형이야말로 신부에게 가야지. 왜 여기서 이러고 있어?"

"너랑 이거 원샷하고 갈게. 제발, Please. 응?"

그래도 진욱은 단호하게 고개를 내저었다.

"안 돼. 나 운전해야 해."

"대리운전 부르면 되잖아."

"서울까지 대리운전 하라고?"

"아, 그런가? 젠장."

철민이 안타깝다는 듯 작게 욕설을 내뱉었다. 잠자코 두 남자의 대화를 듣던 유미는 조용히 자리에서 일어났다.

자신이 한 약속을 철저히 지키려는 진욱에게 예전에는 없었던 믿음이 생겼기 때문일까? 다른 한편으론 장시간 운전한 사람에게 또다시 운전해서 서울로 돌아가자는 건 무리일지 모른다는 생각이 들었다.

내가 너무 억지를 부리는 건 아닌지……. 그냥 눈 딱 감고 하루쯤 같이 있다 가도 되지 않을까?

"엄마, 나 아무래도 오늘은 늦어서 밖에서 자고 와야겠어."

미희는 밖에서 하룻밤 자고 온다는 유미의 전화에 뛸 듯이 기뻐했다.

[그래, 그래. 네가 지금 나이가 몇인데 꼬박꼬박 집에 들어오니! 오랜만에 친구랑 밤새도록 놀아. 클럽엘 가든지 술을 마시든지. 그러다 잘생긴 남자 있으면 확 물어버려. 알았어?]

다른 집 엄마도 다 큰 처녀가 외박한다는데 이렇게 말해줄까? 어째 이게 더 무섭다.

미희와의 통화를 끝내고 자리로 돌아오니 어느새 철민은 온데간데없고 진욱만 홀로 자리에 남아 있었다.

"철민 씨는요?"

"결국 신부에게 끌려갔어요. 아마도 다신 못 돌아올 거예요."

"저기, 밤도 늦었는데 지금 운전해서 서울로 돌아가려면 피곤하지 않을까요?"

"당연히 피곤하죠."

말이라도 괜찮다고 해주면 안 되나?

진욱은 정색한 얼굴로 묵묵히 대답했다.

"저, 그러면 오늘 밤은 그냥 여기서 묵을게요."

그 말에 진욱의 얼굴이 환하게 밝아졌다.

"정말 그래도 되겠어요?"

너무 티 나게 좋아하니까 조금 얄밉긴 하다. 그래도 이미 내린 결정을 바꾸고 싶진 않았다.

"네. 엄마에게 방금 전화하고 왔어요."

"그렇다면……. 우리끼리 한잔할래요? 아까 총지배인님이 준 와인도 마실 겸."

"네. 좋아요."

유미는 동의의 뜻으로 고개를 끄덕이며 진욱에게 빈 잔을 내밀었다. 그러자 진욱은 잔을 살며시 밀어내며 고개를 내저었다.

"아뇨. 여기서 말고."

"네?"

자리에서 일어난 진욱이 유미의 팔을 가볍게 잡아당겼다.

"우리, 좀 더 근사한 곳에서 한잔하죠."

마지막 테이블에 있던 손님이 자리에서 일어났다. 계산을 끝낸 손님이 밖으로 나가자 현태는 'CLOSED' 팻말로 바꾸기 위해 문 앞으로 걸어갔다. 막 팻말을 바꾸려는데 모자를 푹 눌러쓴 손님이 문을 열고 카페 안으로 들어왔다.

"영업 막 끝내려던 참인데요."

그러자 손님은 모자를 살짝 들어 얼굴을 보여주었다.

"저예요."

"아니, 왜?"

손님이 혜리라는 걸 확인한 현태는 짧게 한숨을 내쉬었다.

이 여자, 생각보다 끈질기네. 그날 분명히 방송 출연 관심 없다고 돌려보냈는데 며칠 만에 또 찾아오다니.

"그때 제가 확실히 방송하지 않겠다고 말씀드렸죠."

"맥주나 한잔 줘요."

"맥주요?"

"오늘은 섭외하려고 온 게 아니라 술 마시러 온 거예요."

방금 혜리는 철민의 형 부부와 함께 헬리콥터를 타고 서울에 도착했다. 비참한 기분에 도무지 잠이 올 것 같지 않아 그녀를 달래줄 수많은 남자 후보를 떠올렸다. 그런데 이상하게도 몇 번밖에 만나지 않은 현태가 제일 먼저 떠올랐다.

"술 마시려면 여기 말고도 많을 텐데……."

"그냥 주면 안 돼요?"

혜리는 신경질적으로 모자를 벗으며 한 손으로 머리카락을 쓸어 올렸다. 그런데 어째 얼굴이 어디서 실연을 당하고 온 얼굴이었다. 마음 약한 현태는 할 수 없다는 듯 술을 가지러 주방으로 향했다.

왜 모든 여자가 문제 있을 때마다 나에게 오는 걸까? 어쩌면 나는 전생에 수많은 여자들을 울린 카사노바였던 게 아닐까? 전생에서 지은 죄를 현생에서 갚아나가야 하는 거?

맥주를 가지고 돌아오니 혜리는 소파에 기대듯 편한 자세로 앉아 있었다.

"딱 한 잔이에요."

"작가님도 같이 한잔해요. 혼자 마시면 재미없으니까."

"후, 뭐 그럽시다."

잔에 맥주를 따라 혜리에게 건넨 현태는 우는 아이 달래는 심정으로 병에 남은 맥주를 들이켰다.

혜리는 단숨에 벌컥벌컥 맥주잔을 비운 후, '쾅' 소리 나게 잔을 내려 놓았다. 그러고는 손등으로 입가를 훔쳤다.

"이유미 씨, 오늘 안 들어오는 거 알아요?"

약간 비아냥거리는 듯한 말투에 현태는 미간에 주름을 모았다.

"그걸 내가 알 필요가 있나요?"

"그 여자, 지금 강원도 리조트에 있어요."

"아."

오늘 외박한더니 강원도에 놀러 갔구나.

현태가 아무 반응 없이 눈만 껌뻑거리자, 혜리가 짜증 난 목소리로 외쳤다.

"지금 아, 그러면서 눈만 껌뻑거리게 됐어요? 당장 가서 잡아 와야죠!"

"내가 왜요?"

"그쪽, 이유미 씨 좋아하는 거 아니에요?"

"내가요?"

현태의 눈이 휘둥그레졌다.

이것이 나랑 유미랑 같이 있는 걸 딱 한 번 본 사람 입에서 나올 소리인가? 그럼 다른 사람 눈에는 내가 유미를 좋아하고 있는 것처럼 보였단 말이야? 아니, 내가 유미를 좋아하기라도 하나?

엄청난 혼돈이 현태를 야금야금 갉아먹기 시작했다.

진욱에게 이끌려 간 곳은 리조트 건물 위에 있는 옥상 정원이었다.

피로연 하객들로 북적대는 야외 정원과 달리 텅 빈 그곳은 밑으로 훤히 내려다보이는 야경이 장관을 이루었다.

"답답하게 마시는 것보단 여기가 좋을 것 같아서. 괜찮죠?"

괜찮은 정도가 아니라 너무너무 마음에 들었다. 그동안 주위의 눈치 보느라 불편한 하이힐을 신고 뒤뚱뒤뚱 걸었는데 이젠 자유롭게 맨발로 있어도 된다!

유미는 밝게 웃으며 아까부터 그녀를 괴롭히던 하이힐을 휙 벗어버렸다. 그리고 진욱을 따라 야외 정원이 내려다보이는 벤치에 자리를 잡고 앉았다.

"오늘 고마웠어요."

"뭘요."

그냥 옆에 앉아서 뒤통수를 강타하는 혜리의 불타는 시선을 잘 견디어낸 것뿐.

"그런데……."

진욱이 잔에 와인을 따르는 걸 기다리다 조심스럽게 말을 이었다.

"주혜리 아나운서를 왜 그렇게 멀리하세요?"

"유미 씨 눈에는 그렇게 보여요?"

"네."

"후…… 혜리는 그냥 동생 같은 아이니까. 내 눈에 그 애는 딱 처음 만났던 중학생 소녀 이미지로 남아 있어요. 내가 첫인상을 좀 따지는 편이라서."

그렇다면 나는? 《저급한 그대》를 읽는 B 사감? 아니면 포효하는 성난 들소? 그것도 아니면 사기꾼 영양사?

그의 눈에 어떤 첫인상이었을까를 상상하려니 등 뒤로 식은땀이 흘러내렸다. 유미는 타는 듯한 갈증을 느끼며 벌컥 와인을 들이켰다.

진욱은 야외 정원을 내려다보며 중얼거리듯 말을 이었다.

"이상하게도 처음 만났을 때, 그 이미지만 남아요."

—있어요, 그런 데가. '앵그리 버펄로 앤드 베어'라고.

그에게 내 이미지는 '앵그리 버펄로 앤드 베어'겠지?

유미는 진욱이 해준 말을 떠올리며 처참한 기분에 와인을 다시금 들이켰다.

"그 첫 이미지란 게…… 한 번도 바뀌지가 않아."

진욱은 속삭이듯 중얼거리며 슬쩍 고개를 돌려 유미를 훔쳐보았다. 그녀는 묵묵히 그의 말에 귀 기울이며 연신 와인을 홀짝였다.

어떤 여자도 첫 이미지에서 벗어난 사람은 없어. 이유미, 당신만 빼고는……. 처음엔 영락없는 패션 테러 B 사감으로 눈에 띄더니, 마이너 연애 소설 《저급한 그대》를 읽는 괴팍한 여자로 다가와서, 성난 들소를 거쳐 눈이 동그란 토끼로 변신했다. 그리고 지금은 영화 속에서 튀어나온 여주인공처럼 아름다운 모습으로 마음을 설레게 한다. 만날 때마다 그녀는 항상 새로운 모습을 그에게 각인시켰다.

어째서일까?

말없이 유미를 바라보던 진욱의 얼굴에 어느새 부드러운 미소가 내려앉았다.

유미는 어느새 한 잔을 말끔히 비우고 다시 와인을 잔에 가득 채우고 있었다. 바닷가에서 석양을 바라보며 홀짝홀짝 와인 병을 비워내던 그때처럼…….

"훗, 이러니까 옛날 생각나네."

"캑! 쿨럭."

진욱의 말에 유미는 사레가 걸린 듯, 한 손으로 목을 누르며 기침을 토해냈다.

"……가끔, 아니다. 아주 꽤 자주 생각했었어요."

진욱은 손으로 잔을 빙빙 돌리며 찰랑찰랑 회오리를 일으키는 와인을 내려다보았다.

"이렇게 와인 마실 때마다…… 이곳에 올 일이 있을 때마다. 어쩌다 거스름돈으로 오백 원짜리 동전을 받으면 나도 모르게 뒤집어 년도를 확인해보기도 하고……. 솔직히 말하자면……."

진욱은 씁쓸한 얼굴로 입꼬리를 비틀었다.

"그날 그렇게 아무 말도 하지 않고 사라질 거라곤 생각 못 했어요."

분명히 고마웠다는 메모를 남겼는데 그것으론 부족했던 걸까? 그래, 얼굴 보고 인사한 것도 아니고 달랑 메모 한 장 남겼는데 서운할 만도 하겠다.

유미는 미안하기도 하고 민망한 마음에 홀짝홀짝 와인을 들이켰다.

"난 우리가……."

이야기가 심각하게 흘러가자, 유미는 진욱의 말을 끊으며 황급히 뛰어들었다.

"다시 볼 일 없을 거라고 생각했거든요. 아니, 더 정확하게 말하자면……."

'어떻게 처음 만난 남자와 원나잇을 해요! 제가 원나잇으로 시작되는 로맨스 소설을 즐겨 읽긴 하지만, 그거야 어디까지나 소설 속의 이야기일 뿐, 현실에서 그게 말이 되냐고요!'……라고 말하고 싶었다.

하지만 말은 입 안에서 웅얼거릴 뿐 밖으로 흘러나가지 못했다.

"……그렇게 시작하고 싶지 않았어요."

그래서 그녀는 에둘러 말했다.

애석하게도 진욱은 그녀의 말을 조금 다르게 해석했다.

"내가 그렇게 별로였습니까?"

첫 만남부터 까칠하게 굴었고, 케이크를 옴팡 씌우며 망신을 주기도 했고, 심심하면 성난 들소니 어쩌니, 하면서 놀려먹었고. 그래, 아무리 외모가 뛰어나다고 해도 첫인상에 밥맛 없는 놈이라고 박혀버리면 그럴 수도 있겠다. 그렇다면 마음에 들지 않았는데도 술김에 같이 밤을 보냈다는 건가? 그 이후로 한동안 술을 끊었다니까 그 원나잇이 그녀에게 얼마나 큰 트라우마가 되었는지 쉽게 상상이 되었다.

유미가 아무 대답도 없이 와인만 홀짝이자, 진욱은 초조해지기 시작했다. 대답을 회피한다는 건 내가 그렇게 아니라는 건가? 아니면 혹시……?

"그날 밤, 내가 그렇게도 별로였습니까?"

가라앉은 진욱의 목소리에 유미는 꿀꺽 마른침을 삼켰다.

"네? 별로라니 뭐가요?"

"몰라서 묻습니까? 여기서 별로라는 건, 지금 유미 씨가 예상하는 그거 맞아요."

그러니까 그날 밤 잠자리에 관해서 묻는 거야? 그게 별로였느냐고? 어머, 무슨 그런 섭섭한 소리? 너무 좋아서, 그래서 잊지 못 하는 거다. 그 이후론 어떤 로맨스 소설의 자극적인 장면을 읽어도 아무런 감흥을 느낄 수 없었다. 그 정도로 황홀했는데……. 아무리 남자 주인공이 뛰어나도 그에게 받았던 느낌과 비교하면 정말 아무것도 아닌 것 같고 그랬는데……. 하지만 뻔뻔스럽게 어떻게 그걸 말로 하느냐고!

결국 유미는 아무 말도 못 하고 아랫입술만 깨물었다.

“뭐, 하긴 우리의 첫 만남이 순조롭진 않았죠.”

진욱이 살짝 말을 돌리자 유미는 이때다 싶어 말을 쏟아부었다.

“그럼요. 케이크를 뒤집어쓰게 하질 않나, 성난 들소라고 하질 않나, 문 열어주다가 와인 병 끌어안고 미끄러져 넘어지고. 그것도 모자라 한밤중에 비 쫄딱 맞아서 비에 젖은 생쥐 꼴이 되질 않나, 그리고 차에서…….”

헙! 내가 지금 무슨 말을 하는 거야? 겨우 주제를 원나잇에서 다른 곳으로 돌렸는데 아, 미치겠다!

자신의 황당한 말실수에 유미는 두 눈을 질끈 감아버렸다. 그런데 그게 문제였다.

알딸딸하게 취기가 올라오는데 눈까지 감아버리자, 온몸이 휘청하며 우주가 빙글빙글 돌기 시작했다. 오랜 기간 마시지 않다가 갑자기 마셔서 그런지, 주량이 그새 엄청 줄었나 보다.

급하게 마시지 말고 천천히 마실걸. 정말 후회된다.

“그날 밤, 그 일, 후회해요?”

진욱이 착 가라앉은 목소리로 물었다. 이미 취기가 확 올라버린 유미는 진욱의 물음을 제대로 알아들을 수 없었다.

‘후회?’라고 한 거 같은데. 와인 급하게 마신 거 후회한다는 말인가? 아, 그거라면…….

“네…… 후회……해……요.”

안주도 같이 먹으면서 천천히 마셨어야 했는데 말이지.

유미는 눈을 감은 채 몸을 휘청거리다 그대로 진욱에게 푹 쓰러졌다. 진욱은 다소 기가 막힌 표정으로 품에 안겨서 잠들어버린 유미를 내려다보았다.

이 여자, 뭐지? 후회한다고 하면서 품에 안기는 건 뭔데? 후회한다며! 그러면서 왜 유혹하는 거야?

괘씸했지만 그래도 진욱은 그녀를 품에서 밀어낼 수가 없었다. 오히려 반대로 두 팔을 등 뒤로 둘러 그녀를 꼭 끌어안았다. 그녀의 달콤한 향기가 너무 좋아서, 그녀의 따뜻한 체온이 너무 아련해서, 그녀가 그냥 너무 좋아서. 그래서 더욱더 마음이 아팠다.

비틀린 첫 만남을 어떻게 해야 바로잡을 수 있을까?

진욱은 그녀를 꼭 끌어안은 채 작게 한숨을 내쉬었다. 진욱의 품 안에서 유미는 평온한 얼굴로 새근새근 숨을 내쉬었다.

"나는 마음에 없는 말 안 해요."

슬슬 취기가 오르는지 살짝 붉어진 얼굴로 혜리가 투덜거리듯 말했다. 딱 한 잔만이라고 했지만, 어느새 테이블 위에는 여러 개의 맥주병이 뒹굴었다. 그 옆으로 현태가 주방에서 가져온 마른안주가 놓여 있었다.

"좋으면 좋다, 싫으면 싫다! 확실하게 말한다고요. 밀당? 하, 그런 거 피곤하게 왜 해? 그런 말도 있잖아요. 최고의 밀당은 밀당을 하지 않는 거다."

"그것 참 시원, 시원해서 좋군요."

"지금 나, 좋다고 한 거예요?"

혜리가 정색을 하며 째려보자 현태는 어이가 없다는 듯 실소를 흘렸다.

"그거 마시고 벌써 취했어요?"

"이 정도로 취하긴……. 나 보기보다 술 엄청 세요."

"보기에도 세 보여요."

취기가 오르는지 혜리는 멍하니 천장을 올려다보다 혼잣말처럼 중얼거렸다.

"그런 기분 알아요? 세상 남자 모두 내가 좋다고 덤벼드는데 정작 내가 좋아하는 남자는 나에게 아무 관심조차 없는 거……. 그거 참, 기분 뭐 같거든요. 말로 표현할 수 없게 외롭다고요."

"어렴풋이 알 것 같기도 하네요."

그 말에 혜리는 고개를 푹 숙이고 한참 동안 미동도 없이 가만히 숨만 내쉬었다. 그리고 잠시 후, 숨 죽여 흐느끼기 시작했다.

"괜찮아요?"

혜리는 눈물이 범벅된 얼굴을 들어 현태를 바라보았다.

"자그마치 10년이에요. 10년이면 강산도 변한다는데 난 진욱 오빠만 바라보면서 그 긴 세월, 그렇게 보냈다고요. 아무리 괜찮은 남자가 다가와도 오빠 때문에 절대로 넘어가지 않았는데……. 아무리 끈질긴 유혹이 있어도 끝까지 가지 않고…… 오빠를 위해서…… 순결을 지켰는데……. 내가 지금 이 나이에 독수공방하면서……. 흑흑. 친구들 다 연애할 때도 나 혼자만."

"비겁하네."

잠자코 듣고만 있던 현태가 한마디 툭 내던졌다.

"뭐요? 비겁? 누가? 내가?"

"그런 걸 누구를 위해서 하고 안 하는 게 아니죠. 그건 다 핑계예요. 누굴 위해서도 아니고, 누굴 생각해서도 아니고. 내가 하고 싶으면 하고, 아니면 말고. 내가 원하는 사람과 하려고 안 한 거지, 그를 위해서가 아니잖아요. 자기만족을 위한 이기심일 뿐이지."

"하? 그런 그쪽은 뭐가 그리 잘났는데?"

혜리가 빽 소리를 지르며 덤비자, 현태는 살며시 뒤로 물러앉았다.

왜 갑자기 불똥이 나에게 튀나?

"좋아하는 여자에게 좋아한다고 솔직히 말도 못하면서! 진짜 비겁한 건 내가 아니라 그쪽이라고!"

"아니, 지금 누가 누굴 좋아한다는 말이에요? 난 그냥 유미의 절친한 친구로서."

"도대체 세상 어느 친구가 이성 친구를 자기 빌딩에 살게 하면서 이것저것 챙겨줘요? 정말 그래요? 정말 친구일 뿐이에요?"

솔직히 뭐라고 할 말이 없었다. 내가 정말 유미를 여자로서 좋아하나? 현태 자신도 혼란스러웠으니까.

"등신 머저리!"

아니, 공짜로 술이랑 안주 내줘! 하소연까지 다 들어줘! 그런데 등신 머저리라고? 이 여자! 완전!

도저히 참을 수 없어서 그가 한마디 하려는데, 혜리가 벌떡 자리에서 일어났다. 그녀는 현태를 매섭게 노려보더니 비틀거리며 카페를 걸어나갔다.

"이봐요! 그렇게 취해서 혼자 어떻게 집에 가려고?"

급하게 혜리를 따라서 밖으로 뛰어나갔지만, 그녀는 이미 사라진 후였다.

"아 참, 취한 여자 그냥 보내면 안 되는데……."

현태는 난처하다는 듯 머리를 긁적이며 텅 빈 골목을 둘러보았다.

안 마시던 와인을 마신데다 지금까지의 피곤이 한꺼번에 몰려서인지 유미는 침대에 눕힐 때까지도 전혀 깨어나지 않았다.

나란 남자를 믿어도 너무 믿는군. 잠든 토끼를 물어다 토끼 굴에 넣어주는 호랑이의 심정이 이런 걸까?

진욱은 목까지 얌전하게 이불을 덮어주고 침대 모서리에 앉아 색색 숨을 내쉬는 유미를 내려다보았다. 곤하게 잠든 그녀를 말없이 지켜보던 진욱은 한참 후에야 조용히 문을 닫고 객실을 나섰다.

자신의 객실로 돌아온 진욱은 멍한 기분에 손가락 하나 꼼짝할 수 없었다. 유미를 끌어안았던 품에 아직도 그녀의 따뜻한 체온과 달콤한 향기가 남아 있는 것 같았다.

이런 들뜬 기분으론 잠이 올 것 같지 않아, 진욱은 짐을 챙기기 위해 슈트케이스를 꺼냈다. 슈트케이스를 열자, 안에 넣어두었던 보석함이 눈에 들어왔다.

"후우."

오늘 밤, 기회가 되면 그녀에게 털어놓기 위해서 가져왔는데……. 진욱은 보석함을 집어 들고 살며시 뚜껑을 열어보았다. 'M.H' 이니셜이 새겨진 패드가 얌전히 모습을 드러냈다.

"됐어. 이걸 보여주면서 뭐라고 그럴 건데……? 후회한다는 여자에게……."

진욱은 보석함을 던지듯 침대 위에 내려놓으며 두 손으로 얼굴을 감쌌다.

아, 머리가 깨질 것같이 아프다. 유미는 두 손으로 머리를 감싸며 천천히 침대에서 몸을 일으켰다. 흐릿한 눈으로 주위를 둘러보던 그녀는 뭔가 이상하다는 걸 깨달았다.

내가 왜 침대 위에 누워 있는 거지? 분명히 옥상에서 와인을 마셨던 건 같은데……. 내가 내 발로 걸어 돌아와서 침대에서 잠든 건가? 헐, 미치겠다! 전혀 기억이 나지 않아!

유미는 굳은 표정으로 우선 자신이 입고 있는 옷부터 살펴보았다. 다행히 어제 입었던 옷 그대로였다. 침대 옆에는 아무도 누워 있지 않았다. 그녀가 누워 있던 곳을 빼곤 침대 시트가 주름도 없이 팽팽한 것을 보니 혼자 잠든 게 분명했다.

"하아, 십년감수했네."

또 말도 안 되는 실수를 한 건 아닐까? 몇 초도 안 되는 짧은 순간이지만, 등골이 오싹할 정도로 공포가 밀려왔다. 손바닥으로 가슴을 누르며 놀란 마음을 진정하고 있을 때, '딩동' 벨 소리가 울렸다.

"잠시만요."

아무 생각 없이 문을 활짝 열고 밖을 내다보니 진욱이 험상궂은 얼굴로 서 있었다.

"이유미 씨! 도대체."

그는 화가 난 얼굴로 객실로 들어오더니 소리 나게 문을 '쾅' 닫아버렸다.

"고리를 걸고 살짝만 열어봐야지, 무방비한 상태에서 문을 활짝 열면 어떡합니까?"

왜 이리도 신경질이람?

별거 아닌 거에 짜증을 내는 진욱이 유미는 이해되지 않았다.

"문을 활짝 열면 안 되나요?"

"만약에 내가 아니라 이상한 사람이면 어쩌려고 그랬어요?"

"에이, 리조트에 그런 이상한 사람이 있으려고요."

"아니, 이 여자가? 세상에 안전한 곳이 어디 있다고!"

막 잠에서 깨어나 부스스해진 머리에 약간 초점이 나간 눈동자 하며, 이런 모습이 얼마나 유혹적인지 이 여잔 정녕 모르는 걸까?

유미는 어젯밤 그에게 안겼을 때와 똑같은 드레스 차림으로 멀뚱멀뚱 그를 올려다보았다. 자신은 그녀 때문에 밤을 거의 꼬박 새웠는데 그녀는 아주 푹 수면을 취한 것 같다. 그렇게 생각하자 진욱은 은근히 약이 올랐다.

"하여간 아침 먹읍시다."

'아침'이란 소리에 유미는 반사적으로 입을 틀어막았다.

"읍."

음식 이야기만 들어도 속에서 욱하고 올라올 것 같았다.

"저, 아침은 건너뛰고 싶은데……."

"속 안 좋아요?"

유미는 대답 대신 빠르게 고개를 끄덕거렸다.

"그럼 수영이라도 하죠."

"네에? 수영이라뇨?"

숙취로 고생하는 사람에게 수영이라니! 물고문이라도 하겠다는 거야? 그러나 그녀의 걱정은 진욱의 다음 말로 눈 녹듯이 사라졌다.

"지금 그 속으로 차 타긴 무리일 테고. 수영하지 않더라도 풀장에 앉아 있기라도 해요. 혼자 침대에 누워서 골골대는 것보단 나을 테니까."

듣고 보니 과히 틀린 말은 아니었다. 이 상태로 차를 타고 올라간다니 상상만으로도 끔찍했다.

"그럴까요, 그럼?"

수영장에서 과연 어떤 일이 벌어질지 알지 못한 채, 유미는 진욱의 제안에 흔쾌히 동의했다.

Episode 23

당신이라서 좋았어요

"어떻게 사람이 아무도 없죠?"

유미가 당황한 얼굴로 텅 빈 수영장을 둘러보았지만, 진욱은 아무것도 아니라는 듯 어깨를 으쓱거렸다.

"빌렸습니다."

"여길 통째로 다요?"

"사람들이 북적거리는 게 싫어서……."

그렇다고 수영장을 통째로 빌리다니……. 이런 걸 보고 통이 크다고 해야 하나, 아니면 재수 없다고 해야 하나.

유미는 수영장에 진욱과 단둘만 있다는 사실이 영 불편했다.

수영하려면 수영복을 입어야 하는데…….

속옷 차림의 마네킹을 보고도 시선을 어디에 둬야 할지 몰라 난감했는데 이번엔 속옷 같은 수영복을 입은 진욱을 혼자 상대해야 한다고?

음란 마귀가 씐 듯 자꾸만 이상한 쪽으로 상상이 뻗어갔다.

내가 정말 로맨스 소설을 끊든지 해야지, 아후.

난처한 얼굴로 주위를 두리번거리던 유미의 눈에 '스파' 안내판이 들어왔다. 그래, 스파!

유미는 사막에서 오아시스를 발견한 듯 속으로 환호했다.

"그러면 수영하세요. 저는 저쪽에서 스파나 하고 있을게요."

서둘러 스파장으로 가려는데 몇 걸음 떼지 못한 상태에서 진욱에게 팔을 붙잡혔다.

"가긴 어딜 가요? 숙취 있다는 사람이 스파 하다 쓰러지면 어쩌려고!"

진짜라면 그럴 수도 있겠지만, 이건 어디까지나 가는 척하는 거지, 뜨거운 물에 들어갈 거 아니거든요!

"그러지 말고 저기 라운지 체어에 앉아서 나, 수영하는 거나 지켜봐요."

어머, 이 남자 좀 봐! 이젠 대놓고 자기 몸매 감상하라네?

"음, 이해가 안 돼서 그러는데, 제가 왜 본부장님이 수영하는 걸 봐야 하죠?"

"나 혼자 수영하다가 발에 쥐가 나거나 갑자기 심장마비가 올 수도 있잖아요. 그러면 응급처치를 할 사람이 있어야 할 거 아닙니까."

"그러니까 저더러 안전 요원 역할을 하라고요? 저는 누구를 구할 만큼 수영을 잘하지 못하는데요. 응급처치 이런 거 전혀 모르고. 또……."

"옆에 스위치 버튼만 누르면 돼요."

말이 길어지자 진욱은 유미의 말을 자르며 손가락으로 풀장 옆에 설치된 응급 버튼을 가리켰다.

"이거요?"

진욱은 대답을 해주는 대신 단숨에 가운을 묶었던 끈을 풀었다. 순식간에 가운이 밑으로 흘러내리며 진욱의 눈부신 몸매가 드러났다.

"흡!"

유미는 황급히 고개를 돌리고 숨을 크게 들이마셨다.

아무리 원나잇까지 갔다고 해도 컴컴한 차 안에서 뭐, 제대로 볼 수나 있었겠느냐고…….

훤한 대낮에 그의 몸을 보는 건 지금이 처음이었다. 세상에나, 살아 있는 조각상으로 불리는 영국 슈퍼 모델 '데이비드 간디'에 견주어도 전혀 손색이 없는 몸이었다.

진욱은 목까지 빨갛게 물들인 채 어쩔 줄 모르는 유미를 즐겁게 바라보더니 그대로 물속으로 뛰어들었다.

첨벙, 수영장에서 튄 물이 유미의 발을 차갑게 적셨다.

"그래, 알았네. 알려줘서 고맙네."

굳은 표정으로 상대의 말을 듣던 차 회장은 조용히 수화기를 내려놓았다. 어쩐지, 아무리 생각해도 수상하다 했다. 차 회장은 한 손으로 이마를 문지르며 진욱의 집에 방문했던 날을 떠올렸다. 혼자 식사하는 녀석이 촛불을 켰다는 것부터 심상치 않았는데 역시 뭔가 있었던 거다.

차 회장은 방금 철민의 형, 태한 그룹 공 부회장과 다음 달 말에 있을 재계 모임에 관한 의논을 나누었다. 그런데 통화가 거의 끝나갈 때쯤 전혀 예상하지 못한 이야기를 듣게 되었다.

진욱이 녀석이 여자를 데리고 철민이 결혼식에 갔다고? 같이 결혼식에 초대받은 혜리는 공 부회장과 함께 헬리콥터로 돌아오고?

차 회장의 미간이 사납게 일그러졌다.

괘씸한 녀석! 여자가 있으면 있다고 말해야지, 감쪽같이 날 속였어?

두 눈을 감고 생각에 잠겼던 차 회장은 잠시 후 눈을 뜨며 인터폰을 눌렀다.

"김 비서, 진욱이 녀석 여자 있는 거 같으니까 좀 알아봐. 두 사람, 지금 대복 리조트에 있다는군."

[네, 알겠습니다.]

"녀석이 눈치채지 않게 잘 진행하게."

[명심하겠습니다.]

"도대체 어떤 여자야……?"

자리에서 일어난 차 회장은 근심에 찬 얼굴로 창밖을 내다보았다.

제아무리 물개라도 이 남자 앞에선 꼬리를 내릴 게 분명하다. 유미는 수영장의 끝에서 끝을 쉬지 않고 물살을 가르며 헤엄치는 진욱을 경탄의 눈으로 바라보았다.

"그러지 말고 들어오라니까?"

수영장 가장자리에 앉은 유미에게 진욱이 손을 흔들어 보였다.

"아뇨. 보는 것만으로도 숨차요."

"그렇다면 할 수 없고."

진욱은 잠시 휴식을 취할 생각인지 그녀 쪽으로 헤엄쳐 오더니 팔을 난간에 기대며 유미를 올려다보았다.

"그렇게 잤던 거…… 정말 후회해요?"

단도직입적인 질문에 유미는 살짝 고개를 갸우뚱거렸다.

잤던 거? 어젯밤 와인 마시다 잠든 걸 말하는 건가? 아, 민망하게 왜 그런 건 묻고 그래.

"뜬금없이 그건 왜 물어요?"

"마음에 걸려서……."

이 남자는 술 먹고 잠드는 여자를 싫어하는구나. 마음에 걸릴 정도라니…….

"후회하죠. 앞으로 다시는……."

'술 먹고 잠들지 않을게요.'라고 말하려는데 진욱이 그녀의 말을 자르고 뛰어들었다.

"난 후회 안 합니다."

응? 그게 무슨 말이지?

"그날 밤, 그렇게 잤던 거 절대로 후회 안 해요."

잠깐, 어젯밤 내가 잠들었던 걸 물어보는 게 아니라, 3년 전 그날 밤을 말하는 거야? 그러니까 원나잇?

쿵, 그녀의 심장이 저 밑으로 떨어졌다.

진욱은 유미의 눈을 빤히 쳐다보며 한 자, 한 자 힘주어 말했다.

"적어도 나는, 그때 내 감정에 솔직했으니까."

그녀의 심장 소리가 쿵쿵 커지며 귓가를 때리기 시작했다.

"이유미 씨에게도 그날 밤이 부끄럽고 후회스러운 그런 기억이 아니었으면 좋겠어요."

진욱이 진심 어린 눈으로 그녀를 그윽하게 바라보았다.

이 남자는 진심이다. 진심으로 이렇게 말해주는 거야. 혹시라도 내가 그날 밤에 관해서 부끄러워할까 봐.

그의 따뜻한 말과 그윽한 시선이 고맙고 위로가 된 유미는 마음이 스르륵 녹아드는 것만 같았다.

나도 절대로 부끄럽고 후회스럽지 않아요!

그래, 용기를 내서 말하자!

"나도 그날……."

그녀가 한마디 꺼내려는데 별안간 진욱이 유미의 발목을 잡아당겨 풍덩 물속으로 빠뜨렸다.

"꺄악!"

물이 그렇게 깊진 않았지만, 갑자기 들이닥친 차가운 물에 눈앞이 캄캄해졌다. 공포로 인해 아무것도 생각나지 않았다. 유미는 두 눈을 꼭 감고 두 팔과 두 발을 동시에 허우적거렸다. 진욱은 재빨리 유미를 그대로 끌어안고 물 위로 올라갔다. 흘딱 젖은 그녀가 손으로 얼굴의 물을 닦아내며 진욱을 째려보았다.

"갑자기 그렇게 잡아당기면 어떡해요! 큰일 날 뻔했잖아요!"

놀란 마음에 유미는 손바닥으로 진욱의 가슴을 팡팡 때렸다. 그러나 진욱은 뭐가 그리도 즐거운지 '하하하' 웃음을 터뜨렸다.

"지금 이게 웃겨요. 나, 완전 기겁했다고요!"

"딸꾹질 안 하네?"

지금 나, 그의 맨가슴에 착 달라붙어 있는 거야? 어머나!

동시에 유미의 눈이 동그래지더니 곧바로 딸꾹질이 흘러나왔다.

"크읍, 딸꾹."

진욱의 눈이 장난기로 반짝거렸다.

"딸꾹질 멈추게 해줘요?"

그의 얼굴이 조금씩 천천히 가까이 다가왔다. 순간 그녀의 머릿속에 오만 가지 생각들이 떠올랐다.

뭐라고 딱히 대답하지 않아도 지금 그의 키스를 받아들인다면 그날 후회하지 않았다는 대답이 되는 것 아닐까?

아니야. 말은 말이고 행동은 행동인 거지. 우선 말로 상황을 깨끗하게 정리하고 그다음에 행동으로 옮겨야 해.

미쳤어. 내가 지금 박사 논문 쓰는 것도 아니고 뭐 하는 거야? 그냥 감정이 끌리는 대로 키스하라고!

그래도 이렇게 얼렁뚱땅 키스해버리면 안 되는 건데…….

결국 유미는 아무런 결론도 내리지 못하고 진욱의 입술을 피해 고개를 돌려버렸다. 다른 건 둘째치고 이 상태로 그와 키스했다간 물속에서 기절할지 몰라 겁이 났다.

"자…… 잠깐만요."

유미는 두 손으로 그의 가슴을 밀치고 서둘러 물 밖으로 걸어나갔다. 그리고 물에 젖은 옷이 몸에 착 달라붙은 모습을 가리기 위해 커다란 타월을 몸에 걸쳤다. 민망한 마음에 그대로 수영장을 나가려 입구를 향해 걸어가는데 이상하게도 뒤에선 아무런 소리도 들리지 않았다. 첨벙, 첨벙, 물소리가 들려야 정상인데…….

뒤를 돌아보자, 잔잔한 수면이 눈에 들어왔다. 물속에 있어야 할 진욱의 모습은 어디에도 보이지 않았다.

어? 어디 갔지? 물에서 나오는 소리를 듣지 못했는데?

급하게 수영장으로 돌아가자, 저기 물 아래, 수영장 바닥에 몸을 웅크리고 있는 진욱의 모습이 눈에 들어왔다.

"본부장님? 지금 뭐 하시는 거예요?"

하지만 진욱은 미동도 하지 않았다.

"장난치지 말아요."

한참을 기다려도 진욱은 움직이지도 않았고 물 위로 올라오지도 않았다. 어디선가 시침 돌아가는 소리가 '째깍째깍' 초조하게 들리는 것만 같았다.

순간 유미의 머릿속에 진욱이 해준 말이 떠올랐다.

—나 혼자 수영하다가 발에 쥐가 나거나 갑자기 심장마비가 올 수도 있잖아요. 그러면 응급처치를 할 사람이 있어야 할 거 아닙니까.

심, 심장마비? 어떡해! 어떡해! 응급 스위치 버튼을 누르라고 했는데, 어디에 있더라? 어디 있지? 그가 위험할지도 모른다는 두려움에 아무것도 눈에 들어오지 않았다. 눈앞이 뿌옇게 흐려지며 주위가 위아래로 꿀렁꿀렁 흔들리는 것만 같았다. 이러다 골든타임을 놓치게 된다면? 안 돼! 뭘 어떻게 할 수 있는 것도 아니면서 유미는 타월을 벗어 던지고 그대로 물속에 뛰어들었다.

'이러다 둘 다 물에 빠져서 물귀신 되는 건 아닌가?' 하는 걱정 따위는 문제가 아니었다. 그녀에겐 그가 우선이었다.

"본부장님."

유미는 물살을 헤치며 수영장 바닥에 몸을 웅크리고 있는 진욱에게 다가갔다. 재빨리 진욱의 팔을 잡아당겨 그를 꼭 끌어안은 다음 힘껏 물 위로 밀어 올렸다. 한 손으로는 진욱을 끌어안고 다른 한 손과 두 발로 허우적거리며 물살을 갈랐다. 필사적인 힘으로 팔을 움직이니 조금씩 수영 가장자리에 가까워지는 것 같았다. 하지만 동시에 그녀 혼자 어떻게 진욱을 물 밖으로 끌어낼 수 있을까 두려움이 밀려오기 시작했다. 유미는 공포를 떨치려 마음속에 있는 말을 울부짖듯 꺼내기 시작했다.

"제발, 제발 이대로 가버리면 안 돼요. 나도 그날 일, 후회 안 한다고요! 나한테…… 다시는 없을 특별한 날이었는데, 왜 후회하겠어요? 당신이라서…… 당신이라서 좋았어요."

고백도 한번 못 하고 이대로 그를 보내버리는 건 아닌지, 갑자기 밀려오는 서러움에 눈물이 앞을 가렸다.

"흑흑, 보석함에…… 내 패드 간직하고 있는 것도 다 봤는데……."

그때였다. 갑자기 그녀의 몸이 뒤로 확 빨려 들어가더니 힘찬 손길에 의해 수영장 벽에 밀쳐졌다.

방금 무슨 일이 일어난 거지?

유미는 어리둥절한 눈으로 코앞에 있는 진욱을 바라보았다.

이 남자, 왜 이렇게 멀쩡한 거야? 방금까지 기절해 있었던 거 아닌가?

그가 무사하다는 사실에 유미의 얼굴에 기쁨의 미소가 떠올랐다.

"당신 도대체 뭐 하는 여자야?"

진욱은 눈살을 찌푸린 채 낮은 목소리로 으르렁거리듯 물었다.

"네?"

"밀당의 고수도 이런 고수가 없어."

혼잣말처럼 투덜거린 진욱은 두 손으로 그녀의 얼굴을 감싸더니 그녀의 입술에 자신의 입술을 포개버렸다. 그의 입술을 피할 생각은 없었지만, 너무나 빨라서 피할 수도 없었다.

"하아."

입술에 닿는 차가운 감촉에 유미의 입에서 작은 탄성이 흘러나왔다. 그러나 차가운 느낌은 잠시, 곧 입술이 화르르 타오를 것같이 뜨거워졌다.

진욱은 단단한 가슴으로 꼼짝도 할 수 없게 그녀를 누르며 세차게 수영장 벽으로 밀어붙였다. 누구의 입술이 먼저 열렸는지도 모르게 두 사람의 숨결이 거칠게 얽혀들었다. 그동안 참았던 것을 한꺼번에 분출하듯 두 사람은 뜨겁게 엉킨 채 거친 숨을 내쉬며 서로를 탐닉했다.

"하아."

절대로 다신 놓아주지 않으려는 듯 호흡을 위해 잠시 떨어졌던 입술이 다시금 강렬하게 얽혀들었다. 호흡이 가빠지고 점점 눈앞이 뿌옇게 흐려진다. 이대로 모든 것을 빨아들일 것처럼 파고드는 진욱의 집요한 입술에 유미는 정신이 아득해지는 것만 같았다.

찰싹, 찰싹, 몸에 부딪히는 물소리가 멍하니 귀에서 점점 작아지기 시작했다.

얼마나 길게 키스했을까?

못내 아쉬웠지만 진욱은 그녀의 입술을 천천히 놓아주었다. 녹초가 되어버린 유미는 진욱의 어깨에 힘없이 고개를 숙였다. 진욱은 다독거리듯이 그녀의 등을 다정하게 손으로 쓸어내렸다.

"……난…… 본부장님이 심장마비라도 온 줄 알았어요."

"그래서 수영도 잘 못하면서 뛰어들었다? 다음번엔 그러지 마. 그러다 둘 다 위험해져."

그래도 눈 뜨고 그가 위험에 빠지는 걸 지켜보는 것보단 그편이 나을지도 모른다.

유미에게서 아무런 대답이 없자, 진욱은 그녀의 이마에 살며시 입을 맞추었다. 그리고 그녀의 얼굴에 달라붙은 젖은 머리카락을 떼어내며 상황을 설명했다.

"무안해서 잠수 중이었어요. 그쪽이 그렇게 팽하고 나가버리니까."

"내가 언제 팽하고 나가버렸다고 그래요?"

"뒤도 돌아보지 않고 나가버린 게 팽하고 나간 게 아니면……?"

"그, 그건."

유미가 대답을 못 하고 말을 얼버무리자 진욱은 다시 고개를 숙여 조심스럽게 입술을 겹쳤다. 짧지만 진한 키스를 퍼붓고 난 후, 그가 그녀의 입술 위에 작게 속삭였다.

"괜찮아. 날 구하겠다고 아주 씩씩하게 돌아와줬으니까. 그런데…… 보석함은 어떻게 된 거지? 열어보지 않았다고 했잖아."

"그때는 열어보지 않았어요. 저번에 회장님이 오셔서 옷장에 숨었다가 얼떨결에……. 그게 왜 거기 있는지 잘 모르겠지만. 음…… 개인의 취향이라면 존중해드릴게요."

개인의 취향이라는 말에 진욱의 표정이 미묘하게 변했다.

역시 오해하는군. 이럴 줄 알고 숨겼던 건데.

"개인의 취향이라니? 나, 그런 거 모으는 취미 없습니다. 그쪽 돌려주려고 가져왔으니까 이따 줄게요."

"네에?"

볼륨업 패드를 여기까지 가져왔단 말에 유미는 기가 막힌다는 듯 눈동자를 굴렸다.

"아니, 그걸 왜 여기까지 가져온 거예요?"

"주인을 찾았으니까 돌려줘야지."

아이, 정말 창피하게시리. 가슴이 작아서 패드를 착용해야 한다는 게 자랑도 아니고.

"아니, 변태도 아니고 왜 그걸 가지고 있어요!"

"변태라고?"

변태라는 말에 진욱은 지금까지 간직했던 서러움이 왈칵 터져버렸다. 패드만이 그녀가 유일하게 남긴 흔적이었는데 어쩌라고. 행운의 오백 원은 그녀가 사라질지 모르고 커피 사는 데 보태버렸단 말이다. 절대로 이상한 생각을 품고 한 행동은 아니었지만, 솔직히 남들에겐 변태로 취급받을 만했다. 그래서 진욱은 더욱더 서러웠다. 유미마저 변태라고 하다니…….

"이봐! 흘리고 간 게 이거 하나뿐인데 그럼 나더러 어떡하라고? 그럴 거면 신데렐라처럼 구두 한 짝이나 벗어놓고 가지!"

그렇긴 하네. 유미는 안쓰러운 눈으로 진욱을 바라보았다. 하지만 그녀도 속상했다. 귀고리나 스카프 같은 것을 흘렸으면 얼마나 좋았을까? 하필 볼륨업 패드라니!

"그래, 좋아. 변태라고 생각할 수도 있어. 나도 내가 왜 이걸 버리지 못하고 간직하고 있었는지 잘 모르겠으니까. 그런데, 제길."

복받쳤는지 진욱이 짧게 욕설을 내뱉었다.

"그때를 추억할 수 있는 게 이것 말고는 없잖아!"

추억할 수 있는 게 없어서 패드라도 간직하고 있었다고?

그 한 마디가 어느 고백보다 그녀의 심금을 울렸다.

"변태 취급이나 받고, 괜히 가지고 있었어. 그냥 버려버리는 건데."

유미는 진욱이 더 이상 말하지 못하게 그의 입술에 재빨리 손가락을 대었다. 그리고 어색하면서도 환하게 웃어 보였다.

"고마워요."

선뜻 다음 말을 잇지 못하고 망설이던 그녀가 속삭이듯 말했다.

"……간직해줘서."

유미는 진욱과 수줍게 눈을 마주치고 빨갛게 달아오른 뺨을 숨기려 살며시 고개를 숙였다.

"이리 와."

진욱은 손가락으로 가볍게 유미의 턱을 잡아 고개를 들어 올리고 그대로 입을 맞췄다. 입술만 살짝 닿았던 입맞춤은 서로의 숨결이 가빠짐에 따라 점점 더 거칠고 깊어졌다.

그런 두 사람을 멀리서 누군가가 망원경으로 지켜보고 있었다.

"뭐? 대복에서 근무한다는 게 사실인가?"

"네. 그렇답니다."

김 비서의 보고에 차 회장은 영 마음에 들지 않는다는 듯 인상을 찡그렸다.

진욱의 여자에 관해 알아내라고 지시를 내린 후, 1시간도 지나지 않아 이유미에 관한 신상명세서와 두 사람이 함께 있는 사진이 차 회장에게 전달되었다.

"괘씸한 녀석. 혜리를 차버리고 선택한 여자가, 우리 회사 구내식당 영양사라고? 하, 난 또 이 녀석이 어디 유럽의 공주라도 사귀는 줄 알았네."

"차 본부장님, 내일 출근하는 대로 회장실로 오시라고 할까요?"

마음 같아선 내일 출근할 때까지 기다릴 것도 없이 당장 잡아들이고 싶었지만 그랬다간 호미로 막을 일이 걷잡을 수 없이 커져버릴 수도 있었다. 지금까지 진욱이 어떻게 반항했는지를 돌이켜본다면 이미 답은 정해져 있었다.

"아니. 그러진 말고. 성급하게 찔렀다간 어디로 튈지 모르는 녀석이니까."

창밖을 바라보며 잠시 생각에 잠긴 차 회장이 다시 김 비서에게 시선을 돌렸다.

"우선은 이 여자에 관해서 좀 더 알아봐야겠어. 뒷조사 철저히 해서, 무슨 흠이라도 있는 건 아닌지 알아봐."

"네, 알겠습니다."

김 비서가 나가자마자 차 회장은 분을 참을 수 없는지 주먹으로 책상을 쾅 내리쳤다.

"못난 녀석."

서울로 올라가는 길, 운전하는 도중에도 진욱은 유미의 손을 꼭 잡고 놓아주지 않았다. 차가 맥&북 건물 앞에 멈추자, 진욱은 아쉬운 얼굴로 길게 한숨을 내쉬었다.

"이럴 줄 알았으면 좀 돌아서 올걸."

일요일 오후, 고속도로가 이리도 뻥뻥 뚫릴 줄 누가 알았을까?

내일 출근하면 다시 얼굴을 볼 수 있겠지만 그래도 이 순간 그녀를 보내야 한다는 사실에 마음이 아팠다.

"바래다줘서 고마워요. 조심해서 운전해요."

"잠깐만."

안전벨트를 풀고 차에서 내리려는 유미의 팔을 진욱이 재빨리 낚아챘다. 그리고 의아한 눈으로 바라보는 그녀의 입술로 고개를 내렸다.

"안 돼요."

그가 무슨 짓을 하려는지 눈치챈 유미가 황급히 뒤로 몸을 뺐다.

"누가 보기라도 하면 어쩌려고."

"선팅 잘돼 있어서 밖에선 절대로 보이지 않아."

진욱은 한 손으로 그녀의 뺨을 고정한 후, 방향을 살짝 틀어 마치 과일을 한입에 베어 물 듯 그녀의 입술을 머금었다.

한참 후에야 입술이 떨어지고 두 사람의 입에서 가쁜 숨결이 흘러나왔다.

"한 가지 궁금한 점이 있는데……."

"……뭐가요?"

아직도 격정적인 키스에서 헤어나지 못한 채, 유미가 흐릿한 눈으로 물었다.

"그 이니셜 말이야. 유미라면 'Y.M'이 아닌가? 왜 'M.H'지? 'M.H', 그런 브랜드는 없는 것 같은데……."

"아, 그게 그러니까."

원래 엄마 패드인데 빌려 썼다는 말을 어떻게 해!

"몰라도 돼요."

유미는 목까지 얼굴을 붉히며 서둘러 차에서 내려 건물로 뛰어가버렸다.

"뭐가 그리도 시크릿이 많아!"

허둥지둥 도망가듯 달려가는 유미를 바라보며 진욱은 피식 웃으며 고개를 내저었다.

욕실 문이 열리고 샤워 가운 차림의 진욱이 방 안으로 들어섰다. 막 샤워를 마친 듯 젖은 머리카락이 이마를 덮고 있었다. 흘러내린 머리카락을 쓸어 올리려 팔을 들자, 가운의 깃이 벌어지며 탄탄한 가슴이 드러났다.

예고 없이 갑자기 저런 모습을 보여주는 건 반칙 아닌가?

유미는 숨을 죽이고 당황함을 감추려 입술을 꼭 깨물었다. 진욱은 한쪽 입꼬리를 올리며 침대 옆에 서 있는 유미를 향해 느긋하게 다가왔다.

"같이 샤워했으면 좋았을 텐데, 아쉽네."

유미의 뺨을 손등으로 훑어 내리며 진욱이 나직이 속삭였다. 미치겠다. 그저 손등이 닿았을 뿐인데도 온몸이 화끈 달아오른다.

"……하아, 어쩌면 좋아. 어떡……해……."

유미가 한숨을 내쉬듯 중얼거리자, 진욱은 손을 뻗어 그녀의 허리를 와락 끌어당겼다.

"헉!"

그의 품에 갇힌 그녀의 눈이 동그랗게 커다래졌다. 진욱은 서서히 고개를 숙여 유미와 시선을 맞추었다.

"어떡하긴 뭘 어떡해?"

그가 진지한 눈빛으로 말했다.

"마음 가는 데까지 가보는 거야. 어디까지 가나…… 지켜보자고."

말을 마친 진욱은 닿을 듯 말 듯 얼굴을 가까이 댔다. 그리고 애를 태우려는 듯 손바닥으로 그녀의 등을 천천히 쓸어내렸다. 손길이 스칠 때마다 몸에 미세하게 전기가 흐르는 것만 같았다.

유미는 가빠지는 호흡을 고르며 진욱의 가운 깃을 꽉 움켜쥐었다. 이윽고 진욱이 양손으로 유미의 뺨을 감싸며 살포시 입술을 포갰다.

따뜻한 숨결이 흘러나오며 달콤하고도 짜릿한…….

“악!”

아랫배에 느껴지는 둔한 통증에 유미의 눈이 번쩍 떠졌다.

흐린 초점에 서서히 윤곽이 잡히며 익숙한 풍경이 눈에 들어오기 시작했다.

잠시 후, 유미는 바다가 훤히 보이는 리조트 객실이 아닌, 그녀의 집에 누워 있다는 사실을 깨달았다.

꿈이었구나.

아쉽게도 입술이 닿는 순간 꿈에서 깨버렸다. 동구가 잠결에 옆으로 돌아누우며 유미의 배를 걷어찬 모양이다. 유미는 ‘끙’ 신음을 흘리며 아랫배에 놓인 앙증맞은 발을 옆으로 밀었다. 그러자 동구는 웅얼웅얼 잠꼬대하며 그녀의 품으로 파고들었다.

어린 동생에게 뭐라고 할 수도 없고.

“하아.”

긴 한숨을 내쉰 유미는 동구의 머리를 쓰다듬으며 어둠 속에 흐릿하게 드러나는 천장으로 시선을 돌렸다.

—그날 밤, 그렇게 잤던 거 절대로 후회 안 해요.

—적어도 나는, 그때 내 감정에 솔직했으니까.

아직도 진욱의 목소리가 귓가에 맴도는 것만 같았다. 유미는 연하게 웃으며 두 눈을 감았다. 그러나 그 이후로 도통 잠들 수가 없었다. 밤새도록 천장만 바라보다 동이 틀 무렵에야 잠시나마 눈을 붙일 수 있었다. 수면은 부족했지만, 마음만은 날아갈 것처럼 가벼웠다.

리조트에서의 고백 이후, 그녀를 둘러싼 세상이 달라진 것만 같았다. 행복했다. 늦잠 자는 미희와 동구에게 뽀뽀를 퍼붓고, 화려한 아침상을 차려놓고 출근길에 나설 만큼 행복했다.

"……I'm…… in lov……e with you. ……I'm……."

유미는 서둘러 출근 준비를 마치고 노래를 흥얼거리며 계단을 내려갔다. 마지막 계단을 내려서는데 건물 앞에 세워진 스쿠터가 눈에 들어왔다.

"어? 벌써 출근했어?"

유리창으로 카페 안을 힐끗 들여다보니 현태가 커피를 내리고 있었다. 적어도 10시는 넘어야 출근하는 녀석이 오늘은 웬일로 부지런하지? 유미는 고개를 갸우뚱거리며 카페 안으로 들어섰다.

"웬일로 일찍 나왔어?"

"응. 원고 쓰려고."

환하게 미소 짓는 유미와는 달리 현태는 무뚝뚝한 얼굴로 짧게 대답했다. 현태가 잔에 커피를 따라 건네주자 유미는 두 손으로 조심스럽게 잔을 받아 들었다.

"벌써 새 책 들어가는 거야?"

현태는 대답 대신 고개를 끄덕이며 자신의 잔에 커피를 따랐다. 그러다 뭔가를 살피듯 유미의 얼굴을 빤히 쳐다보았다. 평소와는 다르게 현태가 진지한 눈빛으로 쳐다보자, 유미는 무슨 일이 있느냐는 듯 미간을 좁혔다.

"뭐?"

"주말 잘 보낸 것 같아서. 얼굴에 활기가 넘치네."

"아…… 그렇게 보여?"

얼굴에 그대로 나타났나?

마음 같아선 현태에게 주말에 무슨 일이 일어났는지 왕창 수다를 떨고 싶었다. 하지만 아직은 왠지 모르게 부끄러웠다.

기회만 있으면 평생 독신으로 살 거라고 노래를 불렀는데, 삼시 새끼랑 그렇고 그런 사이가 될 것 같다는 걸 어떻게 말하느냐고! 나도 낯짝이란 게 있는데…….

그리고 설명하다 보면 3년 전, '원나잇 사건'도 털어놓아야 한다.

안 돼! 지금은 말해줄 시기가 아니야. 나중에 기회를 봐서…….

좀 지난 후에 알게 된다고 해도 착한 현태는 넓은 마음으로 이해해줄 거라 믿는다.

"오랜만에 바닷바람 쐬고 오니까 좋긴 좋더라."

결국 유미는 커피를 홀짝이며 주말에 있었던 일에 관해 둘러댔다.

"맨날 엄마랑 동구랑 셋이 낑겨 자다가 널찍한 침대에서 혼자 자니까 편하기도 하고."

"혼자 잤어?"

"어? 야, 당연하지."

왜 그런 걸 물어보냐는 듯 유미가 콧등에 주름을 잡자, 현태는 어색하게 웃으며 커피를 들이켰다.

그래, 나의 믿음직스러운 친구가 남자와 쉽게 그럴 리가 없지. 그 여자가 괜히 질투에 눈이 멀어서 넘겨짚은 거야.

"아 참, 토요일 밤에 여기 주혜리, 왔다 갔어."

"주혜리 아나운서가? 왜? 또 방송 나와달래?"

"아니, 그냥 술 마시러. 되게 괴로운 일이 있었던 모양이더라고."

피로연 도중에 사라져서 무슨 일인가 했는데 그냥 서울로 올라가버렸던 거구나.

당장에라도 울음을 터트릴 것 같은 눈으로 노려보던 혜리가 떠오르자 유미는 마음이 편치 않았다. 너무 싸가지 없게 굴어서 한마디 해준 건데 그렇게 팽 토라져서 달려나갈 줄이야. 기가 센 줄 알았더니 진욱의 말대로 그냥 어린애처럼 어리광 부리는 거였나 보다.

"그런데 왜 하필이면 여기에 와서 술을 마셔?"

"그거야 그쪽 마음이지, 난들 알겠냐? 글쎄……? 나처럼 잘생긴 남자와 술을 마시면 기분이 좋아지긴 하겠네."

"푸하하하."

현태의 농담에 유미의 웃음보가 빵 터져버렸다.

"아이고, 정 사장님, 꿈 깨세요. 꿈 깨!"

"그나저나 넌 요즘 삼시 새끼랑 어때? 아직도 괴롭혀?"

"어?"

유미는 도둑이 제 발 저린 것처럼 뜨끔해졌다.

괴롭히긴 괴롭히지. 너무 달콤하게 밀어붙이며 괴롭히는 게 좀 다를 뿐…….

어떻게 대답해야 하나, 고민하는 유미의 눈에 벽에 걸린 시계가 들어왔다.

"헐, 늦었다!"

유미는 재빨리 커피 잔을 내려놓고 옆에 내려놓은 가방을 집어 들었다.

“나, 갈게. 저녁에 보자.”

허둥지둥 밖으로 뛰어나가는 유미를 쳐다보던 현태가 설레설레 고개를 저었다. 그래, 우리의 참한 친구, 이유미 양이 그랬을 리가 없어. 모두 그 여자가 만들어낸 상상일 거야.

잠깐! 커피 잔을 입으로 가져가던 현태는 순간 동작을 멈추었다.

그런데 나는 왜 자꾸만 유미가 친구라는 걸 강조하고 있지? 앞에 친구라고 달지 않아도 유미는 내 친구잖아. 그래, 유미는 친구야. 여자가 아니라고. 아이 참, 그 여자! 괜히 이상한 말은 해서 사람 심란하게 만들고……. 현태는 한 손으로 머리카락을 헝클어뜨리며 주방을 향해 등을 돌렸다.

세상에서 제일 간사한 게 인간의 마음이라고, 회사를 향해 달려가는 아침 출근길이 왜 이리도 가슴 두근거리며 행복한지 모르겠다. 진욱을 볼 수 없더라도 같은 건물에 있다는 사실만으로 유미는 구름 위를 나는 것처럼 기분이 좋았다.

정신없는 점심 배급을 끝내고 휴식 시간이 되자, 유미는 오랜만에 홀로 사무실에 앉았다. 자꾸만 배실배실 웃음이 흘러나와 조리 팀원들이 이상한 눈으로 쳐다보았기 때문이다.

하지만 어떡해. 좋은 걸 숨길 수가 없는데! 이래서 ‘봄바람이 난 처녀’라는 말이 생겨났나 보다.

히죽히죽 웃으며 책상 위에 놓은 식단표를 만지작거리던 유미의 눈에 도시락 레시피가 들어왔다. 진욱의 까다로운 입맛에 맞추기 위해 꽤 많은 레시피를 준비해놓았는데 이젠 사용할 일이 없어졌다.

혼자서 끼니는 제때 챙겨 먹고 있을까?

유미는 진욱에게 문자를 보내려 주머니에서 휴대폰을 꺼냈다.

어머나, 이제 보니까 아직도 '삼시 새끼'로 저장해놨네.

그래선 안 되지.

유미는 한 자, 한 자 정성 들여 '삼시 새끼'에서 '본부장님♡'으로 수정했다.

"후."

'하트'라니……. 너무 속 보이는 건 아니겠지?

유미는 두 뺨을 발그레 물들이며 조심스럽게 문자를 찍었다.

점심 잘 챙겨 드셨어요?

혹시 문자를 씹어버리면 어쩌나?

유미는 떨리는 마음으로 화면을 노려보다 아랫입술을 깨물며 전송 버튼을 꾹 눌렀다.

띠링—.

몇 초도 지나지 않아 바로 답장이 날아왔다.

네.

응? 달랑 '네.' 한마디라니……. 이게 다야?

실망한 유미는 표정을 굳히며 휴대폰을 내려놓았다.

하지만 이내 '띠링' 문자 음이 울렸다.

도시락 괜히 그만두라고 했어. 회사에서 얼굴 볼 핑계가 없잖아.

"하아."

언제 표정을 굳혔느냐는 듯 유미는 환하게 웃으며 정성스럽게 자판을 꾹꾹 누르기 시작했다.

저도…… 조금, 아주 조금 아쉽긴 하네요. 하하.

유미에게 온 문자를 확인한 진욱의 얼굴에 환한 미소가 떠올랐다.

아쉬우면 그냥 아쉽다고 하지, 아주 조금은 뭐야? 딴에는 밀당을 하려는가 본데…… '영 아니올시다!'이다.

"이런 거 보면 밀당 이런 거, 잘 못하는 것 같은데……."

휴대폰 화면을 들여다보며 진욱이 혼잣말로 중얼거렸다.

또 어떨 때 보면 밀당의 고수 같고. 또 어떨 때 보면 영 서툴고……. 참, 예측이 불가능한 여자야. 그래서 더더욱 끌리는 거지만.

아, 보고 싶어서 미치겠다.

"하, 그렇게 꿀물 뚝뚝 떨어지게 웃을 줄도 아십니까?"

옆에 서 있던 우진이 못마땅한 표정으로 진욱을 흘낏 훑어보았다.

우진 자신은 회사 업무에 지장을 받게 될까 봐 절대로 근무 시간엔 개인 문자를 금하는데, 진욱은 보란 듯이 시시덕거리니 말이다. 늦게 배운 도둑질이 더 무섭다는 옛말이 맞다.

"내가 뭐?"

우진의 지적에 살짝 무안해진 진욱이 인상을 찌푸렸다.

"나, 평소에도 잘 웃는 사람이야."

"네에. 하지만 버럭 소리를 지르는 경우가 더 많죠."

진욱에게서 등을 돌리며 우진이 혼잣말로 투덜거렸다.

"저런 성격…… 상대는 아나 몰라."

그때였다.

심각하게 휴대폰을 들여다보던 진욱이 자리에서 벌떡 일어나 우진의 팔을 잡아당겼다.

"장 비서. 아니, 형!"

얘가 또 무슨 말을 하려고 '형'이라고 부르나?

우진이 께름칙한 눈으로 진욱을 바라보았다.

"업무 능률이 오르기 위해선 적절한 휴식이 필요하지? 나, 그동안 휴식도 없이 너무 일만 했던 것 같아. 그렇지?"

꼭 그렇다는 대답을 강조하는 것 같은 말투.

어디 한두 해 같이 지냈나?

우진은 진욱의 속마음 정도는 훤히 들여다볼 수 있었다.

"그럼요. 휴식이 필요하죠."

"그러면 나, 딱 30분만 쉬고 올게."

"1시간 이상 휴식 취하고 오셔도 됩니다."

"아니, 30분이면 충분해."

진욱은 손목시계로 시간을 확인하며 짧게 대답했다.

유미에게 정해진 휴식 시간이 이미 30분쯤 지났으니까 앞으로 30분밖에 남지 않았다.

"그럼 나, 갔다 올게. 30분밖에 걸리지 않을 테니까 급한 일 있어도 연락하지 말고 그냥 기다려."

진욱은 우진의 어깨를 툭 건드리고 서둘러 본부장실을 나섰다.

똑똑—.

"네, 들어오세요."

유미는 제니 아니면 은비일 거라고 여기며 무의식으로 대답했다. 하지만 문이 열리고, 전혀 상상도 하지 못한 사람이 사무실로 들어왔다.

"아직 쉬는 시간이죠?"

"본부장님?"

유미는 믿을 수 없다는 표정으로 자리에서 몸을 일으켰다. 진욱은 손을 뒤로 뻗어 재빠르게 문을 잠그고는 뚜벅뚜벅 그녀 앞으로 걸어왔다. 왜 문을 잠갔는지 물어보기도 전에 그가 손을 뻗어 그녀를 품으로 끌어당겼다. 얼떨결에 진욱의 품에 갇힌 유미가 놀란 눈으로 그를 올려다보았다.

"표정이 왜 그렇지? 나, 안 보고 싶었어요?"

"당연히 보고 싶…… 아니, 저 그게 아니라."

너무 쉽게 속마음을 털어놓은 것 같아 유미는 말끝을 얼버무렸다. 그러자 진욱의 표정이 금세 시무룩해졌다.

"나는 보고 싶어서 미치는 줄 알았는데 아니라는 건가?"

사람 마음 약해지게 왜 저렇게 상심한 표정을 짓는 거야?

유미는 할 수 없이 위아래로 고개를 끄덕였다.

사실 그녀도 진욱이 보고 싶어서 미치는 줄 알았으니까. 어제 일은 그냥 꿈속의 해프닝 같기만 하고, '회사에서 마주쳤는데 싸늘하게 나오면 어쩌지?', '퇴근하고 만나자는 말이 없으면 어떡하지?' 하면서 마음을 졸였다.

그런데 믿기 어렵게도 지금 진욱은 그녀의 사무실에서 그녀를 넓은 가슴으로 꽉 안아주고 있었다. 어떡해, 너무 좋아. 그냥 안기기만 해도 좋다. 유미는 진욱의 체취를 들이마시며 그의 가슴에 얼굴을 묻었다. 진욱은 끌어안는 것만으론 만족할 수 없는 것 같았다. 한 손으로 그녀의 턱을 들어 올리더니 이글거리는 눈으로 얼굴을 가까이 가져왔다.

그래서 문을 잠근 거였어?

두근, 두근. 입맞춤을 기억하는 그녀의 입술이 파르르 떨리기 시작했다. 유미는 숨을 들이마시며 그의 셔츠 자락을 꽉 움켜쥐었다.

그때였다.

똑똑—.

노크 소리와 함께 복도에서 은비의 목소리가 흘러들었다.

"유미 쌤, 안에서 뭐 해요?"

헉! 전혀 예상하지 못한 은비의 등장에 유미의 눈이 튀어나올 것처럼 커다래졌다. 사내 연애가 금지된 건 아니었지만, 아직은 진욱과의 관계를 당당하게 알릴 순 없었다.

게다가 은비는 '본부장 빠'라고! 어떡해! 어떡해!

황급히 진욱의 품에서 빠져나온 유미는 책상에서 의자를 빼내며 진욱의 등을 떠다밀었다.

"뭐 해요. 빨리 숨어요."

"숨긴 어딜 숨어?"

진욱은 하얗게 질린 유미가 이해되지 않았다.

"내가 어디 못 올 곳이라도 왔나? 본부장이 영양사 사무실에 찾아오지 말란 법이라도 있어?"

"본부장님이 방금 문을 잠갔잖아요."

아, 그러고 보니 문을 잠근 게, 오해의 소지가 될 수도 있겠다. 하지만 그렇다고 스타일 구기게 책상 밑으로 숨으라니…….

설마 하는 진욱과 달리 유미는 진심이었다. 그녀는 다급한 얼굴로 진욱의 팔을 잡아끌었다.

"이봐, 나는 다리가 길어서 안 된다고. 억!"

유미는 진욱의 말을 한 귀로 듣고 한 귀로 흘린 채, 단호하게 그를 책상 밑으로 밀어 넣었다. 몸을 접다시피 한 자세로 진욱이 책상 밑으로 들어가자, 유미는 재빨리 의자로 앞을 가로막았다. 그리고 두 손으로 헝클어진 머리카락을 다듬은 후, 서둘러 잠근 문을 열었다.

"어, 은비 씨?"

"문은 왜 잠그고 계셨어요?"

사무실 안을 두리번거리며 은비가 냉큼 안으로 들어섰다. 지금까지 한 번도 문을 잠근 적이 없었기에 이상했던 모양이다.

"아, 스타킹이 올이 나가서 좀 갈아입느라……."

유미는 입에 침을 바르며 떠듬떠듬 어색하게 거짓말을 했다. 혹시라도 은비가 눈치를 챌까 급하게 다음 말을 이었다.

"근데 무슨 일?"

"팀장 언니가 부침개 지진다고 와서 먹으래요."

"그래? 식단표 정리하던 거, 마저 하고 갈게."

"에이, 막 부쳤을 때 먹어야지 바삭하고 맛있죠. 정리는 이따가 해요."

"그, 그럴까?"

유미는 진욱이 있는 책상 밑을 힐끗 내려다보곤 할 수 없이 은비를 따라나섰다. 문이 닫히고 잠시 후, 의자가 뒤로 밀리며 진욱이 책상 밑에서 기어 나왔다.

"제길."

긴 다리로 책상 밑에 숨어 있느라 다리가 저려서 미치는 줄 알았다. 진욱은 구겨진 바지의 주름을 펴며 유미가 나간 문을 못마땅한 눈으로 쏘아보았다.

그놈의 부침개 쪼가리! 눅눅해지고 먹으면 어디가 어때서!

전략 회의를 끝내고 본부장실로 돌아오던 중, 빠르게 복도를 걷던 진욱이 별안간 걸음을 멈추고 창밖으로 고개를 돌렸다. 진욱을 따라 창밖을 본 우진의 눈에 커다란 박스를 들고 구내식당으로 향하는 유미가 들어왔다.

유미의 뒷모습이 사라질 때까지 말없이 바라보던 진욱이 우진에게로 고개를 돌렸다.

"장 비서…… 아니, 형."

아놔, 얘가 왜 또 형이래? 또 어떤 질문을 하려고 이러나? 우진의 미간이 자동적으로 찌푸려졌다.

"업무 향상을 위해선, 가끔 칼퇴근도 필요하겠지?"

답정남이 따로 없군. 칼퇴근하면 누가 뭐라나? 자기가 일에 미쳐서 맨날 야근한 주제에 왜 갑자기 나에게 물어?

우진은 속으로 한숨을 내쉬며 간결하게 대답했다.

"10분 먼저 퇴근해도 됩니다."

"그래?"

진욱이 심각한 얼굴로 고개를 끄덕였다. 그놈의 부침개 쪼가리 때문에 얼굴도 제대로 못 봤는데……. 아까 손해 본 10분을 지금에라도 보상받아야겠다.

[본부장님, 아직 퇴근하려면 10분이나 더 있어야 하는데요.]

"짐 챙겨서 로비까지 걸어나가다 보면 퇴근 시간 됩니다. 그러니까 지금 나와요."

통화를 끊은 진욱은 한걸음에 지하 주차장으로 달려갔다. 건물 앞에 차를 세우니 유미가 막 로비를 빠져나오고 있었다. 진욱은 그녀가 차에 오르자마자 오늘 저녁의 계획을 꺼냈다.

"저녁 먹고 같이 영화 보는 건 어때요?"

"저녁은 되지만 영화는 시간이 너무 늦어서 안 돼요."

'그럼 외박해!'라고 말하고 싶었지만, 처음부터 너무 세게 밀어붙여선 안 된다.

진욱은 이내 아무렇지 않은 척하며 부드럽게 웃어 보였다.

"좋아요. 그럼. 주말에 같이 보죠."

"저, 그런데……."

유미는 조금 난처한 얼굴로 진욱의 눈치를 보며 말을 꺼냈다.

"이번 주말은 본사 교육이 있거든요. 그래서 시간이 안 되는데요."

"일요일도?"

"네."

"아니, 무슨 교육을 주말 내내……?"

"그렇게 됐네요."

"뭐, 그렇다면 할 수 없죠."

처음으로 맞는 주말인데, 그냥 건너뛰라고?

진욱은 겉으론 괜찮은 척했지만, 속으론 울고만 싶었다.

사람 마음이 참 간사하다고, 예전에는 같이 밥만 먹어도 좋아서 열 번 밥 먹자고 한 주제에, 이젠 같이 식사하는 것으로는 어림도 없었다. 주말에 그녀를 볼 수 없다고 생각하니 속이 바짝바짝 타는 것만 같았다.

뚫어져라 컴퓨터 모니터를 노려보던 진욱은 결재 서류를 내미는 우진에게 질문을 던졌다.

"나, 지금까지 월차 쓴 적 있나?"

"한 번도 없습니다만……."

"휴가는?"

"휴가 역시 한 번도 없었습니다."

"장 비서. 아니, 우진이 형."

진욱이 자신을 '우진이 형'이라고 부르자, 우진은 작게 한숨을 내쉬었다. 이젠 말하지 않아도 어떤 내용인지 뻔히 알겠다.

"네. 내일이라도 당장 월차 쓰십시오. 제발!"

"좋아. 장 비서 의견이 정 그렇다면……."

펜을 들어 휘갈기듯 결재 서류에 사인하며 진욱이 무뚝뚝하게 대답했다.

"월차를 내라고요?"

갑자기 구내식당으로 찾아온 것도 황당한데 진욱은 유미를 다짜고짜 비상계단으로 끌고 가더니 월차를 내라고 했다.

"아직 월차 한 번도 내지 않았다면서?"

"그거야 아직 월차 쓸 일이 없어……."

"됐고."

진욱이 손을 들어 그녀의 말을 가로막았다.

"지금까지 내 도시락 업무까지 하느라 항상 오버타임 했는데 이번에 조금이나마 보상하죠. 내일 월차 내요. 장 비서가 알아서 처리해줄 테니까."

"……하면요?"

어리둥절한 유미가 조심스럽게 묻자, 진욱은 치아를 드러내며 활짝 웃었다. 그리고 그녀의 눈을 빤히 보며 한 자, 한 자 힘주어 말했다.

"나랑 데이트합시다."

Episode 24

혼자 자는 것도 싫고, 혼자 밥 먹는 것도 싫어!

다른 사람들도 다 이렇게 아침 일찍부터 데이트하나?

유미는 새벽같이 자신을 데리러 온 진욱을 얼떨떨한 눈으로 올려다보았다.

보통 데이트 상대에게 꾸밀 시간도 적당히 주고 그러는 거 아닌가?

진욱은 일분일초가 아깝다는 듯, 8시 정각에 맥&북 건물 앞에 차를 세웠다.

조조할인을 받으려고 그러나? 아무리 그래도 그렇지.

"지금 이 시간에 문 여는 극장은 없을 텐데요."

"우선 같이 아침 먹고 그다음에 영화를 보면 됩니다."

"그리곤 점심?"

누가 삼시 새끼 아니랄까 봐 세끼를 꼬박 같이 먹으려고?

"점심은 놀이공원에서 먹죠. 하여간 오늘 안에 모두 하려면 서둘러야 해요."

"갑자기 놀이공원은…… 왜?"

놀이공원이라니? 금시초문이다. 그냥 느긋하게 영화 보고 밥 먹고 차 마시는 거 아니었어?

"날씨도 좋은데 그냥 카페에 앉아서 차만 마시기 그렇잖아요."

"아…… 네."

워커홀릭인 진욱은 데이트조차 업무 처리하는 것처럼 무섭게 밀어붙이려나 보다. 설마, 데이트 시한폭탄은 아니겠지? 유미는 은근히 겁이 나기 시작했다. 첫 데이트부터 너무 저돌적인 거 아냐? 과연 오늘 하루, 체력이 따라줄까?

"왜요? 내키지 않아요?"

유미의 난처한 표정에 진욱이 눈을 가늘게 뜨며 물었다.

"내키지 않는다기보단 영화 보고 놀이공원까지 가면 좀 피곤할 것 같아서요. 다음 날 출근도 해야 하고, 또……."

"그럼 영화는 다음에 보고 놀이공원으로 갈까요?"

놀이공원을 다음에 가자고 할 줄 알았는데 그는 영화를 다음에 보잔다. 이 남자, 정말 가고 싶은가 봐. 그녀를 간절하게 바라보는 진욱의 얼굴에 키즈 카페에 가자고 조르던 동구의 얼굴이 서서히 겹쳐졌다. 그렇게 가고 싶다는데 반대할 수야 없지.

유미는 희미하게 웃으며 고개를 끄덕거렸다.

"그래요, 그럼."

유미가 동의하자 진욱은 재빨리 차에 시동을 걸었다.

어젯밤 진욱은 우진이 추천한 로맨스 영화를 다섯 편이나 몰아서 보았다.

—본부장님 성격에 첫 데이트라……. 솔직히 심하게 걱정됩니다. 남들은 어떻게 데이트하나 영화라도 보면서 사전 지식을 터득하는 건 어떨까요?

성공적인 데이트를 위해선 꼭 봐야 하는 고전이라고 우진이 거듭 강조했다. 혹시 또 몰라서 진욱은 유미가 즐겨 읽던 《저급한 그대》까지 어렵게 구해서 읽어보았다. 항상 옆에 끼고 다닐 정도면 꽤 좋아하는 내용일 거라는 추측 때문이었다.

매의 눈으로 영화와 책을 샅샅이 훑어보며 진욱이 깨달은 건, 모든 영화와 《저급한 그대》에 놀이공원이 중요한 데이트 장소로 꼭 등장한다는 거였다. 처음에는 서먹서먹했던 남녀가 놀이공원만 가면 무슨 마법에라도 빠진 듯 '하하, 호호' 웃으며 즐거워했다. 어떤 영화에서는 놀이 기구를 타다 눈이 맞은 남녀가 놀이공원을 빠져나오자마자 곧장 끈적거리는 단계로 넘어가며 침대 위로 돌진하기도 했다.

멀쩡한 샴페인을 흔들어 터트리고, 샴페인에 옷을 흠뻑 적신다거나, 얼음 가지고 야하게 장난친다거나, 상대의 눈을 안대로 가린 채 입으로 딸기나 생크림 따위를 먹여준다거나 하는 등등.

오늘은 첫 데이트라 그런 건 건너뛴다고 해도, 몽실몽실한 솜사탕, 깜찍한 동물 모양 머리띠, 하늘에 둥둥 떠다니는 풍선, 화려한 회전목마, 알록달록 꽃다발 등등……. 하여간 모두 다 해볼 거다!

토끼 머리띠를 쓴 유미의 모습을 상상하는 것만으로도 평온하던 심장이 미칠 듯이 뛰었다. 얼마 전까지만 해도 다 커서 유치하게 무슨 놀이공원이냐고 투덜거렸는데……. 지금은 그 자신이 먼저 놀이공원에 가자고 한다는 사실이 믿어지지 않았다.

하지만 그녀와 함께라서 가고 싶은 거다. 그녀와 함께라면 무엇이든 가슴이 설레었다.

"그럼 우선 아침부터 먹죠."

유미의 희고 가느다란 손에 자신의 손을 겹치며 진욱이 부드럽게 말했다.

행복해! 이렇게 행복해도 되는 걸까?

유미는 한순간도 놓지 않고 자신의 손을 꽉 잡고 있는 진욱의 커다란 손을 물끄러미 내려다보았다.

이런 게 데이트인가? 구체적으로 무엇을 해서 행복한 게 아니라 그저 그와 함께 있으므로 행복한 것.

아침은 간단히 차 안에서 해결하기로 했다. 진욱은 유미에게 기다리라고 하더니 잉글리쉬 머핀과 커피 세트를 사서 차로 돌아왔다.

"와, 방금 오븐에서 나왔나 봐요. 바삭바삭하다."

유미는 모락모락 김이 나는 머핀에 딸기 잼과 버터를 발라 한입 크게 베어 물었다.

맛있게 먹는 그녀를 잠자코 바라보던 진욱의 얼굴에 씁쓸한 미소가 떠올랐다. 생각해 보니 그녀와 함께 아침을 먹는 건 처음이다. 그럴 기회가 한 번 있었는데…….

"그때 유미 씨가 차 안에서 자는 동안 혼자 아침을 사러 갔었어요."

그때라면 3년 전? 유미는 머핀을 입에 가득 문 채, 진욱의 다음 말에 귀를 기울였다.

"기름 값을 내고 남은 잔돈만으론 모자라서 행운이라고 준 오백 원까지 내야 했어. 당신이 그렇게 사라질 줄 알았으면 그 오백 원은 쓰지 않고 간직했을 텐데……."

유미는 미안한 마음에 아무 말도 하지 못하고 얌전히 머핀을 입으로 가져갔다.

"그때 사 온 아침이 지금처럼 머핀과 커피 세트였어요."

"……미안해요. 난 그날……."

"됐어요."

진욱은 그녀의 말을 막으며 손을 들어 유미의 뺨을 다정하게 쓰다듬었다.

"지금이라도 이렇게 같이 아침을 먹을 수 있으니까."

3년이란 세월이 결코 짧은 시간은 아니었지만, 그래도 결국은 제자리를 찾았으니 더 이상 불평할 생각은 없었다. 느릿하게 뺨을 배회하던 손끝이 어느새 그녀의 도톰한 입술로 옮겨갔다.

진욱은 조심스럽게 그녀의 입술을 어루만지다 엄지로 지그시 입술 중앙을 눌렀다.

유미는 숨을 들이마시며 불안한 눈으로 진욱을 바라보았다. 아무렇지 않은 척하고 싶었지만, 걷잡을 수 없게 가슴이 두근거려 울 것 같은 표정이 되고 말았다.

진욱은 그런 유미를 바라보며 피식 웃더니 입술에 묻은 머핀 부스러기를 엄지로 닦아냈다. 이어서 자신의 입으로 손가락을 가져갔다.

그는 그녀와 시선을 마주한 채, 부스러기가 묻은 엄지를 혀로 핥으며 입 속으로 집어넣었다. 입 속에 들어가는 건 분명 그의 손가락인데 왜 그녀의 손끝에 경련이 일어나는지 모르겠다.

그저 바라보는 것만으로도 호흡이 가빠지며 심장이 바짝 조여 왔다. 입 안이 바짝바짝 말라 그녀도 모르게 입술이 벌어지기 시작했다.

"이리 가까이 와요."

진욱은 나직하게 속삭이며 한 손으로 그녀의 목을 감싸 앞으로 끌어당겼다. 그리고 고개를 숙여 그녀의 입술에 자신의 입술을 포갰다.

"하아."

겹쳐진 입술과 입술 사이로 흐트러진 숨결이 끊임없이 섞이기 시작했다.

쉬이이잉—.

"꺄아아아악!"

롤러코스터 옆을 지나갈 때마다 사람들이 내지르는 비명이 귀를 찔렀다. 유미는 그때마다 움찔움찔 놀라며 진욱의 팔에 매달렸다. 그 모습이 마치 겁에 질려 깡충깡충 뛰는 토끼를 보는 것만 같았다.

"고소공포증이라도 있나?"

"아뇨. 하지만 높은 곳에서 저렇게 떨어지는 건 싫어요."

"아쉽네요. 타면 재미있을 텐데……."

"그럼 본부장님 혼자 타세요. 전 여기서 기다릴게요."

무슨 소리! 누가 지금 애들처럼 놀이 기구 타려고 왔나? 이유미, 당신과 함께 있고 싶어서 왔다고.

"됐습니다."

진욱은 빠르게 고개를 내젓더니 기념품 파는 상점에서 동물 모양 머리띠를 사 왔다. 하나는 토끼 귀, 하나는 호랑이 귀. 진욱은 그중에서 토끼 귀 머리띠를 유미에게 불쑥 내밀었다.

"이걸 지금 저보고 하라고요?"

"싫어요?"

"아니, 싫다기보다는……."

주위를 힐끔 둘러보니 꽤 많은 젊은 연인과 나이 지긋한 연인들이 머리에 동물 모양 머리띠를 한 채, 다정하게 걷고 있었다.

놀이공원이라서 그런가? 그렇다면 나도 뭐……. 유미가 순순히 머리띠를 쓰자, 진욱은 씩 웃으며 자신도 머리띠를 썼다. 무슨 남자가 호랑이 귀 머리띠를 했는데 우스꽝스럽긴커녕 오히려 더 섹시하게 보이는 걸까! 이건 정말 불공평하다. 유미는 혹시라도 이상해 보이는 건 아닐까 한 손으로 기다란 토끼 귀를 만져보았다. 그사이 진욱은 옆 상점에서 커다란 솜사탕을 사서 돌아왔다.

"와, 솜사탕이다."

솜사탕을 보는 순간 유미의 눈동자가 밝게 반짝거렸다.

"어렸을 때 놀이공원 올 때마다 사 먹곤 했어요."

"그래요?"

행복한 미소를 지으며 솜사탕을 입에 넣는 유미를 보며 진욱이 쓸쓸한 미소를 떠올렸다.

"난 사실 오늘 처음 솜사탕을 사보는 겁니다."

"정말이요?"

왜지? 단맛을 싫어하나?

"아버지는 항상 뭐가 그렇게 바쁘신지 나와 놀이공원에 올 시간이 없었어요. 길거리에서 파는 음식은 절대로 못 먹게 하셨고. 그러니 솜사탕을 먹을 일이 없었죠. 항상 무슨 맛일까 궁금하긴 했어요."

"혹시 놀이공원도 오늘 처음 와본 거 아니죠?"

"음…… 전에 몇 번 온 적은 있지만 다 회사 이벤트 진행 때문에 온 거라서……."

안쓰럽게 보는 유미의 눈빛에 진욱은 재빨리 시선을 돌려버렸다.

"미안. 우울한 이야기만 해서……."

바보같이 이런 남자를 내버려두고 그냥 가버렸었다니!

겉으론 엄청 강한 척하지만, 진욱은 누구보다도 속이 여린 남자인 듯했다. 유미는 그를 확 끌어안고 널찍한 등을 토닥거려주고 싶은 충동을 느꼈다. 하지만 섣불리 그랬다간 그의 자존심을 건드릴지도 모른다. 그날 그렇게 도망가지 않고 남았었더라면, 얼굴을 보며 작별 인사라도 나누었더라면, 과연 우리는 지금까지 인연을 유지했을까?

유미는 그날 벌컥 겁을 집어먹고 도망가버린 게 진심으로 후회되기 시작했다. 좀 더 용감했어야 했는데……. 자신을 쉬운 여자로 생각하든 말든, 서로 마주 보며 현실에 맞섰어야 했다. 하지만 지금이라도 그와 함께할 수 있단 사실에, 너무 늦지 않았다는 사실에 감사해야겠지.

유미는 진욱의 손을 잡으며 상냥하게 웃어 보였다. 혼자 외롭고 힘들었을 때 괜찮으냐고 물어봐주던 남자. 이번엔 그녀가 물어봐주어야 할 차례다.

"괜찮아요?"

그녀의 말뜻을 이해한 진욱이 피식 입꼬리를 비틀었다.

"이런……. 나, 지금 울어야 하나?"

괜찮으냐는 그 한마디에 3년 전, 그녀는 눈물을 펑펑 쏟았으니까.

"뭐라고요?"

유미는 뿌루퉁한 얼굴로 진욱을 흘겨보다, 솜사탕을 한 움큼 떼어내어 진욱의 입에 넣어주었다.

"어때요?"

"……뭐, 그저 그렇군. 달콤하긴 하네."

솜사탕의 맛을 본 진욱이 아무런 감흥 없는 얼굴로 대답했다. 입맛까다로운 남자 입에서 쉽게 칭찬이 나올 거라곤 기대하지 않았다.

"이 맛있는 걸 모르다니."

유미는 솜사탕을 한 줌 떼어내어 입에 집어넣었다. 입술에 달라붙자 아무 생각 없이 혀로 입술을 핥으며 맛있게 솜사탕을 해치워나갔다. 그런 그녀를 말없이 쳐다보던 진욱이 지나가는 투로 물었다.

"그런데 그거 알아요?"

"뭐를요?"

"난 당신 입술이 더 달콤해."

말을 마친 진욱은 그녀가 피할 사이도 없이 재빨리 입을 맞췄다. 입술이 너무나도 빨리 닿았다가 떨어져서 뭐라고 항의할 수도 없었다.

공개적인 장소에서 이러면 어떡해!

유미는 몸 둘 바를 모르고 얼굴을 붉히며 솜사탕에 얼굴을 푹 묻어버렸다.

찰칵—. 찰칵—.

누군가가 두 사람의 모습을 망원 렌즈로 바짝 잡아당겨 열심히 카메라에 담기 시작했다.

평일이라지만, 놀이공원은 밝은 햇살을 즐기러 나온 사람들로 붐비며 놀이 기구마다 꽤 긴 줄이 늘어져 있었다. 그래도 전혀 짜증 난다거나 힘들지 않았다. 기다리는 것조차 가슴이 먹먹해질 만큼 행복하기만 했다. 유미는 생글거리며 진욱의 팔에 살며시 몸을 기대었다.

"그때 그 사람들도 이런 기분이었을까?"

그녀의 속마음을 읽은 것처럼 진욱이 조그맣게 중얼거렸다. 토요일 점심, 이태원 맛집에서의 일을 떠올린 모양이다. 유미는 환하게 웃으며 빠르게 고개를 끄덕였다.

점점 헤어질 시간이 가까이 다가오자, 유미는 왜 진욱이 아침부터 서둘렀는지 이해되었다.

정말 눈 깜빡할 사이에 하루가 지나가고 있었다.

"아, 한 가지 빼먹었군. 잠시만요."

놀이공원을 막 나서려는데 진욱이 갑자기 그녀의 손을 놓고 어디론가 뛰어갔다.

잠시 후, 그가 빨간 장미 다발을 품에 안고 돌아왔다.

"자요."

"빨간 장미는 왜 갑자기?"

"수요일이니까."

"네?"

진욱의 썰렁한 농담에 유미는 피식 실소를 터뜨렸다.

그냥 주고 싶어서 준다고 하면 되지, 무슨 이유가 그리 거창하실까.

"음…… 오늘 비 안 오는데……."

그녀 딴에는 농담한 거였는데 진욱의 표정이 싸늘하게 변해버렸다.

"도로 가져갈까?"

"아뇨!"

유미는 도리도리 고개를 흔들며 황급하게 꽃다발을 끌어안았다.

"고마워요."

'태어나서 꽃다발을 받아본 건, 졸업식 빼곤 처음이에요.'라는 말을 속으로 삼키며 유미는 장미꽃에 얼굴을 묻었다. 강렬한 장미 향이 아찔하게 코끝에 파고든다.

"우리 이번에는 천천히 갑시다."

진욱이 한쪽 팔로 유미의 어깨를 가만히 끌어안았다.

"급히 시작해서 이렇게 돌아왔으니까, 이번에는 신중하고 느긋하게 알아가기로 하죠."

어째서일까? 어떤 달콤한 고백보다 무뚝뚝하다 싶은 그의 표현이 좀 더 진실되게 느껴진다.

유미는 고개를 끄덕이며 진욱의 어깨에 얼굴을 기대었다. 진욱은 살며시 웃으며 유미의 옆 이마에 가볍게 입을 맞추었다.

월차를 낸 탓에 눈코 뜰 새 없이 바쁜 목요일을 보냈다. 하지만 어제의 데이트 때문일까? 유미와 진욱은 별 어려움 없이 신속히 업무를 처리해나갔다.

목요일 오후, 진욱은 차 회장의 급작스러운 호출로 지방 공장을 둘러보게 되었다. 지방에서 하루를 묵고 다음 날 오후가 돼서야 본사로 출근할 수 있었다.

"하루 월차를 냈다고 다음 날 바로 지방에 갈 일이 생기다니……."

진욱이 투덜거리며 본부장실로 들어오자, 우진이 자리에서 일어나 진욱을 따라 집무실로 향했다.

"일은 잘 처리하셨습니까?"

"우선 급한 일은 처리했고, 다음 주에 한 번 더 내려가야 해."

생산 라인 문제라면 전부 진욱에게 맡겼던 차 회장이 이번에는 무슨 바람이 불었는지 직접 둘러봐야겠단다. 그 탓에 어제저녁을 유미와 함께 보내지 못했다.

제발 여자 좀 사귀라면서 제일 중요한 시기에 방해만 하다니……. 사귀는 여자 있다고 확 말해버려?

그래도 아직은 유미와의 사이를 차 회장에게 들켜선 안 된다. 그랬기에 진욱은 지방에 내려간 후 유미에게 아무 연락도 하지 못했다. 차 회장이 계속 옆에 따라붙어서 문자도 마음대로 보낼 수 없었다.

나, 도착했어요.

진욱은 자리에 앉자마자 제일 먼저 유미에게 문자를 보냈다. 문자를 기다렸는지 곧바로 답장이 날아왔다.

피곤하죠?

유미의 목소리가 들리는 것만 같아 진욱은 피식, 미소를 지었다. 지금 당장에라도 달려가고 싶었지만, 밀린 결재 서류 때문에 갈 수가 없었다. 아, 퇴근할 때까지 어떻게 기다리나!

퇴근하고 저녁 먹지.

당연히 그러자고 할 줄 알았는데 뜻밖의 대답이 돌아왔다.

오늘은 똥강아지 생일이라서 안 돼요.
퇴근하고 생일 파티하기로 했거든요.

"강아지?"

믿을 수 없다는 듯 진욱이 미간을 일그러뜨렸다.

"아니, 내가 지금 강아지에게 밀린 거야?"

휴대폰을 노려보던 진욱이 살벌한 눈빛으로 우진을 보며 물었다.

"그런 거 같습니다. 저는 그럼 이만."

괜히 옆에 있다가 고래 싸움에 새우 등 터질라!

우진은 잽싸게 서류를 챙겨 들고 뛰듯이 집무실을 빠져나갔다.

"후우."

휴대폰을 내려놓는 유미의 입에서 긴 한숨이 흘러나왔다.

오늘 아침, 미희가 생일 파티에 필요한 물품을 사다달라고 부탁하지 않았더라면 완전히 잊어버릴 뻔했다. 그만큼 유미의 신경은 온통 진욱에게 가 있었다.

그래도 오늘은 하나밖에 없는 동생, 귀엽고 사랑스러운 동구의 생일이다. 딱 하루, 동구를 위해서 희생해야지. 생일 파티 하느라 데이트 못 하게 됐다고 서운해하고 그러면 안 되는 거다.

어깨를 축 내려뜨리고 퇴근길에 나서는데 누군가 그녀의 앞을 가로막았다. 힘없이 고개를 드니 환한 표정의 현태가 서 있었다.

"어, 현태야?"

"파티 준비하는 거, 도와줄게."

"와아, 역시! 현태, 넌 천사야."

그때 마침 진욱이 탄 차가 지하 주차장을 빠져나오고 있었다. 우진이 운전하는 차 뒷좌석에 앉아 태블릿 PC로 서류를 검토하던 진욱은 무의식중에 창밖을 내다보았다.

왠지 눈에 익은 재수 없는 저 스쿠터는?

스쿠터에 올라타는 남녀의 얼굴을 확인한 순간, 진욱의 표정이 확 굳어졌다. 유미는 현태가 건네주는 헬멧을 쓰고 아주 자연스럽게 그의 허리를 끌어안았다.

아니, 왜 남의 남자 허리를 끌어안는 거야!

진욱은 이글거리는 눈으로 막 출발하는 스쿠터를 노려보았다. 스쿠터가 시야에서 사라지려고 하자, 진욱은 태블릿 PC를 옆에 던지듯 내려놓으며 우진을 향해 소리쳤다.

"형, 차 돌려."

현태의 도움으로 생각보다 빨리 장을 본 유미는 집에 도착하자마자 부랴부랴 생일상을 차렸다. 동구가 좋아하는 피자를 굽고 새우와 오징어를 튀기고 각종 샐러드와 케이크를 준비했다.

현태는 오늘 하루 문을 일찍 닫고 미희와 함께 카페 안을 생일 파티장으로 꾸몄다. 천장에는 가지각색의 풍선을 띄웠고 벽에는 'HAPPY BIRTHDAY 동구'라는 플래카드를 붙였다. 이어 붙인 테이블 위에는 유미가 준비한 생일상과 여러 개의 촛불이 놓였다.

"자, 이거 다들 머리에 쓰셔."

유미는 현태와 미희, 동구에게 생일 축하 고깔모자를 나누어주었다. 오늘의 주인공인 동구는 턱시도를 차려입고 토끼 인형을 옆에 낀 채 연신 까르르 웃어댔다.

"와아, 생일상 차리느라 유미, 네가 고생했다."

미희는 휘황찬란한 생일상을 둘러보며 감탄사를 터뜨렸다.

"고생은 무슨."

그러고 보니 지금까지 집에서는 제대로 요리한 적이 거의 없었다. 퇴근 후, 파김치가 된 상태에서 미희가 끓여놓은 김치찌개에 구운 김과 달걀부침을 곁들이는 정도였다. 이젠 삼시 세끼 도시락에서 해방되었으니까 집에서도 가끔은 솜씨를 발휘해야겠다.

"자, 똥구야. 얼른 초 끄고 먹자! 배고프다!"

"어."

동구는 신이 난 얼굴로 손뼉 치며 생일 축하 노래를 부르기 시작했다.

"때이 추카하니다(생일 축하합니다)."

"생일 축하합니다."

"때이 뚜까하니다."

"사랑하는 똥구, 생일 축하합니다!"

노래가 끝나고 동구는 케이크에 얼굴을 들이대며 열심히 촛불을 불었다. 그러나 촛불은 도무지 꺼질 기미를 보이지 않았다. 결국 유미와 미희는 동구가 눈치채지 못하게 옆에서 슬쩍 촛불을 불어주었다.

"와아!"

드디어 촛불이 꺼지고 함성과 박수 소리가 카페 안을 가득 메웠다.

"자, 이제 먹자."

현태가 자리에서 일어나 벽에 있는 스위치를 누르자, 조명이 켜지며 파악, 불이 들어왔다. 카페 안이 밝아지는 동시에 카페 문이 열리고 누군가 안으로 저벅저벅 들어왔다.

"저, 오늘 여기 영업 안 하는데요."

유미는 무심코 문 쪽으로 고개를 돌렸다. 카페에 들어온 사람이 누구인지를 확인한 유미의 눈이 믿을 수 없다는 듯이 커다래졌다.

"본부장님?"

유미는 용수철처럼 자리에서 벌떡 일어났다. '본부장'이란 소리에 현태와 미희도 동시에 문 쪽으로 고개를 틀었다.

진욱이 양손에 개 사료 한 포대와 개밥그릇, 강아지 옷, 목줄 등등 강아지 용품을 한 보따리 든 채 그들에게로 걸어왔다.

강아지 생일 파티라면서 어째 강아지는 안 보이고?

진욱은 의아한 표정으로 주위를 쭉 훑어보았다. 그의 시선이 미희와 현태 사이에 앉은 동구를 지나, 동구가 껴안고 있는 토끼 인형에서 멈추었다.

저 인형은?

—우리 집 '똥강아지' 건데, 어디 갔나 했더니 거기 있었네.

인형을 알아본 진욱이 눈을 가늘게 모았다.

왜 저 꼬마가 '똥강아지'의 인형을 끌어안고 있는 거지?

순간 진욱의 머릿속에서 퍼즐이 빠르게 제 모습을 찾아갔다.

그럼 '똥강아지'가 강아지가 아니라, 애였어?

사실을 확신한 진욱의 눈썹이 미세하게 떨리기 시작했다.

헉, 똥강아지의 정체가 똥구라는 걸 알아챘나 보다!

유미는 진욱의 표정에 나타난 아주 작은 변화를 감지하고 흠칫 숨을 들이켰다. 진욱은 어떻게 된 거냐는 눈빛으로 유미를 바라보았다. 유미는 아무 말도 하지 못하고 재빨리 고개를 숙였다.

입이 열 개라도 할 말이 없었으니까. 아무리 창피해도 그냥 막내라고 털어놓는 건데…….

유미는 죄지은 사람처럼 고개를 푹 숙인 채 입을 꼭 다물었다.

"본부장님이시라고요?"

기분이 상한 것 같은 진욱과 안절부절못하는 유미를 흥미롭게 지켜보던 미희가 슬그머니 끼어들었다.

"그런데 여기는 어쩐 일로……. 유미, 네가 초대했니?"

"아니, 저, 그게 아니라……."

"아뇨. 제가 그냥 온 겁니다. 생일 파티가 있다고 해서."

"그런데 왜 강아지 용품은 한 보따리 사 오셨어요?"

미희는 손가락으로 진욱의 양손에 들린 강아지 용품을 가리켰다.

"아, 그건. 오늘이 강아지 생일이라기에."

"어머나! 호호호."

진욱의 대답에 미희가 소리 높여 웃음을 터뜨렸다.

"우리 집에 깜찍한 똥강아지가 하나 있긴 있죠."

미희는 동구를 꼭 끌어안으며 동그란 머리를 쓰다듬었다. 동구는 자신이 칭찬받는 줄 알았는지 기분 좋게 헤헤 웃기 시작했다.

"그나저나 여기까지 오셨는데 어서 앉으세요. 뭐, 마실 거라도?"

뻣뻣하게 얼어버린 유미가 손님 대접을 제대로 하지 못하자, 미희가 진욱을 대신 챙겼다. 이목구비가 진하게 생긴 거하며 슈트 밑에 가려진 탄탄한 근육질 몸매하며 진욱은 완전히 그녀 타입이었다.

강아지 생일이라는데 이것저것 강아지 용품을 사 들고 찾아온 걸 보면 유미에게 마음이 있는 게 분명했다. 저렇게 멋진 남자가 유미를 좋아한다면야 완전 두 팔 벌려 환영이었다. 연애 한 번 해보지 못한 경험 없는 딸 대신 미희는 자신이 나서기로 마음먹었다.

"맥주 드실래요?"

"아뇨. 차 가지고 와서 술은 됐습니다."

"그럼 음료수라도."

진욱은 난처한 표정으로 테이블에 놓인 콜라 캔과 주스 병을 힐끔 쳐다보았다.

"전 생과일주스만 마시는데 여긴 그런 거 취급 안 하는 거 같네요."

진욱은 왠지 도발하는 것 같은 눈빛으로 현태를 쳐다보며 말했다.

"그게 무슨 말입니까? 당연히 취급하죠."

발끈한 현태가 자리에서 벌떡 일어났다.

"뭐 마실래요? 파인애플? 사과? 망고?"

"그럼 파인애플 주스로 부탁하죠. 통조림 파인애플이 아닌 신선한 파인애플을 직접 갈아서 만든."

"물론입니다."

현태가 씩씩거리며 주방으로 사라졌다.

잠시 어색한 침묵이 흘렀지만, 개 사료에 관심을 보인 동구 덕분에 곧 깨지고 말았다. 정확하게 말하자면 개 사료가 아니라 포장지에 인쇄된 복슬복슬한 하얀 강아지 사진이다.

"아, 강아찌(와, 강아지)!"

동구는 강아지 사진이 마음에 드는지 연신 손가락으로 개 사료를 가리켰다.

"이거?"

진욱이 사료 봉지를 들어 보이자, 동구는 환하게 웃으며 위아래로 고개를 끄덕거렸다. 앙증맞은 두 손을 활짝 벌리는 모습이 달라고 조르는 것 같아 진욱은 동구에게 사료를 건네주었다. 시식용 샘플 사이즈여서 세 살짜리 동구도 거뜬히 들 수 있을 정도로 가벼웠다.

"강아찌, 강아찌(강아지, 강아지)!"

동구는 마치 강아지를 껴안듯이 두 팔로 사료 봉지를 와락 끌어안았다. 그런 동구를 보며 미희가 고개를 내저었다.

"역시 피는 못 속인다고. 유미도 어렸을 때 강아지 사달라고 엄청 졸랐잖아요. 옆집에서 키우는 강아지를 본다고 맨날 옆집에 놀러 가기도 하고. 한 번은 개랑 같이 잔다고 개집으로 기어들어 가기도 했어요."

"엄마! 그런 얘기를 왜 해?"

유미가 인상을 찌푸리며 항의했지만, 미희는 계속해서 말을 이었다.

"같은 배에서 나온 자식이라고 어쩌면 둘이 저리도 똑같은지 몰라."

지지이이잉—.

순간 파인애플를 가는 주서기 작동 소리에 진욱은 앞의 말을 제대로 듣지 못했다.

"……배에서 나온 자식이라고 어쩌면 둘이 저리도 똑같은지 몰라."

배에서 나온 자식이라서 같다니, 이게 무슨 뜻이지?

진욱은 미간을 좁히며 유미와 동구를 번갈아 바라보았다. 지금 보니까 두 사람은 모자지간이라고 해도 될 만큼 서로를 너무나도 꼭 빼닮았다.

"이 아이는 누굽니까?"

"똥구?"

진욱이 동구에 관해 물어오자, 미희는 치아를 드러내며 활짝 웃었다. 불혹을 훨씬 넘은 나이에 동구를 낳았다는 사실이 얼마나 큰 자랑이자 영광인지 아무도 모를 거다.

"똥구는 우리 집 보물이죠. 똥구는 바로 내 하나밖에 없는……."

그때였다. 포장을 뜯고 이리저리 주물럭거리던 동구의 손에서 사료 봉지가 미끄러지며 내용물이 와르르 바닥에 쏟아졌다.

"으앙!"

"어머, 똥구야."

동구가 지레 겁을 먹고 울음을 터뜨렸다.

"아앙!"

"괜찮아. 똥구야."

"으아앙."

"괜찮으니까 그만 울어."

아무리 달래도 동구가 울음을 그치지 않자, 유미는 동구의 관심을 다른 곳으로 돌려야만 했다.

"똥구야, 오늘은 생일이니까 네가 좋아하는 만화, 그게 뭐더라? 그래, 다이노 콩콩! 그거 실컷 보게 해줄게."

"흐엉."

그 말에 동구는 서서히 울음을 멈추며 눈물이 그렁그렁한 눈으로 유미를 바라보았다.

"케이크도 마음껏 먹어. 오늘만 허락할게!"

"진따(진짜)?"

"그러엄. 오늘은 네 생일이잖아!"

누가 어린애 아니랄까 봐, 동구는 방금까지 자신이 울었다는 걸 까맣게 잊어버린 듯 환히 웃으며 자리에서 폴짝 일어나 유미의 손을 잡아끌었다.

"가자, 얼릉(자가, 얼른)."

"잠시만 계세요. 만화 틀어주고 올게요."

마침 현태가 파인애플 주스를 들고 주방에서 돌아오자, 유미는 간단하게 상황을 설명했다.

"현태야, 올라가서 똥구 만화 틀어주고 올게. 본부장님이랑 같이 있어줘. 엄마, 뭐 해? 어서 일어나."

"나도 올라가야 해? 아직 술 많이 남았는데……."

미희가 아쉽다는 눈으로 테이블에 놓인 맥주병을 바라보자, 유미는 무섭게 인상을 찌푸렸다.

"엄마, 얼른!"

유미의 재촉에 미희가 못 이긴 듯 쭈뼛쭈뼛 자리에서 일어섰다. 유미는 한 손에는 케이크를 들고 다른 한쪽 팔로 동구를 번쩍 안아 올렸다. 그리고 미희를 어깨로 밀며 재빨리 문밖으로 사라졌다.

진욱은 두 사람이 나간 문을 멍하니 바라보았다. 감히 누구도 흉내 낼 수 없는 독특한 분위기를 가진 여성이 바로 유미의 어머니라고? 평소 유미의 모습을 봐선 미희와 유미는 전혀 상상되지 않는 모녀 분위기였다.

한동안 문에서 시선을 떼지 못하던 진욱은 뒤통수에 느껴지는 찌릿한 적대감에 천천히 뒤를 돌아보았다. 현태가 날 선 눈으로 그를 노려보고 있었다.

진욱도 매서운 시선으로 맞받아치자, 현태는 진욱의 앞에 주스 잔을 '탕' 소리 나게 내려놓았다.

"자, 신선한 파인애플을 잘라서 만든 생과일주스입니다."

"고맙군요."

그러나 진욱은 파인애플 주스는 거들떠보지도 않고, 앞에 놓인 맥주병을 병째로 벌컥벌컥 들이켜기 시작했다.

"방금 차 가지고 와서 술 안 마실 거라고 하지 않았습니까?"

현태가 기가 막힌다는 얼굴로 물었다.

"그냥 여기서 자고 가면 될 것 같아서 생각을 바꿨는데……."

"뭐요?"

현태의 표정이 험상궂게 일그러졌다.

"진짜 상사 맞아? 무슨 상사가 똥강아지 생일 파티까지 챙겨주니? 남자 친구지, 그렇지?"

미희는 자신이 연애 당사자라도 된 것처럼 크게 흥분했다.

"아우, 몰라. 들어가 얼른!"

유미는 대답 대신 두 손으로 미희의 등을 안으로 떠밀었다. 그러곤 그대로 휙 뒤돌아 계단을 쿵쿵 내려갔다.

유미의 뒷모습을 바라보던 미희의 얼굴에 환하게 미소가 떠올랐다. 유미가 신경질을 내면 낼수록 미희의 눈에는 모든 게 훤하게 잘 보였다. 계집애, 그날도 그래서 외박한 거네. 누가 내 딸 아니랄까 봐, 날 닮아서 눈은 또 엄청 높아요! 녀석, 완전 내 타입이던데……. 은근히 야하면서 진하게 생겼다니까! 초대하지도 않았는데 생일 파티한다는 말에 불쑥 찾아온 걸 보니 꽤 안달이 난 모양이다.

"자고로 연애는 애가 타야 한단 말이지. 호호호."

드디어 유미가 연애에 돌입했다는 사실에, 남자 쪽에서 더 적극적이라는 사실에 미희는 너무나도 즐거웠다.

어쩌다 이렇게 된 걸까?

유미는 테이블 상석에 앉아 불편한 미소를 떠올렸다.

진욱과 현태가 그녀를 가운데 두고 마주 앉은 상태에서 상대를 죽일 듯이 노려보고 있었다. 실제로 소리만 안 난다뿐이지 칼싸움하는 것처럼 눈빛이 부딪쳤다. 소리 없는 신경전을 벌이던 진욱이 현태에게 불쑥 질문을 던졌다.

"그쪽, 혹시 여자만 사는 집에 함부로 들락거리는 건 아니겠죠?"

"뭐 가끔. 볼일 있으면요."

현태는 당연한 걸 왜 묻느냐는 듯 어깨를 으쓱거리며 맥주를 들이켰다.

뺀질뺀질한 기생오라비 같은 녀석!

현태의 모든 것이 참을 수 없이 거슬린다. 부글부글 끓어오르는 마음을 가라앉히며 진욱은 주위를 휙 둘러보았다.

"그나저나 여긴 장사가 되긴 합니까? 술집도 아니고 책방도 아니고 아주 애매한 게……. 주인을 닮아서 그런가?"

은근히 현태에 빗대며 비아냥거렸지만, 현태는 별거 아니라는 씩 웃어 보였다.

"먹고 살 정도는 됩니다. 나는 누구처럼 영양실조 걸릴 정도로 무식하고 미련 터지게 일만 하는 멍청이는 아니라서요."

뭐? 무식? 미련?

치직—. 치직—.

진욱과 현태, 서로 마주 보는 시선에서 푸른 불꽃이 튀는 것만 같았다. 아니, 두 사람 모두 유치하게 왜 이러는 거야! 진욱과 현태의 신경전 사이에서 유미는 어찌할 바를 모르고 양쪽의 눈치를 살폈다. 진욱은 질투 때문에 그런다 치고, 현태는 아직도 드라마 남자 주인공 환상에 빠진 건가?

"하하, 우리 짠할까요?"

유미는 분위기를 전환하려 맥주잔을 들어 올렸다. 차를 가지고 와서 술을 마시지 않겠다던 진욱은 그녀가 돌아오기 전에 이미 맥주를 두 병이나 비운 상태였다. 아무래도 대리운전을 부를 계획인가 보다.

진욱과 현태는 서로를 노려보며 잔을 부딪치고 단숨에 벌컥벌컥 잔을 비웠다. 맥주 마시는 것조차도 지고 싶지 않은 듯, 두 남자는 연이어 쉬지 않고 잔을 비웠다.

"한 잔 더?"

"콜!"

이 남자들, 갑자기 왜들 이래!

유미는 승부욕을 불태우는 진욱과 현태를 난감한 표정으로 바라보았다. 어느새 빈 맥주병이 테이블 위를 가득 채우기 시작했다. 그와 함께 진욱과 현태의 눈도 살짝 풀려갔다. 그러나 두 사람 중, 어느 한쪽도 유치한 경쟁을 그만둘 생각은 없는 것 같았다.

"자, 건배!"

"좋아!"

또다시 단숨에 잔을 비운 진욱이 맥주잔을 '탕' 테이블 위에 내려놓았다. 유미는 철부지 어린애처럼 행동하는 두 남자를 보며 절레절레 고개를 흔들었다.

"저, 잠깐만요. 화장실 좀."

유미가 화장실에 가자, 진욱은 속에 품고 있던 말을 꺼내놓았다.

"도대체 당신! 정체가 뭐야? 진짜 친구 맞아……?"

취했는지 진욱의 말꼬리가 약간 늘어졌다. 현태 역시 취기가 꽤 오른 듯, 소파에 기대앉아 피식 헛웃음을 흘렸다.

"글쎄……?"

당연하지! 난 유미의 든든한 바람벽 같은 친구라고! 성이 다르다는 이유 하나로 색안경 좀 쓰지 마라! 하지만 누구 좋으라고 그 말을 해줘?

현태는 애매모호한 말로 진욱의 심기를 건드리고 싶었다.

"사람 일은 모르는 거니까. 그쪽이야말로 직장 상사면 상사답게 선을 지키시지!"

"선? 선을 지키라고?"

제정신이었다면 그냥 가만히 있었겠지만, 이미 취해버린 진욱은 거리낄 게 없었다. 지금 순간만큼은 '이 여자는 내 여자다!'라고 온 세상을 향해 크게 외치고 싶었다.

"하, 내가 이유미 씨한테 고작, 직장 상사로 보여……?"

그 말에 현태는 맥주잔을 '쿵' 소리가 나게 테이블 위에 내려놓았다. 진욱이 눈 하나 깜빡하지 않고 빤히 쳐다보자, 현태가 나직이 으르렁거리듯 말을 내뱉었다.

"이봐, 당신. 내 말 잘 들어."

가뜩이나 순진한 애인데, 저런 바람둥이 녀석이 찝쩍거린다니!

어린아이를 물가에 내놓은 심정으로 현태는 유미가 상처받는 건 아닌지 몹시도 불안했다.

"경고하겠는데 유미한테 추근거리지 마."

경고? 하! 웃기는군. 자기가 무슨 자격으로 그런 말을 해?

진욱은 자꾸만 친구의 도를 넘어 유미를 걱정하는 현태의 저의가 의심스러웠다.

"그쪽이나 포지션 똑바로 해. 애매하게 굴지 말고."

"난 내 포지션 누구보다 잘 지키고 있어. 당신이야말로 권력 남용하면서 이래라저래라, 순진한 애 그만 괴롭혀."

어쭈, 괴롭히긴 누가 누굴 괴롭혔다고! 괜히 질투 나니까 다짜고짜 시비를 걸어?

"한 마디만 더 해라."

현태의 태도에 열이 받은 진욱은 어금니를 꽉 깨물었다. 하지만 그런다고 순순히 물러설 현태가 아니었다. 현태는 도발하듯 진욱에게 가슴을 내밀었다.

"더 하면, 어쩔 건데?"

"뭐야?"

그 말에 진욱은 더는 참을 수 없다는 듯 자리에서 벌떡 일어섰다.

"그러니까 어쩔 거냐고?"

현태도 진욱을 따라서 자리에서 몸을 일으켰다. 두 사람의 눈빛은 서로의 살을 베일 것처럼 살벌했다. 그러나 힘없이 풀려버린 다리는 두 사람의 체중을 제대로 지탱하지 못했다. 진욱과 현태는 일어서자마자 중심을 잡지 못해 각자 휘청거리며 비틀거렸다. 마침 화장실에서 돌아온 유미가 이상한 분위기를 감지하고 빠르게 두 사람에게 다가왔다.

"지금 두 사람, 뭐 하는 거예요?"

현태는 대답 대신 그대로 쓰러지듯 털썩 주저앉더니 테이블에 '쿵' 머리를 박았다.

"뭐야? 벌써 가버린 거야?"

허무하게도 현태가 먼저 무너지자 진욱은 기가 막힌다는 듯 실소를 터뜨렸다.

"야! 일어나 봐. 일어나라고!"

유미는 현태 옆에 무릎을 꿇고 상태를 확인하더니 크게 한숨을 내쉬었다.

"얘, 원래 술 마시면 멀쩡하다가 한번에 퓨즈가 확 나가버려요."

그러면 그렇지. 어쩨 오늘 본인 주량보다 많이 마신다 했다. 유미가 뺨을 꼬집어도, 어깨를 흔들어도, 간지럼을 태워도 현태는 아무 반응도 보이지 않았다. 완전히 간 모양이다.

유미는 천천히 몸을 일으키며 진욱에게로 고개를 돌렸다.

"본부장님도 이제 가셔야죠. 대리 불러드릴게요."

그러나 진욱은 제자리에서 꼼짝도 하지 않은 채, 이미 잠들어버린 현태를 무섭게 노려보았다.

"이, 샤프 같은 놈!"

"샤프 같다고요? 음, 현태가 좀 날카롭게 생긴 편이긴 하지만……."

"아니, 그 샤프 말고 샤프펜슬의 샤프!"

진욱은 유미의 말을 도중에 끊으며 버럭 언성을 높였다.

"이 자식, 친구 아니야. 속이 시커멓다고! 샤프 같은 놈이라서, 누르면 언제든 흑심이 튀어나와. 그러니까 조심해!"

"그게 무슨 말이에요?"

유미가 알아듣지 못하고 어리둥절한 눈으로 바라보자, 진욱이 두 손으로 그녀의 양팔을 확 움켜쥐었다.

"짜증 나! 화난다고! 당신이 나 말고 딴 놈이랑 한 공간에 있잖아."

"그거야 제가 여기에 세 들어 사니까……."

"싫어. 그런 거 싫다고, 알아? 난…… 나는……."

한껏 투정을 부리던 진욱의 눈이 스르르 감기더니 풀썩 유미의 어깨로 머리가 떨어졌다.

"어? 본부장님?"

유미는 화들짝 놀라며 앞으로 쓰러지는 진욱을 끌어안듯이 부축했다. 그녀의 얼굴 옆으로 진욱의 얼굴이 닿으며 뜨거운 숨결이 귓속에 그대로 흘러들었다.

"딸꾹!"

당황한 나머지 어김없이 딸꾹질이 터져 나왔다. 그 소리에 정신을 잃은 줄 알았던 진욱이 슥 고개를 들어 올렸다.

"……또 딸꾹질하네?"

거의 입술이 닿을 정도로 그의 얼굴이 너무나 가까웠다. 그와의 키스를 기억하는 입술이 반사적으로 떨리자, 유미는 급히 숨을 들이마시며 아랫입술을 살며시 깨물었다.

양심상 취한 남자는 건드려선 안 된다.

잠시 유미를 뚫어지게 바라보던 진욱이 히죽히죽 웃기 시작했다.

"후, 유미, 너, 진짜 귀여워……."

두근!

그 말에 그녀의 심장이 쿵, 저 밑으로 굴러떨어졌다. 진욱은 그 말을 끝으로 유미의 어깨를 고개를 묻으며 그대로 잠들어버렸다.

"본부장님……?"

어깨를 톡톡 두드려보았지만 진욱은 아무런 반응도 보이지 않았다.

"본부장님? ……삼시……새끼?"

'삼시 새끼'라고까지 불렀는데 색색 숨소리만 내는 것으로 봐선 정말 깊게 곯아떨어진 모양이었다.

"딸꾹."

부축하느라 어설프게 진욱을 껴안은 유미의 입에서 간간이 딸꾹질이 흘러나왔다.

"안 돼……! 삼시 새끼도 데려갈 거야…… 데려갈 거야아……."

유미는 택시 기사 아저씨의 도움을 받아 현태를 질질 끌듯이 택시로 데려가 끙끙거리며 뒷좌석에 태웠다.

"나 혼자는 못 가. 그 자식도 데려갈 거라……고."

현태는 몸도 가누지 못해 뒷좌석에 널브러졌으면서도 택시에서 내리려 발버둥 쳤다.

"아저씨, 잘 좀 바래다주세요. 감사합니다."

유미는 매정하게 현태의 머리를 다시 차 안으로 밀어 넣으며 택시 문을 쾅! 닫아버렸다.

"휴, 일단 하나는 해결했다."

유미는 출발하는 택시를 쳐다보며 탁탁 손을 털었다. 다시 카페 안으로 돌아오자 해롱해롱한 상태로 의자 등받이를 껴안고 있는 진욱이 눈에 들어왔다. 아무래도 우진에게 연락해야 할 것 같아 전화를 걸었지만, 신호만 갈 뿐 연결되지 않았다.

시계를 보니 어느덧 새벽 2시가 훌쩍 넘어 있었다.

후, 아무리 비서라지만 이 시간에 와달라고 하는 건 무리겠지?

유미는 한숨을 내쉬고 아이를 달래듯 진욱의 등을 톡톡 두드렸다.

"본부장님……. 대리운전 기사를 부르면 집에 가실 수 있죠?"

진욱은 고개를 숙이고 의자 등받이를 꼭 껴안은 채 웅얼거리듯 대답했다.

"아니…… 못 가…… 아니, 안 가!"

"네?"

혹시 잘못 들은 건 아닌가, 유미가 미간을 찌푸렸다. 진욱은 스르르 고개를 들더니 애처로운 눈으로 그녀를 쳐다보았다.

"집에 가기 싫다고……!"

그는 유미의 팔을 턱 붙잡더니 투정을 부리기 시작했다.

"혼자 자는 것도 싫고, 혼자 밥 먹는 것도 싫어……!"

전혀 상상하지도 못한 진욱의 약한 모습에 유미의 눈이 커다래졌다.

"안 가! 나, 안 갈 거야!"

진욱은 아예 테이블 모서리를 와락 부여잡고 큰 소리로 외쳤다.

"건들기만 해봐! ……알았어?"

결국 유미는 할 수 없다는 듯이 옆에 쭈그리고 앉아 진욱의 등을 살며시 토닥거렸다.

"알았어요. 가지 마세요. 여기서 자요, 그럼. 됐죠?"

"진작 그럴 것이지……."

진욱은 가물가물 감기는 눈에 힘을 주며 만족스러운 듯 입꼬리를 말아 올렸다. 그런 그가 측은하기도 하고 귀엽기도 해서 유미는 진욱의 머리를 살살 쓰다듬어주었다. 그녀의 다정한 손길에 기분이 좋은지 진욱은 스르르 눈을 감으며 그녀에게 몸을 기대었다. 그녀의 가슴에 얼굴을 묻고는 두 손으로 그녀의 허리를 꽉 끌어안았다.

어린 시절, 잠들기 전에 파고들던 엄마의 품처럼 한없이 따뜻하고 달콤한 품이 그를 감싸 안았다.

"……이제는 절대로…… 놓치지 않을 거야."

진욱은 깊은 잠속으로 빨려 들어가며 한숨을 내쉬듯 중얼거렸다.

Episode 25

너, 도대체 누구 아들이냐?

서둘러 빈 병들과 접시를 한군데로 모으고 테이블 위를 깨끗하게 치운 후, 2층에서 가지고 내려온 담요를 깔자, 그럭저럭 잠자리가 완성되었다.

의자에 축 처지듯 기댔던 진욱은 누우라는 말도 안 했는데 게슴츠레 눈을 뜨고 본인이 알아서 테이블 위로 올라갔다. 그가 몸을 눕히려고 하자 유미는 재빨리 그의 머리 밑으로 베개를 들이밀었다. 진욱은 담요를 덮어주자마자 그대로 깊은 잠에 빠져들었다.

"후."

유미는 흘러내린 진욱의 앞 머리카락을 쓸어 올리며 부드럽게 미소지었다.

"……귀여워."

색색 고른 숨소리를 내며 자는 모습이 영락없는 갓난아이였다. 병실에서는 홀쭉해진 모습에 안쓰럽다는 생각밖에 들지 않았는데, 지금은 잠시도 눈을 뗄 수 없게 사랑스러울 뿐이었다.

어쩌면 이리도 잘생겼을까!

유미는 두 손으로 턱을 괴고 앉아 잠든 진욱의 얼굴을 빤히 바라다보았다. 오뚝한 콧날은 둘째치고라도 적당하게 진한 눈썹하며 완벽하게 균형 잡인 턱선, 남자답게 적당하게 부풀어 오른 입술하며, 하나도 흠잡을 곳이 없었다.

이런 남자와 연애를 하다니……. 난 정말 전생에 나라를 구한 게 분명해! 임진왜란 때, 온몸에 화살을 맞고 장렬하게 전사한 무명의 군사일지도 모른다. 아니면 행주대첩 때 행주치마에 돌을 가득 나른 아낙네였을지도……. 성실한 자세를 눈여겨보았던 하늘이 현세에 크나큰 행운을 내려주신 걸 거야.

"……으음."

꿈을 꾸는지 잔잔했던 진욱의 눈꺼풀이 파르르 떨리기 시작했다.

"……가지…… 마."

진욱은 미간을 찌푸리며 힘겹게 입술을 달싹거렸다. 악몽이라도 꾸나? 유미는 칭얼거리는 아기를 달래듯 진욱의 어깨를 토닥거렸다.

"……깜순……아. 가지 말라……니까. ……오빠는…… 너밖에 없……다고."

깜순이?

진욱의 입에서 흘러나온 깜순이란 이름에 유미는 살며시 아랫입술을 깨물었다.

도대체 깜순이와는 어떤 사이이기에 잠꼬대까지 하는 거지?

진욱을 의심하는 건 아니었지만, 은근히 질투가 나는 건 어쩔 수 없었다. 계속 여기에 있다가 듣지 말아야 할 이야기를 듣게 되는 건 아닌지 두려웠다.

유미는 진욱이 잠에서 깨어나지 않게 조심하며 몸을 일으켰다. 소리를 내지 않으려 뒤꿈치를 들고 살금살금 걸어가는데 진욱의 입에서 또다시 깜순이의 이름이 흘러나왔다.

"깜……순아? ……어디 있……어? ……야……옹……."

야옹?

왜 갑자기 고양이 울음소리?

유미는 동작을 멈추고 힐끗 뒤를 돌아보았다. 진욱은 그사이 깊이 잠들었는지 고른 숨을 내쉬며 입을 다물었다.

순간 그녀의 머릿속에 드레스 룸에서 맛있게 스테이크를 먹던 통통한 고양이가 떠올랐다.

혹시……?

온몸이 검은 털로 뒤덮였던 것으로 기억한다.

그런 고양이를 보통 깜순이라고 부른다지?

그러니까 깜순이는 여자가 아니라 고양이라는 말?

"하, 뭐야?"

지금까지 애꿎은 고양이에게 질투하고 있었다는 거잖아!

유미는 우스꽝스러운 오해에 그만 실소를 터뜨렸다.

"하아암."

어젯밤 늦게 잠든 탓에 자꾸만 하품이 흘러나왔다. 10분만 더 자면 소원이 없겠는데. 하지만 아무리 피곤해도 본사 교육에 늦어서는 안 된다.

유미는 한 손으로 입을 막으며 다른 한 손으로는 분주하게 셔츠의 단추를 채웠다.

띠링—.

그때 마침 주머니에 넣어둔 휴대폰에서 문자 알림이 울렸다. 현태에게서 온 문자였다.

녀석, 일찍 일어났네?

부탁 좀 들어주라. ㅜㅜ

뭐?

나 지금 사망 중. 휴업 사인 좀 걸어줄래?

그러면 그렇지. 어제 그렇게 마시더니 괜찮을 리가 없지. 주량보다 두세 배는 더 마셨을 거다. 그러니까 녀석, 왜 센 척을 해서는…….

알았어. 걱정하지 말고 푹 쉬어.

고맙다. 난 그럼 다시 사망.

유미는 종이를 꺼내 급하게 휴업 안내문을 휘갈겨 써 내려갔다.

오늘 휴업

사유 : 사장이 밤새 달렸어요. ㅜ ㅜ

휴업 사인을 들고 자리에서 일어서는데 미희가 주방에서 커피 잔을 들고 나타났다.

"주말인데 아침 일찍 어디 가?"

"어? 어마, 어디 가(어, 누나, 어디 가)?"

TV 프로그램을 보며 어린이 체조를 따라하던 동구가 뒤를 돌아보았다. 누나랑 놀려고 했는데 외출한다니까 서운한 모양인지 동구의 아랫입술이 삐죽 튀어나왔다.

유미는 달래듯 동구의 머리를 쓰다듬으며 미희에게로 고개를 돌렸다.

"오늘이랑 내일, 본사 교육 있어서 나가봐야 해. 본부장님 깨면, 꼭 아침 먹여서 보내. 부탁 좀 할게."

"알았어."

미래 사윗감인데 네가 뭐라고 안 해도 내가 다 알아서 한다, 지지배야! 미희는 생긋 웃으며 여유롭게 커피를 한 모금 들이켰다. 유미가 밖으로 나가고 다시 주방으로 돌아가려는데 '띠링' 테이블 위에 놓아둔 휴대폰에서 문자 알림이 울렸다. 아무 생각 없이 휴대폰을 집어 든 미희의 눈이 놀라서 커다래졌다.

전 피디입니다. 저번에 강 국장실에서 뵈었죠.
오늘 시간 되시면 방송국에서 뵙고 싶은데요.

어머머, 그 콧대 높은 피디가 웬일이래? 에로 배우가 연기력은 무슨……이라면서 비아냥거릴 땐 언제고? 망신 준 것도 있는데 확 그냥 문자 씹어? 혼자 곰곰이 생각에 잠겼던 미희는 얼마 지나지 않아 고개를 내저었다. 아니야. 이럴 때는 성질 죽여야지. 기회를 놓치기라도 하면 큰일이니까.

"어머!"

외출 준비를 하기 위해 급하게 옷장 문을 열던 미희의 눈에 어린이 체조 중인 동구가 들어왔다.

"똥구!"

에고, 똥구를 깜빡했네! 이를 어쩌나? 오늘은 유미도 없고, 현태도 없는데……. 아, 맞다. 미래 사위가 있었지! 곤혹스러운 듯 인상을 찡그리던 미희는 진욱의 아침상을 보며 다시금 환하게 미소를 떠올렸다. 사위 사랑은 장모, 장모 사랑은 사위라는 말도 있으니까. 후후. 미희는 방송국에 입고 갈 의상을 고르며 콧노래를 흥얼거렸다.

음…… 뭔가 포근하면서도 불편하다. 누가 머리를 잡아당기는 것 같기도 하고……. 느낌이 이상한데, 뭐지?

진욱은 두 눈을 감고 쉽게 정리되지 않는 느낌을 알아내려 애썼다. 그러다 어느 순간 눈앞이 스르르 밝아지기 시작했다. 힘겹게 눈꺼풀을 깜박거리자 흐린 윤곽이 점점 형태를 찾아가며 입, 코, 눈을 그리기 시작했다.

음, 뭔가 거꾸로 상이 잡힌 것 같은데……. 그나저나 누구?

오동통 발그레한 뺨을 가진 꼬마가 코앞에서 진욱을 빤히 쳐다보고 있었다.

이 녀석, 누구를 참 많이 닮았는데……. 그러니까 이 녀석은…….

"헉!"

흠칫 잠에서 깨어난 진욱이 자리에서 벌떡 몸을 일으켜 다급하게 주위를 두리번거렸다.

여긴 맥&북? 내가 왜 여기에서…….

"아!"

갑자기 몸을 일으키자 과음으로 인해 머리가 깨질 것 같은 두통이 몰려왔다. 진욱은 두 손으로 머리를 감싸며 작게 신음을 흘렸다.

어, 그런데 이게 뭐지?

손에 이상한 이물질이 잡혔다. 머리를 더듬어보던 진욱이 미간을 찌푸렸다.

고무줄?

벽에 걸린 거울에 모습을 비춰보자, 앞머리를 쫑긋 묶은 사과 머리를 한 모습이 눈에 들어왔다.

누구의 작품인지는 힘들게 물어볼 필요도 없었다. 진욱이 인상을 쓰며 휙 뒤돌아보자, 동구는 천진난만한 얼굴로 헤헤 웃어 보였다.

"너, 감히!"

한마디 하려는데 문이 열리며 머리끝에서 발끝까지 화려하게 차려입은 미희가 카페 안으로 들어섰다.

"어머, 이제야 일어났네."

진욱이 깨어난 걸 본 미희가 환하게 미소 지었다.

"몸은 괜찮아? 숙취 없어?"

숙취?

진욱은 하얗게 질린 얼굴로 숨을 들이마셨다.

미희에게 질문을 받는 순간, 어젯밤의 추태가 하나도 빠짐없이 머릿속에 떠올랐다.

놈팡이 녀석이 거머리처럼 끝까지 들러붙는 바람에 평소 주량을 훨씬 넘게 마셔버렸다. 유미를 끌어안고 집에 가고 싶지 않다며 투정을 부렸던 일까지 생각나자, 진욱은 낭패감에 얼굴을 들 수가 없었다.

미희가 옆에서 지켜봤는지 아닌지는 확실히 기억나지 않지만, 술에 취해서 볼썽사납게 필름이 끊어지다니, 완전 스타일 구겼다.

잘 보여도 모자랄 판에……. 제길.

"어제는 제가 실례가…… 많았습니다."

진욱이 고개를 숙이고 사죄하자, 미희는 손을 내저었다.

"에이, 실례는 무슨? 아침은 위에 차려놨으니까 가서 한술 떠요."

"폐를 끼치고 싶진 않습니다."

"이런 게 무슨 폐라고. 유미가 아침 꼭 챙겨줘야 한다고 신신당부하고 갔어요. 바쁜 와중에도 북엇국을 끓어놓고 갔으니까 꼭 먹어야 해."

안 먹고 갔다간 한 대 칠 분위기였다. 진욱은 할 수 없이 고개를 끄덕였다.

"네, 정 그러면……."

"그런데 말이지. 내가 중요한 볼일이 생겨서 지금 나가봐야 하거든."

그 말은 빨리 먹고 가라는 뜻?

조금만 눈여겨보면 속이 훤히 들여다보이는 유미와 비교해 미희는 급이 다른 것 같았다. 그녀는 전혀 속이 드러내지 않는 포커페이스로 진욱을 응시하고 있었다. 진욱이 잠자코 다음 말을 기다리자, 미희는 한쪽 팔로 동구의 어깨를 끌어당기며 앞으로 내밀었다.

"몇 시간이면 되니까 우리 똥구 좀 봐줘요."

"네?"

지금 나에게 애를 맡기겠다는 거야? 보모 노릇을 하라고?

진욱은 지금의 이 상황이 쉽게 이해가 되지 않았다.

"제가요? 아…… 그러니까 왜, 제가?"

"글쎄요…… 왜일까?"

미희는 가까이 오라는 듯 진욱에게 손가락을 까닥거렸다. 진욱이 가깝게 고개를 숙이자, 그의 귓가에 작게 속삭였다.

"내가 그쪽 도와주고 싶어서 하는 말인데…… 유미한테 잘 보이고 싶으면, 똥구한테 잘해야 해."

도대체 이게 무슨 소리지? 유미에게 잘 보이려면 꼬마에게 잘해야 한다니…… 왜?

진욱은 혼란스러운 눈빛으로 미희를 바라보았다.

"잘 부탁해요, 그럼."

진욱에게 윙크를 날린 미희는 의미심장한 미소를 띤 채 또각또각 카페를 걸어나갔다.

진욱은 긴 다리를 어정쩡하게 접으며 아침이 차려진 테이블 앞에 앉았다. 미희가 말한 대로 숙취 해소를 위한 북엇국과 정성스럽게 준비한 반찬이 놓여 있었다. 본사 교육이라면 아침 일찍 나가야 했을 텐데 무슨 시간이 있다고 이렇게까지 차렸는지 모르겠다. 진욱은 흐뭇한 마음에 씩 입꼬리를 올리며 접시를 비워나갔다.

"흠, 나날이 발전하는군."

어느새 그의 입맛을 파악했는지 모든 반찬이 입에 착착 붙었다.

센 척할 것도 아닌데 설거지 정도는 해놓아야겠지?

수저를 내려놓으려는데 맞은편에 앉은 동구와 눈이 마주쳤다. 이미 아침을 먹은 동구는 진욱이 아침 먹는 모습을 신기한 듯 구경하고 있었다. 동구는 진욱과 눈이 마주치자 반달 모양으로 눈꼬리를 휘며 생글생글 웃어 보였다. 하지만 진욱은 같이 웃어주는 대신 긴 한숨을 내쉬었다.

어쩔 수 없이 동구를 하루 떠맡긴 했는데……. 어린애는 고사하고 청소년과도 잘 안 어울리는데 이런 애를 데리고 뭘 해야 할지 눈앞이 캄캄했다.

진욱은 무뚝뚝한 눈빛으로 동구를 바라보다 천천히 자리에서 몸을 일으켰다.

"아……."

양반 다리를 하고 앉아 있었더니 그새 다리가 저렸다. 진욱은 절뚝거리며 주방으로 걸어가 빈 그릇을 말끔히 씻어 식기 건조대에 올려놓았다.

설거지를 끝낸 진욱이 슬슬 집 안을 둘러보자, 동구는 토끼 인형을 껴안은 채 진욱의 뒤를 졸졸 따라다녔다. 동구는 진욱이 마음에 들었다. 진하게 생긴 얼굴이 만화에서 튀어나온 주인공처럼 멋져 보였다.

"그만 좀 따라다닐래?"

"헤, 헤."

진욱이 아무리 무뚝뚝하게 밀쳐내도 동구는 아랑곳하지 않고 생글거리는 얼굴로 따라다녔다. 진욱은 동구를 애써 무시하며 책장의 책으로 시선을 돌렸다.

영양사 관련 서적을 쭉 살펴보던 진욱은 책장 끝에 놓인 《저급한 그대》, 《보스의 고결한 취향》, 《미치도록 너만을》 등등 로맨스 소설을 발견하고 피식 웃고 말았다.

"이럴 줄 알았지……."

《미치도록 너만을》을 꺼내어 쓱 훑어보던 진욱은 책 중간쯤에 낀 메모지를 보고 눈살을 찡그렸다.

놈팡이 녀석, 하다 하다 이젠 로맨스 소설까지 사다 바쳐?

진욱은 졸졸 따라다니는 동구에게 쓱 고개를 돌렸다.

"혹시 이 방에…… 그 카페 사장도 오냐?"

"사자앙(사장)?"

동구에게 현태는 '현태 엉아'일 뿐이었다. '사장'이라는 단어를 알지 못하기에 그저 알쏭달쏭한 표정으로 고개를 갸우뚱거렸다.

"됐다. 네가 뭘 알겠니."

책을 제자리에 꽂던 진욱은 바닥에 떨어진 비디오 케이스를 발견하고 무의식으로 집어 들었다. 온통 빨간 것이 한눈에 딱 보아도 19금 비디오였다.

터질 거예요!

"하, 이유미. 이런 고전까지 섭렵하고……. 응?"

그런데 표지의 여인이 이상하게도 낯이 익었다. 진욱은 좀 더 가까이 얼굴을 들이대고 표지를 자세히 살펴보았다. 빨간 글씨와 함께 야한 네글리제 차림의 젊은 미희가 고혹적인 눈빛으로 정면을 응시하고 있었다.

"헉!"

이 사람은 바로!

야한 네글리제 차림의 여인이 미희라는 것을 깨달은 진욱이 식겁한 얼굴로 입을 벌렸다.

"하, 이럴 수가."

실제로 영화를 본 적은 없지만, 꽤 크게 히트 친 에로물이라는 건 알고 있었다. 얼마나 크게 성공했으면 〈터질 거예요!〉 2, 3, 4까지 나왔을까! 그런데 그 시리즈를 시작한 사람이 유미의 엄마라고?

진욱은 당혹스러움에 입을 다물지 못하고 비디오 케이스만 뚫어지게 노려보았다. 물론 그녀의 어머니가 에로 배우 출신이라서 언짢거나 실망한 건 아니었다. 단지 이렇게 개방적인 어머니에게서 고리타분할 정도로 보수적인 딸이 나왔다는 사실이 믿어지지 않았다.

"나아……."

그때 작은 손이 진욱의 셔츠 자락을 삐죽삐죽 잡아당겼다. 고개를 숙이자, 동구가 초롱초롱한 눈으로 진욱을 올려다보고 있었다. 진욱은 혹시라도 동구가 볼까, 황급히 책장 높은 곳에 비디오 케이스를 올려놓았다.

"나…… 노리터 가고 디픈데에……(나, 놀이터 가고 싶은데)."

"그건 나중에 네 엄마랑 가."

어렸을 때조차 놀이터에 가본 적이 거의 없었다. 그런데 이 나이에 이런 꼬마를 데리고 놀이터에 가라고? 천만의 말씀!

"그런데 너, 도대체 누구 아들이냐?"

동구는 진욱의 질문에는 전혀 아랑곳하지 않고 불쌍한 얼굴로 칭얼거렸다.

"노리터어……. 나, 미끄러트르 따고 디픈데에에……."

눈꼬리를 휘며 헤헤 웃으면 대부분은 못 이기는 척 다 들어줬는데, 이 형아는 좀 다르다. 애처로운 눈으로 쳐다봐도 무서운 눈으로 내려다보며 단호히 고개를 저을 뿐이었다.

이 형아, 좀 강적인데……. 이런 강적을 만났을 때는 어린애 본연의 자세로 돌아가서 무조건 떼를 쓰는 게 최고다!

길지 않은 인생, 그동안 동구가 깨달은 세상의 이치였다. 동구는 두 손으로 진욱의 옷깃을 잡고 늘어지며 애절하게 매달렸다.

"노리터어……. 히잉, 노리터."

"야! 옷 늘어나. 이거 못 놔!"

어린애가 뭐가 이렇게 힘이 세!

진욱은 찰거머리처럼 달라붙는 동구를 안간힘을 써서 떼어냈다. 그러나 겨우 손에서 셔츠 자락을 놓는가 싶더니 이번에는 진욱의 다리에 와락 매달렸다.

"야, 너 뭐 하는 거야?"

동구는 고목에 매미가 붙은 자세로 진욱에게 착 달라붙어 떨어질 줄 몰랐다. 진욱이 강제로 걸음을 옮기자 동구는 다리에 매달린 채 그대로 끌려갔다. 떼어놓으려고 한 행동인데 동구는 재미난 놀이로 받아들였나 보다.

"와아!"

환호를 내지르며 까르르 웃음을 터뜨렸다.

"나, 네가 이렇게 함부로 굴어도 되는 사람 아니거든? 너, 내가 누군지 알아?"

동구의 무게 때문에 바지가 밑으로 내려가려고 하자, 진욱은 신경질적으로 빽 소리를 질렀다.

"야, 바지 벗겨져!"

동구는 뭐가 그리도 웃긴지 까르르 웃음을 터뜨렸다.

화를 삭이기 위해 씩씩거리는 진욱의 숨소리와 동구의 해맑은 웃음소리가 방 안에 울려 퍼졌다.

도대체 내가 왜 이 짓을 하고 있어야 하는 거지?

진욱은 귀찮아 죽겠다는 표정으로 동네 놀이터를 노려보았다. 놀이터는 아침을 먹고 놀러 나온 동네 아이들과 엄마들로 북적거리고 있었다. 동구는 진욱의 바지를 꼭 붙잡고 세상을 다 가진 꼬마처럼 행복하게 헤헤 웃었다.

천하의 차진욱이 이토록 어린 꼬마에게 항복하고 말다니……. 아무리 생각해도 기가 막히군.

하지만 그대로 놔두었다간 셔츠가 찢어지거나 바짓단이 뜯어질 위급 상황이었다. 놀이터에 가면 미끄럼틀에 태우면 되니까 어쩌면 그게 더 수월할지도 모른다.

진욱은 애써 자신을 달래며 놀이터에 발을 들여놓았다.

"뭐부터 탈래?"

진욱이 무뚝뚝하게 묻자 동구는 손가락으로 그네를 가리켰다.

"하고많은 것 중에서 재미없게 그네를 타냐?"

진욱이 인상을 찌푸림에도 불구하고 동구는 신이 난 얼굴로 진욱의 소매를 잡아끌었다.

"그래라. 네가 타고 싶은 거 타라."

진욱은 한숨을 쉬며 할 수 없이 동구와 함께 그네 앞으로 다가갔다.

"꺄아. 꺄!"

뭐가 그리도 좋은지, 그네에 올라탄 동구는 까르르 웃느라 정신이 없었다. 진욱은 심드렁한 표정으로 동구가 원하는 기구마다 따라가주었다.

놀이 기구 몇 개 타면 바로 지쳐 나가떨어지겠지, 하고 왔는데……. 무슨 애가 보약이라도 챙겨 먹었나? 땅 위를 통통 뛰어오르며 전혀 지치질 않아?

"안 지겹냐?"

"아니."

동구는 고개를 흔들며 두 손으로 진욱의 얼굴을 꼭 끌어안았다. 그러더니 진욱의 뺨에 '촉' 뽀뽀를 날렸다. 상상하지도 못한 애정 공세에 진욱은 놀란 눈으로 동구를 바라보았다. 동구는 수줍게 헤헤 웃으며 진욱의 반대 뺨에도 '촉' 입술을 들이밀었다.

"엉아, 또아(형, 좋아)."

녀석, 도대체 누구에게 배워먹은 기술이지?

환하게 웃는 동구의 얼굴에 유미의 얼굴이 겹쳐지기 시작했다. 왠지 모르게 가슴이 뭉클하고 코끝이 찡해지는 이유는 동구가 유미를 아주 많이 닮았기 때문일 것이다.

괴물같이 활력이 넘치는 녀석이지만, 유미와 한 핏줄이니까.

좋다. 내가 오늘 하루, 멋지게 놀아준다!

진욱은 소매를 걷어 올리고 본격적으로 동구의 요구를 들어주었다. 미끄럼틀을 타자면 미끄럼틀을 타고, 비눗방울로 총싸움을 하자면 비눗방울에 옷이 젖는 걸 상관하지 않고 놀아주었다.

두 사람이 노는 모습이 재밌게 보였는지 어느새 동네 아이들이 몰려들어 다 같이 비눗방울을 쏘기 시작했다. 아이들의 비눗방울에서부터 동구를 지키기 위해 진욱이 한 손으로 동구를 안아 번쩍 위로 들어 올렀다. 흥분한 동구가 '와아!' 환호를 내질렀다.

"어머 세상에……."

"팔뚝 좀 봐!"

"저, 넓은 가슴은 어떻고."

동네 엄마들은 마치 영화 속의 한 장면 같은 진욱을 보며 감탄사를 내질렀다. 그중에는 휴대폰을 들고 찰칵찰칵 몰래 사진을 찍는 사람도 있었다.

그때, 안을 들여다볼 수 없을 정도로 짙게 선팅된 최고급 세단이 놀이터 가까이로 다가왔다. 놀이터 앞까지 접근한 차는 속도를 늦추며 서서히 서행하기 시작했다.

잠시 후, 차 유리창이 스르르 밑으로 내려가며 근엄한 차 회장의 얼굴이 나타났다.

"여기가, 그 영양사가 사는 동네란 말이지?"

뒷좌석에 앉은 차 회장이 어두운 표정으로 창밖을 내다보았다.

"네. 카페 건물 2층에 세 들어 산답니다."

동네 분위기를 살피던 차 회장은 마뜩잖은 듯 낮게 혀를 찼다.

"쯧쯧쯧, 녀석. 여자 보는 눈이 엄청 높은 줄 알았더니만, 평범해도 너무 평범해. 그렇게 까다롭게 굴더니 결국 찾았다는 상대가 흔하고 흔한 보통 여자라니……."

솔직히 평범해서 나쁠 것은 없었다. 흔하고 흔한 보통 여자가 진욱의 짝이 된다고 해도 크게 문제될 건 없었다. 진욱을 낳아준 애령과의 뼈아픈 이별이 없었더라면…….

차 회장은 손등으로 이마를 문지르며 길게 한숨을 내쉬었다.

평범한 시골 처녀, 애령을 만나는 순간 사랑에 빠져버렸다. 집안의 반대도 모두 물리치고 그녀와 결혼했을 땐 온 세상을 다 가진 것처럼 행복했었다.

하지만 애령은 차 회장이 속한 세계의 사람이 아니었다.

—숨이 막혀요. 숨이 막힌다고요. 제발, 제발 나 좀 놓아줘요.

시들시들 말라가던 애령은 결국 스트레스를 견디지 못하고 어린 진욱을 떼어놓고 떠나버렸다. 강원도로 돌아가 평범한 삶을 살고부터는 삐쩍 말랐던 체중도 정상으로 돌아오고 안색도 훨씬 나아졌다.

그런 그녀에게 차 회장은 다시 자신에게 돌아와달라고 매달릴 수 없었다. 그렇다고 자신이 속한 세계를 버리고 그녀에게 갈 수도 없었다.

그때는 그랬다. 남자에게는 사랑보다 야망이 더 중요하다고 믿었다. 성공이 인생의 전부였다.

지금도 차 회장은 아무도 모르게 멀리서나마 애령을 지켜보러 강원도에 내려가곤 했다. 그저 그녀를 바라보는 것만으로도 가슴이 저리게 행복했으니까. 이제는 불타는 사랑이 아닌 그저 가슴이 아리는 추억 때문이라고 해도 말이다. 아직도 애령은 차 회장에게 유일한 여인이었고, 앞으로도 그럴 것이었다. 그랬기에 차 회장은 재혼은 생각하지도 않고 홀로 진욱을 키웠다.

가끔 차 회장은 젊었던 시절의 자신을 떠올리며 후회에 잠겼다. 애령을 자신의 세계로 데리고 오지 않았더라면 그녀는 좀 더 행복했을지도 모른다.

진욱도 마찬가지였다.

그러니까 더 빠져들기 전에, 싹이 나기 전에 뿌리부터 뽑아버려야 한다. 두 사람 사이에 아이라도 생긴다면 그때는 돌이킬 수 없기에…….

아무 생각 없이 놀이터로 시선을 돌리던 차 회장은 뭔가를 발견하고 흠칫 미간을 좁혔다.

"잠깐. 세워봐."

차가 멈추자, 차 회장은 눈 가늘게 뜨고 유심히 앞을 노려보았다. 진욱이 웬 남자아이를 어깨에 태우고 놀이터를 돌아다니고 있었다.

"저, 저 자식, 지금 뭐 하는 거야?"

두 사람을 지켜보는 차 회장의 눈이 점점 더 커졌다.

"저 애는, 또 뭐야……?"

저 아이, 어딘가 낯이 익은 얼굴이다. 어디서 봤더라?

"김 비서, 저번에 이유미의 가족 관계가 어떻게 된다고 했지? 엄마만 있다고 했나?"

"네. 편모슬하에 외동딸입니다. 아직 어머니에 관해선 자세하게 알아보지 않았습니다만……."

"이름, 이름이 뭐랬지?"

"아, 이름이요. '조미희'입니다."

"조미희……?"

—조미희 씨라고. 개성파 배우였어요. 시대에 앞서가는 독특한 연기를 펼치곤 했는데, 잘 풀리지 않아서 드라마 조연만 하다가……. 음, 벗는 영화로 엄청 히트를 쳤죠. 〈터질 거예요!〉라고.

강 국장이 해줬던 말이 머릿속에서 울려 퍼졌다. 이유미가 에로 배우 조미희의 딸이란 것도 기가 막힌데……. 그때 분명 그 여자의 손자라고 했었다. 조미희에게 딸은 이유미밖에 없으니까 손자라면 저 아이가 영양사의 아들? 설마. 아니, 설마……?

차 회장은 믿을 수 없다는 얼굴로 진욱과 동구를 바라보았다. 두 사람은 누가 보더라도 아버지와 아들 사이로 보였다.

"김 비서."

"네, 회장님."

"3년 전, 진욱이 몰래 조사한 자료 있지? 그것 좀 찾아와."

"알겠습니다."

"후우."

차 회장은 길게 한숨을 내쉬며 한 손으로 이마를 짚고 좌석 등받이에 몸을 기댔다.

"와아."

진욱의 널찍한 어깨 위에 올라탄 동구를 아이들이 선망의 눈으로 바라보았다. 뒤로 고개를 최대한 젖혀야 얼굴을 볼 수 있을 정도로 엄청나게 키가 큰 아저씨였다. 저리 높게 목말을 타면 완전 놀이 기구 타는 느낌일 거야.

"똥구 아빠, 진짜 짱 멋지다!"

"왜 우리 아빤 동구 아빠처럼 키가 안 커?"

"엄마, 나도 똥구 아빠처럼 저거 해줘!"

입을 헤 벌리고 구경하던 아이들이 각자 자기 엄마에게 투정 부리기 시작했다. 진욱의 눈부신 외모에 할 말을 잃었던 엄마 중 한 명이 조심스럽게 앞으로 다가왔다.

"통 안 보이시더니……. 어디 먼 데 출장 갔다가 오셨나 봐요?"

"네?"

진욱은 무슨 말인지 이해하지 못하고 고개를 갸우뚱거렸다. 아이의 엄마는 진욱의 반응을 무시하고 목말을 타고 있는 동구에게 시선을 돌렸다.

"동구가 아빠를 똑 닮았네요."

말도 안 되는 오해에 진욱은 인상을 찌푸렸다.

아니, 이 아주머니가! 결혼 근처에도 안 가본 총각을 순식간에 유부남으로 만들어버리다니.

"저는 동구 아빠가 아……."

진욱이 어금니를 꽉 깨물고 한마디 하려는데 동구가 머리카락을 쭉 잡아당기며 외쳤다.

"아냐, 엉아야(아니야, 형이야)."

아빠라니, 말도 안 돼!

동구에게 아빠는 약간 굽은 등에 머리는 희끗희끗, 주름살이 엄청 많은 사람이다. 지금 자신을 목말 태우고 있는 남자는 크고 잘생긴 형일 뿐이라고!

강원도에서 동구가 돌아오기만을 애타게 기다리고 있을 영한이 떠오르자, 동구는 왈칵 목이 멨다.

"아바(아빠)."

동구는 영한이 보고 싶어 울먹이는 소리로 작게 웅얼거렸다.

녀석, 사람 마음 약해지게…….

동구의 속마음을 알 리 없는 진욱의 귀에는 '엉아'라는 어설픈 발음이 '아빠'로 들렸다. 게다가 방금 좀 더 명확한 발음으로 '아바'라고 하지 않았는가!

방금까지도 신나서 환호성을 지르던 동구의 목소리가 어느새 풀이 죽어 있었다. 목말을 태운 터라 얼굴을 볼 순 없었지만, 진욱은 동구의 마음을 알 것도 같았다.

—'그냥 아빠라고 해주면 안 돼요?'라고 묻는 느낌이랄까?

문득 묘한 기분이 진욱을 에워쌌다.

—아빠, 엄마는 어디 갔어?

—엄마, 왜 안 와?

어머니와 아버지가 헤어졌다는 사실을 어린 진욱은 이해할 수 없었다. 진욱은 아침마다 엄마의 향기가 밴 담요를 꼭 끌어안고 애령을 찾아 헤매곤 했다.

한 밤 자고 나면 엄마가 돌아오겠지. 두 밤 자고 나면 엄마가 옆에 있을 거야. 세 밤 자고 나면…….

하지만 네 밤이 지나고 일주일이 지나고 한 달이 지나도 애령은 돌아오지 않았다. 그때마다 진욱은 눈물이 그렁그렁한 눈으로 차 회장에게 달려가곤 했다.

그러나 출근 준비에 바쁜 차 회장은 손목시계를 들여다보며 무뚝뚝한 표정으로 진욱을 대했을 뿐이다.

엄마의 부재로 어쩔 줄 모르고 방황하던 자신을 꼭 안아주기만 했더라도, '엄마는 없지만, 이제부턴 아빠가 잘할게.'라고 다독거려주기만 했더라도, 자신의 유년시절이 그렇게 삭막하고 어둡지만은 않았을 텐데…….

어린 자신을 냉랭한 시선으로 내려다보던 아버지와는 눈도 제대로 마주치지 못했다. 얼음 같은 차가운 태도에 언제나 겁을 먹었고 철이 들면서부터 서운한 마음이 들기 시작했다.

과거의 처량한 기억은 지금도 그를 저 밑바닥으로 가라앉게 했다.

"동구야, 이리 와."

진욱은 어깨에 앉은 동구를 끌어내려 자신의 품에 꼭 끌어안아주었다. 동구는 영문도 모른 채 헤헤 웃으며 진욱의 뺨에 자신의 뺨을 비볐다. 이 형, 참 괜찮다. 만난 지 하루밖에 지나지 않았지만, 동구는 진욱이 그냥 너무너무 좋았다.

"아까도 말했지만, 포도상구균 중에서도 황색 포도상구균은 각별한 주의가 필요합니다."

단상에 선 강사는 위생과 청결에 관한 교육 중 하나로 식중독을 일으키는 세균에 관해 설명 중이었다.

"높은 온도에서 장시간 가열해도 균은 죽어도 독소는 파괴되지 않기 때문이죠. 여러분도 아시다시피 조리 시 손에 상처가 났거나, 아니면 손톱을 깎다가 살짝 피가 나는 경우라도……."

열심히 강의를 듣던 유미는 후드득 소리에 힐끔 창밖으로 시선을 돌렸다. 오전까지만 해도 해가 쨍쨍했는데 언제부터인가 부슬부슬 이슬비가 내리고 있었다.

그는 지금 뭐 하고 있을까? 괜찮을까?

비가 올 때마다 몸이 쑤신 이유는 신경통이나 관절염 때문이지, 숙취와는 아무런 상관이 없는데도 유미는 진욱이 걱정되기 시작했다.

가방에서 몰래 휴대폰을 꺼낸 유미는 빠르게 자판을 두드렸다.

본부장님, 잘 들어가셨어요?

띠링—.

책상 위에 놓인 진욱의 휴대폰에서 문자가 왔음을 알리는 신호 음이 흘러나왔다. 휴대폰 옆에는 진욱의 셔츠와 재킷이 아무렇게나 올려져 있었다.

“눈 감고 가만히 있어.”

셔츠를 벗고 바지만 입은 진욱은 비좁은 욕실에 쭈그리고 앉아 동구를 씻기기에 여념이 없었다. 태어나서 강아지나 고양이도 씻겨본 적이 없는데 어린애를 씻기다니.

“이게 웬 보모 노릇인지.”

어린이용 보디 샴푸를 손에 덜어 거품을 낸 후, 동구의 몸에 문지르며 진욱이 투덜거렸다. 동구는 오리 인형을 한 손에 꽉 움켜쥐고 진욱이 하라는 대로 두 눈을 꼭 감고 있었다.

"이 모래 좀 봐라. 너 완전 모래 요정이구나."

진욱은 온갖 인상을 찌푸리면서도 샤워기를 손에 들고 동구의 몸을 구석구석 정성껏 씻어냈다.

"어? 너도 가마가 세 개냐? 나도 세 개인데……."

열심히 머리의 거품을 씻어내던 진욱이 동구의 가마 수를 세며 피식 입매를 휘었다.

"너도 나중에 여자 심심찮게 울리겠구나."

거품이 다 씻겨나가자 장난기가 발동했는지 동구는 쥐고 있던 오리의 배를 꾹 눌러 진욱의 얼굴에 물을 발사했다.

"앗, 똥구! 너 감히!"

진욱은 한 손으로 물을 닦아내며 살벌한 눈으로 동구를 노려보았다. 그러다 이내 복수랍시고 샤워기로 동구에게 물을 뿌려댔다.

"꺄악."

물세례를 받은 동구는 강아지처럼 몸을 부르르 떨며 두 손으로 얼굴을 가렸다. 까르르, 동구의 해맑은 웃음소리가 욕실을 가득 메워나갔다.

욕실에서 나온 진욱은 셔츠만 대충 걸친 채, 물기 묻은 동구의 몸을 구석구석 수건으로 닦아내고 옆에 놓인 담요를 끌어다가 몸을 감싸주었다.

"잠깐 이거 덮고 있어. 너, 옷은 어디 있어?"

"떠기……."

수건에 눈이 가려 앞이 잘 안 보이자, 동구는 대충 손가락을 뻗어 옷장을 가리켰다.

"저기? 어디?"

동구가 가리킨 옷장의 서랍을 열자, 동구의 옷 대신 핑크 빛과 크림색의 여성 속옷이 나타났다. 한눈에 봐도 유미의 속옷 서랍이었다. 흠칫 놀라며 서둘러 서랍을 닫으려는데 구석에 고이 모셔둔 보석함이 눈에 들어왔다.

슬쩍 열어보니 드디어 제 짝을 만난 볼륨업 패드 한 쌍이 곱게 놓여 있었다.

이런 걸 왜 보관했느냐고 투덜거릴 땐 언제고, 고이 모셔두고 있었네. 하여간 하는 짓마다 귀엽단 말이야.

진욱은 픽 웃으며 조용히 서랍을 닫았다. 위의 서랍을 열자, 드디어 동구의 옷가지가 나왔다.

"하, 이건 대체 누구 안목이야?"

쭉 나열된 동구의 어린이 팬티를 훑어보던 진욱은 직업의식이 발동한 듯 못마땅한 표정을 지었다. 진욱이 대충 팬티와 옷을 고르고 뒤를 돌아보니, 동구가 해맑은 얼굴로 기다리고 있었다. 담요를 감싼 동구에게서 자신의 어린 모습이 보이는 것 같아 진욱은 눈을 가늘게 모았다.

—헤헤, 엄마.

담요를 두르고 엄마 품에 파고들던 그때가 눈앞에 떠올랐다. 애령은 품으로 파고드는 진욱의 이마에 입을 맞추며 머리를 쓰다듬어주곤 했다. 하지만 행복은 길지 않았다.

애령이 사라진 아침의 기억은 아직도 선명하게 진욱을 괴롭혔다.

—엄마, 엄마!

온 방의 문을 다 열어보았지만, 애령의 모습은 어디에서도 찾을 수 없었다. 왜 오늘따라 자꾸만 옛날 일이 떠오르는지 모르겠다. 진욱은 착 가라앉은 기분으로 동구에게 옷을 입혀주었다.

"그런데……."

문득 진욱은 동구의 나이가 궁금해졌다.

"동구. 너, 몇 살이지?"

"떼 달(세 살)."

동구는 진욱에게 손가락 세 개를 꼽아 보였다.

"뭐? 세 살이라고?"

동구는 유순하게 고개를 끄덕거렸다.

세 살이면…… 유미를 처음 만났을 무렵인데……. 음, 뭐지? 말로 표현할 수 없는 이 묘한 느낌은? 동구의 얼굴을 뚫어지게 바라보던 진욱은 천천히 고개를 가로저은 후, 마저 옷을 입히기 시작했다.

자판기에서 커피를 뽑아 한 모금 마시려는데 아나운서 선배 두 명이 가식적으로 웃으며 혜리에게로 다가왔다.

"혜리, 요새 너무 잘나간다."

은근히 상대를 긁는 소리라는 걸 잘 아는 혜리는 그들을 따라 눈꼬리를 휘었다.

"그러게요. 저 말고 아나운서가 없는 것도 아닌데……."

혜리의 반격에 두 사람의 미간이 살짝 찌그러졌다.

"그 좋아하는 연차에 조퇴도 못 쓰고. 많이 피곤하겠다, 너."

두 번째 공격이 날아오자, 혜리는 어깨를 으쓱거리며 대수롭지 않은 듯 가볍게 반격했다.

"네. 그래서 결혼하면 그만두려고요."

혜리의 폭탄선언에 두 사람의 눈이 커다래졌다.

"결혼?"

"누구랑? 혹시…… 대복 차진욱?"

혜라는 대답 대신 여유롭게 웃으며 커피를 홀짝거렸다.

"그래서, 무슨 일로 보자고 하신 거예요?"

그때 창가 쪽에서 어딘가 익숙한 여자의 목소리가 들려왔다. 무심코 돌아보던 혜리의 표정이 순식간에 굳어졌다. 창가 테이블에 NBN에서 제일 잘나간다는 전 피디와 미희가 앉아 있었다.

저 아줌마가 왜 여기에 있는 거야?

"그럼 전 이만. 급하게 연락할 일이 있어서……."

혜리는 급하게 선배들에게 인사한 후, 미희가 눈치채지 못하게 조심조심 창가로 다가갔다. 미희를 등 뒤에 두고 앉아 휴대폰 보는 시늉을 하면서 뒤쪽으로 쫑긋 귀를 세웠다.

"솔직히 저번에는 제가 실례가 많았습니다."

"아, 그래요? 전 피디님이 내게 무슨 실례를 하셨을까?"

"국장님 말씀이 옳았습니다. 제가 몰라뵙고 실언을 한 것 같네요."

무슨 일인지 모르지만, 천하의 전 피디가 고분고분하게 미희를 상대하다니. 그리고 몰라뵙다니 뭘? 혜리의 머리로는 도저히 이해할 수 없는 상황이었다.

잠시 후, 전 피디의 입에서 믿을 수 없는 말이 흘러나왔다.

"며칠 전, 우연히 〈터질 거예요!〉를 보게 됐습니다. 전 지금까지 그냥 흔하디흔한 싸구려 에로물인 줄 알았거든요. 그런데 실제로 연기하시는 걸 보니까, 음…… 뭐랄까, 선생님만의 독특한 개성이 있더군요. 제가 지금까지 찾아 헤매던 바로 그런 연기였습니다."

"흠, 요새 제일 잘 나가는 피디라더니 보는 눈은 있군요."

싸늘한 미희의 목소리를 뒤로하고 혜리는 슬그머니 자리에서 일어나 휴게실을 빠져나갔다. 독특한 개성이고 전 피디가 찾아 헤매던 연기고 뭐고 머릿속에 아무것도 남지 않았다. 그저 '터질 거예요!', '싸구려 에로물'이란 말만이 귓가를 맴돌았다.

"에로 배우라고?"

감히 그런 여자의 딸이 차진욱을 넘보는 거야?

혜리는 기가 막힌 듯 웃음을 터뜨렸다.

"하, 그런 거였어?"

Episode 26

솔직하게 말해. 너에 대한 거, 전부 다!

본사 교육을 마친 유미는 함께 저녁을 하자는 동료의 제안을 뿌리치고 급하게 집으로 향했다. 문자를 보냈는데도 진욱에게서 아무런 대답이 없어 조금 걱정되었기 때문이다.

혹시라도 엄마가 무슨 사고를 친 건 아닐까? 아니겠지? 아닐 거야.

빠른 걸음으로 맥&북 건물로 향하는데 한쪽 팔로 동구를 안고 계단을 내려오는 진욱이 눈에 들어왔다. 동구는 뭐가 그리도 좋은지 진욱의 목을 꼭 껴안고 배시시 웃고 있었다.

"본부장님?"

전혀 상상도 하지 못한 장면에 유미의 눈이 휘둥그레졌다. 유미를 발견한 진욱이 동구를 번쩍 안아 사뿐히 땅에 내려놓았다.

"어마(누나)!"

유미를 본 동구가 두 팔을 활짝 펴고 쪼르르 달려와 유미의 다리에 매달렸다. 유미는 동구의 머리를 쓰다듬으며 믿을 수 없다는 눈으로 진욱을 바라보았다.

"아직 집에 안 가셨어요? 그리고 똥구는 왜……?"

"어머니가 부탁하셔서."

유미의 얼굴이 경악스럽게 일그러졌다.

"엄마가요? 아니, 그래서 지금까지 똥구를?"

아, 미치겠다. 엄마, 지금 제정신이야?

유미는 너무나도 민망하고 미안한 마음에 쥐구멍을 찾고 싶었다.

"그러면 저한테 연락하시지. 어쩌자고 혼자서 똥구를……."

"오늘 본사 출근했다면서요. 찍히면 안 되잖습니까?"

진욱은 무심한 듯 앞머리를 쓸어 올리며 씩 입매를 비틀었다.

"마침 나도 오늘은 한가해서."

유미는 진욱의 따뜻한 배려에 눈물이 핑 돌 것만 같았다.

이 남자, 겉으론 툴툴거려도 아주 속이 깊고 따뜻하다.

"그런데…… 대체 얘는 누굽니까?"

"네?"

이렇게 어린 동생이 있다는 사실을 말하려면 엄마의 재혼과 이혼 등등 복잡한 가정사를 다 밝혀야만 한다.

참, 그게 뭐 자랑할 일이라고……. 어떻게 하면 좀 덜 충격적으로 설명할 수 있을까?

유미는 기분 좋은 듯 헤헤거리는 동구를 바라보며 조심스럽게 말을 꺼냈다.

"지금까지는 엄마가 동구와 함께 살았는데…… 지금은 그냥 다 같이 살기로 했어요."

뭔가 설명하려고 하는 것 같은데 딱히 정확한 대답이 아니었다. 동구의 나이도 그렇고 뭔가 이상하긴 한데……. 솔직히 뭐가 거슬리는지는 모르겠다.

진욱은 너무나도 똑같이 닮은 유미와 동구의 얼굴을 번갈아 바라보았다.

큰 토끼, 작은 토끼.

예쁜 토끼, 귀여운 토끼.

두 토끼를 나란히 세워놓고 보는 느낌이랄까?

유미는 동구의 손을 잡아끌며 진욱을 향해 꾸벅 고개를 숙였다.

"오늘 정말 감사했습니다. 그럼."

유미가 옆을 지나치려 하자, 진욱은 상념에서 깨어나 다급하게 그녀의 손목을 잡았다.

"잠깐. 내가 오늘 얼마나 시달렸는지 알아요?"

짐짓 화난 듯 인상을 찌푸리며 진욱이 불평을 늘어놓았다.

"무슨 애가 완전 건전지 들어간 토끼 인형이야! 지칠 줄을 몰라."

"어머, 똥구가 말썽 많이 부렸어요? 어떡해……."

유미는 금방이라도 울 것 같은 얼굴로 진욱에게 허리를 숙였다.

"정말 죄송해요."

그녀에게 원한 건 이런 게 아니었다. 진욱은 한숨을 내쉬며 두 손으로 유미의 어깨를 감싸 쥐었다.

"그거 말고."

"네? 그럼 뭐?"

"동구, 잠깐 눈 좀 감아."

진욱은 손바닥으로 동구의 눈을 가리더니 유미의 입술에 '쪽' 소리 나게 입을 맞추었다. 그녀의 아랫입술을 살짝 깨무는 것도 잊지 않았다. 진욱의 기습 키스에 유미의 얼굴이 화르르 붉게 타올랐다. 진욱은 어쩔 줄 몰라 하는 유미가 귀여운 듯 씩 입꼬리를 올렸다.

"이제 됐어요. 나, 그럼 갑니다. 동구야, 다음에 보자."

진욱은 유미의 어깨를 한 번 더 꾹 움켜쥔 뒤, 동구의 앞머리를 헝클어뜨렸다.

막 뒤돌아서려는 순간, 두 사람 사이로 미희가 불쑥 끼어들었다.

"가긴 어딜 가?"

"헉!"

갑작스러운 미희의 등장에 유미와 진욱이 소스라치게 놀라며 뒷걸음쳤다.

"엄마! 그렇게 갑자기 들이대면 어떡해!"

유미는 빨갛게 물든 뺨을 재빨리 손으로 가리며 빽 소리 질렀다. 미희는 둘이 한 짓을 안다는 듯 묘한 미소를 떠올리더니 진욱의 팔을 살며시 잡아당겼다.

"저녁 먹고 가요. 내가 한턱낼게."

무작정 동구를 맡기고 외출한 것도 기가 막힌데, 한턱낼 테니까 저녁을 먹고 가라니! 또 무슨 이상한 짓을 해서 망신시키려고!

유미의 얼굴이 백지장처럼 창백해졌다.

"돼지 껍질 좋아해요? 돼지 껍질에 소주 콜?"

"엄마, 돼지 껍질은 무슨……."

유미는 짜증스러운 얼굴로 미희의 팔을 잡아당겼다. 입맛 까다롭기로 유명한 차진욱이 돼지 껍질을 먹을 리가 없었다. 긴 다리 접기 불편하다고 좌식으로 된 곳도 싫어하는 남자인데, 풀풀 연기 피우며 삼겹살도 아니고 돼지 껍질을 구워 먹으라고?

그런데 진욱에게서 전혀 예상하지 못한 대답이 돌아왔다.

"저는 괜찮지만, 동구가 먹을 게 있을까요?"

"동구는 계란찜이랑 어묵 탕 시키면 되니까 그건 걱정하지 말아요."

뭐, 괜찮아? 세상에, 차진욱이란 남자가 돼지 껍질을 먹는다고?

유미는 믿을 수 없다는 얼굴로 진욱을 바라보았다. 분명히 '차진욱 본부장의 영양 및 식성 보고서'에는 혐오 식품을 멀리 한다고 적혀 있었다. 돼지 껍질이 혐오 식품인지 아닌지는 알 수 없지만, 그녀가 아는 진욱의 기준에선 혐오 식품이 되고도 남을 음식이다.

"엄마, 하고많은 음식 중에서 왜 하필……."

"여기서 가까운 거리니까 그냥 걸어가면 돼."

미희는 유미의 말을 도중에 끊고 한 손으론 동구를 잡고 다른 한 손은 진욱에게 팔짱을 끼며 앞장서 걷기 시작했다.

결국 유미와 진욱, 미희와 동구는 동네의 허름한 돼지 껍질 전문 식당에 나란히 앉게 되었다. 워낙 좁은 가게라 신발을 벗고 들어가야 하는 방을 빼곤 자리가 이미 꽉 차 있었다. 진욱에게 한 소리 들을까 불안했지만, 그는 아무 불평도 하지 않고 순순히 신발을 벗고 방 안으로 들어갔다. 아마도 미희가 있어서 예의를 차리려고 노력하는 모양이었다. 유미는 그런 진욱이 고마우면서도 다른 한편으론 미안했다.

아, 제발. 엄마가 주책이나 부리지 말길.

유미는 진욱을 따라 방 안으로 들어가며 간절히 빌고 또 빌었다.

"노리터에서, 엉아가 '우우웅' 하니까 애드리 우와아! 하고. 또 물, 차아 하니까 엉아가 촤아아 하고. 또오……."

저녁은 뒷전이고 동구는 팔을 활짝 벌린 채, 오늘 있었던 일을 열심히 설명했다. 아무리 발음이 시원치 않아도 웬만하면 다 알아듣는 유미와 미희였지만, 지금은 동구가 너무 흥분해버려 도무지 알아들을 수가 없었다.

"도대체 뭘 했다는 거야?"

"어아라 노리떠 가서 노라느데…… 애드리 우리 어아 보고 '아아아' 해떠……."

에라, 도저히 모르겠다.

"그렇게 좋았어?"

유미는 동구의 엉덩이를 톡톡 두드리며 대충 맞장구를 쳐주었다. 동구는 격하게 고개를 끄덕거리더니 쪼르르 진욱에게 달려가 그의 목을 꼭 끌어안았다.

"어. 엉아, 또아(응. 형, 좋아)!"

"그래, 알았으니까 얼른 밥 먹자."

그사이 엄청 친해졌는지 진욱은 밥을 푼 숟가락에 반찬을 얹어 동구의 입에 넣어주었다. 놀랍게도 동구는 떠드는 걸 멈추고 진욱이 주는 밥을 얌전히 받아먹었다.

"생긴 거와는 다르게 다정한 면도 있네."

미희는 놀란 표정으로 진욱에게 소주잔을 내밀었다.

"자, 한 잔 받아요."

"아닙니다. 오늘은 술은……."

"괜찮아. 오늘도 그냥 여기서 자고 가면 되지."

자고 가라고? 음, 솔직히 엄청 끌리는 제안이었다. 하지만 어젯밤 엉망이 된 이미지를 동구를 돌봐주며 어렵게 복구했는데 다시 또 무너뜨릴 순 없었다. 진욱은 아쉬운 얼굴로 고개를 내저었다.

"말씀은 고맙지만 할 일이 있어서 저녁만 먹고 가봐야 합니다."

"그래요? 아쉽네."

미희는 잔에 소주를 따르며 실망한 목소리로 말을 이었다.

"하여간 오늘 고마웠어요. 마음 편하게 많이 먹어요."

"네."

하지만 밥 한술을 뜰 수 없을 정도로 동구가 진욱 옆에 딱 달라붙어 성가시게 굴었다. 엄마와 누나보다는 멋진 형이랑 노는 게 더 재미있다는 것을 본능적으로 깨달은 걸까? 동구는 진욱의 무릎 위에 앉아 연신 이것저것 알아들을 수 없는 말을 조잘거렸다. 그럴 때마다 진욱은 숟가락으로 밥을 퍼 동구의 입에 넣어주었다. 유미는 동구의 민폐에 미안해서 어찌할 바를 몰랐다.

"똥구! 너, 이리 못 와!"

아무리 윽박지르고 억지로 그녀 옆으로 끌고 와도 어느새 동구는 진욱에게 엉금엉금 기어가 그의 옆에 딱 달라붙었다.

"너, 정말 말 안 들어?"

유미가 화난 얼굴로 씩씩거리자, 미희는 소주잔을 단숨에 비워버리며 지나가는 투로 말했다.

"그냥 놔둬. 가족이라서 끌리는 건데 뭐."

가족?

미희의 황당한 발언에 유미의 입이 저절로 벌어졌다.

엄마, 벌써 취한 거야?

유미는 민망한 얼굴로 진욱의 눈치를 살피고는 팔꿈치로 미희의 옆구리를 푹 찔렀다.

"가족이라니? 엄마, 지금 그게 무슨 소리야?"

그러나 미희는 입을 다물긴커녕 더욱더 목청을 높였다.

"무슨 소리긴. 너랑 차 본이랑 결혼하면 어차피 가족 되는 거잖아?"

어머, 어머, 어머! 결혼이라니, 결혼이라니! 엄마, 진짜 취했나 봐.

유미는 금방이라도 펄쩍 뛰어오를 것처럼 화를 냈다.

"아니, 왜 우물가에서 숭늉을 찾아? 우리 이제 겨우 사귀는 건데, 벌써부터 무슨 결혼……."

"거 봐! 두 사람, 사귀는 거 맞지!"

헉! 유미는 자신의 말실수를 깨달으며 두 손으로 입을 틀어막았다. 그리고 황급히 진욱에게로 시선을 돌렸다. 마침 동구에게 반찬을 집어주던 진욱은 짧게 웃으며 고개를 끄덕였다.

"네, 맞습니다."

"호호호. 내 눈은 못 속인다니까. 잘됐네. 두 사람, 아주 잘 어울려."

미희는 뿌듯한 얼굴로 웃으며 소주잔을 단숨에 비웠다.

아이, 진짜! 유미는 화난 듯 입을 앙다물며 두 눈을 질끈 감아버렸다. 바보처럼 엄마의 술수에 또 넘어가버렸다.

"흐응. 흐응. 따리……."

온종일 노느라 피곤했는지 집으로 돌아오는 길에 동구는 다리가 아프다며 칭얼거렸다.

"동구, 이리 와."

진욱이 손짓하자, 동구는 자석에 쇠붙이가 끌려가듯 진욱의 다리에 찰싹 달라붙었다. 진욱은 한쪽 팔로 동구를 가볍게 안아 올렸다.

"엉……아(형아)."

진욱의 목을 꼭 끌어안은 동구는 졸린 목소리로 중얼거리다 그대로 잠이 들어버렸다. 진욱은 어린 유미를 끌어안은 기분으로 동구의 등을 손으로 토닥거렸다.

이상하다. 딱 하루, 온종일 같이 있었다고 동구가 마치 피붙이처럼 가깝게 느껴진다. 유미와 똑 닮았기 때문일까? 그녀도 동구만 했을 때는 아빠 품에 안겨 이렇게 잠이 들곤 했겠지?

"이제 똥구는 나에게 주고."

맥&북 건물 앞에 도착하자, 미희는 진욱에게서 곤하게 잠든 동구를 넘겨받았다.

"유미, 너는 좀 더 놀다가 들어와. 외박하고 싶으면 외박하고."

"엄마, 좀!"

"얘가 왜 도끼눈은 뜨고 그래? 저번 주에도 외박했으면서……."

안 되겠다. 엄마가 또 말실수를 하기 전에 얼른 들어가야겠다.

"아냐, 엄마. 나 내일 교육 나가려면 일찍 자야 해."

유미는 미희의 등을 재빨리 떠밀었다.

"하루 빼먹는다고 안 잘려. 그냥 땡땡이쳐. 그러다 회사에서 잘리면 차 본이 알아서 해주겠지."

"엄마!"

"목소리 좀 낮춰. 동구 깨겠다."

미희는 유미를 흘겨본 후, 다시 진욱을 향해 환하게 웃어 보였다.

"우리 딸이 좀 답답하고 고지식해. 그건 차 본이 차차 고쳐가면서 사귀라고. 안 그랬다간 속 터질 테니까."

말을 마친 미희는 유미가 뭐라고 더 쏘아붙이기 전에 서둘러 자리를 피했다. 유미는 말도 안 되는 소리만 늘어놓다 사라지는 미희를 날카로운 눈으로 노려보았다.

엄마는 지금 날 도와주려는 건지, 깽판을 치려는 건지 모르겠다. 창피해서 그를 어떻게 쳐다보느냐고!

그때 뒤에서부터 진욱이 팔을 뻗어 그녀를 품에 끌어안았다.

"허락도 떨어졌는데, 우리 집 갈까?"

"네?"

마음 같아서야 백번이라도 그러고 싶었다. 하지만 한밤중에 남자 집까지 따라가는 건 좀 그렇다. 3년 전, 분위기에 취해서 넘지 말아야 할 선을 넘어버린 것도 후회하는데…….

"됐어. 그만 고민해."

진욱의 낮은 목소리가 귓가에 잔잔히 흘러들었다. 그는 유미의 어깨에 턱을 괸 채 속삭이듯 투덜거렸다.

"급히 시작해서 이렇게 돌아왔으니까, 이번에는 신중하고 느긋하게 가자고 한 지, 아직 일주일도 지나지 않았어. 내가 한 말 지킬 테니까 긴장 풀어."

"하하, 제가 뭘 또 긴장을 했……."

말을 채 끝내기도 전에 진욱의 강한 손길에 의해 유미의 몸이 뒤로 돌려졌다.

"대신 받을 건 받아야지."

"받을 거라니요?"

"동구 때문에 저녁을 거의 먹는 둥 마는 둥 했거든."

아, 진짜 그랬겠다. 똥구, 이 녀석!

"어떡하죠? 많이 배고파요? 그러면 어디 가서 뭐 좀 먹어요."

"그거 말고."

"네? 그럼 뭐?"

유미가 전혀 눈치채지 못하자, 진욱은 허탈한 웃음을 터뜨렸다.

"어머님 말씀이 맞아. 가끔 보면 답답할 때가 있어."

이에 발끈한 유미가 앞으로 바짝 다가가며 항의했다.

"아니, 내가 답답하긴 뭐가 답……."

나머지 말은 진욱이 그녀의 허리를 확 끌어당기며 입술을 겹치는 바람에 밖으로 나올 수 없었다.

"……받을 건 이자까지 쳐서 받아내야지."

잠시 후, 진욱이 살짝 입술을 떼어내며 나직이 속삭였다. 말할 때마다 흘러나오는 그의 뜨거운 숨결에 입술이 미세하게 떨렸다. 진욱은 손으로 그녀의 턱을 지그시 아래로 누르며 다시금 입술을 겹쳤다. 아까는 입술만 부딪쳤던 것과는 달리 이번에는 입 속 구석구석을 집요하게 파고드는 강렬한 키스였다. 입 안 깊숙하게 느껴지는 진욱의 감촉에 숨이 막힐 듯 눈앞이 아찔했다.

이러다간 제자리에 주저앉을 것 같아 유미는 어깨를 움켜쥐며 진욱에게 매달렸다. 강하게 밀고 들어오는 진욱 때문에 조금씩 뒷걸음치다 보니 어느새 등 뒤로 딱딱한 벽이 닿았다. 진욱의 입술은 거친 것 같으면서도 짜릿하게 부드러웠다. 목구멍이 타들어가는 것처럼 달콤했다.

"으음……. 하아."

끊임없이 진욱을 받아들이던 그녀의 입에서 어느덧 여린 신음과 함께 거친 숨결이 흘러나오기 시작했다. 너무나도 황홀해서 그녀를 감싸고 있는 세상이 빙글빙글 도는 것만 같았다.

집에 돌아온 진욱은 샤워를 하고 간편한 옷으로 갈아입었다. 갈아입

은 옷을 세탁기에 넣긴 직전, 진욱은 셔츠의 냄새를 살짝 맡아보았다. 같은 옷을 하루 이상 입었다면 아주 찝찝해야 정상인데, 우습게도 셔츠에 밴 유미의 향기와 동구의 어린애 특유의 냄새가 친근하게 느껴졌다. 이쯤 되면 아주 심한 중증이다.

진욱은 쓰게 웃으며 잔에 와인을 따라 소파 등받이에 기대어 앉았다. 느릿하게 와인을 마시며 두 눈을 감고 오늘 하루의 일을 짚어보았다. 동구와 보낸 하루는 그리 나쁘지 않았다. 미희 역시 겉만 독특하게 보일 뿐, 속마음은 제 자식을 귀히 여기는 여느 부모와 다르지 않았다. 그래도 유미에게 미희처럼 개방적인 어머니가 있다는 사실은 큰 충격이긴 했다.

"그래서 더 정반대인가?"

키스를 끝내자마자 홍당무처럼 빨개진 얼굴로 눈도 제대로 못 마주치던 그녀. 유미를 떠올리는 진욱의 입가에 어느새 연한 미소가 걸렸다. 그러나 옆에 놓인 낡은 담요를 발견한 진욱의 얼굴에서 연기처럼 웃음기가 사라졌다. 조용히 와인을 마시는 진욱의 얼굴에 쓸쓸함이 서렸다.

"야옹."

그때 밖에서부터 애절한 고양이 울음소리가 희미하게 들리기 시작했다. 아, 그러고 보니 깜순이가 안 보였군. 항상 현관에 누워서 기다리던 녀석이 오늘은 웬일이지? 외박했다고 삐쳤나? 대수롭지 않게 생각하고 와인을 마시려는데 다시금 깜순이의 울음소리가 들렸다.

"야아아옹."

그런데 깜순이의 울음소리가 평소와는 좀 달랐다.

"깜순아."

결국 깜순이가 걱정된 진욱은 소파에서 일어나, '야옹' 소리가 나는 쪽을 따라갔다.

"야옹, 야옹."

한동안 끊어졌던 고양이 울음소리는 정원 구석에 이르러 다시 희미하게 이어졌다. 이상하게도 울음소리가 조금씩 다르게 들렸다. 정원 한구석, 무릎을 꿇고 주위를 살펴보던 진욱의 입에서 작은 탄성이 흘러나왔다.

"깜순이, 너!"

풀밭에 누운 깜순이 옆에서 새끼 여러 마리가 서로 꼬물거리며 낑낑대고 있었다.

"깜순아, 하필이면 내가 외박한 날 혼자 해산한 거야?"

그래서 어젯밤 꿈에, 그리도 슬픈 눈을 하고 나타났구나.

"미안하다, 깜순아."

진욱은 혼자 산고를 겪은 깜순이의 머리를 조심스럽게 쓰다듬었다.

"야아옹."

깜순이는 투정 부리듯 길게 울며 진욱의 손에 얼굴을 문질렀다.

"그런데 여기서 낳아버렸으니 어떡하지? 갓 태어난 새끼를 만졌다가 잘못될 수도 있는데……."

고민에 빠졌던 진욱은 뭔가 아이디어가 생각난 듯 서둘러 집 안으로 들어갔다.

얼마 후, 다시 나타난 그의 손에는 커다란 종이 박스와 오래된 니트 스웨터, 낡은 담요가 들려 있었다. 종이 박스에 보드라운 니트 스웨터를 깔자, 깜순이는 새끼를 하나씩 입에 물고 박스 안으로 옮기기 시작했다.

모든 이사가 끝나자 진욱은 항상 껴안고 자던 낡은 담요를 깜순이에게 덮어주었다.

"이제 나보다는 너와 네 아기에게 필요할 거야."

깜순이는 담요의 감촉이 마음에 드는지 얼굴을 비비며 작게 그르렁거렸다.

"녀석, 좋은 건 알아가지고."

아빠 미소를 띠고 깜순이와 새끼들을 바라보던 진욱의 머릿속에 문득 하나의 질문이 떠올랐다.

"그런데 깜순, 얘들 아빠는 도대체 누구냐? 왜 너 혼자, 이 고생이야?"

"야아옹."

깜순이는 '나쁜 자식, 도망갔어.'라고 하는 듯이 구슬프게 울었다.

음…… 그런데 어째서 깜순이 얼굴에 유미가 겹쳐지는 걸까?

—지금까지는 엄마가 동구와 함께 살았는데…… 지금은 그냥 다 같이 살기로 했어요.

그게 도대체 무슨 뜻이지? 왜 명확하게 말을 안 해주는 거야.

자꾸만 의구심이 들며 불안한 감정이 진욱을 조금씩 옭아매기 시작했다.

"왜 다들 아무 말이 없습니까? 한정판 아이디어, 더 없어요? 정말 이

게 다라고?"

진욱은 한심하다는 표정으로 회의실에 앉은 팀원들을 둘러보았다. 테이블 위에선 시한폭탄 타이머가 째깍째깍 넘어가고 있었다. 팀원 대부분은 진욱과 시선을 피하고자 고개를 숙이고 조용히 입을 다물었다. 할 수 없이 양 대리가 총대를 메고 조심스럽게 말을 꺼냈다.

"네……. 죄송하지만, 지금까지 말씀드린 게 전부입니다만."

"다들, 이따위로 일할 겁니까? 아이디어를 짜내라고 시간을 준 게 언제인데! 시간을 넉넉하게 주나, 빠듯하게 주나 그게 그거잖아요. 이럴 거면 괜히 시간 끌 것 없이 당일 결정하고 말지."

"드릴 말이 없습니다. 그래도 시간을 조금만 더 주신다면 우리 모두 머리를 맞대어……."

진욱는 심기가 불편한 얼굴로 펜 끝으로 테이블 위를 톡톡 두드렸다. 문득 머릿속에 색다른 아이디어가 떠올랐다.

"좋아요. 그러면 이런 건 어때? 부자 커플 속옷 패키지. 삼사십 대 젊은 아빠를 타깃으로 잡고."

그의 한 마디에 팀원들의 안색이 환하게 밝아졌다.

"오, 그거 괜찮은데요?"

"완전 반응 올 거 같습니다."

진욱은 흡족한 미소를 지으며 '탁' 타이머 버튼을 눌렀다.

"좋아. 그럼 그걸로 진행하죠."

회의를 마치고 본부장실로 돌아오니, 나영이 몹시 당황한 얼굴로 자

리에서 일어섰다. 그녀는 눈짓으로 누군가 집무실에 있다는 신호를 보냈다. 대복에서 진욱의 허락 없이 집무실에 들어갈 수 있는 인물은 오로지 차 회장뿐이었다.

진욱은 알았다는 듯 고개를 끄덕인 후, 무표정한 얼굴로 문을 열어젖혔다.

안에 들어서니 차 회장은 뒤도 돌아보지 않고 정면만 노려보며 소파에 앉아 있었다.

이 양반이 왜 또 이러실까?

"회장님이 어쩐 일이세요? 여기까지 다 오시고."

소파 맞은편에 털썩 앉으며 진욱이 비아냥거리듯 물었다.

"너, 언제까지 숨길 생각이었어?"

괘씸하다는 눈으로 진욱을 노려보던 차 회장이 대뜸 아리송한 질문을 던졌다.

혹시 유미에 관해서 알아냈나?

진욱은 티 나지 않게 차 회장의 표정을 살폈다.

"숨기긴 뭘 숨긴다고 그래요?"

일단 침착하게 모르쇠로 일관해야 한다. 진욱은 은근슬쩍 차 회장의 시선을 피하며 서류 파일을 들여다보는 시늉을 했다.

"너, 나 모르게 애 낳았냐? 그 영양사 애가, 네 애 맞아?"

차 회장의 폭탄 같은 질문에 진욱은 기가 막힌다는 듯 인상을 찌푸렸다.

"방금 뭐라고 하셨어요. 누구 애요?"

"시치미 떼려 하지 마! 너, 도대체가!"

크게 호통치던 차 회장은 혹시라도 말이 밖으로 흘러나갈까 홍분을 가라앉히며 목소리를 낮췄다.

“3년 전에 그 여자랑 무슨 짓을 한 거냐, 어?”

‘3년 전’이란 말에 진욱의 표정이 딱딱하게 굳어버렸다.

3년 전이라니? 아버지가 유미와의 과거를 어떻게 알고 있는 거지?

진욱이 아무 말도 못 하고 침묵을 지키자, 차 회장은 ‘쯧쯧쯧’ 혀를 차며 재킷 안주머니에서 사진을 꺼내 휙 던지듯 내려놓았다. 여러 장의 사진이 낙엽처럼 펄럭이며 테이블 위에 흩어졌다.

사진에는 3년 전 결혼식장에서 유미의 허리를 끌어안은 모습과 같이 바닷가에서 와인을 마시는 모습, 차 안에서 열렬히 키스하는 모습 등이 고스란히 담겨 있었다. 고화질 망원 렌즈로 찍은 듯 매우 선명한 화질을 자랑했다. 사진을 들여다보던 진욱이 싸늘한 눈으로 차 회장을 노려보았다.

“강원도에 유배를 보내놓고 사진까지 찍어가며 저를 감시하신 겁니까?”

“야, 이 녀석아! 지금 그게 중요해? 그동안 아비를 감쪽같이 속여 놓고! 혼외 자식이 웬 말이야? 회장인 나도 하늘을 우러러 깨끗한데!”

“혼외 자식이라뇨?”

진욱이 계속 오리발을 내밀자 차 회장은 한 손으로 뻣뻣해진 뒷목을 주물렀다.

“그 꼬마! 영양사가 몰래 키우고 있는 애 말이다! 이래도 시치미를 뗄 거냐?”

이해할 수 없다는 듯 차 회장을 바라보던 진욱의 눈동자가 서서히 흔들리기 시작했다.

“그 녀석이, 유미의 아들이라고요?”

전혀 몰랐던 것 같은 진욱의 반응에 차 회장은 적잖이 당황했다.

집안의 반대가 무서워 뒤에서 몰래 애를 키우는 줄 알았더니만, 자식의 존재를 전혀 몰랐다는 건가?

"너, 몰랐어? 그럼 내가 주말에 본 건 뭐야?"

그러나 충격에 빠진 진욱의 귀에는 아무 말도 들리지 않았다.

"그럴 리가…… 그럴 리가 없어요……. 어떻게 그런 일이."

토끼 인형을 보여주자 깜짝 놀라던 유미의 얼굴이 떠올랐다.

—우리 집 '똥강아지' 건데, 어디 갔나 했더니 거기 있었네.

그때부터 뭔가 이상하다 싶었다. 토끼 인형을 품에 꼭 안고 생글거리던 동구의 얼굴도 함께 떠올랐다.

—오늘은 똥강아지 생일이라서 안 돼요. 퇴근하고 생일 파티하기로 했거든요.

동구는 유미를 '어마'로 불렀다.

'어마'……. '누나'보다는 '엄마'에 가까운 발음 아닌가?

미희에게서 나왔던 애매모호하던 말들…….

—……배에서 나온 자식이라고 어쩌면 둘이 저리도 똑같은지 몰라.

—내가 그쪽 도와주고 싶어서 하는 말인데…… 유미한테 잘 보이고 싶으면, 똥구한테 잘해야 해.

—그냥 놔둬. 가족이라서 끌리는 건데 뭐.

차 회장의 한마디에 동구에 대한 퍼즐이 하나씩 맞춰지고 있었다.

—어? 너도 가마 세 개냐? 나도 세 개인데…….
—그런데…… 동구. 너, 몇 살이지?"
—떼 달(세 살)."
—지금까지는 엄마가 동구와 함께 살았는데…… 지금은 그냥 다 같이 살기로 했어요.

진욱의 눈동자가 사정없이 흔들리기 시작했다.

"그러니까…… 동구는 바로……."

저녁 배식을 끝내고 퇴근 준비를 하려는데 책상 위에 올려놓은 휴대폰에서 문자 알림이 울렸다. 휴대폰을 집어 든 유미의 얼굴에 환한 미소가 떠올랐다.

끝나고 좀 봅시다. 회사 앞에서 기다려요.

온종일 소식이 없기에 오늘 저녁은 같이 안 먹는 건가? 은근히 걱정했었는데……. 눈코 뜰 새 없이 바빠서 그랬던 거구나.

유미는 두근거리는 마음을 내리누르며 조금이라도 더 예뻐 보이고 싶은 마음에 립스틱을 꺼내어 입술에 바르기 시작했다.

"흥, 오늘은 내가 진욱 오빠한테 제대로 까발려줄 거야."

혜리는 회사 앞에 차를 세워놓고 운전석에 앉아 로비를 노려보았다. 하, 웃기지도 않아. 애가 있는 미혼모인 것도 모자라서 에로 배우 딸이었다고? 그러면서 감히 내 남자를 넘봐? 그리고 오빠도 어디 여자가 없어서 그런 꽃뱀에게 걸려? 내가 아니면 우리 불쌍한 오빠를 누가 구해주는데? 오빤 일평생 나에게 고마워하면서 살아야 한다고!

그때 마침 유미가 건물에서 걸어 나왔다.

흥, 도둑도 제 말 하면 온다더니!

혜리는 눈을 번쩍 빛내며 차 문 손잡이에 손을 뻗었다. 그러나 차 문을 채 열기도 전에 지하 주차장에서 올라온 진욱의 차가 유미 앞에 끼익 멈춰 섰다.

진욱이 운전석에서 내려 조수석 문을 열어주고, 유미가 빠르게 차에 올라탔다. 다시 운전석으로 돌아간 진욱은 곧바로 차를 출발시켰다.

"뭐야? 둘이 또 어디를 가는 건데?"

한껏 흥분한 혜리는 다급히 안전벨트를 채우고 시동을 걸었다.

분위기가 이상하게 싸늘했다. 유미는 오늘따라 이상한 진욱을 힐끔 훔쳐보며 애꿎은 안전벨트만 만지작거렸다. 진욱은 딱딱하게 굳은 얼굴로 유미와 시선을 마주하지 않고 오로지 앞만 보고 운전했다.

"저, 그런데……."

진욱의 눈치를 살피던 유미가 먼저 말을 꺼냈다.

"지금 어디로 가는 거예요? 저녁 먹으러 가나요?"

"어디든. 일단 조용한 데로 가죠."

조용한 곳? 뭔가 심상치 않은데……?

차가 빨간 신호에 멈추자, 진욱은 그제야 유미에게로 고개를 돌렸다.

"우리 솔직해집시다. 나한테 할 말 없어요?"

"할 말이요?"

"이유미 씨가 내게 할 말이 있을 거 같아서 오늘 보자고 한 겁니다."

점점 상황이 알 수 없게 흘러갔다. 수수께끼 놀이 하는 것도 아니고 이게 뭐람?

"저는 별로 할 말이 없는데요."

"그래?"

파란불로 신호가 바뀌자 진욱은 굳게 입을 다물며 힘껏 가속페달을 밟았다.

진욱은 맥&북이 있는 골목 끝, 인적이 드문 곳에 차를 세웠다. 차를 세우자마자 그는 안전벨트를 풀고 유미의 안전벨트에 손을 뻗었다. 조금은 거칠다 싶은 진욱의 손길에 유미가 미간을 찌푸렸다.

"본부장님, 갑자기 왜 이러시는 거예요?"

"차 안은 답답하니까 우선 나가서 이야기해요."

진욱은 차 문을 열더니 그대로 밖으로 나가버렸다.

도대체 뭐지? 그냥 집에 바래다주려고 만나자는 거였어?

유미는 주섬주섬 가방을 챙겨 들고 진욱을 따라 차에서 내렸다. 그녀가 차에서 나오자 진욱은 불쑥 어깨를 잡아 자기 쪽으로 돌려 세웠다. 유미는 진욱에게 어깨를 잡힌 채, 심각해 보이는 진욱을 빤히 쳐다보았다. 표정이 너무 무시무시해서 뭐라고 한 마디도 꺼내지 못할 분위기였다.

"이제부터는……."

진욱은 고개를 숙여 유미의 코앞에 자신의 얼굴을 들이밀었다.

"당신이 짊어진 무거운 짐, 다 나에게 넘겨."

"네?"

"당신, 이제는 내 여자니까 힘든 건 다 내가 한다고!"

"아니, 왜 갑자기 새삼스럽게……."

유미는 얼떨떨한 표정으로 손에 들고 있던 무거운 가방을 진욱에게 넘겼다. 그러자 진욱은 인상을 일그러뜨리며 길게 한숨을 내쉬었다.

"그거 말고."

"네?"

어제부터 '그거 말고' 도대체 뭐라는 거야? 먼저 키스해주길 바라는 건가?

그녀의 궁금증은 진욱의 이어지는 다음 말에 곧 풀렸다.

"마음의 짐을 넘기라고. 3년 전 그날 이후, 당신한테 무슨 일이 있었는지. 더하지도 빼지도 말고 나한테 다 얘기해봐요."

갑자기 왜 이러는 거야? 3년 전 그날이라니……. 그걸 어떻게 말로. 전혀 상상하지 못한 진욱의 물음에 유미는 몹시도 당황스러웠다. 한동안 안 꺼내서 이젠 그냥 물 흐르듯 넘기려나 싶었는데…….

"가, 갑자기 여기서…… 그때 얘기는 왜 또 꺼내는 건데요?"

"나, 지금…… 아주 진지해. 그러니까 솔직하게 말해."

유미는 진욱이 왜 이렇게 나오는지 도무지 이해할 수 없었다.

"무슨 말이 듣고 싶은 건데요. 뭘 더 알고 싶으신 거예요?"

어깨를 잡은 진욱의 손에 더 힘이 들어갔다.

"전부 다! 너에 대한 거, 전부 다!"

그녀의 본능이 우선 이 자리를 피해야 한다고 속삭였다. 뭔지 모르지만, 그녀가 모르는 일이 벌어지고 있나 보다.

"저는 정말 갑자기 왜 이러시는지 모르겠네요."

유미는 진욱의 손을 뿌리치고 그대로 등을 돌려 맥&북 건물로 걸어갔다. 하지만 몇 걸음도 옮기지 못하고 빠르게 쫓아온 진욱에게 어깨를 잡혀 뒤로 돌려 세워졌다.

"이유미!"

나직하면서도 애절한 목소리에 유미는 자석에 이끌리듯 진욱의 눈동자를 바라보았다. 너무나도 진지한 눈빛에 압도되어 손가락 하나 까딱할 수 없었다.

"3년 전…… 그렇게 너와 헤어진 후, 죽도록 일만 했어. 그래야 살 수 있을 것 같아서……. 이유미, 너란 여자 때문에."

진욱은 유미의 두 손을 꼭 잡은 채, 계속해서 말을 이어나갔다.

"말도 없이 사라진 너 때문에 제대로 먹지도 자지도 못했어."

유미의 눈빛이 서서히 일렁이기 시작했다.

"그래서 할 수 없이 미친 놈처럼 일만 하고 살았다고! 그렇지만, 한순간도 너를 잊은 적 없어. 그러니까 말해줘! 넌 어땠는지. 그동안 무슨 일이 있었던 건지. 응?"

진욱이 목소리를 낮추며 간절하게 속삭였다.

"네가 말을 안 해주면…… 난 아무것도 모르잖아!"

진욱의 진심 어린 고백에 그동안 꾹꾹 감추었던 그녀의 마음이 봇물 터지듯 흘러나왔다.

"……겁났어요."

겁이 났다는 말에 진욱은 헉, 숨을 들이켰다.

그래, 혼자서 겁이 났겠지. 얼마나 힘들었을까!

진욱은 당장에라도 유미를 꽉 끌어안고 싶은 마음을 달래며 그녀의 고백에 귀를 기울였다.

"쉽게 생각할까 봐. 쉬워 보일까 봐. 아무리 세상이 바뀌었어도, 원나잇 그런 거…… 적어도 나한테는 있을 수도, 있어서도 안 되는 일이었는데…… 어쩌다 그렇게……. 그것도 차 안에서."

역시 그의 예상이 맞았다. 그날 밤, 동구가 생긴 게 맞다. 진욱의 눈빛이 혼돈으로 흔들렸다.

어느새 유미의 눈에 눈물이 맺히기 시작했다.

누구에게도 하지 못한 말. 그녀 자신에게도 두려워 혼잣말로도 하지 못했던 그 말.

지금까지 그녀를 지탱하게 해준 방어의 벽이 우르르 무너지고 있었다. 하지만 그에게라면 말할 수 있을 것 같다. 유미는 꼭꼭 숨겨놓았던 마음을 모두 쏟아내기 시작했다.

"이런 말 하는 거 바보 같지만, 그래요! 믿지 않아도 좋아요. 하지만 내 인생에서 그런 일은…… 내 인생에서 남자는…… 당신 하나뿐이었다고요!"

그러니까 그 말은 그때 그녀는 남자 경험이 전혀 없었고, 그 이후로도 전혀 없다는 뜻. 진욱은 확인 사살을 당한 것 같은 기분에 아무 말도 할 수 없었다.

“하아, 이런 말하는 거…… 나에겐 쉽지 않은 일이……라고요.”

유미는 감정에 못 이겨 거칠게 숨을 몰아쉬었다. 어느새 눈가에 가득 고인 눈물이 방울방울 밑으로 흐르기 시작했다. 그런 유미를 바라보는 진욱의 눈에도 물기가 차올랐다.

동구가, 그러니까 내 아들이었다는 말이지. 피는 물보다 진한 것처럼 그래서 동구에게 끌린 거였다.

“이 바보야, 왜 말을 안 했어. 왜?”

진욱은 눈물을 글썽이며 유미를 와락 끌어안았다.

“왜 바보같이 혼자 짊어지려고 해? 나랑 같이 나누면 좋잖아. 어?”

“……그런 말을 어떻게 해요.”

“나한테는 해도 돼. 나한테는 어떤 말이라도 해도 된다고.”

진욱은 두 팔로 유미를 꽉 끌어안으며 그녀의 이마와 머리에 입을 맞추었다.

다시는 혼자 두지 않아. 다시는 혼자 힘들게 하지 않을 거다.

하, 말도 안 돼!

구부린 자세로 의류 수거함 옆에 몸을 숨기고 두 사람의 대화를 엿듣던 혜리는 기가 막혀서 저절로 입이 벌어졌다.

뭐야, 그러니까 두 사람은 과거에도 알던 사이였어? 그것도 뭐? 원나잇? 혜리의 주먹 쥔 손이 부르르 떨리기 시작했다.

오빠가 에로 배우 여자 딸이랑 원나잇 한 번 잘못했다가 발목 잡힌 거야, 지금?

이대로는 도저히 참을 수 없었다. 혜리는 깽판이라도 놓을 기세로 의류 수거함에서 몸을 일으켰다. 앞으로 막 나가려는데 누군가 뒤에서 그녀의 손을 확 낚아챘다. 놀라서 뒤를 돌아보자, 언제 왔는지 현태가 굳은 얼굴로 서 있었다.

"뭐예요? 이 손 못 놔요?"

그러나 현태는 그녀의 말을 한 귀로 흘린 채, 그대로 손을 잡고 다른 쪽으로 끌고 갔다. 애써 손을 뿌리치려 했지만, 역부족이었다.

결국 혜리는 현태에게 손을 잡힌 채, 어둠 속으로 끌려갔다.

진욱의 차가 맥&북 건물 앞에 멈춰 서고, 조수석 문이 열리며 유미가 차에서 내렸다.

건물 뒤쪽 계단으로 향하려던 유미는 마음을 바꿔 운전석 앞으로 걸어갔다. 그러자 운전석의 유리창이 스르르 밑으로 내려갔다.

진욱의 얼굴이 드러나고 두 사람의 시선이 허공에 얽혔다. 격한 감정에 마음에 있던 말들을 모두 쏟아부은 터라 유미는 뭐라고 말을 해야 할지 머릿속이 텅 비어버렸다.

유미는 아무 말도 하지 못하고 망설이다가 그저 살며시 고개만 숙였다. 그런 그녀를 향해 진욱이 말없이 차창 밖으로 손을 내밀었다.

무슨 뜻인지 몰라, 유미가 의아한 눈으로 바라보자, 진욱은 연하게 미소 지으며 좀 더 가깝게 손을 내밀었다. 혹시나 하는 마음에 유미도 손을 내밀자, 진욱이 가만히 그녀의 손을 움켜쥐었다.

그의 다정한 손길과 따뜻한 체온에 손끝이 파르르 떨렸다.

뭔가 뭉클하면서도 가슴이 마구 설레고 저 밑으로부터 아늑한 무언가가 그녀를 감싸는 것만 같았다. 진욱은 속눈썹이 긴 눈을 내리깔며 유미의 손을 엄지로 부드럽게 쓰다듬었다.

잠시 후, 놓아주기 싫다는 듯 손가락 하나하나를 어루만지며 아주 천천히 놓아주었다.

"됐으니까…… 이제 들어가 봐요."

"네."

유미는 어색하게 웃어 보인 후, 곧바로 뒤돌아 불 꺼진 맥&북 건물로 걸어갔다.

진욱은 유미가 계단을 다 올라갈 때까지 지켜본 후에야 차를 출발시켰다.

무슨 손힘이 이렇게 세? 아무리 남자가 힘이 세다고 해도 잡힌 손쯤이야 간단히 빼낼 수 있었는데……. 그런데 이 남자, 완전 손이 돌덩어리처럼 단단하네.

현태가 유단자라는 걸 전혀 알지 못하는 혜리는 연신 속으로 투덜거렸다. 결국 그녀는 뿌리치는 걸 포기한 듯 잠자코 현태를 따라갔다.

현태는 혜리의 차가 세워진 곳에 다다라서야 잡고 있던 손을 놓아주었다. 혜리는 잡혔던 손을 다른 손으로 문지르며 싸늘한 눈으로 현태를 노려보았다. 현태는 그녀의 날 선 시선을 피하지 않고 잠자코 마주보았다.

"당신, 그러다 몸에서 사리 나와요."

"그 상황에서 뛰어들어봤자, 당신 꼴만 우스워졌을 거야."

하, 지금 누가 누구 걱정을 해주는 거야?

"시끄러워요."

혜리는 죽일 듯 현태를 노려보다 자신의 차로 획 몸을 돌렸다.

"방송, 나갈게요."

현태가 그녀의 앞을 가로막으며 다급하게 말했다.

"방송 나갈 테니까, 대신에 오늘 들은 이야기는 다 잊어버려요."

"누구 마음대로?"

"두 사람 사이에 어설프게 끼어들지 말자고."

"웃기지도 않아. 아주 정의의 사도 납셨네."

진욱이 유미와 예전부터 알던 사이였고, 원나잇한 관계라는 것에 화가 났지만, 항상 아껴주고 도와주는 현태가 유미 옆에 있다는 사실에도 화가 났다.

도대체 그 여자는 뭐가 그리도 대단해서 이리도 멋진 남자가 주위에서 맴도는지 모르겠다. 얼굴로 따지나 몸매로 따지나 학벌, 집안 모든 걸로 따져도 자신이 훨씬 나은데 말이다. 자꾸만 유미한테 밀리는 것 같아 왈칵 짜증이 올라왔다.

"비켜요. 사람 열 받게 하지 말고!"

혜리는 현태를 밀치고 그대로 차에 올라탔다. 그리고 이내 거칠게 차를 출발하며 시야에서 사라졌다. 혼자 남은 현태는 멀어지는 차를 묵묵히 바라보다가 근처에 세운 스쿠터로 걸어갔다.

"하."

그때까지 참았던 한숨을 깊게 내쉬며 현태는 머리를 거칠게 쓸어내렸다. 유미 녀석, 그런 이야기를 하려면 어디 으슥한 곳에 가서 할 것이지. 왜 사방이 트인 바깥에서 하느냐고. 낮말은 새가 듣고, 밤말은 쥐가 듣고, 골목 말은 미인이 듣는다는 걸 모르나?

현태는 걱정스러운 눈으로 혜리가 사라진 골목 끝을 바라보았다.

"아 참, 저런 상태로 운전하면 안 되는데……."

목적지에 잘 도착하는지 따라가줘야 하는 건 아닐까?

"에이, 귀찮아."

현태는 재빨리 헬멧을 쓰고 시동을 걸어 스쿠터를 출발시켰다.

방 안의 모든 불이 꺼지고 안대를 낀 미희와 그 옆에 누운 동구가 토끼 인형을 껴안고 꿈나라를 헤매고 있었다. 유미도 옆에 누워 잠을 청하려 했지만, 도저히 잠이 오지 않았다.

유미는 할 수 없이 다시 몸을 일으켜 책상에 턱을 괴고 앉았다. 그러다 문득 진욱이 준 보석함이 눈에 들어왔다.

—죽도록 일만 했어. 그래야 살 수 있을 것 같아서…….

보석함을 물끄러미 바라보는 유미의 귓가에 진욱의 목소리가 맴돌았다.

—이유미, 너란 여자 때문에.

—한순간도 너를 잊은 적 없어.

그 말의 여운에 사로잡힌 채, 유미는 창밖에 보이는 달을 멍하니 바라보았다.

"나만 그런 게 아니었구나."

그동안의 힘들었던 마음을 전부 보상받은 것 같았다. 그에게 위로받아서일까? 자꾸만 감정이 북받쳐 가슴이 꽉 차오르는 느낌이었다.

진욱을 떠올리는 것만으로도 눈물이 맺혀 눈앞이 흐려졌다. 이러다 까딱 잘못하면 펑펑 울게 될까 봐, 유미는 애써 웃으며 손등으로 눈가의 물기를 닦았다.

"깜순아, 새끼를 돌보려면 네가 잘 먹어야 해."

"야옹."

진욱이 푹 고은 닭고기가 담긴 접시를 건네주자, 스웨터 위에 누워 있던 깜순이가 살며시 몸을 일으켰다.

새끼들은 깜순이가 힘이 들든 말든 상관없이 저마다 젖을 빨기에 정신이 없었다. 살아남으려는 새끼들의 본능이겠지만, 그래도 진욱은 며칠 새 홀쭉해진 깜순이 때문에 마음이 아팠다.

옆에 한쪽 무릎을 꿇고 깜순이가 닭고기 먹는 모습을 지켜보던 진욱은 천천히 고양이의 머리를 쓰다듬어주었다. 머릿속에선 여러 가지 감정이 복잡하게 교차했다.

그녀도 이렇게 동구를 돌봐주었겠지? 혼자 얼마나 힘들었을까. 이 답답한 여자야. 나를 찾아왔어야지. 왜 그렇게 무거운 짐을 혼자 짊어지고…….

유미에게 미안했고 모든 걸 혼자 헤쳐 나가려는 그녀가 너무나 안쓰럽기만 했다. 그것도 모르고 그녀에게 못되게 굴었던 자신의 옹졸함에 화가 치밀어 올랐다.

직장 다니면서 혼자 아이를 돌보는 것도 여간 힘든 일이 아닐 텐데, 영양사 업무 외 작업에, 야근에, 하여간 정말 못 할 짓을 하고 말았다.

진욱은 길게 한숨을 내쉬며 앞으로 어떻게 하면 유미를 돌봐줄 수 있을까 고민에 빠져들었다.

Episode 27

이제부턴 나와 함께 가는 거야

오늘따라 차가 하나도 막히지 않아 어쩌다 보니 제일 먼저 출근하게 되었다. 아침부터 뭔가 잘 풀리며 상쾌한 느낌이다. 유미는 가운을 걸치고 가볍게 콧노래를 부르며 구내식당으로 향했다.

"뭐지?"

구내식당 옆, 항상 비어 있던 다용도실의 문이 오늘따라 활짝 열려 있었고, 안에서는 뚝딱뚝딱 작업하는 소리가 흘러나왔다.

호기심에 안을 들여다보던 유미의 눈이 순간 커다래졌다.

빈 박스와 쓰지 않는 기구들로 채워졌던 다용도실이 깨끗해지고 대신 최신식의 책상과 의자, 책장이 놓여 있었다. 인부 두 명이 여기저기 널린 박스에서 새 물품을 꺼내어 한창 설치 중이었다. 컴퓨터, 전신 거울, 옷걸이, 수증기를 뿜는 고급 가습기, 1인용 커피 머신, 발 안마기까지 전부 번쩍번쩍 윤기 나는 새 제품이었다.

유미는 어안이 벙벙한 표정으로 주위를 둘러보았다.

"아저씨, 이게 다 뭐예요?"

그녀의 질문에 박스에서 뭔가를 꺼내던 인부가 힐끗 유미를 뒤돌아보았다.

"사무실을 만드는 중입니다."

"사무실이요?"

여기에 무슨 사무실을 만든다는 거지?

유미는 의아한 표정으로 방금 박스에서 꺼낸 유리 제품을 유심히 바라보았다. 인부는 면 걸레로 유리 표면을 닦아 조심스럽게 책상 위에 올려놓았다.

명패인가 보다.

책상으로 가까이 다가가 명패를 들여다보던 유미는 깜짝 놀란 듯 입을 벌렸다.

영양사 이유미

도대체 이게 무슨 일이래?

유미는 지금 눈앞에서 벌어지는 일이 도무지 이해가 되지 않아 그대로 뒤돌아 부리나케 본부장실로 향했다. 이 일을 설명해줄 사람은 진욱밖에 없으니까. 하지만 진욱은 아직 출근 전인지 나영만이 홀로 사무실을 지키고 있었다.

“오늘 출근이 늦으시네요.”

“아침에 급한 볼일이 있으시다고 점심 먹고 출근한다고 하셨어요.”

“장 비서님은?”

“아마 본부장님과 함께 계실 거예요.”

“네, 알겠습니다.”

진욱을 만나지 못하고 본부장실을 나온 유미는 구내식당으로 가는 길에 진욱에게 문자를 보냈다.

혹시 제 사무실, 본부장님이 해주신 건가요?

문자를 보내고 나서 얼마 지나지 않아 진욱에게서 답장이 날아왔다.

근무 환경이 너무 열악한 것 같아서,
사원 복지 차원에서 업그레이드한 거니까 부담 갖지 마요.

문자를 확인한 유미는 울 것 같은 얼굴로 중얼거렸다.

"부담스러운데……."

어떻게 부담을 갖지 말라는 건지. 몹시 부담스럽다고! 조리 팀원들에게 뭐라고 설명하나.

새 사무실로 돌아오니 그녀의 모든 짐은 이미 이전 사무실에서 옮겨져 정리가 끝난 상태였다. 유미는 얼떨떨한 눈으로 사무실 안을 둘러보았다.

"어쩌면……."

눈 뜨고 꿈꾸는 것처럼 황홀하기만 했다. 뭐 하나 잘못 건드렸다가 와르르 무너지면서, 꿈 깨라고 하는 건 아니겠지?

유미는 우선 안락해 보이는 의자에 앉아보았다. 푹신한 게 완전 사장님 스타일의 가죽 의자였다. 등 뒤에 놓인 쿠션도 콕콕 찔러보고, 의자 등받이에 머리를 기대보기도 했다.

진짜 좋기는 좋구나.

똑똑—.

그때 갑자기 문밖에서 노크 소리가 들렸다. 벌써 모두 이곳이 새 사무실이라는 것을 아는 걸까?

"네, 들어오세요."

문이 열리며 오후에나 출근할 거라는 진욱이 성큼 안으로 들어왔다.

"본부장님?"

진욱의 등장에 유미는 화들짝 놀라며 의자에서 일어났다.

"생각보다 정리가 빨리 끝났네."

진욱은 새로 꾸민 사무실을 둘러보며 흐뭇하게 미소 지었다.

"급한 볼일이 있어서 점심 이후에나 출근한다고 하지 않으셨어요?"

유미의 질문에 진욱은 건성으로 고개를 끄덕이며 새 사무 기구를 손가락으로 쓱 만졌다.

"급한 볼일이 있는 건 맞습니다."

"그런데 왜 여기에 계세요?"

"왜라니? 지금 볼일 보고 있잖습니까?"

"네에?"

"음, 생각보다 괜찮군."

진욱은 자신의 탁월한 선택에 만족했다. 시간이 없어 사진으로만 보고 온라인 쇼핑으로 주문했는데 생각보다 결과물이 좋았다.

유미는 이것저것 물품을 만져보는 진욱의 뒤를 졸졸 따르며 걱정스럽게 물었다.

"아무리 사원 복지 차원이라지만, 이런 거는 좀……."

"걱정하지 말아요. 모두 사비로 처리했으니까."

"네? 개인 돈이요? 아니, 왜 그렇게까지……?"

전혀 상상도 하지 못한 대답에 유미는 제대로 말을 마칠 수 없었다. 그저 당황한 얼굴로 진욱을 쳐다볼 뿐이었다.

"내 여자, 이런 것 하나 못 해줍니까?"

이제 시작인데 벌써부터 이렇게 어쩔 줄 몰라 하면 안 되지.

진욱은 한쪽 팔을 뻗어 유미의 어깨를 부드럽게 끌어안았다.

"별거 아닙니다. 코트 가격의 반도 채 안 되니까."
"그…… 그래도 이러면 제가 부담돼서……."
"부담된다는 말보단 다른 방법으로 고맙다는 인사를 해주면 좋겠는데……."
좋아, 어차피 받은 건데 깍듯하게 인사라도 해야겠다.
유미는 두 손을 공손하게 앞으로 모으고 꾸벅 허리를 숙였다.
"이렇게 세세한 것까지 신경 써주셔서 정말 감사합니다, 본부장님."
정말 남자와 사귄 적이 한 번도 없었나 보군. 어쩜 이리도 딱딱하고 사무적으로 고맙다는 표현을 할까? 이런 걸 원한 게 아니잖아!
진욱은 못마땅한 표정을 지으며 옆으로 삐딱하게 고개를 기울였다.
"그거 말고."
"……아, 그거 말고요?"
유미는 우물쭈물 작게 중얼거렸다.
또 '그거 말고'라고 한다. 도대체 그거 말고 뭐? 혹시 이자까지 쳐서 받겠다는 거, 그거?
유미의 표정을 유심히 관찰하던 진욱은 미묘한 변화를 잡아내고 '후' 입매를 비틀었다.
다행히도 눈치가 전혀 없는 건 아니군.
진욱은 고개를 앞으로 숙이고 놀리듯 그녀의 귀에다 속삭였다.
"맞아요. 지금 생각하는 거, 그거."
쿵—.
심장이 쿵 내려앉는 기분에 유미는 마른침을 꿀꺽 삼켰다. 아침부터 끈적끈적하게 사람 마음을 들었다 놨다 하다니…….
재빨리 벽시계로 시선을 돌려 숫자를 확인했다. 조금 있으면 조리

팀이 출근할 시간인데.

“……저, 이따가 이자까지 쳐서 드리면 안 될까요?”

유미는 어색하게 웃으며 한 발 뒤로 슬그머니 물러났다.

“지금 여기서 그러다가 저번처럼 누구라도 들어오면…….”

“아직 여기가 새 사무실이라는 거 아는 사람 없을 텐데, 뭘 걱정해요?”

진욱이 손을 뻗어 그녀의 뺨을 손등으로 느릿하게 쓸어내리자, 전기가 도는 것처럼 찌릿 온몸이 떨렸다. 뺨에 머물던 손길이 스르륵 미끄러지듯 밑으로 내려와 하얀 목덜미를 감쌌다. 손바닥으로부터 뜨거운 체온이 전해지자 은근히 호흡이 가빠진다.

“비워둔 다용도실에 누가 온다고…… 안 그래?”

“그거야…… 그렇지만…….”

“이리 와.”

이리 오란다고 최면에 빠진 것처럼 그대로 몸이 앞으로 나가는 건 뭔데? 아침부터 이러면 안 되는데……. 출근하자마자 이러면…….

하지만 입술에 느껴지는 진욱의 숨결에 이성은 어느새 연기처럼 사라져버렸다. 너무나도 느리게 다가오는 입술 때문에 오히려 안달이 난 건 그녀였다. 유미는 좀 더 가까이하기 위해 고개를 옆으로 기울이며 발꿈치를 들어 올렸다.

“아.”

아직 닿지도 않았는데 그녀의 몸은 야릇한 흥분으로 떨렸다.

좀 더 가까이…… 좀 더…….

서로의 입술이 막 닿으려는 순간…….

똑똑—.

"본부장님, 개인적인 볼일 다 끝나셨습니까?"

노크 소리와 함께 문밖에서 우진의 목소리가 들렸다.

"아앗."

유미가 화들짝 놀라 중심을 잃고 비틀거리자, 진욱은 재빨리 유미를 품에 끌어안았다. 동시에 끼익, 문이 열리고 우진이 빠끔히 얼굴을 내밀었다.

"늦지 않으려면 지금 떠나야 하는데……. 앗, 죄송합니다. 볼일 계속 보십시오."

서로 부둥켜안은 유미와 진욱을 발견한 우진은 도로 얼굴을 쏙 빼더니 급히 문을 닫았다.

"볼일 같은 소리! 아직 시작도 못 했다고!"

진욱이 화난 얼굴로 문을 향해 소리쳤다.

"늦는다잖아요. 빨리 가요."

이성을 찾은 유미는 빨개진 얼굴로 서둘러 진욱의 등을 문 쪽으로 떠밀었다.

제길, 아직 시작도 안 했는데…….

"좋아. 대신 이따 저녁에 이자까지 다 받아낼 거니까, 각오해."

진욱은 재빨리 유미의 이마에 입을 맞추고 그대로 등을 돌려 사무실을 나섰다.

"디자인은 좋아."

양 대리가 가져온 패키지 샘플을 이리저리 살펴보던 진욱은 흡족한 얼굴로 고개를 끄덕거렸다. 부자 커플 팬티 세트 패키지 안에는 성인용과 유아용(3~4세) 속옷이 같은 무늬에 다른 색상으로 담겨 있었다.

"하지만 패키지는 좀 더 차별화해야겠어."

진욱은 평범한 디자인의 포장 박스를 오랫동안 들여다본 후 책상에 내려놓았다.

"소비자의 시선을 확 끌어당길 수 있게……. 포장 디자인 팀에 서너 개 더 다른 콘셉트로 디자인해보라고 전해. 아, 그리고 생산 라인은 차질 없겠지?"

"네, 문제없습니다. 그런데……."

서류를 뒤적이던 양 대리가 진욱의 눈치를 보며 조심스럽게 말을 이었다.

"이번 기획 타이틀을 고민 중인데요. 후보가 몇 개 있긴 합니다만, 그렇게 딱히 끌리는 게 아니라서……."

잠시 고민하던 진욱이 말했다.

"이건 어때? '아임 유어 파더'. 제품명 디자인은 한글이랑 영어를 섞어서 가고."

"좋네요! 심플하고 귀에 딱 꽂힙니다."

"그래?"

간단하지만 굳게 결속된 의미. 아들과 아버지.

그래, 나에게도 아들이 있다. 내가 아버지라고.

동구를 떠올리며 진욱의 입가에 희미한 미소가 걸렸다.

"오케이. 그럼 나가봐요."

"네."

양 대리가 집무실을 나가고 진욱은 책상에 놓인 샘플 패키지를 물끄러미 보며 생각에 잠겼다. 그리고 잠시 후, 옆에 놓인 휴대폰을 집어 들었다.

뚜—. 뚜—.

신호만 갈 뿐 유미는 전화를 받지 않았다. 힐끗 시계를 보니 점심 배식으로 정신없이 바쁠 시간이었다. 전화하는 것보단 문자를 남기는 게 낫겠지?

진욱은 한 자 한 자 정성 들여 자판을 눌렀다.

이번 주말에 데이트합시다. 동구와 함께, 우리 셋이서.

'우리 셋'이란 말에 왠지 모르게 가슴이 뿌듯해진다. 진욱은 환한 미소를 머금은 채 자신이 보낸 문자를 한참 동안 들여다보았다.

"큰일 났어요!

은비가 사색이 된 얼굴로 조리실로 뛰어들었다.

"비상이에요, 비상……!"

"왜? 또 누가 오는데?"

국물 간을 보던 신화가 화들짝 놀라며 국자를 내려놓았다. 옆에 있던 유미 역시 놀란 얼굴로 은비에게 고개를 돌렸다. 은비는 눈동자를 옆으로 굴리며 손가락으로 구내식당 출입구를 가리켰다.

저 멀리서 김 비서를 대동한 차 회장이 저벅저벅 구내식당을 향해 걸어오고 있었다. 차 회장은 비장한 표정으로 거침없이 구내식당 안으로 들어섰다.

"안녕하십니까, 회장님."

"안녕하세요."

배식대 앞에 막 줄을 서려던 직원들은 갑작스러운 차 회장의 등장에 크게 당황해하며 서둘러 고개를 숙였다. 차 회장이 구내식당에 나타난 적이 거의 없었기 때문이다.

임원과 격의 없이 함께 식사하는 것도 좋지만, 식사할 때만큼은 마음 편히 지내라는 배려 차원에서 차 회장은 특별한 행사 이외에는 구내식당이나 휴게실에 모습을 나타나지 않았다. 그러니 느닷없는 차 회장의 등장에 모두 놀랄 수밖에…….

유미는 마스크를 벗으며 직원들 사이를 헤치고 허둥지둥 앞으로 나섰다. 뒷짐을 진 채 근엄한 표정으로 서 있던 차 회장이 유미에게로 시선을 옮겼다.

"안녕하십니까, 회장님."

유미가 고개를 숙여 인사하자, 차 회장도 고개를 숙여 인사를 받았다.

"자네가 이유미 영양사로군."

가운에 '이유미'라는 이름표가 있긴 했지만, 차 회장은 이미 모든 것을 알고 있는 표정이었다.

"네, 회장님."

유미는 바짝 긴장한 얼굴로 공손히 눈을 내리깔았다.

"식사는 어떤 것으로 하시겠습니까? 따로 드시고 싶은 게 있으시면 저희가 바로 준비해서……."

"아니, 그럴 필요 없어요. 직원들하고 똑같은 메뉴로 할 테니까, 영양사님이 알아서 해줘요."

"네, 알겠습니다."

하필이면 오늘 메뉴가 참치 샌드위치와 미트볼 스파게티, 배춧국과 두부 두루치기로 평소보다 조촐했다.

"어떡하죠?"

"안 되겠다. 이거라도 얹어서 내가…… 아직 양념이 덜 뱄지만, 할 수 없지."

복자는 내일 점심을 위해 재워놓은 돼지 불고기를 빠르게 볶아 접시에 담았다.

유미가 식판을 들고 구내식당으로 나가자, 창가 테이블에 홀로 앉아 있는 차 회장이 눈에 들어왔다. 다른 직원들은 창가에서 멀리 떨어진 테이블에 몰려 있었다. 직원들 대부분은 차 회장과 시선을 마주치지 않으려 노력하며 조용조용 목소리를 낮춘 채 식사 중이었다.

차진욱의 카리스마가 어디서 나왔는지 이제야 알 것 같았다. 그저 창밖을 내다볼 뿐인데도 차 회장 주위를 감싸고 있는 단단한 막이 느껴졌다.

유미는 떨리는 마음을 진정하며 식판을 들고 조심조심 차 회장이 앉은 테이블로 다가갔다. 그녀가 다가오자 차 회장이 창밖으로부터 시선을 돌렸다.

"그럼, 맛있게 드세요."

유미가 다소곳하게 식판을 내려놓고 물러나려 하자, 차 회장은 숟가락을 들어 올리며 빠르게 말했다.

"바쁘지 않으면 거기 잠깐 앉지."

"아, 네……."

유미는 소리 나지 않게 의자를 빼고 차 회장의 맞은편에 자리를 잡았다. 차 회장은 그녀와 눈도 마주치지 않은 채, 느긋하게 식사를 시작했다.

역시 이곳에 오신 이유가 따로 있나 보다.

유미는 잠자코 차 회장을 바라보며 긴장으로 덜덜 떨리는 두 손을 꼭 마주 잡았다.

"내가 왜 여기까지 왔는지, 말 안 해도 알 테고……."

숟가락으로 배춧국을 한 입 떠먹으며 차 회장이 낮은 목소리로 중얼거렸다.

역시 모든 걸 알고 계시는구나.

"네."

유미가 순순히 인정하자, 차 회장은 나긋하지만 차가운 목소리로 말을 이었다.

"내가 아직 가만있는 건, 진욱이가 알아서 정리할 때까지 기다리는 거야. 그렇게만 알아두게."

유미는 아무 대답도 하지 못하고 가만히 시선을 내렸다. 차 회장이 두 사람의 관계를 흔쾌히 승낙할 거라곤 기대하지 않았다. 그녀가 아니라 주혜리 아나운서였더라면 차 회장은 크게 기뻐했겠지? 알고 있었지만, 막상 차 회장의 싸늘한 눈빛을 마주하니 속이 쓰린 건 어쩔 수 없었다.

"진욱이는 사랑한다, 어쩐다 하면서 어리석은 짓을 할 놈이 절대 아니네."

유미는 시선을 내리며 차 회장이 하는 말을 가만히 듣기만 했다. 그런 유미를 바라보는 차 회장의 눈빛이 살짝 흔들렸다.

에로 배우의 딸이라기에 얼마나 되바라진 아이일까 걱정했는데 앞에 앉은 유미는 그가 예상했던 것과는 거리가 멀었다. 목 끝까지 꼭 채워진 셔츠 단추하며 립글로스를 제외하곤 화장기 없는 얼굴, 가지런하게 묶은 머리카락 등등, 오히려 혜리보다도 더 청초한 분위기를 풍기고 있었다.

몰래 감시하며 찍은 사진만으로는 어떤 사람인지 알아낼 수 없었다. 그래서 큰맘 먹고 직접 얼굴을 보려고 온 건데. 이럴 수가! 분하게도 유미는 그가 꿈꿔오던 며느릿감, 바로 그 모습으로 앉아 있었다. 이래서 진욱이 녀석이 빠져든 건가?

착잡한 마음에 차 회장은 속으로 긴 한숨을 내쉬었다.

두 사람 사이에 아이가 있는 게 사실이라면, 끝까지 반대할 수만은 없는 일이고. 그렇다고 결혼을 허락하자니, 유미가 과연 다른 환경을 견디어낼 수 있을까 하는 의구심이 생겼다. 애령이 어떤 심정으로 진욱을 떼어놓고 갔는지 너무나도 잘 알기에, 차 회장은 선불리 결정을 내릴 수 없었다.

"두 사람 사이에……. 그것도 아직 확실한 것도 아니고……."

차 회장은 느릿하게 국을 뜨며 혼잣말처럼 중얼거렸다.

이번 주말에 데이트합시다. 동구와 함께, 우리 셋이서…….

점심 배식을 마치고 사무실로 돌아오자, 진욱에게서 문자가 와 있었다.

"후우."

유미는 어두운 표정으로 말없이 휴대폰 화면을 들여다보았다. 진욱에게 차 회장이 왔었다는 사실을 말해야 하나, 말아야 하나 고민이 되었다. 괜히 말했다가 부자 사이가 멀어지거나 해선 안 되는데…….

그녀가 말하지 않아도 언젠가는 알게 될 테니까, 그냥 가만히 있는 게 나을 거다. 결국 유미는 차 회장의 이야기를 쏙 빼놓은 채, 빠르게 답장을 보냈다.

네, 좋아요.

눈코 뜰 새 없이 바쁜 일주일이 지나가고 주말이 돌아왔다.

"역시 장모 사랑은 사위라니까."

유미가 동구를 데리고 진욱을 만나러 간다고 하자, 미희는 기쁨의 환호를 질렀다.

"내가 동구 돌보느라고 힘든 걸 알아서, 주말에라도 쉬게 해주려고 그러는 거네."

"엄마! 장모는 뭐고, 사위는 뭐야?"

"어차피 둘이 그렇게 몇 달 사귀다가 결혼할 거 아니야?"

"뭐?"

"너도 차 본도 나이가 있는데 언제까지 연애만 할 거니?"

"엄마, 지금 제정신이야?"

"내가 뭘? 보니까 차 본이 완전 너에게 빠져 있던데 뭘. 그러니까 처남에게 잘 보이려고 똥구도 데리고 나오라는 거잖아."

못 말려! 정말 꿈도 크시지.

유미는 고개를 절레절레 내저으며 동구의 손을 잡고 집을 나섰다.

'대복 그룹 회장님이 미쳤다고 에로 배우 딸과의 결혼을 허락할 거 같아?'라는 말이 입 밖으로 튀어나오려 했지만, 미희가 상처라도 받을까 입을 꾹 다물었다. 철부지 엄마지만 마음 아프게 하고 싶진 않았으니까. 그랬기에 중학교 내내 아이들에게 따돌림을 당해도 아무 말도 하지 않았다. 어렸을 때도 혼자 잘 참았는데 지금에 와서 아픈 상처를 들출 필욘 없겠지.

늦지 않으려고 일찍 나갔더니 약속한 시각보다 30분 먼저 도착해버렸다. 유미와 동구는 호숫가 벤치에 앉아 진욱을 기다렸다. 불어오는 바람에 잔잔하게 일렁이는 호수를 보고 있는데 동구가 들뜬 표정으로 호수 너머 도로를 가리켰다.

"아, 어마. 더거 저 바(와, 누나. 저것 좀 봐)!"

뭘 보라는 거지? 하고 고개를 뒤로 돌리는데 진욱의 컨버터블 스포츠카가 눈에 들어왔다. 차가 달리며 동시에 뚜껑이 닫히는 모습이 동구에게는 만화영화에 나오는 로봇처럼 신기했나 보다. 동구는 감격한 듯 입을 벌리고 선망의 눈으로 진욱의 차를 바라보았다.

"동구야!"

차에서 내린 진욱이 선글라스를 벗으며 두 사람 쪽으로 빠르게 걸어왔다.

"와, 엉아!"

서로 안 본 지 고작 일주일인데도 동구는 1년 만에 재회하는 것처럼 두 팔을 활짝 벌리며 한걸음에 달려가 진욱의 다리에 매달렸다.

"오래 기다렸어요?"

동구를 번쩍 들어 올려 안으며 진욱이 유미를 향해 물었다.

"아니에요. 우리가 좀 일찍 도착했어요."

"아, 그러네."

손목시계를 들여다보며 진욱이 고개를 끄덕거렸다.

"예약 시간까지 아직 남았는데, 좀 걸을래요?"

"네."

동구를 품에 안은 진욱이 먼저 걷기 시작했고, 유미는 한 발짝 뒤로 물러서 두 사람을 뒤따랐다.

"엉아, 나 부아앙 해또."

진욱의 뺨에 자신의 뺨을 비비며 동구가 아양을 떨었다. 하여간 원하는 것을 얻기 위해 애교 부리는 건 미희를 영락없이 빼닮았다.

"안 돼. 피곤해."

"흐응."

진욱이 단번에 거절하자 동구는 촉촉한 눈빛으로 아랫입술을 삐죽 내밀었다.

"그렇다고 세상 다 잃은 표정을 할 필욘 없잖아! 어휴."

진욱은 한숨을 푹 쉬더니 동구를 번쩍 들어 올려 목말을 태우고 '부우웅' 자동차 소리를 내며 앞으로 뛰어갔다.

"와아!"

동구는 진욱의 목을 껴안고 까르르 웃음을 터뜨렸다.

저런 자상한 면도 있었네?

유미는 처음 보는 진욱의 다른 면이 무척이나 신기했다. 모르는 사람이 보면 둘이 부자 사이인 줄 알겠다. 어느새 저 멀리 앞으로 달려가는 두 사람의 모습이 콩알만큼 작아졌다.

"데이트하자더니……."

둘이서 신난 건 좋은데 한편으로는 혼자 남겨진 것 같은 기분에 씁쓸했다. 조금 시무룩해진 유미는 호숫가를 터벅터벅 걸으며 발에 차이는 자갈에 눈길을 돌렸다. 굴러 온 돌에게 자리를 내어준 박힌 돌의 심정이 바로 이랬겠지?

"왜 이렇게 느려요?"

불쑥 누군가가 그녀의 팔을 잡아당겼다. 깜짝 놀라서 고개를 드니 언제 돌아왔는지 동구를 목말 태운 진욱이 그녀를 향해 환하게 웃었다.

"안 되겠다."

진욱은 유미의 어깨를 감싸듯 잡아당겨 자신의 품에 확 끌어안았다. 그러고는 그녀의 이마에 살며시 입을 맞추고 다시 걸음을 옮기기 시작했다.

세 사람이 함께 끌어안고 걸으니까 마치 한 가족이 된 것 같아, 왠지 설레고 포근했다.

유미는 언제 서운했냐는 듯 배시시, 행복한 미소를 떠올렸다.

세 사람은 호수가 훤히 보이는 창가 자리로 안내되었다.

"동구야, 우리 뭐 먹을까?"

유미는 사진이 나온 메뉴판을 보여주며 동구에게 의견을 물었다. 뭘 주문할까, 머리를 맞대고 궁리하는 두 사람을 바라보던 진욱은 슬그머니 주위로 시선을 돌렸다.

평온한 주말 정오의 레스토랑 안은 대부분 가족으로 보이는 손님들이 자리를 차지하고 있었다. 옆 테이블에선 아빠로 보이는 남자가 아이에게 음식을 먹이는 중이었고 뒤쪽 테이블에선 엄마로 보이는 여자가 아이를 위해 파스타를 포크에 돌돌 말고 있었다. 어떤 아이는 서툰 솜씨로 포크에 음식을 찍어 엄마에게 내밀기도 했다. 저마다 얼굴에는 밝은 미소가 가득했다.

서로를 챙기기에 바쁜 가족을 물끄러미 지켜보던 진욱은 가슴속에서부터 뭉클한 감정이 솟아오르는 걸 느꼈다.

가족과 함께 식사한다는 게 바로 이런 거구나. 소소하지만, 이런 게 바로 진정한 행복이 아닐까?

"주문하시겠습니까?"

테이블로 다가온 웨이터가 환히 웃으며 친절하게 물었다. 그때까지도 뭘 주문할지 결정하지 못한 유미가 당황한 얼굴로 메뉴판에서 고개를 들었다.

"저, 아직 결정하지 못했는데요."

"그럼 이건 어떨까요? 보통 가족 단위 고객님께는 패밀리 세트를 추천해드리고 있습니다."

웨이터가 상냥한 몸짓으로 세트 메뉴를 손가락으로 짚어 보였다.

"아뇨, 저흰 그냥……."

가족이 아니라고 해명하려는데 재빨리 진욱이 끼어들었다.

"그럼 우리도 그걸로 하죠."

진욱은 유미를 뚫어지게 바라보며 한 자, 한 자 힘주어 강조했다.

"패, 밀, 리, 세트."

음, 뭐지?

유미는 진욱의 낯선 태도에 고개를 갸웃거렸다.

패밀리 세트가 구성이 좋기는 한데, 가족이라고 하니까 기분이 묘했다. 그래도 그가 좋다는데 그냥 그걸로 하지 뭐.

유미는 어색하게 웃으며 잠자코 메뉴판을 덮었다. 주문을 받은 웨이터가 물러나고, 잠시 침묵이 흘렀다. 진욱은 무슨 할 말이 있는 것처럼 심각한 얼굴로 앞에 놓인 물 잔을 만지작거렸다.

이 남자, 오늘따라 조금 이상한 거 같다. 무슨 일이지?

"회장님 일은 미안해요."

잠시 후, 진욱이 가라앉은 목소리로 사과의 말을 꺼냈다.

"내가 미리 알고 막았어야 했는데……."

동구의 물 잔에 빨대를 꽂아주던 유미는 동작을 멈추고 어색하게 웃어 보였다.

"장 비서님이 얘기했나요?

"회장님이 뭐, 심한 말 안 했습니까?"

"아뇨. 그냥 식사만 하고 가셨어요."

사실 식사만 하고 간 건 아니었지만, 그렇다고 아주 심한 말을 한 것도 아니었다. 미주알고주알 진욱에게 모든 걸 알려주고 싶진 않았다. 아직까진 그녀 혼자 짊어질 수 있을 정도의 무게니까…….

진욱은 유미의 말을 곧이곧대로 믿는 것 같진 않았다.

"무슨 말을 들었는지 모르지만……."

말하지 않아도 다 안다는 눈빛으로 그녀를 응시했다.

"크게 신경 쓰지 말고 다 잊어버려요."

테이블 위에 놓인 유미의 손을 꽉 그러쥐며 진욱이 말을 이었다.

"난, 내 마음 정했으니까. 당신은 이제 혼자가 아니야. 이제부턴 나와 함께 가는 거야."

나와 함께 가는 거야…….

세상에 어떤 고백보다 솔직한 그의 마음이 느껴진다.

유미는 진심 어린 진욱의 눈을 마주 보며 가만히 고개를 끄덕였다.

"고기가 질긴가?"

스테이크가 잘 안 썰리는지 유미가 끙끙대자, 진욱은 자기 앞에 놓인 스테이크를 능숙한 솜씨로 썰기 시작했다.

"괜찮아요. 안 썰어줘도 돼요."

말은 그렇게 하면서도 유미의 얼굴에 미소가 떠올랐다.

여자 대신 스테이크를 썰어주는 남자가 드라마나 영화에 나올 때마다 오버하지 말라며 닭살 돋는다고 투덜거렸었는데……. 막상 직접 체험해 보니 전혀 아니다.

맞다. 닭살이 돋긴 했다. 유치해서가 아니라 짜릿하게 좋아서가 다를 뿐. 칼질하는 것마저 이렇게 멋지면 어쩌라는 건지.

유미는 스테이크를 써느라 불뚝 힘줄이 솟은 진욱의 팔을 황홀한 눈으로 바라보았다.

"자, 동구. '아' 해봐."

한입 크기로 스테이크를 썬 진욱은 하나를 포크에 찍어 동구에게 내밀었다. 동구는 기다렸다는 듯 '앙' 입을 벌려 날름 받아먹었다.

헐? 나 주려고 썬 게 아니었어? 난 그것도 모르고!

유미는 황당한 눈으로 진욱과 동구를 번갈아 바라보았다. 무심결에 유미와 눈이 마주친 진욱이 의아한 듯 미간을 좁혔다. 뭔가 소중한 것을 빼앗긴 어린아이처럼 그녀의 얼굴이 퉁퉁 부어 있었기 때문이다.

"뭐지, 그 눈빛은?"

"그럼 이 기분은 뭐죠?"

유미는 새쭉한 얼굴로 아랫입술을 내밀었다.

"두 남자의 데이트에 내가 눈치 없이 낀 거 같은 이 민망함은?"

"질투할 게 없어서 그런 걸 다……."

진욱은 피식 웃음을 터뜨렸다.

쿡, 이런 거에 삐치다니…….

하지만 그런 유미의 모습이 진욱에게는 더 귀엽고 사랑스럽게 느껴졌다. 유미는 아직도 기분이 풀리지 않았는지 눈을 가늘게 뜨고 동구를 흘겨보았다.

"맛있냐, 똥구?"

"엉. 마디쩌(응, 맛있어)."

동구는 작은 입으로 오물오물 씹으며 열심히 고개를 끄덕거렸다. 서울에 온 뒤 동구의 최고 외식은 치킨 너겟 정도였는데 이번에 스테이크로 서너 단계 업그레이드되었다.

역시 형아가 최고야!

맛있는 걸 사줘서가 아니라 동구는 진욱이 그냥 좋았다. 항상 같이 놀아주는 현태도 좋았지만, 몇 번 보지 않은 진욱에게 더 강하게 끌렸다. 이유는 알지 못했다. 세 살짜리 꼬마가 이유를 분석한다는 것 자체가 불가능했다. 그냥 좋은 거다.

동구가 스테이크를 꿀꺽 삼키자, 진욱은 이번에도 포크로 스테이크 조각을 찍어 내밀었다. 동구 딴에도 조금은 미안했는지, 힐끗 유미를 쳐다보더니 다시금 빠르게 고기를 받아먹었다. 그리고 행복한 듯 반달 모양으로 눈꼬리를 휘었다.

"헤헤헤."

'치!' 하고 혀를 차던 유미는 천진난만한 동구의 미소에 결국은 따라 웃고 말았다.

"그래, 똥구. 많이 먹어라."

그때 불쑥 그녀 앞으로 스테이크 조각이 찍힌 포크가 다가왔다. 옆으로 시선을 돌리자, 드디어 진욱이 그녀에게 포크를 내밀고 있었다.

이미 늦긴 했지만, 내민 사람 성의를 봐서 유미는 마지못한 듯 스테이크를 받아먹었다. 못마땅한 표정으로 그래도 아주 열심히 오물오물 고기를 씹는 유미를 보며 진욱은 웃음을 터뜨렸다.

토끼 모자에게 사냥한 먹이를 가져다주는 호랑이가 된 기분이랄까? 기분이 그리 나쁘진 않았다.

문득 진욱의 눈에 여전히 목 끝까지 채운 유미의 셔츠 단추가 들어왔다. 스테이크를 입으로 가져가며 그가 지나가는 투로 물었다.

"보면 매번 단추를 꼭꼭 잠그던데……. 그러면 좀, 답답하지 않나?"

그 말에 유미는 어색한 미소를 띠며 한 손으로 목 단추를 만지작거렸다.

"아뇨. 저는 이게 더 편해요."

그런 유미를 빤히 바라보던 진욱이 조심스럽게 입을 열었다.

"단추를 풀고 속살을 내보이면 쉬운 여자로 보일까 봐 그래요?"

정곡을 찌르는 진욱의 질문에 유미는 숨을 들이마셨다.

어떻게 알았을까? 친구들 모두, 가장 친한 소영과 현태마저도 그저 올드한 패션 취향이라고 생각하는데. 진욱은 왜 그녀가 이런 차림으로 다니는지 이유를 아는 걸까?

"당신, 절대 쉬운 여자 아니야."

아무에게도 자세히 털어놓지 않았던 중학교 시절의 아픔까지도 모두 안다는 눈빛으로 진욱은 그녀를 바라보았다.

"한 번도 그렇게 생각해본 적 없어. 내 인생에 이유미보다 어려운 여자는 없었다고. 그러니까, 이젠 좀 풀어져도 돼. 적어도 나한테는……."

그 한마디에 지금까지 괴롭혔던 트라우마에서 해방되는 것만 같아, 유미는 진욱의 시선을 피해 서둘러 고개를 숙였다. 자꾸만 눈앞이 뿌옇게 흐려지고 코끝이 찡해진다. 진욱은 아무 말도 하지 않고 그저 따뜻한 눈빛으로 그녀를 그윽하게 바라보았다.

식사를 마치고 밖으로 나오자, 동구는 피곤했는지 유미의 손을 잡고 한 손으로 눈을 비볐다.

"동구야, 졸려?"

"어."

"알았어. 이리 와."

진욱이 한 팔로 동구를 번쩍 안아 올렸다. 동구는 그의 품에 얼굴을 묻고 그대로 잠들어버렸다.

"소화도 할 겸 좀 걷죠."

이대로 헤어지기 싫어서 하는 말이라는 걸 알기에 유미는 말없이 진욱을 따라 호숫가를 걸었다. 아무리 동구가 작다고 해도 계속 저렇게 안고 다니면 무거울 텐데…….

"무겁지 않아요? 똥구, 이제 그만 저에게 주세요."

그러나 진욱은 고개를 저으며 호수 가장자리에 설치한 펜스로 걸어갔다. 어떻게 해서 다시 찾은 아들인데, 무거울 리가 없다. 아니, 무겁다고 해도 절대로 놓치지 않을 거다.

진욱은 울컥한 마음에 앞으로 펼쳐진 푸른 호수를 뚫어지게 바라보았다. 겉은 바람 한 점 없는 호수 수면처럼 잔잔했지만 속은 격한 감정으로 용솟음치고 있었다.

"저 그런데 본부장님……."

왠지 모르게 무거운 진욱의 분위기에 유미가 넌지시 말을 걸었다.

"애를 엄청 좋아하시나 봐요?"

"아뇨. 저 애 별로 안 좋아합니다."

"네?"

전혀 예상하지 못한 대답에 유미는 난감한 표정을 지었다.

"그런데 왜 동구는……."

동구는 내 아들이니까! 하지만 아직은 자신이 모든 걸 알고 있다는 사실을 밝힐 때가 아니었다. 진욱은 입 안에 가득 찬 말을 꾹 삼키며 애써 다른 말로 얼버무렸다.

"……당신 가족이잖아."

"아!"

아직 결혼한 것도 아닌데 벌써 이렇게 챙겨주다니!

진욱의 자상함에 감동하여 또다시 코끝이 찡해진 유미는 그녀도 모르게 진욱의 뺨에 입을 맞추었다. 진욱이 깜짝 놀라며 옆으로 고개를 돌리자 그녀가 살짝 얼굴을 붉혔다.

"고마워요. 정말 고마워요."

아니, 내가 더 고마워. 힘들었을 텐데, 혼자 힘으로 우리 동구를 이렇게 잘 키워줘서…….

정말 고마워.

진욱은 하고 싶은 말을 속으로 꾹꾹 누르며 팔에 기대오는 유미의 이마에 입을 맞추었다.

삐삑—.

진욱이 자동차 잠금 장치를 해제하고 뒷좌석 문을 열어주자, 유미의 눈이 휘둥그레졌다. 뒷좌석에 동구를 위한 아동용 카시트가 놓여 있었기 때문이다.

"아니…… 이건?"

당황한 유미가 말을 잇지 못하자, 진욱은 어깨를 으쓱하며 안고 있던 동구를 조심스럽게 카시트에 앉혔다. 그리고 아주 능숙한 솜씨로 동구에게 안전벨트를 매고 몸을 일으켰다.

"앞으로 동구 데리고 다닐 텐데, 아동용 카시트는 꼭 있어야지."

"네?"

무슨 뜻인지 이해가 잘 되지 않았다. 앞으로 동구를 데리고 다닐 거라니……. 왜?

고개를 갸우뚱거리는 유미에게 진욱이 뒷좌석에 놓인 쇼핑백을 내밀었다.

"그리고 이건 선물."

"어머, 뭐 이런 것까지……. 저는 선물 같은 거 필요 없어요."

말은 그렇게 하면서도 유미는 환하게 웃으며 앞으로 손을 내밀었다. 진욱은 쇼핑백을 살짝 위로 들어 올리며 미간을 찌푸렸다. 그리고 단호한 목소리로 정정했다.

"동구 거예요."

"아……."

급 민망해진 유미는 아랫입술을 깨물었다.

오늘 왜 이러지? 내 동생이라서 동구를 예뻐하는 건 알겠는데 이건 조금 지나친 것 같다.

"이번에 아빠와 아들 커플 세트를 기획했어요. 특히 이번에 동구의 형편없는 속옷 컬렉션을 보면서 영감을 얻었기 때문에."

뭐가 형편없다는 거야? 그래도 구멍 난 데 없이 멀쩡한 속옷이구먼.

"애들이야 금방 쑥쑥 크니까 그냥 싸고 튼튼한 걸로 사 입히죠."

혼자 투덜거리며 쇼핑백을 열어보던 유미는 문득 호기심이 일었다.

"그런데 아빠랑 커플이라면……."

그녀도 모르게 시선이 진욱의 바지춤을 향했다.

"혹시……?"

지금 이거랑 똑같은 걸 입었다는 거야? 동구랑 커플로?

"쿨럭."

유미가 기가 막힌 듯 눈꺼풀을 깜박거리자, 진욱은 헛기침을 하며 슬쩍 그녀의 시선을 외면했다. 진욱의 당황한 태도가 확실한 대답이었다.

어머, 진짜 입었나 봐!

"으으응."

그때 잠에서 깼는지 동구가 눈을 비비며 칭얼거리기 시작했다.

"동구야, 깼어?"

진욱은 자상한 손길로 동구의 이마에서 땀에 젖은 머리카락을 떼어 주었다. 동구를 향한 진욱의 눈빛이 너무나 달콤해서 금방이라도 꿀이 뚝뚝 떨어질 것만 같았다.

"흐응."

동구는 진욱의 어깨에 이마를 기대며 작게 웅얼거렸다.

"동구, 다음 주에는 우리 집에 놀러 와. 고양이도 있으니까."

아직도 잠이 덜 깬 동구는 '고양이'라는 말에 눈이 커다래졌다.

"딘따……? 아, 오느 가자아, 오느 가며 안 대(진짜? 와, 오늘 가자. 오늘 가면 안 돼)?"

"너 지금 피곤해서 눈꺼풀이 턱까지 내려왔어. 다음에 가자."

두 사람의 대화를 멀리서 지켜보던 유미의 눈동자가 불안하게 흔들렸다.

"다음에 또…… 셋이요?"

"왜, 싫어요?"

자존심 때문에 그렇다고 말할 순 없었다. 유미는 할 수 없이 과장되게 두 손을 내저었다.

"아뇨. 그럴 리가요. 좋죠. 좋아요. 하, 하!"

진욱은 할 말이 많은 것 같은 깊은 눈빛으로 유미를 빤히 쳐다보더니 뒷좌석에서 내려 운전석으로 걸어갔다.

잠자코 진욱의 뒷모습을 바라보던 유미는 뭔가 묘한 기분에 혀로 마른 입술을 축였다.

뭔가 이상했다. 딱 꼬집어서 말할 순 없지만, 하여간 무언가가 살짝 어긋난 것 같다.

도대체 뭘까?

한산한 오후의 맥&북 카페. 창가에 턱을 괴고 앉아 골똘히 생각에 잠긴 유미에게 현태가 다가왔다.

"뭔 생각을 그렇게 하냐?"

현태는 그녀의 맞은편에 앉으며 평소처럼 툭 질문을 던졌다.

"……그냥. 좀 묘한 것 같아서……."

유미는 현태를 똑바로 쳐다보지 않고 혼잣말처럼 중얼거렸다.

"이런 게 난생처음이라서 그런가? 엄청 뭘 많이 해주기는 하는데, 으음…… 뭐랄까? 신데렐라라고 하긴 좀 그렇고……."

유미는 꽤 진지한 얼굴로 말을 이었다.

"무슨, 효도 받는 기분이랄까? ……원래 이런 거야?"

"그걸 내가 어떻게 아냐? 그거야 사람마다 다 다른 건데. 그나저나 삼시 새끼랑 잘돼가나 보네?"

'삼시 새끼'란 말에 유미의 미간이 미세하게 떨렸다.

얘 좀 봐라? 벌써 자기 남자라고 싸고도네? 유미의 반응에 현태는 기가 막힌 듯 실소를 터뜨렸다.

"하, 이젠 삼시 새끼라고 부르면 안 되는 거냐? '차 본'이라고 불러 줘?"

"그래주면 좋지. 내 남자한테 새끼라고 부르는 건 좀 그렇잖아."

"뭐, 내 남자?"

헉, 나도 모르게 털어놨다! 유미는 자신의 말실수를 깨닫고 흠칫 놀랐다. 역시 숨기는 거에는 영 소질이 없어, 흐잉.

"아니, 뭐……."

유미는 어색하게 웃으며 말꼬리를 흐렸다.

"미안해, 현태야. 너에게 먼저 말했어야 했는데……. 나도 어떻게 될지 몰라서."

그녀가 미안해하자, 현태의 얼굴에 희미한 미소가 떠올랐다.

어린 여동생 시집보내는 오라버니의 마음이 이런 걸까?

드디어 유미에게 남자가 생겼다는 사실에 가슴이 뭉클하면서도 어딘가 허전했다.

하지만 이건 어디까지나 친구를 바라보는 시선에서였다. 절대로 여자를 바라보는 시선이 아니다.

확실해? 확실하다. 그래도 유미가 걱정되는 건 어쩔 수 없었다. 상대는 다른 누구도 아닌 삼시 새끼 차진욱이다.

"괜찮겠어?"

유미는 대답 대신 말없이 현태를 쳐다보았다. 솔직히 그녀도 괜찮을지 자신이 없었으니까.

"생각했던 거랑 많이 다를 수도 있어. '차 본'이 우리처럼 평범한 사람은 아니잖아."

현태는 담담하게 현실을 말했다.

"대복 그룹이 재계 10위 안에 드는 떵떵거리는 재벌급 대기업은 아니지만, 그쪽 업계에서는 알아주잖아. 그런 기업의 후계자와 사귀는 건 만만하지 않을 거야."

유미는 싸늘한 차 회장의 태도를 떠올리며 고개를 끄덕거렸다.

"……그런 거 같긴 해."

—내가 아직 가만있는 건, 진욱이가 알아서 정리할 때까지 기다리는 거야. 그렇게만 알아두게.

경고 같지 않은 경고. 하지만…….

—난, 내 마음 정했으니까. 당신은 이제 혼자가 아니야. 이제부턴 나와 함께 가는 거야.

진심 어린 진욱의 눈빛이 머릿속에서 떠나질 않는다.
그래, 함께 가자는 그 말을 믿는 거야.
"일단은 마음 가는 대로 가보려고."
"그럼 됐어."
현태의 얼굴에 환한 미소가 떠올랐다.
"장하다, 이유미!"
유미의 눈빛에서 확고한 마음을 읽을 수 있었기에 걱정이 좀 덜했다.
"대신 언제든지 도움이 필요하면 말해. 이번에는 누이를 지켜주는 오라버니 배역 좀 맡아보자."
"됐거든요. 내가 너보다 생일이 한 달 빠르거든!"
"어우야."
유미가 정확하게 서열을 바로잡자, 현태는 애교 부리듯 유미의 어깨에 고개를 기대었다.
"그럼 남동생은 어때요, 유미 누나?"
"야, 징그러워!"
유미는 빽 소리를 지르며 한 손으로 현태를 밀어냈다.

Episode 28

나와 결혼해줘

"그게, 정말입니까?"

얌전한 고양이가 부뚜막에 먼저 올라간다는 말이 있긴 했지만, 이렇게까지 맞아떨어질 줄은 몰랐다.

우진은 옆에서 위스키를 홀짝이는 진욱을 경악한 얼굴로 바라보았다. 방금 진욱이 털어놓은 사연을 도저히 믿을 수 없었기 때문이었다.

"어, 어떻게…… 어떻게 이럴 수가……."

우진이 충격으로 제대로 말을 잇지 못하자, 진욱은 담담히 위스키 잔을 테이블에 내려놓았다.

"형도 놀랐겠지. 그래, 나도 받아들이기 힘들었으니까. 당연해."

"어떻게…… 나한테까지 비밀로 할 수가……!"

우진은 원망스러운 눈으로 진욱을 노려보았다.

"우리가 이거밖에 안 되는 사이입니까? 아니, 어떻게…… 나에게 한마디도 하지 않고."

"나도 안 지 얼마 안 됐다니까."

진욱은 착잡한 심정에 연신 위스키를 들이켰다.

"그런데 형? 혹시 3년 전에 나 감시하면서 사진도 찍고 다녔던 거야?"

"사진이라뇨?"

우진은 금시초문이라는 듯 미간을 좁혔다. 그리고 잠시 후, 감 잡았다는 듯 테이블을 '탕' 내리쳤다.

"이런! 회장님이 이중 첩자를 쓰셨군요. 하, 이럴 수가……. 회장님마저도 절 못 믿으시고……."

우진은 참담한 심정에 울고만 싶었다. 내가 그리도 무능해 보였던 거야? 왜? 하지만 곧 이성을 차렸다. 지금 여기서 중요한 건 그게 아니었으니까.

"이제 어떡하실 겁니까?"

"우선 프러포즈부터 해야지."

"프러포즈라면…… 결, 결혼하실 겁니까?"

"물론이지. 이젠 다 아는데 어떻게 두 사람을 그냥 내버려둬."

"그렇긴 하지만."

"그리고 회장님한테 정식으로 얘기할 거야."

결심을 굳힌 듯한 진욱의 비장한 얼굴에 우진은 아무 말도 할 수 없었다. 진욱은 한 번 한다 하면 하늘이 무너져도 해내는 사람이니까.

"괜찮으시겠어요……?"

진욱은 가볍게 고개를 끄덕이며 위스키 잔을 돌렸다.

"가족 같은 거, 나한텐 안 어울린다고 생각했는데……."

어느새 그의 얼굴에 희미한 미소가 떠올랐다.

"그 둘이라면…… 해볼 만할지도 모르겠다는 생각이 들어. 아니, 할 거야. 나, 행복한 가족 만들 자신 있어."

여전히 염려하는 시선으로 진욱을 바라보던 우진이 슬그머니 말을 꺼냈다.

"혹시 프러포즈를 위한 자료 필요하십니까? 추천할 만한 영화나 소설이 있는데…….”

“저녁에 ‘해우리’에서 보자고?”

유미는 진욱에게서 온 문자를 내려다보며 짧게 한숨을 내쉬었다.

요사이 진욱이 이상하다. 그는 가면 갈수록 뭔가 숨기고 있는 것처럼 행동했다.

지난 월요일, 진욱은 출근하자마자 그녀를 본부장실로 호출했다. 그러더니 대뜸 도시락이라며 네모난 나무 상자를 건넸다.

“이게 뭐죠?”

“뭐긴 뭐야. 도시락이지. 그동안 받기만 했으니까 이젠 내가 해줄 차례야. 앞으로 시간 날 때마다 당신 도시락, 내가 준비할게.”

도시락 뚜껑을 열자, 얌전하게 담긴 유부 초밥이 모습을 드러냈다. 먹음직스럽게 보이려고 검은깨까지 위에 솔솔 뿌려놓았다.

“직접 만드신 거예요?”

“응.”

세상에나! 집에 초대해서 스테이크를 만들어준 것까지는 이해되는데 유부 초밥까지 만들어주다니.

얼떨결에 도시락을 받기는 했지만, 어안이 벙벙할 따름이었다.

그다음 날은 ‘미나리 무침’이 주요리라며 백반 도시락을 건넸고, 또 그다음 날이 되자, 오늘은 시간이 없어서 도시락을 준비 못 했다며 차라도 마시라고 ‘결명자차’를 건넸다.

목요일에는 자신은 오늘 비즈니스 선약이 있어 함께 못 가지만, 그녀라도 근사한 저녁을 먹으라며 고급 레스토랑을 예약해 '혼밥' 하게 만들었다. 그리고 오늘 금요일. 점심 배식을 끝내고 휴식을 취하고 있는데 문자가 날아왔다.

7시 30분. 회사 근처 '해우리' 예약해놨어.

회사 앞에서 같이 저녁을 하자니. 동네방네 소문낼 일이라도 있나? 혹시 회사 사람이라도 만나게 되면 어쩌려고…….

특실이야.

그녀의 우려를 안다는 듯 곧바로 다음 문자가 날아왔다. 따로따로 조심하며 레스토랑에 들어가면 괜찮을지도 모르겠다.

저녁 7시 30분, 레스토랑에 발을 들여놓은 유미는 자신의 걱정이 모두 부질없었다는 사실을 깨달았다. 텅 빈 레스토랑이 그녀를 맞이했기 때문이다. 홀을 꽉 채운 테이블은 모두 어디 가고, 테이블 하나만 중앙에 놓여 있었다.

유미는 휘둥그레진 눈으로 주위를 둘러보았다.

"이게 도대체 어떻게 된 거야?"

그때 뒤에서부터 익숙한 목소리가 그녀를 불렀다.

"유미."

재빨리 등을 돌리자, 커다란 빨간 장미 다발을 품에 안은 진욱이 그녀를 향해 활짝 웃고 있었다.

저녁을 먹자고 해서 왔더니, 이게 지금 무슨……?

저벅저벅 앞으로 걸어온 진욱이 그녀에게 꽃다발을 내밀었다.

"나와 결혼해줘."

에? 결혼? 유미는 튀어나올 것처럼 눈을 크게 뜨며 금붕어처럼 입만 벙끗거렸다. 난데없이 웬 결혼?

생각하지도 못한 진욱의 프러포즈에 유미는 말문이 막혔다. 그녀가 곧바로 대답하지 않자, 진욱은 유미의 두 손을 잡아 억지로 꽃다발을 안겼다. 그리고 단호한 목소리로 덧붙였다.

"거절은 절대로 안 돼. 거절하면 승낙할 때까지 계속할 거야."

사귄 지가 얼마나 되었다고 벌써 청혼이라니. 이 남자, 지금 제정신인가?

"본부장님……."

"이제부턴 진욱 씨라고 불러. 남편 될 사람에게 본부장님이 뭐야?"

유미는 갑작스러운 진욱의 청혼에 기가 막힐 뿐이었다.

"천천히 느긋하게 알아가자고 할 때는 언제고."

사랑한다는 말조차 하지 않고 덥석 결혼부터 하자니……. 단계를 건너뛰어도 너무나도 건너뛰었다. 보통은 사랑 고백을 하고 나서 결혼하자고 하는 거 아닌가? 그건 그냥 소설이나 영화에서나 그런 거고, 현실은 그냥 급한 것부터 먼저 해결하는 거야?

모르겠다. 머리가 복잡해진다.

"우리 사이에 더 알아야 할 게 있나? 난 이미 당신이란 여자에 관해 모든 걸 알아. 겉으론 웃고 있어도 속으로 아파하는 것도 알고. 얼마나 책임감이 강한지도 알고."

그건 맞다. 영양사 업무 외에 하루 삼시 세끼, 야식까지 꼬박꼬박 챙기며 조리사 역할까지 담당했는데 그게 어디 보통 책임감으로 될 일이냐고!

"유미야."

두 손으로 그녀의 어깨를 부드럽게 감싸며 그가 나직하게 말했다.

"나를 믿고 우리 함께 가자."

"저…… 본부장님."

"진욱 씨."

"지……진욱 씨."

진욱이 단호하게 정정하자, 유미는 할 수 없이 호칭을 바꾸었다.

"나를 믿지? 믿을 수 있지?"

믿는다. 이제는 그를 진심으로 믿을 수 있기는 한데…….

"믿어요."

유미는 할 수 없이 천천히 고개를 끄덕였다.

"그러면 된 거야. 난 이제 한시도 너와 떨어져서 살 수 없어."

진욱은 환하게 웃으며 그녀의 이마에 입을 맞추었다.

"우리 함께 지내자, 응?"

정말 미친 짓이라는 것을 잘 알면서도, 데이트 몇 번 만에 결혼하자는 게 말도 안 된다는 걸 누구보다 잘 알면서도, 절대로 반대의 말은 나오지 않았다.

"……네."

괜찮을 거야. 솔직히 첫눈에 반해서 결혼하는 사람들도 있잖아. 거기에 비해선 우린 양호한 거야.

"그래요."

유미는 유령에 홀린 것 같은 기분으로 진욱의 프러포즈를 받아들였다.

"고마워."

진욱은 꽃다발을 옆으로 치워버리고 그녀를 으스러질 정도로 세게 끌어안았다.

"고맙다, 유미야."

유미의 어깨에 얼굴을 묻은 채 그가 나지막하게 속삭였다.

"나 앞으로 잘할……게. 정말…… 잘할게."

진욱의 말꼬리가 살며시 떨리고 있었다.

"당분간만이라도 우리 사이 비밀로 해요. 먼저 부모님께 인사드리고 나서, 그리고 그다음에 어떻게 할지 생각해봐요."

집까지 바래다준 진욱에게 유미가 차에서 내리며 거듭 부탁했다. 덜컥 청혼하긴 했지만, 진욱도 사실은 차 회장에게 어떻게 말할지 조금 걱정이 되기는 했다. 차 회장의 입에서 무슨 말이 나올진 뻔했다.

—뭐야? 결혼한다고? 너 지금 제정신이냐?

분명히 목에 핏줄을 세우며 크게 호통을 치시겠지. 하지만 동구가 자신의 손자라는 걸 안 이상, 끝까지 반대하지는 못할 것이다. 유미와의 결혼을 허락해주지 않으면 정관수술을 하고 평생 무자식, 독신으로 살 거라고 선포할 작정이었다. 그래도 우선은 비밀을 유지하는 게 유리할 거다.

"좋아. 그렇게 하자."

유미는 진욱의 차가 시야에서 완전히 사라지고 나서야 맥&북 건물로 등을 돌렸다.

"응?"

건물에 가까워지자 골목 구석에 주저앉은 누군가의 모습이 보였다. 혹시나 도움이 필요할까 하는 생각에 가까이 다가갔는데 놀랍게도 혜리가 두 손으로 얼굴을 가리고 쭈그리고 앉아 있었다.

"주혜리 씨?"

유미는 다급히 혜리의 어깨를 껴안아 자리에서 일으켜 세웠다. 어디 아픈 건 아닌지 덜컥 겁이 났는데 혜리로부터 풍겨오는 술 냄새에 저절로 얼굴이 찌푸려졌다.

와우, 완전 술통에 찌든 냄새잖아!

"아니, 무슨 술을 이렇게 많이 마셨대. 이봐요, 괜찮아요?"

유미의 목소리에 혜리는 게슴츠레하게 눈을 뜨며 앞을 바라보았다.

"……너!"

자신을 부축한 사람이 유미라는 걸 확인한 혜리의 입술이 심술궂게 일그러졌다. 몸을 제대로 가눌 수 없는 혜리는 유미에게 한다는 걸 대신 허공에다 손가락질을 해댔다.

"재스…… 어서(재수 없어)."

"뭐라고요?"

유미는 혀가 꼬인 혜리의 말을 도통 알아들을 수가 없었다. 그녀보다 훨씬 키가 큰 혜리를 부축하느라 정신이 없기도 했다.

주혜리, 보기엔 날씬한데 워낙 키가 크다 보니까 체중이 꽤 나가나 보다. 혼자 부축하기엔 힘이 부치게 무거웠다. 유미는 혜리의 무게를 이기지 못하고 낑낑대며 숨을 헐떡였다.

"주혜리 씨, 정신 좀 차려봐요, 네? ……취했으면 집으로 가야지 왜 여기 이러고 있어요."

"너어…… 너!"

혜리는 유미의 애원에도 아랑곳하지 않고 손을 내저으며 크게 외쳤다.

"진짜 짜증 나……! 짜증 난다고! 이유미, 너!"

그러더니 뭐가 그리도 서러운지 뚝뚝 눈물을 흘리기 시작했다.

"흐으윽…… 흐어엉."

갑자기 터진 울음에 유미는 난처한 얼굴로 혜리를 바라보았다.

"지금 우는 거예요?"

남들이 보면 내가 울린 줄 알 거 아니야!

"왜 울고 그래요? 무슨 일 있어요?"

"뭐? 무슨 일? 야! 몰라서 물어?"

갑자기 혜리는 술이 팍 깬 듯 유미를 매섭게 노려보았다.

"배추 쪼가리, 아니, 배추 부침개! 모두 너 때문이야! 너 땜에 다 망쳤다고……!"

내가 뭐? 만만한 게 나인가? 왜 나에게 신경질을 부리고 난리야. 술주정에 지친 유미는 혜리의 팔을 놓고 털썩 길바닥에 주저앉았다.

"그래요. 할 말 있으면 다 해봐요. 욕이든 뭐든 다 들어줄 테니까."

"정말? 다…… 들어준다고?"

혜리는 풀린 눈으로 유미를 똑바로 쳐다보며 씩 입꼬리를 비틀었다.

"당신, 오빠랑 원나잇 한 사이라며?"

"네? ……그걸 어떻게? ……누가 그래요? 진욱 씨가 그래요?"

그녀의 입에서 이런 말이 나올 줄 전혀 예상하지 못했기에 유미의 얼굴이 하얗게 질려버렸다. 창백한 유미를 노려보던 혜리의 얼굴에 승리의 미소가 떠올랐다.

"훙, 쪽팔리지도 않니? 원나잇이나 하면서, 게다가 에로 배우 딸인 주제에, 감히 어딜 넘봐?"

혜리의 폭언은 계속해서 이어졌다.

"그 하룻밤으로 인생 역전…… 뭐, 그런 거 꿈꾸는 거야? 그게 부침개 뒤집듯이 간단할 줄 알아?"

"그런 거, 아니에요."

유미는 떨리는 목소리를 가다듬으며 단호히 부정했다. 그러나 혜리가 그 말을 순순히 믿어줄 리 없었다.

"아니긴 뭐가 아니야? 겉으론 순진한 척하면서…… 내숭이나 떨고."

혜리는 조소하는 듯 입꼬리를 비틀며 유미의 심장에 마지막 비수를 꽂았다.

"너, 원나잇이면 원나잇답게 행동해. 그냥 조용히 사라지라고!"

유미는 원망과 혐오로 자신을 노려보는 혜리를 어두운 표정으로 마주 보았다. 솔직히 말로 표현할 수 없는 수치심과 충격으로 그저 그 자리를 피하고만 싶었다.

하지만 언제까지…… 도망만 칠 건데?

"아뇨."

잠시 침묵을 지키던 유미는 혜리를 뚫어지게 바라보며 입을 열었다.

"이번에는 사라지지 않을 거예요."

"뭐?"

"남녀 간의 일은 당사자 외엔 아무도 모르는 거죠. 그러니까 주위에서 뭐라고 하든 난 상관 안 해요. 이번만큼은 내가 먼저 진욱 씨의 손을 놓는 일은 없을 거예요."

그래, 3년 전에는 겁먹고 도망갔을지 모르지만, 이제는 아니야.

"나 지금까지 모든 걸 참고만 살았어요. 에로 배우 딸이라며 손가락질하고, 촌스럽다고 뒤에서 수군거려도 꾹 참고 살았다고요. 그런데 이젠 아니에요. 당신은 좋은 부모 만나서 곱게 자라고, 얼굴도 예쁘고 학벌도 좋으니까 눈에 보이는 게 없을지 모르지만……. 그렇지 않은 사람들도 행복할 권리는 있는 거예요."

유미의 반격이 생각보다 거세자, 혜리는 기가 막힌다는 얼굴로 그저 입만 벌리고 있었다.

한동안 혜리를 빤히 바라보던 유미는 가방에서 휴대폰을 꺼내며 담담하게 말했다.

"대리운전 불러줄게요. 조심해서 돌아가요."

사랑하면 용감해진다고 했나? 혜리는 당당하게 할 말 다하는 유미를 떠올리며 씁쓸한 미소를 떠올렸다.

어쩌다 전세가 역전되었을까? 얼마까지만 해도 당당함은 그녀의 몫이었는데…….

대리운전 기사가 운전하는 차 뒷좌석에 기대앉아 창밖을 내다보는 혜리의 얼굴 위로 어두운 그림자가 내려앉았다.

오빠의 고백 때문에 기가 살았나?

—말도 없이 사라진 너 때문에 제대로 먹지도 자지도 못했어.

—그래서 할 수 없이 미친 놈처럼 일만 하고 살았다고!

오빠가 갑자기 일에 열중하게 된 게 그 여자 때문이라고? 나 때문이 아니라? 나에게 '대한민국 1등 며느릿감'이란 수식어가 붙고 나서 오빠가 변한 줄 알았는데, 완전 헛다리 짚은 거잖아! 분해, 분해서 참을 수가 없어. 혜리는 격해진 감정에 입술을 깨물며 주먹을 움켜쥐고는 운전석을 향해 외쳤다.

"저기요. 차 좀 돌려주세요."

집 앞에 차를 세운 진욱은 대문 앞에 서 있는 혜리를 발견하고 인상을 찌푸렸다. 진욱이 차에서 내리자, 혜리가 그에게로 다가왔다.

"네가 이 늦은 시각에 무슨 일이야?"

혜리는 대답 대신 가슴 앞으로 팔짱을 끼며 진욱을 노려보았다.

"뭐, 얼마나 고상한 연애인가 했더니, 고작 그거였어? 원나잇?"

순간 진욱의 얼굴이 충격으로 일그러졌다.

어떻게 혜리가 우리 일을 알고 있는 거지? 우진 형에게만 털어놓았는데……. 혹시 아버지가?

"혜리, 너! 그거 어디서 들었어?"

"오빠, 진짜, 나한테 너무하는 거 아냐? 자그마치 10년이라고. 10년이면 강산도 변한다는데, 어쩌면 그럴 수 있어?"

혜리는 눈물이 맺힌 눈으로 가슴에 품은 불만을 털어놓았다. 지금 이 순간 그녀는 철벽남인 진욱이 너무나도 원망스러웠다.

"왜 오빠만 그대로인데?"

두 손으로 진욱의 가슴을 퍽 밀치며 그녀가 크게 외쳤다.

"왜 내 마음만 안 받아주는데! 왜?"

손으로 밀쳐도 끄떡없자, 혜리는 아예 핸드백으로 진욱의 가슴과 어깨를 퍽퍽 내리쳤다.

"내 10년은 안중에도 없어?"

진욱은 피하지 않고 혜리가 내리치는 핸드백을 잠자코 맞아주었다. 술주정이라면 대충 받아주다 보내버리면 그만이니까.

"나보다 그 여자랑 보낸 하룻밤이 더 대단해? 어?"

다시 때리려고 핸드백을 높게 치켜드는데, 진욱이 혜리의 손을 탁 잡아버렸다. 그리고 그녀와 시선을 마주치며 나직이 속삭였다.

"……그 하룻밤에."

혜리는 손목을 잡힌 채, 눈물이 그렁한 눈으로 진욱을 노려보았다.

"내 인생이 송두리째 바뀌었으니까. 나한테는 그만큼 대단한 여자야."

"오빠……."

인생이 송두리째 바뀌었다고? 고작 그 하룻밤에? 어째서? 그 여자, 뭐가 그리도 대단한 거야?

"우리 곧 결혼할 거야."

진욱의 입에서 나온 말이 혜리를 절망으로 빠뜨렸다.

"뭐……?"

"나, 이미 유미 씨에게 청혼했어. 그러니까 이제 이런 짓 그만둬."

"결혼한다고? 두 사람, 도대체 만난 지 얼마나 되었다고."

"그만!"

진욱은 더는 혜리의 투정을 받아주지 않겠다는 듯 손을 들어 올렸다.

"늦었다. 데려다주지 못하니까 조심히 가라."

진욱은 냉정하게 혜리를 외면하고는 그대로 대문을 열고 안으로 들어갔다.

"오빠!"

철컹, 대문이 닫히고 혜리는 무너지듯 제자리에 주저앉았다.

"흐윽."

참고 참았던 눈물이 왈칵 터져버렸다.

"내 마음이 내 마음대로 안 되는 걸 나더러 어쩌라고! 대한민국 남자들, 다 내가 좋다고 하면 뭐하냐고? 내가 좋아하는 남자는 날 안 좋아하는데!"

들어주는 사람도 없는데, 혜리는 대문을 향해 목청을 높여 크게 소리 질렀다.

"차진욱, 못된 자식! 누구 마음대로 결혼해? 누구 마음대로!"

서럽다. 이렇게 서러울 수가 없다. 혜리는 두 손으로 얼굴을 감싸며 목 놓아 울기 시작했다.

"흐어어엉."

절대로 가만히 못 있어. 억울해서 이대로 포기할 순 없다고!

"혜리야, 무슨 일이냐?"

한밤중에 걸려온 전화에 차 회장은 놀란 얼굴로 수화기를 들었다. 예의 바른 혜리가 이 늦은 시각에 전화한다는 건, 분명히 급한 이유가 있을 테니까.

[아버님…….]

수화기 너머로 들리는 혜리의 목소리가 불안정하게 떨리고 있었다.

[아……버……니임. 흐윽.]

"혜리야, 너 지금 우는 거냐?"

[오빠가…… 흐흑. 진욱 오빠가…….]

"진욱이 녀석이 왜?"

두 사람이 싸우기라도 했나? 혹시 숨겨진 자식이 있다는 걸 혜리가 알아버린 걸까?

차 회장은 덜컥 겁이 났다. 솔직히 아무리 혜리가 진욱을 좋아한다지만 혼외 자식이 있다는 걸 알게 되면 정나미가 뚝 떨어질 테니까. 결가지 좋아하는 여자, 세상에 거의 없다. 하지만 혜리는 차 회장이 우려한 것보다 좀 더 심각한 문제를 꺼냈다.

[오빠가…… 흑, 결혼……한대요.]

"뭐? 너 방금 뭐라고 그랬냐?"

차 회장이 믿을 수 없다는 듯 되물었다.

[오빠가…… 배추 쪼가리, 흑, 배추 부침개랑 결혼한대요, 아버님.]

"진욱이가 배추 쪼가리랑 결혼을 해? 도대체 배추 쪼가리가 누군데?"

[진욱 오빠가 ……흐윽. ……이유미 영양사와 결혼한대요.]

"뭐야? 그게 정말이냐?"

[네. 방금 오빠에게서 직접 들었……어요.]

"아니, 이 녀석들이! 누구 마음대로 결혼해. 누구 마음대로!"

차 회장은 버럭 언성을 높이며 자리에서 벌떡 일어섰다.

이 녀석이 지금, 한판 해보자는 건가?

"알았다. 혜리야. 내가 다 알아서 해결하마."

흐느끼는 혜리를 겨우 달래서 전화를 끊은 후, 차 회장은 착잡한 얼굴로 이마에 손을 짚었다. 한동안 뒤에서 지켜보려고 했는데……. 직접 나서야지 아무래도 안 되겠다.

차 회장은 크게 한숨을 내쉬며 수화기를 들어 올렸다.

"어마, 엉아 지베 어데 가꼬야(누나, 형 집에 언제 갈 거야)?"

토요일 아침, 동구는 눈을 뜨자마자 유미를 졸랐다. 고양이 보러 놀러 오라고 한 진욱의 말을 기억하는 모양이다.

"나도 같이 갈까? 대신 점심은 내가 쏠게."

"엄마, 미쳤어? 가긴 어딜 가!"

유미는 인상을 찌푸리며 펄쩍 뛰었다. 저번 주도 그렇고 계속해서 진욱에게 민폐를 끼치는 것 같아 미안해 죽겠는데 미희까지 합세한다니. 절대로 안 된다. 청혼받은 지 겨우 하루 지났을 뿐인데…….

"그러지 말고 같이 가. 나도 점심 이후에는 선약이 있어서 오래 있지도 못해. 어차피 사위 장모 될 사이인데 친해지면 좋잖니."

"엄마, 김칫국부터 마시지 마!"

청혼받은 사실을 숨겼기에 망정이지, 알았다면 미희는 동구를 데리고 당장 진욱의 집에 쳐들어갔을 거다.

"안 돼. 본부장님 오늘 점심에 선약 있어."

"흥. 집으로 놀러 오라는 사람이 선약은 무슨……."

미희는 매정하게 거절하는 유미를 흘겨보며 투덜거렸다. 유미는 미희의 투정을 한 귀로 듣고 다른 한 귀로 흘리며 재빨리 진욱에게 문자를 보냈다.

오늘은 점심 먹고 오후 늦게 갈게요.

이른 아침, 맥&북 앞에 고급스러운 세단이 스르륵 미끄러지듯이 멈췄다. 운전석에서 내린 김 비서가 뒷좌석으로 걸어와 차 문을 열자, 굳은 얼굴의 차 회장이 차에서 내려섰다.

"자넨, 여기서 기다리게."

"알겠습니다. 회장님."

차 회장은 잠시 맥&북 카페 건물을 노려보다 출입문으로 걸어갔다. 아직 영업시간 전인지 유리문에는 'CLOSED' 팻말이 걸려 있었다. 영업시간을 확인하지 않고 무작정 찾아왔으니 헛걸음친다고 해도 할 말은 없었다.

할 수 없이 나중에 다시 오려고 발걸음을 돌리려는데 문득 카페 안에서 인기척이 느껴졌다. 혹시나 하고 유리문을 잡아당겨 보니, 다행히 문은 잠겨 있지 않은 상태였다.

조심스럽게 카페 안으로 들어서자, 텅 빈 실내가 눈에 들어왔다. 역시 아무도 없나?

실망해서 등을 돌리려는데 구석에서 그림책을 읽고 있는 작은 몸집의 꼬마가 눈에 들어왔다. 저 아이는! 몇 번밖에 보지 않았지만, 자꾸만 눈에 아른거리던 그 남자아이였다.

차 회장이 가까이 다가오는 줄도 모르고 동구는 발을 까딱거리며 심각한 표정으로 그림책을 보고 있었다.

"너구나."

위에서 들려오는 소리에 동구는 의아한 눈으로 고개를 들어 올렸다. 머리카락이 희끗희끗한 남자가 앞으로 다가오고 있었다. 주름살 많은 얼굴, 약간 굽은 등, 느릿느릿한 걸음걸이!

"하, 아바(하, 아빠)."

강원도에서 하염없이 자신을 기다리는 아빠와 너무나 비슷했다. 동구는 영한을 떠올리며 차 회장을 멍하니 바라보았다.

또랑또랑한 눈으로 자신을 빤히 쳐다보는 동구를 보자마자 차 회장의 심장이 '쿵' 하고 내려앉는 것만 같았다. 피는 물보다 진하다고, 뭔가 강하게 끌리는 것 같았다.

방금 나보고 '하, 아바?' 할아버지라고 부른 건가?

손주일 가능성이 높은 게 아니라 손주가 맞는 것 같다. 내 새끼를 알아보는 동물적 직감이 그렇게 외치고 있었다. 이렇게 진하게 끌리는 건 핏줄이 아니고선 해석이 불가능하니까.

차 회장의 눈빛이 마구 흔들렸다.

귀여운 내 새끼, 이런 또랑또랑한 손자가 있는 줄도 모르고 지금까지 혼자 가슴앓이만 했다니.

차 회장은 눈물이 글썽한 눈으로 자신을 바라보는 동구를 보자 가슴이 미어졌다. 지금 이 순간만큼은 진욱도 유미도 혜리도 그 누구도 중요하지 않았다. 차 회장의 머릿속은 오로지 동구만으로 가득 찼다. 격하게 벅차오르는 감정을 이기지 못하고 차 회장은 두 팔을 벌려 동구를 와락 끌어안았다.

"아이고, 내 새끼."

"아바?"

아빠는 아니지만, 비슷한 아저씨가 이렇게 안아주니까 꼭 아빠의 품에 안긴 것만 같았다. 동구는 행복한 미소를 지으며 차 회장의 목을 꽉 끌어안았다. 그때였다.

"당신 뭐야?"

멀리서 날카로운 여자의 목소리가 울려 퍼졌다.

"뭐? 뭐가 큰일 났다는 거야?"

갑자기 걸려온 전화를 받자마자, 우진이 휴대폰 저 너머에서 다짜고짜 '큰일 났습니다!'라고 외쳤다.

"말을 해야 알지. 도대체 뭐?"

[회장님이……. 하아, 회장님이 방금 이유미 씨 집으로 직접 찾아가셨답니다!]

가만히 지켜본다더니 이렇게 몰래 기습하려고 속인 거였어?

"에이, 아버지, 진짜!"

진욱은 자리에서 벌떡 일어나며 주먹으로 책상을 내리쳤다.

[어떻게 하실 겁니까?]

"어떻게 하긴 뭘 어떡해? 막아야지."

[저도 갈까요? 아무래도 회장님을 막으려면 혼자보다는 두 사람이 나을 텐데요.]

"알았어. 형도 빨리 그곳으로 와."

진욱은 서둘러 차 키를 움켜쥐고 서재를 뛰어나갔다.

"당신 뭐야?"

날카로운 외침에 차 회장은 흠칫 놀라며 동구를 안은 채, 소리 나는 쪽으로 고개를 돌렸다. 미희가 험상궂은 얼굴을 하고 주방에서 걸어 나오고 있었다.

그 여자다. 에로 배우! 터질 거예요! 한눈에 미희를 알아본 차 회장은 동구를 다시 의자에 조심스럽게 내려놓았다.

미희는 유괴범 보듯 차 회장을 째려보며 재빨리 동구의 손을 잡아 자신의 뒤에 서게 했다.

"딱 보니 손님은 아니고. 누구신데 남의 집 애를 끌어안고 난리예요?"

"난 이 애를 안아줄 자격이 있는 사람이오."

"뭐라고요?"

생긴 건 멀쩡하게 생긴 사람이 머리가 어떻게 됐나?

"남의 애를 안아줄 자격이 있는 사람이라니. 댁이 산타클로스라도 돼요? 뭐 배 나온 걸 보니 몸매가 비슷하기는 하네."

"뭐? 산타클로스요? 이봐요."

동구의 외할머니 되는 여자에게 뭐라고 할 수도 없고…….

차 회장은 힘겹게 화를 누르며 손으로 의자를 가리켰다.

"우선 앉아서 이야기하죠."

"앉긴 뭘 앉아요. 이야기는 무슨? 당장 여기서 나가요."

미희는 앞뒤 사정도 들어보지 않고 차 회장을 카페에서 쫓아내려고 했다. 이에 차 회장은 기분이 상한 표정으로 살며시 언성을 높였다.

"나 역시 이 아이를 안아줄 자격 있는 사람이란 말 못 들었습니까?"

"남의 아이를 안아줄 자격이 있다니. 하, 웃겨, 정말. 이 할아버지가 노망이라도 났나?"

"뭐? 노. 노망?"

자신을 무시하는 미희를 향해 차 회장이 버럭 소리를 질렀다.

엄마에게 뭐라고 털어놓지? 엄마 성격에 당장에라도 상견례를 하자고 설칠 텐데……. 어휴.

유미는 침대에 멍하니 앉아 고민에 빠졌다.

그때 책상 위에 놓아둔 휴대폰이 울리기 시작했다. 침대에서 일어나 책상 쪽으로 가려는데 갑자기 아래층 카페에서 고성이 오가는 다툼 소리가 들려왔다.

'웅, 웅' 소리가 울려서 제대로 듣지는 못했지만, 아무래도 미희의 목소리 같았다.

"무슨 일이지?"

유미는 전화를 받으려던 걸 까맣게 잊고 다급히 카페로 향했다.

"이보세요. 노망이라니? 말조심해요!"

"남이야 말조심하든 말든. 당장 여기서 나가라니까 뭐 하는 거예요!"

유미가 급하게 문을 열고 카페로 들어서자, 웬 나이 많은 남자와 실랑이를 벌이는 미희가 눈에 들어왔다. 동구는 겁에 질린 얼굴로 눈물이 그렁그렁한 채 구석에서 혼자 오돌오돌 떨고 있었다.

"어마(누나)!"

유미를 발견한 동구는 그대로 달려와 그녀의 다리에 와락 매달렸다.

"동구야, 괜찮아."

동구를 달래던 유미는 등을 돌린 자세로 미희와 언쟁을 벌이는 남자의 뒷모습을 유심히 바라보았다.

목소리와 모습이 어딘지 익숙했다.

앗! 회장님? 순간 놀란 유미의 입에서 신음이 흘러나왔다.

"아, 회장님이 여긴 왜……."

차 회장은 유미가 뒤에 서 있다는 사실을 알지 못하고 지금까지 참았던 말을 내뱉었다.

"저 애가 우리 집 핏줄이기 때문이오! 이제 됐소?"

"하, 어이가 없어서."

미희는 기가 막힌 듯 팔짱을 끼며 코웃음 쳤다.

"우리 동구가 그쪽 핏줄이라고요? 이 할아버지, 진짜 노망났네. 우리 동구가 왜 그 집 핏줄이냐고!"

미희는 빈정거리는 눈으로 차 회장을 위아래로 훑어보았다.

"아저씨 나랑 정분 난 적 있어요? 난 기억에 없는데?"

"아, 아니. 내가 왜 당신이랑, 미, 미쳤소?"

차 회장이 펄쩍 뛰어오르자, 미희는 고개를 설레설레 저었다.

별 이상한 남자를 다 보겠다. 동구가 자신의 핏줄이라고 하면서 그녀와는 아무런 관계도 없는 사이란다. 그러면서 어떻게 동구가 자신의 핏줄이라고 확신하는 건데? 내가 동정녀 마리아라도 돼? 자기는 신이야 그럼?

"……회장님?"

유미는 동구를 감싼 채, 조심스럽게 차 회장에게 다가갔다.

"여기는 무슨 일로 오신 거죠?"

그제야 유미를 발견한 차 회장이 인상을 굳히며 '흠흠' 헛기침을 내뱉었다.

"확실하게 정리하려고 왔다. 이 애가, 진욱이 애가 맞는지 아닌지."

"네……? 그게 무슨…… 말씀이세요……?"

유미는 얼토당토않은 차 회장의 말에 미간을 찌푸렸다.

그때 문이 열리며 진욱이 당황한 얼굴로 카페 안으로 들어왔다.

"아버지!"

모두 일제히 뒤를 돌아보자, 진욱이 화난 얼굴로 성큼성큼 걸어오고 있었다. 진욱은 미안하다는 듯 유미를 한 번 바라본 후, 날카로운 눈으로 차 회장을 노려보았다.

"지금 여기서 뭐 하시는 겁니까?"

"네가 사태를 정리할 생각은 않고 일만 더 복잡하게 키워서, 내가 직접 정리하러 왔다."

유미는 지금 상황을 도저히 이해할 수 없었다. 진욱이 청혼했다는 사실을 알고 그러는 걸까? 하지만 갑자기 동구는 왜?

"진욱 씨, 도대체…… 무슨 말이에요? 동구는 왜요?"

제길, 천천히 이야기하려고 했는데 아버지가 선수를 쳐서 엉망이 되고 말았다.

진욱은 두 눈을 질끈 감았다가 뜨며 긴 한숨을 내쉬었다.

"유미야, 미안해. 내가 먼저 이야기했어야 하는데, 혹시라도 상처 줄까 봐 아무 말 못 하고 있었어. 나, 모두 알고 있어."

막상 이렇게 된 거, 다 털어놓는 게 나을지도 모르겠다. 진욱은 떨어지지 않는 입을 힘겹게 열었다.

"이제 나에게 털어놓아도 돼. 동구는 바로 내 아……."

그때였다. 부들부들 떨던 미희가 빽 소리를 질렀다.

"지금 모두 도대체 뭣들 하는 거예요?"

미희의 히스테릭한 외침에 유미와 진욱, 차 회장은 흠칫 입을 다물고 미희에게로 고개를 돌렸다.

"나만 쏙 빼놓고 뭔 말들이 그렇게 많은데? '내 아들' 가지고. 어?"

진욱과 차 회장은 미희의 입에서 나온 말이 전혀 이해가 되지 않는다는 듯 인상을 찌푸렸다. 내 아들? 내 손자가 아니라? 내 새끼라고 말하는 걸 실수한 거겠지?

"으앙!"

미희의 큰소리에 참고 참았던 동구가 드디어 울음을 터뜨렸다. 지금 이 목소리는 엄마가 정말 무지무지 화났다는 신호였다. 미희가 한번 화나면 어떤 일이 일어나는지 잘 알기에 동구는 너무나 무서웠다.

우리, 또 짐 싸서 다른 곳으로 가는 걸까? 엄마가 마지막으로 아빠에게 얼마나 크게 소리를 지르고 집을 나섰는지 아직도 생생하게 기억하고 있었다.

이제 겨우 여기에 정들었는데. 유미 누나도 좋고 저 진하게 생긴 형도 좋고 착한 현태 형도 좋은데……. 이제 또 어디로 가라고.

"괜찮아, 똥구. 울지 마. 네가 울긴 왜 울어?"

미희는 겁에 질려 엉엉 우는 동구를 와락 껴안으며 진욱과 차 회장을 무서운 눈으로 노려보았다.

"우리 똥구, 내 배 아파서 내가 낳은 내 새끼라고! 그런데 무슨 말 같지도 않은 소리를 하고 있어?"

"뭐요? 저 아이가 당신 아들이라고? 하!"

차 회장은 기가 막힌다는 듯 쓴웃음을 내뱉었다.

"지금 그 표정은 뭐예요?"

"이봐요. 말이 되는 소리를 해요. 아무리 미혼모가 된 딸을 감싸주고 싶다고 해도 정도껏 해야지. 손자보고 아들이라고 하면 누가 그 말을 믿어줍니까?"

"야, 너 말 다 했어?"

차 회장의 비아냥거리는 소리에 미희는 화산이 용암을 내뿜듯이 폭발하고 말았다.

"동구는 내 아들이라고! 지금 감히 내 자궁 무시하는 거야 뭐야?"

자궁이라는 적나라한 단어까지 튀어나오자, 차 회장은 기겁한 얼굴로 미희와 유미를 번갈아 바라보았다. 이렇게까지 세게 나온다는 건…… 혹시 정말로 저 여자가 엄마라는 거?

멍한 표정으로 있던 유미는 순간 무슨 일인지 알 것만 같았다. 차 회장과 진욱의 몹시도 당혹스러운 표정이 모든 걸 말해주고 있었다.

그런 거였어? 그래서 결혼하자고 한 거였어? 사랑해서가 아니라? 동구가 자신 아들인 줄 알고 책임지려고?

그녀의 발아래가 아늑히 먼 저 아래로 내려앉는 것만 같았다.

유미는 씁쓸한 미소를 띠며 진욱을 빤히 바라보았다. 진욱은 도저히 믿을 수 없다는 눈으로 유미를 마주 보았다.

"진짜, 아니야?"

카페 밖으로 나온 진욱은 유미의 어깨를 붙잡고 떨리는 목소리로 거듭 물었다.

"정말 아니라고……?"

"네. 아니에요. 내가 말했잖아요. 엄마가 데려왔다고. 그게 이부동생이라는 뜻이었는데."

"그러면 이부동생이라고 말하지 왜 그렇게 돌려서 말을 한 거야?"

"창피해서 그랬어요."

유미는 흔들리는 눈빛으로 진욱을 바라보았다.

"엄마가 재혼해서 늦은 나이에 동생을 봤고, 또 얼마 안 가서 이혼했다는 말을…… 어떻게 해요. 나에겐 그런 말…… 쉽지 않다고요."

"후우."

모든 게 오해였다는 사실에 진욱은 허탈할 정도로 충격을 받았다. 유미의 어깨를 잡고 있던 손에서 스르르 힘이 빠져나갔다. 그의 손이 밑으로 툭 떨어지자, 유미는 원망스러운 눈으로 진욱을 바라보았다.

"난 그런 줄도 모르고……."

갑자기 울컥하고 서러운 감정이 밀려왔다.

그러면 그렇지. 너무 다정하다 했다. 너무 잘해준다 했다. 차진욱 같은 남자가 왜? 뭐가 부족해서 나에게……. 뭐가 그리도 급해서 결혼하자고 매달릴까. 꿈 깨셔, 이유미 양!

"그래서 청혼한 거예요? 지금까지 나한테 한 거, 나한테 한 말……. 전부 다…… 동구 때문에 그랬던 거예요?"

물론 아니다. 동구 때문에 청혼을 서두르긴 했지만 그녀를 향한 감정에는 거짓이 하나도 없었다. 하지만 충격이 큰 탓에, 달라붙은 입술이 접착제를 바른 듯 떨어지지 않았다.

진욱이 아무 말도 하지 못하고 안타깝게 바라보자, 어느새 유미의 눈가에 눈물이 맺혔다.

"그런 줄도 모르고 난 청혼받았다고…… 바보처럼, 설레고 뭉클하고…… 좋았던 거예요……?"

유미의 눈물에 진욱은 정신이 번쩍 들었다. 지금 여기서 가장 상처받은 사람은 다른 사람이 아닌 유미였다. 달래줄 생각은 하지 않고 바보처럼 뭐 하고 있는 거지!

"유미야. 그건……."

진욱이 뭐라고 한마디 하려는데, 차 회장이 노기 서린 얼굴로 카페 안에서 걸어 나왔다. 차 회장은 유미한테 시선도 주지 않은 채, 진욱 옆에 멈춰 섰다.

"그만 가자."

"먼저 가세요. 저는 유미와 할 이야기가 있습니다. 유미야, 우리 어디 조용한 곳으로 가서 얘기 좀 하자."

진욱이 손을 잡으려 하자 유미는 주춤거리며 뒤로 물러섰다. 이 상태에서 무슨 이야기를 하자고. 눈물이 쏟아지려는 걸 겨우 참고 있는데……. 모두 보내버리고 혼자 방에서 엉엉 울고 싶다고!

"아뇨. 나중에…… 나중에 얘기해요."

"유미야, 그러지 말고……."

애원하는 것처럼 매달리는 진욱이 못마땅한 차 회장이 버럭 소리를 질렀다.

"멍청한 자식!"

감히 자신을 속이려 했다고 화를 내지는 못할망정, 앞에서 쩔쩔매다니. 이 녀석, 똑똑한 줄 알았는데 천하에 없는 바보 녀석이다.

차 회장은 부들부들 떨리는 손으로 진욱의 팔을 움켜쥐었다.

"야, 이놈아! 지금 뭐 하는 짓이냐? 이따위 꽃뱀한테 넘어가서 혜리를 밀어내?"

"꽃뱀이라뇨! 말이 너무 지나치십니다, 아버지."

진욱은 표정을 일그러뜨리며 이를 갈았다.

"그럼 뭐라고 부를까? 사기꾼 모녀?"

"유미는 그런 여자 아니에요."

"아니긴 뭐가 아니야! 애미는 에로 배우에, 딸내미는 꽃뱀? 하이고…… 사람이 창피한 줄 알아야지!"

졸지에 진욱을 속인 게 된 건 억울했지만, 미희가 에로 배우라는 데에는 변함이 없었다. 자신은 왕년의 에로 배우, 조미희의 딸이니까. 유미는 아랫입술을 깨물며 밑으로 고개를 숙였다.

동구를 자기 아들로 오해해서 결혼하려고 한 거고, 이제 아무 관계도 아니라는 게 밝혀졌으니까 진욱 역시 에로 배우의 딸인 그녀와 결혼할 생각은 접었을 거다. 아니, 애초부터 결혼할 생각은 없었을지도……. 연애한다고 다 결혼까지 가는 건 아니니까.

"그럼 안녕히 가세요."

유미는 꾸벅 허리를 숙여 차 회장에게 인사한 후, 카페 쪽으로 등을 돌렸다. 그러나 몇 걸음 떼기도 전에 진욱에게 손목을 잡혀버렸다.

"가긴 어딜 가. 가더라도 아버지에게 사과는 받고 가."

진욱은 무서울 정도로 서늘한 얼굴로 차 회장을 노려보았다.

"함부로 말씀하지 마세요. 유미는 아버지에게 그런 말을 들을 이유가 없습니다. 어서 사과하세요."

"뭐야? 너 지금."

"마음대로 넘겨짚고 일 크게 벌인 건, 아버지 아닙니까?"

분하긴 했지만 진욱의 말이 틀린 말은 아니었다. 하지만 저렇게 나이 먹은 여자가 아이를 낳았으리라고 상상이나 할 수 있었겠는가!

차 회장은 얼굴을 붉히며 고개를 돌려 진욱의 시선을 외면했다.

"손자, 손자 노래를 부르시더니 기어이 일 저지르셨네요. 아버지야말로 창피하지 않으세요?"

"내가 뭐? 뭐 어쨌다고?"

실수한 것도 있고 해서 가만히 있으려니까 진욱의 도발이 점점 심해졌다. 차 회장은 주먹을 불끈 움켜쥐며, 진욱에게 손목이 잡힌 채 멍하니 서 있는 유미에게로 공격의 화살을 돌렸다.

이 모든 건, 다 저 여자 때문이다. 저 애가 우리 아들을 홀린 거야. 겉은 토끼 같은 순진한 얼굴을 하고 있지만, 속에는 불여우가 웅크리고 있는 게 분명하다.

"너, 각오해야 할 거다. 감히 우리 아들을 상대로 장난친 거!"

"유미, 건드리지 마세요."

진욱은 차 회장에게서부터 유미를 보호하려는 듯 자신의 몸 뒤로 숨겼다.

"저도 더 이상은 힘없는 어린애가 아닙니다. 어머니 때처럼……. 그 때처럼 두 손 놓고 가만히 보고 있지는 않을 겁니다."

"뭐, 뭐야?"

차 회장은 충격으로 말을 잇지 못하고 멍하니 진욱을 바라보았다. 애령이 떠난 일에 관해서 입 밖으로 꺼내지 않는 건 두 사람만의 불문율이었다. 그런데 방금 진욱이 그걸 깨버렸다.

차 회장은 한 손으로 이마를 짚으며 크게 휘청거렸다. 그러나 진욱은 유미를 꼭 끌어안은 채 차 회장을 노려볼 뿐 꿈쩍도 하지 않았다. 그 모습에 애령을 꼭 끌어안고 있던 어린 진욱의 모습이 겹쳐졌다.

그 정도냐? 그 정도로 이 애가 소중한 거냐? 이 아비 마음을 갈가리 찢어놓을 만큼?

차 회장은 허탈한 미소를 지으며 비틀비틀 차로 걸어갔다. 김 비서가 급하게 운전석에서 내려 뒷좌석의 차 문을 열었다. 차 회장은 어지러운 듯 차 문을 꼭 잡고 천천히 뒤를 돌아 진욱을 바라보았다. 진욱의 흔들리지 않는 눈빛을 확인하는 순간, 그는 그대로 제자리에 주저앉았다.

"아버지!"

"회장님!"

진욱과 유미가 동시에 차 회장에게로 달려갔다.

Episode 29

절대로 놓지 않을 겁니다

"3년 전에 쓰러졌을 때, 내가 말하지 않았나. 한 번만 더 쓰러지면 큰 일 난다고."

주치의인 김 박사는 차 회장의 상태를 차분한 목소리로 설명했다. 안경 너머 보이는 눈동자에는 진욱을 향한 원망이 담겨 있었다. 차 회장과 오랜 지기인 김 박사는 자신의 친구가 이런 모습으로 병원에 실려 왔다는 사실에 씁쓸함을 감출 수 없었다.

"지난 3년 동안 잘 지낸다 싶었는데 어쩌다가……."

"죄송합니다."

진욱은 아무 변명도 하지 못하고 잠자코 고개를 숙였다.

3년 전, 차 회장이 쓰러졌을 때 김 박사는 절대 안정이 최고라며 특히 흥분하면 안 된다고 거듭 강조했었다. 크게 휘청거리던 대복을 살리기 위해 진욱이 경영 전선에 뛰어든 이후, 차 회장은 최종 결정만 내릴 뿐, 거의 일선에서 물러난 상태였다. 경영에 몰두하느라 흥분하고 스트레스 받을 줄 알았는데 전혀 생각하지도 못한 사생활 부분에서 일이 터져버렸다.

"후우, 우선은 상태를 지켜보도록 하지."

김 박사는 창백한 얼굴로 누워 있는 차 회장을 바라보며 애써 담담하게 말했다. 병실을 나서자, 복도에서 초조하게 기다리는 유미와 우진, 김 비서가 눈에 들어왔다. 진욱은 김 비서에게 대충 급히 처리할 사항을 지시한 후, 유미에게 다가왔다.

"괜찮으니까 이제 그만 들어가봐. 출근도 해야 하는데 가서 눈 좀 붙여야지. 형이 유미 좀 바래다줘."

"네."

우진이 침통한 표정으로 고개를 끄덕였다. 조금 늦게 카페에 도착한 우진은 망연자실하게 서 있던 유미에게 어떻게 된 일인지 설명을 듣고 그녀와 함께 병원으로 향했다. 유미가 무슨 일이 있어도 병원에 함께 가야 한다고 졸랐기 때문이다.

자신 때문에 차 회장이 쓰러진 것 같아서 유미는 결코 모른 척할 수 없었다. 아무리 차 회장이 거친 말로 상처를 주었다고는 하지만, 그는 여전히 진욱의 아버지였다. 멀쩡했던 그녀의 아버지가 급작스러운 사고로 돌아가신 경험이 있었기에 더더욱 가만히 있을 수 없었다.

진욱은 넋이 나간 얼굴로 벽에 몸을 기대며 겨우 몸을 지탱하고 있었다. 말하지 않아도 지금 그가 어떤 심정일지는 너무나도 잘 안다.

유미는 진욱에게 다가가 조심스럽게 물었다.

"본부장님은요?"

'진욱 씨'에서 다시 '본부장님'으로 호칭이 돌아가 있었다. 그건 청혼이 무효가 되었다는 뜻일 것이다. 진욱은 애써 진실을 외면하며 살며시 입꼬리를 끌어올렸다.

"난 괜찮으니까……. 내 걱정은 하지 말고."

할 말도 많고 따질 말도 많았지만, 우선은 차 회장이 의식을 회복할 때까지 기다려야 한다. 유미는 진욱이 끌고 가는 무거운 짐을 조금이라도 덜어주고 싶었다. 아무리 동구를 아들로 오해해서 그런 행동을 했다고 하더라도 원망은 나중에 해도 늦지 않을 것이다.

"이따가 다시 올게요. 뭐 필요한 거 없어요?"

화를 내도 모자랄 판에 자신을 걱정해주는 유미의 태도에 진욱은 울컥 눈물이 올라왔다. 그는 떨리는 입술을 꽉 깨물며 가만히 고개를 내저었다. 유미는 진욱을 꽉 껴안고 손바닥으로 그의 등을 부드럽게 토닥거렸다. 그녀의 품에 안겼다가 애써 참은 울음이 터질까 봐, 진욱은 애써 무표정한 얼굴로 복도 끝을 노려보았다.

"저는 혼자 가도 되니까, 장 비서님은 여기 그냥 있어주세요."

"네. 알겠습니다."

솔직히 우진은 지금 세 사람 중에서 진욱이 가장 걱정되었다. 누구보다 가장 후회가 클 테니까.

유미는 마지막으로 진욱의 손을 한 번 꽉 잡아준 후, 유리문을 열고 VIP 병실 복도를 걸어나갔다.

"후우."

일반 병실 복도에 다다른 유미는 지금까지 참았던 한숨을 길게 내뱉었다. 우선은 집으로 돌아가서 흥분한 미희를 달래야 했다.

사정을 들은 현태가 미희를 돌보고 있긴 했지만, 그녀가 직접 미희에게 자초지종을 설명해야만 했다. 그러려면 3년 전, 그 일까지 다 말해야 하는데…….

남들보다 남녀 문제에 관해서 이해심이 넓은 미희라지만, 원나잇은 원나잇이다. 개방적인 미희조차도 원나잇만은 하지 않으니까. 윤리 문제가 아닌, 상대가 '어떤 놈인지 어찌 알고? 이상한 비디오 찍힐 일 있어?'라는 지극히 현실적인 이유에서이긴 하지만.

미희에게 어떻게 털어놓을지 생각만 해도 마음이 무거웠다. 힘없이 발걸음을 옮기는데 복도 끝에서 비틀거리던 한 여인이 벽에 기대는 모습이 눈에 들어왔다. 창백한 얼굴의 여인은 한 손으로 입을 틀어막더니 그대로 제자리에 주저앉았다. 여인이 걱정된 유미가 빠른 걸음으로 다가갔다.

"저기, 괜찮으세요?"

"아……."

애령은 눈물로 뿌옇게 흐려진 눈으로 자신을 부축하는 유미를 멍하니 바라보았다.

"……괜찮아요. 그냥…… 조금 어지러워서."

"그러지 말고 저에게 기대세요."

유미는 애령의 팔을 잡으며 벽에 놓인 의자를 가리켰다.

"저기 의자에 가서 좀 앉으실래요?"

"……네."

유미의 부축을 받아 후들거리는 다리로 겨우 걸음을 옮긴 애령은 의자에 다다르자 무너지듯 자리에 주저앉았다. 단순히 어지러운 것만 같지는 않았다. 뭐랄까, 유미의 눈에는 큰 충격에 어찌할 바를 모르는 것처럼 보였다.

"여기 잠시만 계세요."

유미는 복도 끝에 놓인 자동판매기로 달려가 차가운 생수병을 뽑아 왔다.

"……고마워요, 아가씨."

애령은 두 손으로 생수병을 받아 조심스럽게 한 모금 들이켰다. 그런 그녀의 손끝이 미세하게 떨리고 있었다.

"후우."

얼마쯤 지났을까.

평소의 안색으로 돌아온 애령은 손등으로 이마를 짚으며 작게 한숨을 내쉬었다. 그녀는 갑자기 걸려온 김 박사의 전화에 헐레벌떡 병원으로 달려온 길이었다. 마침 애령은 서울에 있는 친구 집에 며칠 머무르는 중이었다. 오늘 밤 강원도로 내려갈 예정이었는데 차 회장이 쓰러졌다는 소식에 모든 걸 물리치고 한걸음에 달려온 것이다.

이미 오래전에 헤어진 남편이었지만, 아직도 그를 사랑하는 마음에는 변함이 없었다. 왜 그가 아직까지 재혼하지 않고 혼자 지내는지 가끔 속이 탈 때도 있었다. 옆에 아내가 있다면 그녀 자신이 안타까워하면서 달려오지 않아도 되건만…….

3년 전에도 쓰러져서 사람 속을 시커멓게 태우더니 또 이런다.

아무 생각 없이 달려오긴 했는데 막상 차 회장을 만나려니 쉽게 용기가 나지 않았다. 멀리서나마 보려고 했는데 그것마저 여의치 않았다. 예전에 없었던 유리문이 일반 병실과 VIP 병실을 가로막았기 때문이다.

결국 차 회장을 보는 것을 포기하고 발걸음을 돌리려는데 긴장이 풀려서인지 눈앞이 캄캄해졌다. 유미가 아니었더라면 그녀는 그대로 혼절했을지도 모른다.

"정말 고마워요."

애령은 누군지도 모르는 자신을 세심하게 보살펴주는 유미에게 감사의 미소를 보냈다.

"진찰 받으러 오셨어요? 어디로 가는지 알려주시면 제가 바래다드릴게요."

"아뇨, 내가 아파서 온 게 아니라, 누구 문병 좀 왔다가."

문병 왔다는 사람이 백지장처럼 창백한 얼굴이라니…….

유미는 걱정스러운 눈길로 애령의 안색을 살폈다.

"어느 병실이에요? 그럼 제가 그곳까지 모셔다드릴게요."

"아, 아뇨. 문병 마치고 돌아가는 길이었어요."

이상했다. 자신의 코가 석 자이면서도 유미는 애처로워 보이는 여인을 그냥 두고 갈 수 없었다. 자꾸만 눈에 밟혀서 발걸음이 떨어지질 않았다. 애령의 가냘픈 어깨를 말없이 바라보던 유미는 이윽고 조심스럽게 입을 열었다.

"저…… 그런데 식사는 하셨어요?"

"네?"

"빈속이라서 더 어지러울 수도 있거든요. 늦긴 했지만, 점심은 드셨어요?"

지금 생각해보니 급한 볼일을 보느라 아침도 먹지 못했다. 그 후에는 병원으로 달려오느라 점심도 걸렀다. 애령이 가만히 고개를 내젓자, 유미는 그럴 줄 알았다는 얼굴로 의자에서 몸을 일으켰다.

"그러면 저랑 같이 먹어요. 저도 점심 못 먹었거든요."

딱히 갈 만한 곳이 마땅치 않아, 유미는 애령과 함께 병원 구내식당으로 향했다. 얼핏 보아도 애령은 엄마인 미희와 비슷한 나이 또래로 보였다. 아직 30대가 채 안 된 자신도 두 끼를 굶으면 아찔하고 어지러운데, 50대인 그녀가 괜찮을 리가 없었다. 유미는 애령에게 자리에 앉아 있으라고 한 후, 전복죽 두 개를 사 왔다. 애령이 돈을 주겠다고 했지만, 유미는 극구 사양했다.

"제가 이래 봬도 영양사거든요. 끼니가 필요한 분을 보고 그냥 두고 지나칠 수가 없어요. 제가 영양사가 된 이유도 그래서였고……. 제가 초등학교 때, 쓰러진 적이 있거든요……."

유미는 어색한 분위기를 깨기 위해 영양사가 된 동기를 설명했다. 처음에는 불편한 얼굴로 죽을 뜨는 둥 마는 둥 하던 애령이 어느새 긴장이 풀렸는지 살며시 미소를 떠올렸다. 그리고 천천히 죽을 숟가락으로 떠서 입으로 가져갔다.

"어떻게 감사의 표현을 해야 할지 모르겠네요. 난 아가씨 이름도 모르는데……."

"저는 '이유미'라고 합니다."

"내 이름은 '김애령'이에요. 명함이라고 하기엔 뭐하지만, 이게 내 연락처예요. 이거라도 받아둬요."

식사를 마치고 병원 로비를 나서며 애령은 지갑을 열어 조그마한 종이 전단지를 꺼냈다.

"서울엔 잠깐 친구 집에 와 있는 거고, 원래는 강원도에 살아요. 간판도 없는 아주 작은 식당에서 전복죽을 만들어요. 시골까지 내려올 일은 없겠지만, 만약에라도 올 일 있으면 연락 줘요. 꼭 신세 갚을게요."

이럴 땐 사양하는 것보단 고맙게 받아주는 것이 상대방에 대한 예의였다. 유미는 환하게 웃으며 애령이 내미는 종이를 받아 들었다.

"네. 조심해서 들어가세요."

유미는 애령이 택시에 올라타고 떠나는 것을 확인한 후에야 버스 정류장으로 걸음을 옮겼다. 멍하니 버스를 기다리다 방금 애령이 건네준 전단지를 힐끔 내려다보았다. '전복죽 전문'이라는 글 아래, 주소와 전화번호가 인쇄되어 있었다.

강원도라…….

"후."

'강원도'라는 단어 하나에 대복 리조트가 떠오르고 연이어 진욱과의 첫 만남이 머릿속을 가득 채웠다. 이쯤 되면 증상이 심각하다. 유미는 자꾸만 떠오르는 진욱의 잔상을 떨치려 세차게 고개를 내저었다.

버스 정류장 벤치에 앉아 구름으로 흐려진 회색 하늘을 물끄러미 바라보았다. 도움이 필요한 사람에게 먼저 다가간 적은 있지만, 낯선 사람과 밥을 먹은 건 처음이었다.

집에 돌아가는 시간을 조금이라도 늦추고 싶어서일까? 엄마에게 모든 걸 털어놓는 걸 늦추고 싶어서? 아니면 그분의 슬픈 눈빛 때문이었을까?

모르겠다.

유미는 지친 눈을 감으며 무거운 한숨을 내쉬었다.

—네 어머니에게 연락했다.

의식 없이 누워 있는 차 회장을 내려다보던 진욱은 아까 김 박사가 해준 말을 떠올렸다.

—3년 전, 차 회장이 쓰러졌을 때, 연락하지 않았다고 무척 원망했거든. 그래서 이번엔 바로 연락했다.

—먼 곳에 계신데 뭐하러 연락하셨어요.
—네 어머니, 지금 서울에 올라와 계신다.

차 회장은 애령에 관한 이야기를 꺼낼 때마다 어두운 표정을 지으며 자리를 피하곤 했다. 계속되는 그의 행동에 진욱은 언제가부터 차 회장 앞에서는 일절 애령에 관한 이야기를 꺼내지 않게 되었다.

차 회장의 그런 반응은 애령을 미워해서가 아니라, 잊지 못해서라는 걸 철이 들면서부터 조금씩 깨닫기 시작했다. 그녀의 이야기를 하는 것조차 차 회장의 가슴에 큰 생채기가 나게 했으니까.

오늘 오후, 차 회장은 허탈한 눈으로 진욱을 바라보다 힘없이 그 자리에 무너져 내렸다.

아직도 애령이라는 존재가 그에게 얼마나 큰 비중을 차지하는지 보여주는 반응이었다.

"아버지……."

당신도 그러면서 왜 아들에게 무거운 짐을 지게 하시나요? 사랑하는 사람과 헤어지는 게 얼마나 큰 아픔이라는 걸, 삶을 황폐하게 한다는 걸 누구보다 더 잘 알면서……. 도대체 왜요?

상처받은 유미의 표정이 눈앞에 아른거린다.

—그래서 청혼한 거예요? 지금까지 나한테 한 거, 나한테 한 말……. 전부 다…… 동구 때문에 그랬던 거예요?

그녀는 울지 않으려고 애썼지만, 눈가에 맺힌 눈물까지 감출 수는 없었다.

—그런 줄도 모르고 난 청혼받았다고…… 바보처럼, 설레고 뭉클하고…… 좋았던 거예요……?

물론 지금까지 그녀에게 했던 모든 것 하나, 하나, 거짓은 없었다. 모두 진심이었다. 그녀가 미치도록 좋았고 항상 그리웠고 떨어져선 숨조차 제대로 쉴 수 없을 정도로 이유미란 여자에게 중독되어버렸다.

하지만 잘 알아보지도 않고 청혼부터 한 건 실수였다. 차 회장의 말에 현혹되어서 그녀의 말을 잘못 해석해선 안 되는 거였는데. 궁금한 점이 있으면 그냥 단도직입적으로 물어봤어야 했는데. 서로 오해해서 돌고 돌아왔으면서도 또다시 바보 같은 행동을 해버렸다. 공격적인 마케팅을 하듯 앞뒤 가리지 않고 몰아치기만 했다. 결국 그로 인해서 차 회장이 쓰러졌고 유미에게는 돌이킬 수 없는 상처를 주고 말았다.

"후우."

진욱은 주체할 수 없는 복잡한 감정에 긴 한숨을 내쉬었다.

"……아버지, 죄송해요."

하지만 아무리 상황이 절박하게 돌아간다고 해도 진욱은 자신의 결심을 바꿀 생각은 없었다. 진욱은 차 회장의 차가운 손을 조심스럽게 움켜쥐며 속삭이듯 말을 이었다.

"당신이 아무리 반대해도 난 유미를 절대로 놓지 않을 겁니다."

툭—.

벤치에 앉아 멍하니 야경을 바라보는 유미의 옆으로 검은 비닐봉지가 떨어졌다. 고개를 들자, 떨떠름한 얼굴의 미희가 눈에 들어왔다.
"왜 혼자 청승이야?"
미희는 유미의 옆에 앉으며 비닐봉지에서 소주 팩을 두 개 꺼내 그 중 하나를 유미에게 건넸다. 잠자코 소주 팩을 받은 유미는 비닐봉지 안에서 안줏거리로 사 온 소시지와 과자를 꺼내는 미희를 잠자코 지켜보았다.
"넌 젊은 애가 갈 곳이 여기밖에 없니?"
"치. ……엄만, 지금 온 거야? 똥구는 어쩌고?"
"걱정하지 마. 현태랑 같이 있어."
유미는 아무 말 없이 소주 팩에 빨대를 꽂아 한입 쭉 들이켰다.
"카아."
소주를 들이켠 유미가 인상을 찡그리자 미희는 껍질을 깐 소시지를 앞으로 내밀었다. 유미는 미희를 힐끗 쳐다본 후, 말없이 한입 크게 소시지를 베어 물었다. 오물오물 소시지를 씹는 유미를 바라보던 미희는 야경으로 시선을 돌리며 조용히 말을 꺼냈다.
"네가 해준 이야기 곰곰이 생각해봤는데……."
몇 시간 전, 유미는 병원에서 돌아오자마자 미희에게 모든 일을 털어놓았었다. 지금까지 진욱과 있었던 일을 하나도 빠짐없이 말했다. 흥분해서 소리 지를 줄 알았는데 미희는 생각보다 담담하게 그녀가 하는 말을 끝까지 들었다. 모든 말이 끝나자, 미희는 선약이 있으니까 나중에 다시 이야기하자며 급하게 카페를 나섰다.
오후 내내 동구를 돌보며 시간을 보낸 유미를 공원으로 떠다민 건 현태였다. 세상 다 산 사람 같은 얼굴을 하고 있는 그녀에게 신선한 공기 좀 마시라는 게 이유였다. 밖에 나오니 조금은 기분이 풀린다 싶었는데 얼마 지나지 않아 미희가 나타난 거였다.

"남녀 관계는……."

잠시 뜸을 들인 미희는 소주 팩에 빨대를 꽂으며 다시 말을 이어나갔다.

"당사자만 아는 거야. 그러니까 내가 옆에서 뭐라고 할 것도 없고, 내가 뭐라고 해도 신경 쓰지 마. 그냥 네가 알아서 해. 우선은 회장인지 뭔지 하는 그 사람이 깨어날 때까지 기다려야겠지만……. 하여간 네가 차 본 좋으면 그냥 밀어붙여."

"엄마."

모두 때려치우라고 난리 칠 줄 알았던 미희의 입에서 예상하지 못한 내용이 흘러나왔다. 미희는 피식 입꼬리를 비틀며 빨대로 소주를 들이켜더니 쓴맛에 살짝 미간을 찌푸렸다.

"동구를 사생아로 착각해서 난리 친 건, 진짜 웃기지도 않는데……. 성질 같아선 그냥 다 안 보고 싶어. 솔직히 그런 사람이 차 본 아버지라니까, 차 본도 이상하게 보이고. 하지만 네가 좋으면 내가 반대하든 말든 그게 무슨 상관이니. 안 그래?"

"그래서 지금 반대하겠다는 거야, 반대하지 않겠다는 거야?"

"어휴, 계집애. 절대로 술렁술렁 안 넘어가요. 제대로 된 대답을 꼭 들어야겠어?"

"응."

유미는 단호한 표정으로 고개를 끄덕거렸다. 그녀가 어떻게 나오든 상관하지 않을 거지만, 그래도 유미는 솔직한 미희의 의견을 알고 싶었다. 미희는 짜증 난다는 듯 유미를 힐끗 노려보곤 다시금 소주를 쪽 빨아들였다.

"캬아."

있는 대로 인상을 찌푸리더니 소시지를 베어 물었다. 심각한 얼굴로 소시지를 씹던 미희가 돌연히 유미에게로 홱 고개를 돌렸다.

"반대 안 해. 나까지 반대하면 네가 뭐가 돼! 그러니까 난 반대 안 할게."

"엄마……."

"하지만 그 회장인가 뭔가 하는 영감탱이가 에로 배우 딸이라고 업신여기면 그땐 내가 가만히 안 있을 거야. 지금 세상이 어느 때인데, 에로 배우 운운이야? 넌 그냥 배우의 딸이야. 에로 배우가 아니라. 알았어?"

방금 미희는 방송국에서 강 국장과 전 피디를 만나고 오는 길이었다. 이번에 새로 시작하는 주말 드라마에 꽤 비중 있는 조연으로 출연하기로 구두계약을 맺었다. 원래는 '노경애'에게 갈 배역이었다. 하지만 〈터질 거예요!〉를 보게 된 전 피디가 마음을 바꾼 것이다.

주말 드라마에 조연으로 출연하면 조금이나마 유미에게 도움이 될지도 모른다는 생각에 미희는 대본도 보지 않고 그 자리에서 승낙했다. 방송국 주말 드라마니까 노출도 심하진 않을 테고, 이 기회에 에로 배우 딱지도 좀 떼어내고 말이다.

하지만 아직까진 유미에게 비밀로 해야 한다. 사태가 좀 정리된 후, 나중에 털어놓아도 늦진 않을 거다.

"그래도 그 영감 나중에 의식 돌아오면 사과는 꼭 받아내. 감히 어디서 꽃뱀이래? 자기는 무슨 자해 공갈단같이 생겼으면서……. 흥!"

마지막 남은 소시지를 마저 입에 넣으며 미희가 말했다.

"……엄마."

철부지 엄마지만, 어려울 때만큼은 누구보다 든든하게 그녀의 편을 들어준다. 유미는 미희의 든든한 응원에 눈물이 쏟아질 것만 같았다.

"아, 괜찮아. 아직 사돈이 된 것도 아니고. 막말로 사귄다고 모두 다 결혼하니? 연애만 하다가 깨질 수도 있잖아."

"치이. 전에는 몇 달 후에 결혼하라고 하더니……."

"그거야 차 본 아비가 저런 영감탱이인 줄 모르고 그랬지. 얘, 남자는 그 아버지를 봐야 하는 거야. 그 영감, 배 나온 것 좀 봐라. 나중에 차 본 늙어서 그렇게 되면 어쩌려고? 솔직히 우리 영한 씨는 머리만 좀 희끗희끗한 것 빼곤 배도 안 나오고 완전 모델 몸매잖아. 지금도 벗으면 근육이 얼마나 탄탄한데……. 내가 우리 영한 씨, 첫날밤에 벗겨 보고 얼마나 놀랐……."

"엄마, 그만!"

들어줄 수 없을 만큼 수위가 높아지자, 유미는 빽 소리를 지르며 두 손으로 귀를 막아버렸다.

"나, 더 늦기 전에 병원 가볼게."

유미는 헐레벌떡 가방을 둘러메고 미희의 입에서 뭔 소리가 더 나오기 전에 서둘러 벤치에서 일어섰다. 버스 정류장으로 달려가는 유미의 귓가에 진욱이 해준 말이 계속해서 맴돌았다.

—말도 없이 사라진 너 때문에 제대로 먹지도 자지도 못했어.

—그래서 할 수 없이 미친 놈처럼 일만 하고 살았다고! 그렇지만, 한 순간도 너를 잊은 적 없어. 그러니까 말해줘! 넌 어땠는지. 그동안 무슨 일이 있었던 건지. 응?

—네가 말을 안 해주면…… 난 아무것도 모르잖아!

그래, 그러고 보면 한 번이라도 허심탄회하게 모든 걸 털어놓은 적이 있었던가?

중학교 시절, 따돌림을 당한 이후로 그녀는 자꾸만 껍질 안으로만 파고들었다. 가장 친한 소영과 현태에게도 속에 감춰진 아픔을 표현한 적이 없었다. 그러면서 무슨 사랑을 한다는 거야?

—난, 내 마음 정했으니까. 당신은 이제 혼자가 아니야. 이제부턴 나와 함께 가는 거야.

그 말이 모두 동구 때문에 나온 말이라고 해도, 그가 나를 진심으로 사랑하지 않는다고 해도, 나는 그를 사랑하니까…….

사랑한다고……?

가슴이 저미는 고통에 유미는 우뚝 제자리에 멈춰 서며 손바닥으로 가슴을 꾹 내리눌렀다.

어느새 흘러내린 눈물이 그녀의 뺨을 흥건히 적셨다.

이 모든 건 그 사람 잘못이 아니야. 모두 솔직하지 못한 내 탓이야. 두렵다고 숨기기만 했잖아.

이제라도 늦지 않았어. 모든 걸 털어놓아야 해!

유미는 다시 버스 정류장을 향해 빠르게 달려가기 시작했다.

"어머, 주 아나! 얼굴이 왜 그래? 무슨 일 있었어?"

퉁퉁 부은 얼굴로 방송 준비 중인 혜리에게 함께 밤 뉴스를 진행하는 선배인 손 앵커가 걱정스럽게 물었다. 메이크업으로 대충 감추긴 했지만, 평소보다 부어오른 눈꺼풀이 그의 눈에도 이상해 보였나 보다.

"아니에요. 기운이 좀 없어서……."

어젯밤 혜리는 뜬눈으로 밤을 새웠다. 진욱에게 실연당한 것도 모자라, 차 회장이 쓰러졌다는 소식을 접하고 그녀는 망연자실할 수밖에 없었다. 두 눈 뜨고 진욱을 빼앗기는 것 같아, 최후의 수단으로 걸었던 전화 한 통이 일을 이 지경까지 악화시킬 줄은 몰랐다.

어째서 모든 일이 자신의 잘못인 것 같을까? 그냥 진욱을 좋아했을 뿐인데…….

딴에는 공정하게 한다고 차 회장에게는 유미가 에로 배우의 딸이고, 남자와 동거하는 것 같고, 사생아가 있다는 말은 전혀 하지 않았는데……. 진욱에게 들은 결혼할 거라는 말만 전했을 뿐이라고!

그런데 알아서 처리한다고 유미의 집에 쳐들어갔던 차 회장이 쓰러지고 만 것이다.

혜리는 평소와 다르게 축 가라앉은 모습으로 터덜터덜 뉴스룸으로 들어갔다. 의자에 앉아 넋이 빠진 얼굴로 멍하니 프롬프터(Prompter)를 바라보자, 손 앵커가 종이에 뭔가를 흘겨 쓰더니 쓰윽 혜리 쪽으로 내밀었다.

주 아나, 괜찮겠어?
힘들면 지금이라도 말해. 내가 혼자 진행할게.

혜리는 힘겹게 웃어 보이며 살며시 고개를 내저었다. 이런 일로 뉴스를 펑크 낼 수는 없으니까.

"스탠바이. 셋, 둘, 하나, 큐."

카메라에 뉴스 진행을 알리는 빨간 불이 들어왔다.

빠끔히 문을 열고 분위기를 살핀 후, 유미는 천천히 안으로 들어섰다. 병실 안은 부드러운 간접 조명만 남긴 채, 모든 전등이 꺼진 상태였다. 침대 위에는 차 회장이 누워 있고 옆에 놓인 소파에는 진욱이 두 눈을 감고 앉아 있었다. 그녀가 병실에 들어왔는데도 눈을 뜨지 않는 걸로 봐선 깜빡 잠이 든 것 같았다.

유미는 살금살금 소리 나지 않게 조심하며 소파로 다가갔다. 그러나 살며시 소파에 앉는 순간, 잠든 줄 알았던 진욱이 팔을 뻗어 그녀를 옆으로 바짝 끌어당겼다.

"헉."

깜짝 놀란 유미가 짧게 숨을 들이마셨다.

"유미야."

그녀의 이마에 입을 맞추며 진욱이 나직이 속삭였다.

"미안하다."

목소리의 끝이 살짝 떨린 것 같은데 기분 탓일까?

"……저 때문에 깼어요?"

"잠깐 눈 좀 붙이고 있었어."

진욱이 느릿하게 눈을 뜨며 그녀를 향해 고개를 돌렸다. 빨갛게 충혈된 진욱의 눈동자가 시야에 들어왔다. 피곤해서인지 울어서인지는 구분이 어려웠다. 안쓰러운 마음에 진욱을 마주 볼 수가 없어 유미는 가만히 시선을 내리깔았다.

"깨우지 않으려고 조심했는데……."

"후우, 네가 왔는데 어떻게 몰라. 네가 들어오는 순간 달콤한 향기가 확 풍기더라."

진욱은 짧게 한숨을 내쉬고 그녀의 머리카락에 얼굴을 묻었다.

"바닐라랑 코코넛 향도 좋았지만 지금의 이 장미 향도 좋아. ……아니, 너에게서 나는 향기면 무조건 그냥 다 좋아."

어쩌면 오지 않을 수도 있다고 생각했다. 그런 모욕을 당했는데 아무렇지 않을 수 없을 테니까. 혹시라도 그녀가 헤어지자고 하면 어떡하지? 시간이 흐르면 흐를수록 입 안이 바짝바짝 말랐다.

그러다 깜빡 잠이 든 모양이다. 팔다리가 무거워지며 어두운 장막이 주위로 내려앉더니 어느 순간 텅 비어버렸다.

얼마나 지났을까. 달콤한 장미 향이 언뜻 코끝에 스며들었다. 그녀였다! 머리보다 몸이 먼저 반응했다. 유미의 향기를 깨달은 심장이 미친 듯이 뛰기 시작했다.

"미안해."

진욱은 끌어안았던 팔을 풀며 유미를 향해 상체를 틀었다. 그녀가 무슨 말을 꺼내기 전에 용서를 빌어야 했다. 말 한마디로 그녀의 상처가 아물지는 않겠지만, 그래도 더 늦기 전에 사과해야만 했다.

"오해해서 미안하고, 상처 줘서 미안하고, 아버지 일도 미안해. 자꾸만 미안해할 일만 만들어서 미안하고. 난……."

너무 마음이 급한 탓에 입에서 나오는 말은 엉망진창이었다. 하지만 그가 말하고 싶은 내용은 하나였다.

그냥 다 미안해, 유미야. 제발 떠나지 말아줘!

"아니에요."

다급한 그의 속마음을 알아차린 걸까? 유미는 희미하게 미소 지으며 살며시 고개를 내저었다.

"유미야."

"……나도 미안해요."

두 손으로 진욱의 손을 꼭 움켜쥐며 그녀가 말을 이었다.

"나, 지금까지 솔직하지 못하고 제대로 설명하는 대신 숨기려고만 하고……. 내 탓도 있어요. 내가 말하지 않는데 상대방이 어떻게 아냐고요. 그래놓고선 나 혼자 상처받고, 원망하고……."

"그렇지 않아. 아버지랑 내가 괜히 넘겨짚고 일을 크게 벌인 거야. 이번 일은 다 나와 아버지 잘못이야. 넌 분명히 동구가 어머니가 데리고 온 아이라고 했는데……."

동구를 사랑한다고 하면서 한편으론 엄마의 재혼과 이혼이 창피하다고 생각했다. 좋은 누나라고 하면서도 진욱에게는 선뜻 이부동생이라고 말하지 못했다. 유미는 자신의 행동이 엄마 미희에게도, 동구에게도 상처를 줬다는 사실을 깨달았다. 미희는 자랑스럽게 동구가 자기 아들이라고 말하고 다녔는데 그녀는 그러지 못했다.

"저도 잘못한 거 맞아요. 이부동생이라고 당당하게 말했어야 했어요. 말을 돌리지만 않았어도."

"아니, 네가 이부동생이라고 했어도 우리 아버지 성격상 그걸 그대로 믿지 않으셨을 거야. 나도…… 의심을 했을 거고. 하지만 그건 중요한 게 아니야."

그래, 그건 중요하지 않을지도 모른다. 지금 우리 사이에서 중요한 건, 바로…….

"한 가지만 물어볼게요."

유미는 길게 숨을 들이마시고는 천천히 말을 이었다.

"동구가 아니었더라도 저에게 청혼했을 거예요?"

진욱이 곧바로 대답하지 못하고 미간을 찌푸리자, 유미는 잡고 있는 진욱의 손을 더욱더 꽉 움켜잡았다.

"나, 상처 안 받을 테니까 진심을 말해줘요."

그의 입에서 어떤 대답이 나와도 상관없었다. 지금 두 사람에게 필요한 건 진실되게 속마음을 털어놓는 거니까.

"데이트 몇 번 만에 결혼하자고 하는 거, 솔직히 말이 안 되잖아요. 그걸 받아들인 나도 이상하긴 하지만."

"솔직히 말하자면…… 이렇게 서둘러서 청혼하진 않았을 거야."

잠시 침묵을 지키던 진욱이 조심스럽게 입을 열었다.

"하지만 너와 떨어져서 살 수 없다는 건 사실이야. 네 생각으로 하루 24시간이 꽉 차 있어. 지금 이 순간에도, 아버지를 저렇게 만들어놓고도 네 생각만 하고 있었다고. 내가, 나란 놈은……."

말하지 않아도 그의 머릿속이 얼마나 복잡할지 잘 안다. 아무리 지금은 사랑에 빠져서 눈에 보이는 게 없다고 할지라도 아버지는 아버지니까. 유미는 자신 때문에 차 회장과 진욱의 부자 사이가 멀어지는 걸 원하지 않았다.

하지만 어떻게 차 회장을 설득하지? 나는 에로 배우의 딸인걸. 아무리 고개를 빳빳하게 들고 서 있으려고 해도 자꾸만 어깨가 움츠러드는 걸.

"길지만 제 이야기 좀 들어줄래요?"

아무에게도 털어놓지 못한 말. 언제나 가슴속에 응어리처럼 뭉쳐 있던 과거를 이제는 그에게 모두 털어놓아야 한다.

"듣기 불편한 이야기에요. 하지만 꼭 하고 싶어요. 지금까지 누구에게도 하지 못한 말인데. 엄마도, 제일 친한 친구도, 현태에게도 털어놓지 못했어요……. 하지만 이젠 해야 할 것 같아요."

진욱은 아무 말 없이 그녀를 바라만 보았다. 그것이 바로 승낙의 의미라는 걸 깨달은 유미는 천천히 입을 열었다.

"……중학교 2학년, 여름방학이 끝나고 난 후였어요."

아주 오래전의 일인데도 그날의 아침은 총천연색 빛으로, 마치 어제 일처럼 생생하게 떠올랐다. 과거를 떠올리는 것만으로도 등에 식은땀이 흐르며 입술이 바르르 떨리기 시작했다.

"등교했는데 저를 바라보는 아이들의 시선이 예전과 다르더라고요. 얼마 후, 이유를 알게 되었죠. 그건……."

도저히 말 못 할 거라고 생각했는데, 한 번 입에서 나온 말은 꼬리에 꼬리를 물고 이어졌다. 될수록 담담하게 이야기하려 했지만, 단짝 친구 희영의 이야기에 다다라선 그녀도 모르게 눈가에 눈물이 고였다.

—재수 없어. 누가 에로 배우 딸 아니랄까 봐!

그 한마디가 무거운 족쇄가 되어 지금까지도 그녀를 괴롭혔다.

"……그 이후부터 나는 주위의 눈치를 보면서 매사에 움츠리게 됐어요. 후우."

유미가 모든 말을 끝내고 짧게 한숨을 내쉬자, 진욱은 가만히 팔을 뻗어 그녀를 품에 끌어당겼다.

"그건 네 잘못이 아니잖아."

"……그땐 모든 게 다 내 잘못 같았어요. ……지금도 가끔 내 잘못 같다는 생각이 들고."

"유미야."

"당해보지 못한 사람은 절대로 이해 못 해요. 그냥 왜 속 시원하게 말하지 못하느냐고, 왜 숨기기만 하느냐고 오히려 저보고 답답하다고 욕하더라고요."

한없이 상냥할 수도 있고 끝없이 잔인할 수도 있는 게 사람이다. 상대가 어떤 고통을 당했는지 직접 겪어보지 않은 사람이 내보이는 반응은 크게 두 가지로 나뉜다.

그 고통이 실제로 어떤지 알 수는 없지만, 느껴보려고 노력하면서 상대의 아픔에 귀를 기울여주고, 상대가 고통의 후유증으로 주위에 벽을 쌓아도 이해해주려고 애쓰거나.

어떤 고통인지 알지도 못하면서 답답하다고, 저러니 그런 일을 당했지, 우선 돌부터 던지며 욕하거나.

불행하게도 돌부터 던지는 사람이 이해해주려는 사람보다 눈에 더 잘 띄기 마련이다.

"나에게 털어놓아줘서 고마워."

모든 것을 말하기 위해서 그녀에게 얼마나 큰 용기가 필요했을지 알기에 진욱은 그녀의 등을 토닥거렸다. 그녀 혼자 견디었을 고통을 떠올리자, 진욱은 왈칵 목이 멨다.

"……앞으론 다 말해. 하나도 빠짐없이 다 나에게 말해줘."

"쉽진 않을 거예요."

"알아."

"하지만 노력할게요."

"고맙다."

진욱은 유미의 이마와 머리에 입을 맞추고 나직하게 중얼거렸다.

"그리고 미안해."

그때 병실 침대 위에 누운 차 회장의 눈꺼풀이 파르르 떨리기 시작했다.

하지만 끌어안은 채 서로를 다독이던 두 사람은 그 사실을 알아차리지 못했다.

차 회장의 감긴 눈에서 눈물 한 방울이 조용히 흘러내렸다.

"그럼, 세계 주요 뉴스를 말씀드리겠습니다. 우선 미국 소식입니다."

'프롬프터'에 뜬 뉴스 내용을 따라 혜리의 입이 자동으로 움직였다.

"오늘 정오, 뉴욕 타임 스퀘어에서 차가 인도로 돌진해 최소 10명 이상의 사상자를 냈다고 합니다."

시선은 프롬프터를 향하는데 머릿속은 왜 진욱의 모습으로 꽉 차버렸는지 모르겠다. 내리치는 핸드백을 잠자코 맞아주다 순간 손을 탁 잡아버리던 진욱.

—……그 하룻밤에. 내 인생이 송두리째 바뀌었으니까. 나한테는 그만큼 대단한 여자야.

—우리 곧 결혼할 거야. 나, 이미 유미 씨에게 청혼했어. 그러니까 이제 이런 짓 그만둬.

뭐가 그렇게 대단한 거야. 뭐가 그리도 대단해! 결혼을 결심할 정도로 그 여자가…….

"사고를 낸 용의자는 현장에서 체포되었고 지금 이 시각까지 테러인지 단순 사고인지는 확실히 밝혀지지 않고 있습니다."

어느새 빨개진 혜리의 눈에서 눈물이 글썽거렸다.

"사고가 난 현장은 평소에도 관광객으로 붐비는 곳으로 차량이 돌진하자마자 아수라장으로 변하며……."

뉴스를 전하는 혜리의 목소리가 가늘게 떨리며 두 눈에서 눈물이 뚝뚝 떨어지기 시작했다.

주혜리, 뉴스 생방송 중 눈물 펑펑.
눈물을 흘릴 수밖에 없었던 사연은?

뉴스가 끝나고, 인터넷에는 혜리의 뉴스 방송 사고에 관한 기사가 끊임없이 오르기 시작했다.

빨간 눈으로 눈물을 글썽거리는 혜리의 클로즈업 사진 위로 '뉴스 방송 사고'란 제목이 자리 잡았다.

주혜리, 방송 사고.
저녁 뉴스, 오열. 무슨 일?

대부분의 기사는 마음 약한 혜리가 사고 소식에 그만 눈물이 터졌다는 호의적인 내용이었다. 그만큼 뉴스에 등장한 영상과 사진은 보는 이로 하여금 탄성이 흘러나오게 할 정도로 안타까웠다. 처음에 달린 댓글은 그리 나쁘지 않았다.

'역시 대한민국 1등 며느릿감인 혜리의 여린 마음씨', '정말 슬픈 소식이었어요.', '언제나 냉정하게 뉴스를 진행할 수는 없는 거잖아요.' 등등 선플이 뒤따랐다.

하지만 적이란 세상 어디에나 존재한다. 가장 무서운 적은 모습을 드러내지 않고 있다가 상대가 흔들릴 때, 단 한 번 크게 내리친다. 혜리의 독주에 배가 아픈 선배 아나운서들은 그녀의 방송 사고에 너나 할 것 없이 입을 맞추었다.

첫 악플의 시작은 녹화가 끝나고 분장실에서 화장을 지우던 선배 아나운서가 우연히 혜리의 기사를 휴대폰으로 발견한 직후였다.

"훙, 여린 마음씨? 그 불여우가?"

그녀는 입꼬리를 비틀며 혜리 기사에 휴대폰으로 익명의 댓글을 달았다.

ㄴ결혼하면 일 관둔다더니 차 본한테 차였나 보네.

모두는 아니겠지만, 어떤 사람들은 선플 보다는 악플에 열광한다. 타협보다는 결렬에 환호하고 웃음보다는 눈물을 사랑한다. 선배 아나운서가 뿌린 기름에 또 다른 선배 아나운서가 불을 붙였다.

ㄴ주혜리 나대더니 그럴 줄 알았다 ㅋㅋㅋ
ㄴD 그룹 C 군, 얼굴 반반해서 여자 연예인 킬러로 유명했었지.
C 군한테 차인 여자 연예인, 아나운서, 모델 한두 명이 아닐걸?

그러자 때는 이때다 싶게 인터넷을 뒤덮은 혜리의 방송 사고 기사 밑에 하나둘씩, 진실 여부를 확인할 수 없는 댓글이 달리기 시작했다.

ㄴ예전에 나애리랑 달밤의 원나잇도 했잖아.
ㄴ사실 외모로는 주혜리가 나애리에게 한참 딸리지.

기사에 달린 댓글을 읽은 사람들은 저마다 문자로 소식을 퍼 나르기 시작했다. '대한민국 1등 며느릿감' 주혜리가 남자에게 차여서 뉴스 생방송 도중 눈물을 흘리다니! 오랜만에 눈이 번쩍 뜨일 만한 스캔들이니까.

ㄴ주혜리가 차진욱한테 까인 거야? 우왕, 대박!
ㄴ차진욱 사내 연애 중이라는 소문 있던데, 그럼 주혜리 만나면서 양다리?
ㄴ지대로 양다리네?

인터넷 기사와 거기에 달린 댓글, 그리고 문자로 퍼진 헛소문은 밤사이, 전국으로 퍼져나갔다.

Episode 30

지금 볼 수 있어요? 보고 싶어요

"병실에서 눈 좀 붙이셨습니까?"

어두운 얼굴로 병실 창밖을 내다보는 진욱에게 우진이 넌지시 물었다. 진욱은 대답 대신 가볍게 고개를 끄덕이며 한 손으로 눈두덩을 꾹 눌렀다.

차 회장은 어제와 마찬가지로 미동 없이 침대에 누워 있었다.

"난 오늘 출근 안 할 거니까, 알아서 처리해. 회장님 쓰러지신 거 철저히 비밀로 하고."

"네. 집에 가서 갈아입을 옷 좀 가져올까요?"

"그래."

"……크윽."

그때였다. 꾹 닫혀 있던 차 회장의 입이 살며시 벌어지며 마른기침이 흘러나왔다.

"아버지?"

"회장님!"

진욱과 우진이 재빨리 침대 옆으로 달려가자, 천천히 눈을 뜬 차 회장의 입에서 쉰 목소리가 흘러나왔다.

"못난…… 놈."

"아버지, 괜찮으세요?"

"저는 김 박사님 모셔 오겠습니다."

우진이 부리나케 병실을 달려나가고 진욱은 차 회장의 안색을 살폈다. 아직도 파랗게 질린 입술은 여전했지만, 그래도 조금 혈색이 돌아온 듯싶었다.

"뭐 대단한 일이라고…… 회사를 쉬어? 난 괜찮으니까 어서 가봐."

"아버지."

차 회장은 진욱이 꼴 보기도 싫다는 듯 인상을 찌푸리며 힘겹게 손을 내저었다.

"말, 길게 하기 싫다. 그 앤 절대로 안 돼. ……에로 배우의 딸을 며느리로 들일 순 없다. 사람들 앞에서 옷이나 훌떡훌떡 벗는 여자 딸을…… 어떻게……."

유미를 반대할 줄은 알았지만, 의식을 회복하자마자 한다는 소리라니, 아버지도 참!

진욱은 지금까지 차 회장을 걱정했다는 걸 까맣게 잊어버리고 곧바로 대꾸했다.

"그럼 저는요?"

"뭐?"

"적당한 모델을 구할 수 없어서 제가 속옷만 입고 광고 찍었잖아요. 사진도 찍고, 동영상도 찍고. 광화문 사거리 전광판에 제 반나체 광고 사진 일 년 내내 걸린 적도 있어요."

"야, 인마. 지금 이게 그거랑 같아?"

"네, 같습니다."

"……이, 이 녀석."

그때 문이 열리고 김 박사와 의료진, 우진이 병실로 들어섰다.

"차 회장이 깨어났다고?"

"깨어나셨다 뿐입니까? 벌써 호통도 치십니다. 걱정 안 해도 될 것 같습니다."

진욱은 무표정으로 차 회장과 김 박사를 번갈아 쳐다보곤 그대로 병실을 나섰다. 우진이 황당한 얼굴로 눈치를 살피더니 곧바로 진욱을 따랐다.

"회장님, 정말 괜찮으신 겁니까?"

"그 양반, 내가 유미랑 결혼해버릴까 봐 그거 무서워서라도 절대로 안 쓰러지셔."

"네?"

"그것보다 오늘 '아임 유어 파더' 출시 첫날이잖아. 반응 어때?"

와, 이놈의 워커홀릭! 회장님이 의식을 회복하자마자 바로 업무를 입에 올라다니……. 나중에 저런 아들 둘까 무섭다!

우진은 속으로 투덜거리며 휴대폰을 꺼내 인터넷에 접속했다. 몇몇 기사를 훑어보던 우진의 얼굴이 점점 굳어지더니 방금 들어온 문자 메시지를 확인하곤 두 눈이 튀어나올 것처럼 커다래졌다.

"본부장님…… 분위기가 심상치 않은 것 같은데요."

"왜? 뭐 문제라도 있어? 출시 첫날부터 반품될 리는 없잖아."

"그게 아니라……."

우진은 난처한 표정으로 마른침을 꿀꺽 삼키며 진욱에게 휴대폰을 건넸다.

"이거…… 한번 읽어보시죠."

"……아니, 뭐야?"

휴대폰을 들여다보던 진욱의 얼굴이 순식간에 파랗게 질려버렸다.

띠링—.

문자 알림 소리에 감자 껍질을 열심히 벗기던 은비는 가운 주머니에 넣어둔 휴대폰을 꺼내보았다. 오늘 모임 장소가 바뀌기라도 했나?

은비야, 대박, 대박!

얘가 연락도 없다가 왜 갑자기?

뭐?

D 그룹 C 본부장 네가 좋아하는 차 본 맞지?

?

방금 받은 찌라시야.

그 뒤를 이어서 증권가에 도는 장문의 '찌라시'가 화면에 떠올랐다.

> 뉴스 생방송 도중 눈물을 터뜨린 아나운서 J 양. 사고 소식에 마음이 아파서 운 줄 알았는데 진짜 이유는 따로 있었답니다. 바로 전날 실연당했다네요. 그녀를 울린 남자는 D 그룹 C 본부장! 몇 년 전에 배우 N 양과 '달밤의 원나잇' 스캔들로도 유명한 인물인데요. 양가 상견례까지 마치고 결혼 날짜 얘기가 오가던 중 C 본부장의 혼외자를 키우고 있다는 여자가 나타났다고 합니다. 더욱 놀라운 사실은 그 여자가 D 그룹에 다니는 평범한 회사 여직원이라는 것! 지금 그 여자가 과연 누구인지 네티즌 수사대가 추적에 들어갔다고 합니다.

"헐! 이게 뭐야?"

은비는 방금 자신이 읽은 내용을 도저히 믿을 수가 없었다. 충격과 배신감으로 휴대폰을 들고 있는 두 손이 덜덜 떨리기 시작했다. 능숙하게 감자 껍질을 벗기던 복자가 넋이 나간 표정으로 휴대폰을 들여다보는 은비에게 고개를 돌렸다.

"뭔데?"

"친구가 방금 찌라시를 보내줬는데, 우리 본부장님한테……. 하아, 말도 안 돼."

"말이 안 되긴 뭘?"

"우리 본부장님한테 글쎄, 애가 있대요."

그 말에 복자는 감자 칼을 내려놓으며 인상을 찌푸렸다.

"아니, 열애설 건너뛰고 무슨 애부터 나와?"

"그러게요. 아니, 그것보다. 상대 여자가, 우리 회사 여직원이래요!"

"뭐야?"

평소 잘 놀라지 않는 복자마저 기가 막힌 듯 입을 쩍 벌렸다.

"커피 왔습니다!"

그때 문이 열리며 유미와 제니, 신화가 테이크아웃 커피를 사 들고 조리실로 들어왔다.

"복자 누나는 아메리카노, 은비는 두유 넣은 카페 라떼, 맞지?"

신화가 싱글벙글 웃으며 복자와 은비 앞에 커피를 내려놓았다. 하지만 은비는 커피를 거들떠보지도 않고 당장에라도 울음이 터질 것 같은 얼굴로 유미에게 달려갔다.

"유미 쌤! 망했어요. 흐잉!"

"응? 뭐가 망해?"

"이것 좀 읽어보세요."

유미는 은비가 내미는 휴대폰 화면을 아무 생각 없이 들여다보았다.

뉴스 생방송 도중 눈물을 터뜨린 아나운서 J 양

아나운서 J 양?

유미는 왠지 모를 불안감에 숨을 죽이며 화면에 뜬 글을 읽어 내려갔다. 제니와 신화도 머리를 맞대고 함께 찌라시 내용을 읽기 시작했다.

"어떻게…… 이런……."

내용을 읽어 내려갈수록 유미의 얼굴이 하얗게 변하며 커피를 든 두 손이 바르르 떨렸다.

"우리 회사라니…… 도대체 누구냐고요? 어떤 여자가 우리 본부장님을 꼬신 거야? 분명히 보통은 아닐 거야."

순간 유미의 손에 들린 커피가 바닥에 툭 떨어졌다.

"앗!"

"유미 쌤, 괜찮아요? 내가 대걸레 가져올게요."

유미의 창백한 안색을 살피던 신화가 구석에 놓아둔 대걸레를 가지러 뛰어갔다. 유미는 가운에 커피가 묻은 것도 모른 채, 멍한 시선으로 커피가 쏟아진 바닥을 바라보았다.

―어쩐지 걔, 좀 야하게 생기지 않았니?

―치마 짧은 것 좀 봐.

―너, 내가 승후 좋아하는 거 알고 있으면서, 어떻게 그래?

―재수 없어. 누가 에로 배우 딸 아니랄까 봐!

속삭이는 것처럼 시작된 환청이 점차 귀가 떨어져나갈 것처럼 커지며, 힘이 빠진 다리가 후들거렸다.

"저, 저…… 잠깐. 화장실 좀."

유미는 겨우 신음처럼 몇 마디를 내뱉고 급히 조리실 밖으로 뛰어나갔다. 다행히 화장실이 텅 빈 덕분에 아무도 유미의 넋 나간 표정을 보지 못했다. 유미는 마지막 화장실 칸으로 들어가 변기 위에 앉으며 '쾅' 문을 잠갔다.

'주혜리' 관련 기사를 다시 확인하기 위해 떨리는 손으로 휴대폰을 꺼내 들었다.

ㄴ주혜리만 불쌍하네.
ㄴ그 여자, 꽃뱀이 분명해.
ㄴ나쁜 년, 먼저 유혹했겠지 뭐.

이미 헛소문이 널리 퍼진 듯 주혜리를 동정하는 댓글이 기사마다 줄줄이 달려 있었다. 어쩌면 사람들은 알지도 못하면서 이리도 쉽게 날카로운 말을 내뱉을까? 중학교 때나 지금이나 변한 건 하나도 없었다. 유미는 덜덜 떨리는 손으로 셔츠 단추가 목 끝까지 잠겨 있는지 확인했다.

하지만 그게 무슨 소용이야? 내가 단정하게 옷을 입어도, 남자와 시선을 마주치지 않아도, 나는 에로 배우의 딸이잖아. 항상 내가 먼저 남자를 유혹하는 거라며!

너무 기가 막히면 눈물도 나오지 않는다고 하던가?

유미는 힘겹게 숨을 고르며 멍하니 천장을 바라보았다.

그 시각, 인트라넷 익명 게시판에 새 글이 올라왔다. 어젯밤부터 올라온 '주혜리 뉴스 방송 사고' 기사에 달린 댓글과 시중에 나도는 찌라시에 관한 내용이었다. 누가 봐도 대복 그룹 차진욱 본부장을 겨냥한 내용이었기에 모두의 관심이 쏠렸다.

ㄴ 아니 땐 굴뚝에 연기 나는 거 봤음? 뭔가 있겠지. 대체 그 여직원은 누굴까?
ㄴ 본부장실에 도시락 들고 들락거리던 그 여자 아님?
ㄴ 회사에서 하라는 일은 안 하고 연애질이냐. 사무실도 사비 들여서 새로 꾸며줬다며? 이 정도면 빼박캔트(* 빼도 박도 can't) 아님?
ㄴ 신제품 출시하자마자 이게 뭥미? 이것도 노이즈 마케팅?

맹 이사는 아주 진지한 얼굴로 인트라넷 게시판에 오른 댓글을 하나, 하나 확인했다.

오늘 아침 찌라시를 받아본 맹 이사는 속으로 쾌재를 울렸었다. 이렇게 호박이 넝쿨째 굴러와주시다니, 황송할 따름이었다.

어떻게 하면 관심을 끌까, 고민에 고민을 한 후, 이미 퇴사한 사원의 아이디를 살려내 PC 방에까지 가서 익명으로 게시판에 글을 올렸다. 노력한 덕분에 익명 게시판에 글이 오르자마자 가히 폭발적인 조회수를 기록했다.

이 정도면 아무리 '천하의 차진욱'이라도 쉽게 넘어가진 못할 거다. 두고 보자, 차진욱. 누가 먼저 대복을 걸어나가나!

맹 이사는 뿌듯한 눈으로 화면을 노려보며 입가에 비릿한 미소를 떠올렸다.

“아니, 왜 불똥이 유미에게 튀는 거야?”

익명 게시판을 훑어보던 진욱은 자신은 물론이고 유미까지 저격하는 댓글에 울화가 치밀었다. 중학교 시절, 그녀가 어떤 일을 겪었는지 알기에 지금의 이 상태가 얼마나 심각한지 누구보다도 잘 알고 있었다.

[연결이 되지 않아 삐 소리 이후 소리샘으로 연결됩니다.]

유미에게 계속 전화를 걸었지만, 휴대폰이 꺼져 있는지 음성 메세지로 넘어간다는 안내 멘트만 흘러나왔다.

“아무래도 안 되겠어.”

진욱이 자리에서 벌떡 일어나자, 우진이 잽싸게 진욱의 앞을 가로막았다.

“지금 이유미 씨를 찾아가면 저 소문, 다 진짜가 되는 겁니다.”

“그렇다고 그냥 앉아만 있어?”

“제가 가볼 테니까, 본부장님은 여기서 꼼짝 말고 기다리세요.”

우진이 집무실을 걸어나가자, 진욱은 이 모든 게 자신의 잘못인 것 같아 크게 한숨을 내쉬었다.

“제길!”

진욱은 주먹으로 책상을 ‘쾅!’ 내리치며 힘없이 의자에 주저앉았다.

“미쳤어, 미쳤어!”

우진이 조리실에 나타나자, 제니는 눈을 동그랗게 뜨며 헐레벌떡 앞으로 달려왔다. 무슨 이유로 우진이 여기에 나타났는지는 물을 필요도 없었다. 지금까지 비밀 사내 연애 중인 우진에게 유미와 진욱에 관한 이야기를 모두 전해 들었기 때문이다.

"제정신이야? 당신이 여기에 나타나면 어떡해?"

재빨리 우진을 창고 쪽 구석으로 끌고 가며 제니가 낮게 속삭였다.

"휴대폰 꺼놓았는지 연락이 안 된다고 진욱이가 직접 오겠다는데 그럼?"

"와서 뭐 할 건데?"

"와서 뭐 하다니? 넓은 가슴으로 확 안아주면서 위로……."

"에라이!"

제니의 손이 '짝' 우진의 어깨를 매섭게 내리쳤다.

"그 여자가 이 여자입니다. 광고라도 하려고? 하여간 여긴 나한테 맡기고 그냥 가."

"유미 씨는?"

제니에게 맞은 어깨를 손으로 주무르며 우진이 물었다.

"아직은 괜찮아. 당분간은 두 사람, 절대로 회사 내에서 아는 척도 하면 안 돼. 알았어?"

말을 마친 제니는 우진의 등을 떠밀었다. 그리고 얼마 후, 다음 주 식단표를 가지러 갔던 유미가 조리실로 돌아왔다. 아까보다는 안정이 됐는지 파랗던 얼굴색이 정상으로 돌아와 있었다. 제니는 주위의 눈치를 보며 슬그머니 유미의 옆으로 다가갔다.

"괜찮아?"

"어?"

"그냥 옆집 개가 짖는다고 생각해. 그거 다 개소리라고. 개소리."

"무슨 소리야?"

"그건 중요한 게 아니고. 너, 휴대폰 꺼놨어? 빨랑 켜. 지금 누구, 숨 넘어간다."

제니는 알 수 없는 이야기만 남기고 창고 쪽으로 걸어갔다. 제니가 그녀와 진욱의 관계를 알 리가 없다고 생각한 유미는 고개를 갸우뚱거리며 가운 주머니에서 휴대폰을 꺼냈다.

화장실에서 기사를 확인한 후, 정신없이 전원 스위치를 꺼버린 모양이었다. 휴대폰을 켜자마자 5통의 부재중 전화 알림이 화면에 떠올랐다. 말없이 화면을 들여다보던 유미는 조리실 구석으로 걸어가 진욱에게 전화를 걸었다. 신호 음이 한 번 채 울리기도 전에 진욱이 곧바로 전화를 받았다.

[유미야.]

"미안해요. 전화했었어요? 제가 오늘 좀 바빠서요."

[너, 괜찮아?]

"뭐가요?"

잠시, 휴대폰 너머로 침묵이 흘렀다.

[아, 아니야. 아버지 오늘 아침에 깨어나셨으니까 걱정하지 않아도 돼.]

"다행이네요."

[유미야…… 너, 혹시……. 무슨 일 있으면 꼭 나에게 먼저 말하기로 한 거, 잊지 않았지?]

"……네."

[그러면 됐어. 나 이제부터 회의 들어갈 테니까 무슨 일 있으면 메시지 남기고.]

"그럴게요."

진욱과 통화를 끝낸 후, 유미는 휴대폰을 가운 주머니에 넣고 조리대로 걸어갔다. 아무렇지 않은 척 연기한 덕분에 대부분은 그녀의 속사정을 알아차리지 못했다.

시간이 어떻게 지나갔는지 모르겠다.

퇴근 시간이 되자 유미는 서둘러 자리를 정리했다. 빨리 집에 가고픈 생각밖에 들지 않았다. 스쳐 지나가는 회사 사람 한 명, 한 명이 뒤에서 그녀의 흉을 보는 것처럼 느껴졌다.

로비를 지나려는데 무리 지어 서 있는 사원들로부터 짜라시에 관해 수군거리는 내용이 흘러나왔다.

"애까지 있다는 건 무슨 소리야?"

"본부장 애가 아니라는 말도 있던데?"

"뭐야, 그럼? 그걸로 돈 뜯어내려고 그랬던 거야?"

"완전 꽃뱀이네, 꽃뱀!"

사람들의 목소리가 화살이 되어 귓구멍에 콕콕 박히는 것만 같았다. 유미는 자신을 겨냥한 내용에 어깨를 움츠리며 고개를 밑으로 툭 떨구었다. 빠르게 로비 회전문을 통과하려는데 다리가 후들거려 제자리에 주저앉을 것만 같았다.

건물 앞에 차를 세우던 진욱의 눈에 휘청거리며 회전문을 빠져나오는 유미의 모습이 들어왔다. 아니라고 하면서, 괜찮다고 하면서도 찌라시를 본 게 분명했다.

무슨 일이 있으면 연락하라고 했는데 또 혼자 속으로 끙끙거리기로 한 모양이다.

"아무래도 안 되겠어."

진욱이 차 문 손잡이에 손을 올리고 차에서 내리려고 하자, 운전석에 앉아 있던 우진이 황급히 고개를 돌렸다.

"당분간 접촉하시지 않는 게 유미 씨를 위한 겁니다."

"그렇다고 어떻게 혼자 놔둬?"

"우선 급한 불부터 꺼야죠. 냄새 맡은 기자들이 주위에 쫙 깔렸을지도 모릅니다. 두 사람이 같이 있는 사진, 인터넷에 쫙 깔리길 원하십니까?"

우진의 말이 맞았다. 말도 안 되는 헛소문에 속이 터졌지만, 지금은 어떻게든 정리하는 게 우선이었다. 결국 진욱은 한숨을 내쉬며 차 문 손잡이에서 손을 뗄 수밖에 없었다.

"……출발해."

유미는 백미러로 멀어지는 유미의 모습을 아프게 바라보았다.

그렇게나 집에 가고 싶었는데……. 막상 맥&북 건물 앞에 가까워지니까 걸음이 느려진다. 유미는 집 앞까지 몇 발짝 남겨놓은 상태에서 우뚝 걸음을 멈추며 반짝거리는 맥&북 네온사인을 올려다보았다.

집에 들어가기가 망설여졌다. 아무렇지 않은 얼굴로 모두를 볼 자신이 없었다.

유미는 아랫입술을 깨물고 휙 뒤돌아 왔던 길을 도로 걸어갔다. 야경이나 바라보다 들어갈 생각으로 동네 언덕길로 향했다. 그러고는 텅 빈 벤치에 털썩 앉아 고개를 들어 하늘을 바라보았다. 아까는 나오지 않던 눈물이 이제야 자꾸만 기어 나오려고 한다.

유미는 손등으로 눈을 비비며 밤하늘의 반짝이는 별에 집중하려고 노력했다. 그런데 왜 저 하늘은 3년 전 그날, 바닷가에서의 하늘을 연상시키는지 모르겠다.

—나 때문에 운 여자가 한둘이 아니지만…… 괜찮으냐고 물어봤다고 우는 여잔 또 처음이네.

무뚝뚝한 말투였지만, 그의 손길은 뺨이 녹아들 것처럼 다정스러웠다.

—우는 여자가 예뻐 보이는 것도 처음이고.

지금도 그때를 생각하면 심장이 아래로 내려앉는 것만 같았다. 얼마나 따뜻하고 달콤한 입술이었던가. 검은 하늘에 흩뿌려진 반짝이는 별 아래서 나누었던 그의 숨결, 체취, 매끄러운 살결…….

그날을 떠올리는 것만으로도 그의 입술이 닿은 것처럼 입술이 떨린다. 유미는 가만히 손을 들어 자신의 입술을 더듬어보았다.

3년 전, 그때 그 일로 인해 어떤 일이 일어난다고 하더라도 후회는 없다. 견디기 힘들지만……, 그래도 후회하진 않을 거야.

"이유미!"

그녀를 부르는 소리에 깜짝 놀라 뒤돌아보자, 현태가 특유의 천진한 미소를 지으며 벤치로 걸어왔다.
"여기서 뭐 해?"
"어, 그냥. 밤하늘의 별이 너무 예뻐서."
"하!"
"왜?"
"그건 로맨스 소설만 읽는 네 입에서 나올 대사가 아니거든. 그건 시를 읽는 소녀의 입에서 나올 대사일 텐데."
"야!"
유미가 벤치에서 벌떡 일어나 주먹을 휘두르자, 현태는 과장된 동작으로 한 걸음 뒤로 물러섰다.
"요새 연애 좀 해서 폭력이 줄었다 싶더니, 또 시작이냐!"
"네가 먼저 시비 걸었잖아! 왜 가만히 있는 사자의 코털은 건드려?"
"알았어! 항복! 항복!"
현태가 두 손을 번쩍 들어 올리자, 유미는 '흥' 코웃음을 치며 다시 벤치에 앉았다. 그녀 옆으로 엉덩이를 밀어붙이며 현태가 씨익 입꼬리를 올렸다.
"현태, 너. 나한테 할 말 있지."
"할 말?"
"아니면 묻고 싶은 거 없어?"
세상 모든 사람이 아는데 현태가 모를 리가 없었다.
"너도 봤을 거 아냐."
유미는 고개를 푹 숙이며 중얼거리듯 말을 이었다.
"이미 쫙 퍼졌던데……. 증권가 찌라시."
"아, 그거!"

현태는 이제야 알았다는 듯 고개를 살짝 끄덕이며 벤치에 등을 기대었다. 겉으로는 아무렇지 않은 척했지만 사실 현태는 아침 일찍 친구에게 찌라시를 받고 유미가 걱정돼서 온종일 발만 동동 굴렀었다. 이런 말도 안 되는 헛소문이 순식간에 퍼진다는 사실에 기가 막혔고, 자기 일이 아니라고 무조건 돌부터 던지는 사람들에게 환멸을 느꼈다.

자신들이 아무 생각 없이 쓴 댓글들이 멀쩡한 사람을 산송장 만든다는 사실을 알까? 그런 댓글을 다는 사람들을 하나하나 찾아내서 그대로 똑같은 댓글을 달아줘야 잘못을 뉘우칠까?

현태는 지금 유미가 어떤 심정인지 뻔히 알기에 오히려 잠자코 입 다물기로 마음먹었다.

"글쎄다. 뭐, 할 말이 있나? 뭘 물어봐야 하지?"

"하아."

유미는 한숨을 내쉬며 현태를 따라 벤치에 등을 기대었다.

"네 말이 맞았어. 그 사람이랑 나…… 너무 다른 세상 사람이야. 생각했던 것보다 힘들긴 하다. 내가 찌라시에까지 거론될 줄이야."

학교 내에서 끝났던 중학교 시절과는 상대도 되지 않았다. 그때는 주위 친구들까지 등을 돌렸지만 지금은 다행히 다독거려줄 친구가 남아 있다는 사실에 위로를 받아야 하나?

"첫 연애치고 너무 요란하지 않냐?"

유미의 얼굴에 씁쓸한 미소가 떠올랐다.

"그러게. 신고식 한번 제대로다. 웬만한 로맨스 소설은 댈 것도 아닌데?"

그 말에 유미가 눈을 가늘게 뜨며 현태를 흘겨보았다.

"야, 정현태!"

이럴 땐 위로의 말보단 장난치는 게 유미의 기분을 풀어주는 데 효과가 크다는 걸 현태는 너무나도 잘 알았다.

현태는 한 손으로 유미의 머리카락을 마구 헝클어뜨리며 어린애를 타이르듯 말했다.

"으휴, 바보야! 그러니까 맨날 야한 소설만 읽지 말고 깊이 있는 내 책을 좀 읽으라고. 옆에 나 같은 대작가님을 두고 이게 지금 뭐 하는 짓이냐, 엉?"

"뭐야? 이게!"

발끈 약이 오른 유미가 현태의 가슴팍에 퍽! 주먹을 날렸다.

"악, 주먹이 너무 세. 아프다고!"

"아프긴 뭐가 아파! 너 무술 유단자잖아!"

"야, 그래도 아픈 건 아픈 거야!"

"도망가긴 어딜 도망가. 거기 못 서?"

유미는 주먹을 휘두르며 요리조리 도망치는 현태의 뒤를 쫓아갔다. 앞서거니 뒤서거니 뛰박질하는 두 사람 위로 노란 가로등 불빛이 내려앉았다.

빈속으로 잠들면 안 된다는 현태의 성화에 같이 포장마차에 들러 우동 한 그릇을 먹고 돌아오자, 시각이 꽤 늦어버렸다. 미희와 동구는 이미 잠들었는지 방 안에 불이 꺼져 있었다.

잠든 미희와 동구를 깨우지 않기 위해 유미는 조심스럽게 문을 열고 방 안으로 들어갔다.

불도 켜지 않고 조용히 겉옷을 벗고 화장실로 들어가려는데, 부스럭 침대에서 소음이 들려왔다.

"현태랑 있다 와?"

자다 깼는지 미희의 목소리가 조금 가라앉아 있었다.

"어? 어……. 미안, 나 때문에 깼어?"

"아니. 잠이 안 와서 그냥 누워 있었어. 회사에서 차 본은 봤어?"

"아니……. 바빠서. 내가 알아서 할 테니까 엄마는 신경 꺼."

컴퓨터와 거리가 먼 미희는 아직 기사를 보지 못했을 가능성이 컸다. 그렇다고 누가 그녀에게 문자로 찌라시를 보냈을 리도 없고. 미희가 알면 난리가 날 테니까 그냥 가만히 있는 게 최선이었다.

"그 영감은 깨어났다니?"

"응. 오늘 아침에."

"괜찮대?"

"응. 그런가 봐. 걱정하지 말라고 했어."

"몹쓸 놈의 영감. 그래도 다행이네. 하여간 또 에로 배우, 꽃뱀 어쩌고 하면 내가 가만히 안 둔다고 그래!"

미희 딴에는 완벽하게 유미 편을 들어주겠다는 의사 표현이었다.

"알겠어……. 동구 깨겠다."

급히 대화를 끝내고 화장실로 들어가려던 유미는 돌연 걸음을 멈추고 침대 쪽으로 고개를 돌렸다.

"엄마?"

"응?"

언제나 묻고 싶었던 질문.

"엄마는 에로 배우라고 사람들이 손가락질하는 게 아무렇지도 않았어?"

"아, 그거……."

미희가 살았던 시대에는 지금 시대보다 훨씬 더 색안경을 끼고 봤을 텐데……. 당사자인 그녀는 어떻게 견디어냈을까? 유미는 항상 그 점이 궁금했었다. 하지만 물어볼 용기가 없었다. 혹시라도 미희에게 상처를 줄까 봐.

잠시 어색한 침묵이 흐른 후, 미희의 입에서 살짝 잠긴 목소리가 흘러나왔다.

"……내 옆에는 네 아빠가 있었잖아."

"어? 아빠?"

"사랑하는 사람이 옆에 딱 버티고 있어주니까 주위의 그런 말, 난 하나도 안 들어오더라고."

"……그, 그래?"

"응."

"……그렇구나."

유미는 혼잣말처럼 중얼거리며 조용히 화장실로 향했다.

얼마나 시간이 흘렀을까?

유미는 화장실 욕조 옆에 쭈그리고 앉아, 손에 쥔 휴대폰을 빤히 노려보았다. 조금 더 있으면 자정이 된다. 지금도 전화하기엔 늦은 시각이긴 하지만……. 두 번 울려서 받지 않으면 끊으면 되잖아.

유미는 떨리는 손으로 단축 번호 1번을 꾹 눌렀다.

[유미야.]

신호가 한 번 울리자마자, 휴대폰 너머에서 진욱의 목소리가 흘러나왔다. 유미는 진욱이 뭐라고 한 마디 꺼내기도 전에 두 손으로 휴대폰을 움켜잡으며, 하고 싶은 말을 내뱉었다.

"지금 볼 수 있어요? 보고 싶어요."

[알았어.]

진욱은 그녀의 마음을 모두 안다는 듯 질문 없이 짧게 대답했다.

얼마나 빨리 달려왔으면 40분도 안 돼서 진욱에게서 도착했다는 문자가 날아왔다. 유미는 재빨리 계단을 내려가 건물 앞에 세워진 진욱의 차에 올라탔다.

진욱은 유미가 타자마자 곧바로 외딴 공원으로 차를 몰았다. 주위에 아무도 없는 것을 확인하고 나서야 차를 세우고 시동을 껐다.

"미안해요. 갑자기 보자고 해서."

"미안하다니 무슨 소리야? 나야말로 쳐들어가고 싶은 거 힘겹게 참고 있었는데……."

진욱은 자신의 안전벨트에 이어 유미의 안전벨트도 빠르게 풀어버렸다.

"……오늘 아주 힘들었지?"

그가 유미를 품에 꽉 끌어안으며 물었다.

"본부장님."

"말하지 않아도 다 알아."

"……아무렇지 않다고 하면 거짓말이겠죠?"

이제는 숨기지 않기로 했으니까, 있는 그대로 표현해야 한다. 하지만 속이 시커멓게 타들어간다고 털어놓을 수 있을까? 지금 당장에라도 어디로 꼭꼭 숨어버리고 싶다고 말하면 그가 얼마나 상처받을까? 나만 힘든 거 아닌데……. 그도 아주 많이 힘들 텐데.

"조금만 참아."

그녀의 복잡한 마음을 다 안다는 듯이 진욱은 그녀의 등을 손바닥으로 쓸어내렸다.

"내가 다 알아서 처리할게."

하지만 그동안 그녀가 받아야 할 상처는 어떻게 할까? 그 상처가 너무 커지고 깊어져서 도저히 아물지 못하게 되면 어떡할까?

그녀를 품에 안고 있는 지금 이 순간에도 진욱은 너무나 불안했다. 자신으로 인해 유미가 받게 될 비난의 화살이 얼마나 많을지 전혀 감을 잡을 수 없었으므로. 진욱은 태어나서 처음으로 걷잡을 수 없이 겁나기 시작했다.

아침 일찍, 몇몇 기자들이 방송국 앞을 얼쩡거렸다. 이 시간대에 혜리가 촬영장으로 향한다는 일정을 미리 확보했기 때문이다. 인터뷰 방송 팀과 혜리가 방송국 입구를 걸어 나오자, 모두 혜리의 앞으로 일제히 몰려들었다.

"대복 그룹 차진욱 본부장과의 얘기가 사실입니까?"

"한마디만 해주세요, 주혜리 씨!"

방송 팀은 혜리를 보호하듯 감싸며 앞에 대기하고 있던 미니밴에 올라탔다. 모두가 올라타자 미니밴은 앞을 가로막는 기자를 피해 빠르게 출발했다.

"주 아나, 오늘 촬영 괜찮겠어?"

어두운 표정의 혜리를 살피던 피디가 걱정스럽다는 듯 넌지시 물었다. 아무리 정신력이 강하더라도 근거 없는 헛소문과 악플에 꿈쩍하지 않을 사람은 없을 테니까.

"그럼요. 당연히 괜찮죠."

혜리는 평소보다 더 활짝 웃어 보였다. 차 회장이 깨어났다는 연락을 받고 나서야 혜리는 그녀를 내리눌렀던 죄책감에서 벗어났다.

남들이 뭐라고 하든 상관하지 않는다. 그녀 때문에 쓰러졌던 차 회장이 무사하다니 그걸로 된 거다.

그깟 사랑이 뭐라고. 강산도 변한다는 10년이란 세월을 낭비한 게 아깝긴 하지만, 더 이상 비굴하게 굴지 말고 산뜻하게 던져버리자.

그래서 혜리는 현태의 제안을 받아들이기로 했다. 들은 이야기를 모두 잊어주는 조건으로 현태는 방송에 나오기로 했고 오늘이 바로 인터뷰 촬영이 있는 날이었다.

스태프들이 아침 일찍 서두른 덕분에 맥&북 안은 스튜디오처럼 제법 근사하게 변해 있었다.

인터뷰는 순조롭게 진행되었다. 카메라는 질색이라고 하면서도 현태는 촬영이 시작되자 작가 포스를 폴폴 풍기며 여유 있는 모습으로 인터뷰에 임했다.

"글솜씨만큼이나 말솜씨도 대단하시네요. 그럼 마지막 질문 드릴게요. 여행은 '무엇'이다! 한마디로 정의를 내린다면?"

"음……."

현태는 골똘히 뭔가를 생각하는 것 같더니 혜리를 향해 눈을 반짝였다.

"여행은…… 연애다."

"여행은 연애다? 그게 무슨 뜻일까요?"

"여행을 떠나기 전에 두근거리는 떨림, 낯선 여행지에 가서 그곳에 대해 알아가는 즐거움. 여행이 끝나고 원래 내가 있던 곳으로 돌아갈 때의 아쉬움. 그런 게 연애랑 참 많이 닮은 것 같아요."

그제야 혜리는 이해가 간다는 듯 고개를 끄덕거렸다.

"아, 듣고 보니 정말 그렇군요."

이번에는 현태가 불쑥 질문을 던졌다.

"주혜리 아나운서는 혼자 여행해본 적 있나요?"

도리어 질문을 받다니……. 이 남자, 의외인걸?

혜리는 현태의 도발에 피식 입매를 비틀었다.

"아뇨. 아직은 혼자 여행 가본 적은 없어요."

"그렇다면 꼭 한번 가보세요. 진짜 연애하는 기분이거든요."

그녀를 향해 환하게 웃어주는 현태를 보며 혜리는 왠지 묘한 기분이 들었다. 하지만 카메라 앞이라 아무런 티도 낼 수 없었다. 그저 같이 미소 지을 뿐…….

촬영이 모두 끝나고 스태프가 현장을 정리하기 시작했다.

"수고하셨습니다."

혜리는 옷깃에 고정했던 마이크를 빼며 스태프를 향해 인사를 건넸다. 그녀와는 다르게 현태는 옷깃에 고정된 마이크를 빼는 데 어려움을 겪고 있었다. 그러자 혜리는 능숙한 손길로 현태에게서 툭 마이크를 빼냈다.

"잘하네요? 안 한다고 극구 사양하던 사람이 맞나 싶을 정도로?"

마이크를 빼주는 걸 얌전히 지켜보던 현태가 씨익 치아를 드러내며 웃어 보였다.

"내가 임기응변에 강해서요."

"아, 그러시구나."

"아까 내 조언, 잘 생각해봐요."

"조언? 내게 조언했어요?"

"이젠 짝사랑보다는 진짜 찐한 연애가 어울릴 나이 아닌가 해서요."

"남의 일에 신경 끄시죠!"

혜리는 현태를 째려보다 홱 고개를 돌려버렸다.

남 걱정해주는 것 같은 말투, 정말 싫다. 내가 당신에게까지 동정받을 처지는 아니거든!

팩 토라진 혜리의 모습에 현태는 어깨를 으쓱해 보였다.

"신경 쓰는 거 아닌데……."

"그럼, 뭐예요?"

"그건 본인이 스스로 알아내야죠. 내가 그것까지 알려줘야 합니까?"

현태는 아리송한 말을 남긴 후, 촬영 모니터 앞에 있는 피디와 작가에게 걸어갔다.

"뭐라는 거야?"

혜리는 가슴 앞으로 팔짱을 끼고 피디와 웃으며 인사하는 현태를 빤히 바라보았다.

"누가 올렸는지 알아내. 아무리 익명이라지만 이건 인격 모독에 가깝게 노골적이니까."

"알겠습니다."

다음 날 회사에 출근한 진욱은 사내 인트라넷 담당자를 불러들였다. 아무리 익명이라고 해도 사생활과 윤리를 심하게 침해하는 경우에는 누구인지 밝혀낼 수 있다고 사칙에도 올라 있었다.

인트라넷 담당자가 집무실을 나가고 우진은 결재 파일을 집어 들며 슬쩍 질문을 던졌다.

"누구인지 감이 잡히는 인물이 있습니까?"

"장 비서가 지금 의심하는 사람, 바로 그 사람."

컴퓨터 화면으로 시선을 돌리며 진욱이 담담한 어조로 답했다.

"흠……. 알겠습니다. 그럼, 저는 이만."

"잠깐만."

뒤돌아 집무실을 나가려는 우진을 진욱이 빠르게 불러 세웠다. 무슨 일이냐는 듯 우진이 미간을 좁히자, 진욱은 자리에서 일어나 우진에게 걸어갔다.

"형……."

얘가 또 무슨 말을 하려고 심각하게 형이라고 부르나?

우진은 불안한 얼굴로 진욱을 바라보았다.

"형 같으면 이런 상황에서 어떻게 할 것 같아? 상대를 아주 많이 사랑한다면 말이야."

"네?"

"형도 연애하니까 알 것 아냐. 만약에 형이 지금 사내 연애 중이고……."

윽, 찔린다! 맞아. 그래, 나 지금 사내 연애 중이다!

"그런데 말도 안 되는 헛소문이 돌아서 형에게 쏟아져야 할 비난의 화살이 오히려 상대 여자에게 쏟아진다. 그럴 때, 형이라면 어떻게 하겠어? 그냥 부딪히지 않고 소문이 잠잠해질 때까지 피하기만 할 거야?"

"무슨 소리!"

제니에게 그런 일이 일어난다고 생각하니 오장육부가 뒤틀어지는 것 같은 분노가 삽시간에 우진의 몸을 휘감았다.

"저 같으면 당장 그놈의 망할 회사 때려치우게 합니다."

"뭐?"

"도대체 얼마나 무식한 회사면 욕먹어야 할 남자는 놔두고 약한 여자에게 그런 몹쓸 짓을 한답니까? 그런 회사라면 진즉 때려치우고……."

흥분해서 말을 토해내던 우진이 흠칫 입을 다물었다. 아, 그러고 보니까 그게 우리 회사네. 우진은 어색한 미소를 띠며 휙 뒤돌아 빠르게 집무실을 걸어나갔다.

구내식당 안은 점심 배식을 위해 몰려든 직원으로 북적거렸다. 유미는 배급대 끝에 선 채, 오늘의 간식인 컵케이크를 직원들에게 건네었다. 잠을 설친 탓에 안색은 별로 좋지 않았지만, 티 내지 않으려 애쓰며 직원 한 명, 한 명에게 밝게 웃어 보였다.

"그 여자 아직 누군지 모르지?"

식판에 음식을 담는 남자 직원들의 대화 소리가 옆에서 들려왔다.

"우리 부서는 아닌 거 같은데……. 궁금해 죽겠네."

"어떤 여자이기에 시한폭탄을 유혹했지? 가슴이 아주 크겠지?"
"그리고 아주 야할 거야."
그들이 말하는 여자가 자신이라는 걸 알기에 유미는 남자 직원들의 시선을 피하며 조심스럽게 앞으로 간식을 내밀었다.
"맛있게 드세요."
남자 직원들은 대화의 주인공이 유미라는 걸 아는지 모르는지 이상한 눈빛으로 그녀를 보며 간식을 받아 들었다. 결국 유미는 어두운 표정으로 고개를 푹 숙였다.
"내가 할게. 쌤은 조리실 가봐."
조리실 안쪽에 있던 제니가 어느새 옆으로 다가와 유미의 어깨를 툭 내리쳤다.
"아냐, 괜찮아."
"괜찮긴 무슨. 어서 들어가."
그때 또 다른 남자 직원들의 대화 소리가 들렸다.
"하여간 요물은 요물이야. 애도 있는 여자가, 시한폭탄 애라고 감쪽같이 속이기까지 하고."
"거기에 속아 넘어간 시한폭탄도 멍청한 거지."
"아, 왜. 여자가 침대 안에서 끝내주면 남잔 또 그냥 넘어가잖아."
"진짜 궁금하네. 도대체 어떻게 끝내주기에……."
"어허, 유부남이 그런 거 궁금해서 뭐하려고?"
"왜 이참에 나도 애인 하나 만들지 뭐."
기가 막힌다는 표정으로 그들을 노려보던 제니가 결국 폭발했다.
"저것들이 지금 뚫린 입이라고 말하는 것 좀 봐!"
제니가 국자를 든 채 소매를 걷어붙이자, 유미가 기겁하며 제니를 말렸다.

"갑자기 왜 그래?"

"지금 저 소리를 듣고도 가만있으라고? 꼭 두꺼비같이 생긴 녀석이 완전 성희롱에 가깝게 나불거리고 있잖아."

"그래서 가만히 안 있으면……?"

울 것 같은 유미의 표정에 제니는 흠칫 동작을 멈추었다.

자신이 흥분하면 찌라시의 주인공이 유미라는 걸 알리는 꼴이 되겠지? 어쩌면 유미는 자신이 알고 있다는 걸 눈치챘을지도 모른다. 에이씨, 할 수 없이 성질을 죽여야 하나?

제니는 세차게 고개를 가로저으며 그저 말없이 유미의 등을 조리실 쪽으로 떠밀었다. 이번에는 유미도 반대하지 않고 힘없는 걸음으로 조리실로 향했다.

점심 배식이 끝나고 유미는 사람들의 눈을 피해 옥상으로 올라갔다. 자꾸만 모두가 이미 안다는 것처럼 쳐다보는 것 같아 안절부절 속이 타들어갔다.

난간 앞에 서서 물끄러미 빌딩 숲을 바라보는데 가운 속에 넣어둔 휴대폰이 울리기 시작했다. 발신자는 단체 급식 운영을 관리하는 정 팀장이었다.

"팀장님?"

[어, 유미 씨. 잘 지내지? 혹시 저번에 물어본 거 결정했나 해서 전화했어.]

얼마 전, 정 팀장에게 걸려왔던 전화 내용이 떠올랐다.

—전에 로테이션하게 되면 먼 지방으로 보내달라고 했었지? 먼 지방

은 아니고 대전이야. 거기 대학에서 근무 중인 송 영양사가 이번 에 아기를 가졌대. 워낙 어렵게 가진 아기라서 엄청 조심해야 하나 봐. 그래서 다음 달쯤에 육아 휴가를 신청할 거라네. 새로 영양사를 그곳에 보낼 예정이지만 만약에 유미 씨가 원하면 보내줄 수 있어.

그랬지. 대전으로 로테이션될 기회가 있었지.

"죄송하지만 며칠 더 시간을 주실 수 있을까요? 아직 대전으로 내려갈지 결정하지 못했는데……."

[그래, 그럼 이번 주말까지만 알려줘. 만약에 유미 씨가 갈 수 없다고 하면 나도 갈 만한 영양사를 찾아봐야 하니까.]

"네. 팀장님, 감사합니다."

옥상으로 발을 내딛던 진욱은 누군가와 통화 중인 유미를 발견하고 걸음을 멈추었다. 어떤 내용인지 듣지 않아도 알 수 있었다. 진욱은 한 손을 바지 주머니에 꽂은 채, 유미를 말없이 바라만 보았다.

—저 같으면 당장 그놈의 망할 회사 때려치우게 합니다.

우진의 성난 목소리가 자꾸만 귓가에 맴돌았다.

유미는 모두 퇴근하고 텅 빈 구내식당 안을 둘러보았다.

처음 출근한 날, 휘황찬란한 모습에 얼마나 놀랐던가!

대리석 벽 장식부터 시작해 최고급 나무 테이블과 의자 등등 마치 최고급 뷔페 레스토랑에 들어선 기분이었다.

반질거리는 테이블을 쓰윽 만져본 후, 유미는 조리실로 걸음을 옮겼다.

최신식 조리 기구로 채워진 이곳을 보고 이제까지 바라던 꿈의 직장이라고 감탄했었는데……. 구석구석, 어느 한 곳도 정들지 않은 곳이 없었다.

유미가 비스듬히 걸려 있는 국자 쪽으로 손을 뻗어 바로잡으려던 순간, '띠링' 하고 문자 알림이 들렸다.

휴대폰을 꺼내자, 진욱에게서 온 문자가 화면에 떠올랐다.

할 얘기가 있어. 집 근처로 갈게.

유미는 진욱의 문자를 들여다보며 짧은 한숨을 내쉬었다.

앞으로는 아무것도 숨기지 않고 다 말할 거라고 했는데……. 난 또 지금 그에게 로테이션 건을 숨기려고 한 건가? 말해야겠지? 그냥 모두…….

유미는 벽 스위치의 불을 끄고 느릿하게 조리실을 걸어나갔다.

그녀가 집에 도착할 때쯤 진욱에게서 문자가 날아왔다.

집 근처 공원에서 기다릴게.

공원 입구에 세워진 진욱의 검은 세단이 눈에 들어왔다. 유미가 차로 가까이 다가가자 운전석의 유리창이 스르르 내려가고 진욱이 모습을 드러냈다.

"타."

유미가 차에 오르고 진욱은 다시 빠르게 유리창을 올렸다.

"저녁은……?"

"먹었어요."

"그래."

"……할 말이라는 게 뭐예요?"

차 안을 맴도는 적막감에 유미가 참지 못하고 먼저 입을 열었다.

"힘들지?"

"……그건."

"숨길 필요 없어. 나에게 다 털어놓기로 했잖아. 있는 그대로 말해줘. 힘들어?"

힘들지 않다고 말하면 거짓말이겠지. 이젠 괜찮은 척 연기하는 것에 지쳐버렸다.

"……네. 힘들어요."

유미의 정직한 대답에 진욱의 입가에 씁쓸한 미소가 떠올랐다.

"당연해. 나도 이렇게 힘든데……. 네가 아무렇지 않을 수가 없지. 누구라도 쉽게 견딜 수 있는 일이 아니야. 내가 너무 나만 생각했어."

유미의 시선을 피한 채, 진욱은 운전대를 내려다보며 말을 이었다.

"나한테 하고 싶은 말 없어?"

"……무슨 말이요?"

"난 괜찮으니까 말해."

진욱은 마치 모든 걸 알고 있는 것처럼 말했다.

"내가 어떻게 하면 좋을까? 난 조금이라도 네 짐을 덜어주고 싶어."

"솔직하게 말해도 돼요?"

"제발."

"후우."

유미는 두 손을 움켜쥐며 긴 한숨을 내쉬었다.

"저번 달에 정 팀장에게서 전화가 왔었어요. 대전에 로테이션 자리가 생겼다고. 그때는 마음을 정할 수가 없어서 나중에 대답한다고 했는데……. 오늘 다시 연락이 왔어요. 이번 주말까지 대답을 달라고."

"그래."

멀리 도망치고 싶었지만 그렇다고 그의 곁을 떠나기는 싫었다. 하지만 회사 사람들의 따가운 시선을 견딜 자신이 없었다.

"가지 말라고 하면 안 갈게요. 지금은 힘들지만 조금 지나면 근거 없는 소문은 사라질 테고."

진욱에게 대전으로 보내달라는 말을 할 순 없었다. 내가 어떻게…….

"진심이야? 진짜 괜찮겠어?"

진욱은 고개를 돌리며 유미의 눈을 빤히 들여다보았다.

"유미야, 내 앞에서 강한 척할 필요 없어. 아픈 티 내도 돼. 그러니까 솔직히 말해줘."

그가 손을 들어 뺨을 쓰다듬자, 유미는 참았던 눈물이 왈칵 터져버릴 것 같아 아랫입술을 꼭 깨물었다.

"……솔직히…… 무서워요. 사람들의 시선이 너무 무서워서 견…… 딜 수가 없어."

"유미야."

"미……안해요. 그런데…… 나, 이제 아무것도 숨기지 않기로 했으니까……."

또다시 속마음을 숨겼다가는 일이 더 꼬여버릴 것만 같았다.

"그냥, 내 마음속에 있는 거 다 털어놓을게요. 나……지금 너무 힘들어요. 그냥 도망가고 싶어. 여기 계속 남아 있는 건, 저나 본부장님이나 서로 불편할 것 같아요."

혼자 속으로 끙끙 앓고 있을 거라는 건 짐작했지만, 막상 직접 그녀에게 듣고 보니 마음 한쪽이 허전해지는 건 사실이었다. 그래도 그녀가 아픈 것보다는 그가 아픈 게 훨씬 낫다.

"근무지 변경하는 거 쉬운 것도 아닌데 이번에 운 좋게 자리가 난 거니까……."

"그러면 내가 잡아도 그냥 가."

"본부장님."

진욱은 유미를 끌어당겨 와락 품에 안았다.

"내가 좋아서 보내는 거 절대 아니야. 하지만 네가 아픈 것보단 내가 아픈 게 나으니까 보내주는 거야. 잠시만 대전에 가 있어. 여기 일 다 처리하면 바로 부를 테니까."

"본……부장님."

"대신 앞으론 본부장님이라고 부르지 마. 대복에 다니지 않으니까 이젠 너에게 본부장님이라고 불릴 이유 없어."

"……본……부장님."

"미안하다. 내가 못나서 같이 싸우자는 말은 못 하겠어. 네가 조금이라도 아픈 건 참을 수가 없으니까. 그러니까 보내줄게."

"……고마워요. 진욱 씨, 정말 고……마워요."

진욱이 끌어안았던 팔을 풀어주자, 유미는 자신의 마음이 언제 변할지 몰라 재빨리 차 문 손잡이에 손을 올렸다.

"대전 가서 자리 잡히면 연락할게요."

"……기다릴게."

"그럼 조심해서 가세요."

차에서 내리자마자 참았던 눈물이 후두둑 떨어졌다. 하지만 진욱에게 우는 모습을 보일 순 없었다. 이제는 그만 아파하라고 보내주는 건데 여기서 질질 짜는 건 감정의 사치일 뿐이다.

유미는 그대로 등을 돌려 빠르게 앞으로 걸어갔다. 그녀의 뒷모습 뒤로 가로등의 그림자가 길게 늘어졌다. 진욱은 유미의 뒷모습이 완전히 사라지고 나서야 천천히 버튼을 눌러 차의 시동을 걸었다.

부르릉—.

엔진 소리가 그의 심장을 긁어내듯 공허한 밤 공원에 나직이 울려 퍼졌다.

Episode 31

온종일 아무것도 안 먹었어

"갑자기 옮기게 돼서 죄송해요."

점심 배식을 마치고 유미의 입에서 로테이션하게 됐다는 폭탄선언이 튀어나왔다. 무표정인 복자를 제외한 나머지 사람들은 몹시도 놀란 표정을 지었다.

유미 역시 비겁하게 도망가는 것만 같아 마음이 편치 않았다. 이제 좀 친해진다 싶었는데 벌써 이별이라니 입 안이 씁쓸했다. 하지만 이미 결정을 내린 후였다.

"새로 오는 영양사님은 5년 차 선배님이니까, 저보다 훨씬 잘 꾸려나가실 거예요. 그동안 부족한 저와 일하시느라 고생 많으셨어요."

조리 팀 모두, 왜 유미가 로테이션하는지 어렴풋이 짐작할 수 있었다. 구태여 말로 표현하지 않아도 유미와 차진욱 본부장 사이에 맴도는 묘한 분위기를 느낄 수 있었으니까. 팬심에 눈이 먼 '본부장 빠' 은비만이 눈치도 없이 찌라시 내용을 조잘거리다 결국 제니에게 눈물 쏙 빠지게 혼나고 말았다. 그래서 은비도 그 소문의 여성이 누구라는 것을 알게 되었다.

"쌤이랑 이제 막 정들었는데……."

신화가 서운한 듯 투덜거리자 유미는 애써 밝게 웃어 보였다.

"나도 그래."

"쌤, 너무했어요!"

신화의 어깨를 다독거리는 유미에게 은비가 불쑥 다가왔다.

"어쩌면 그렇게 감쪽같이 속여요? 내가 본부장님 빠질 하는 거 다 봤으면서? 아, 배신감……!"

"미안해."

"은비, 너! 마지막인데 쓸데없는 소리 하지 마!"

제니가 나서서 말렸지만 은비는 눈물을 글썽이며 거칠게 고개를 내저었다.

"싫어! 할 거야!"

은비는 팔을 잡아 막으려는 제니와 신화를 홱 뿌리치더니 두 팔로 유미를 와락 껴안아버렸다. 엉겁결에 은비에게 안긴 유미가 당황한 표정을 지었다.

"유미 쌤, 미워. 그래놓고 이렇게 가버리는 게 어디 있어요! 나, 이제부턴 빠질 안 할 테니까, 본부장님 양보할 테니까 가지 말아요. 흐응."

은비는 미움과 서운함이 교차한 듯 두 손으로 유미의 어깨를 쿵쿵 내리쳤다. 첫 만남부터 상냥하게 웃으며 먼저 다가와주었던 은비였다. 어색하고 불편한 상황마다 구세주처럼 등장해 도와주었는데 이렇게 이별이라니 너무 아쉬웠다.

"너무 서운해하지 마. 자주 연락할게."

유미는 우는 동생을 달래듯 은비의 등을 손바닥으로 토닥거렸다.

"새 근무지 가면 여기에서처럼 적응 못 해서 빌빌거리지 말고 빠릿빠릿하게 해. 알았어?"

아무 표정 없이 두 사람을 지켜만 보던 복자가 불쑥 한마디 끼어들었다.

"그동안 저 때문에 많이 힘드셨죠?"

"뭐, 초짜 햇병아리치곤 나쁘지 않았어. 음……."

마땅히 할 말을 찾지 못하고 말꼬리를 얼버무리던 복자는 한 손으로 유미의 어깨를 툭 내리쳤다.

"그래도 그 정도면 잘했어."

처음 듣는 칭찬에 왈칵 눈물이 솟구쳤지만 괜한 눈물을 보여 분위기를 가라앉히긴 싫었다. 처음이라 어설펐던 그녀에게 앞에선 싫은 소리 하면서도 뒤에선 이것저것 챙겨주고, 다독거려주었던 조리팀 한 명, 한 명 모두.

"……보고 싶을 거예요."

유미는 애써 울음을 참으며 더욱더 환한 미소를 떠올렸다.

정 팀장에게 대전으로 내려가겠다고 통보한 후, 모든 게 눈 깜짝할 사이에 이루어졌다. 인수인계를 끝낸 유미는 다음 주 월요일부터 대전에 있는 새 직장으로 출근하게 되었다.

토요일 저녁, 대전에 내려가기 위해 유미는 슈트케이스에 우선 필요한 짐부터 챙겨 넣었다.

"어마, 흐잉."

동구는 서운한 표정으로 유미의 옷깃을 삐죽삐죽 잡아당기며 짐 싸는 걸 방해했다. 3년이란 짧은 인생을 살았지만 커다란 슈트케이스에 옷을 넣는다는 게 무슨 의미인지는 알았다. 하룻밤이 아니라 아주 많은 밤을 자야만 누나를 다시 볼 수 있다는 뜻이었다.

"똥구. 그만 잡아당겨. 누나가 너 때문에 짐을 못 싸잖아."

결국, 보다 못한 미희가 동구를 번쩍 안아 올렸다. 하지만 미희 역시 유미의 갑작스러운 결정이 이해가 되지 않았다. 망할 놈의 영감탱이가 다 된 밥에 재를 뿌렸지만 그래도 차 본과는 이상 없는 줄 알았는데…….

"무슨 일이야? 왜 잘 다니던 회사를 그만두고 지방에 내려가?"

"그만둔 거 아니야. 로테이션이라니까."

"아니, 그러니까. 왜 너만 로테이션이냐고?"

"회사에서 내린 결정인데 내가 어떻게 알겠어. 그냥 따르는 거지."

유미는 미희에게 자신이 먼저 신청했다는 사실을 숨겼다. 그러니 속사정을 모르는 미희는 어리둥절할 수밖에…….

"걱정하지 마, 엄마. 기숙사도 잘돼 있고, 밥도 세 끼 다 주니까 난 거기가 더 편해. 식비 저축할 수 있고."

"누가 그래서 그래? 너 없으면 나, 외출할 때 동구는 누가 봐줘."

칫, 그러면 그렇지. 딸 걱정해서 그러나 싶었는데…….

유미는 실망스러운 마음에 미희를 매섭게 째려보았다.

"엄마. 방송한다고 나돌면서 현태 귀찮게 굴지 마. 알았어?"

며칠 전, 미희는 유미에게 방송국 드라마 조연 배역을 맡게 되었다고 털어놓았다. 어차피 방송 시작되면 숨기려고 해도 숨길 수 없기에 먼저 자수하는 게 나을 테니까.

다행히 유미의 반응은 예상했던 것보다 양호했다. 단, 조건이 하나 있었다.

"러브신은 안 돼. 그것만 지켜."

어차피 이 나이에 누구의 엄마로나 나올 텐데, 뭘.

미희는 입술을 삐죽거리며 유미의 조건을 받아들였다.

그런데 전혀 생각하지도 못한 방법으로 한 방 먹이다니! 앞으로 촬영 시작하면 엄청 바빠지고 밤샘 촬영도 많을 텐데……. 어휴, 베이비 시터라도 고용해야 하나? 쥐꼬리만 한 출연료에 남는 것도 없겠네.

미희는 유미의 대전행이 아무래도 단순 로테이션은 아닐 거라는 데 오백 원을 걸었다. 유미가 신경 쓸까 봐 아무 말도 하지 않았지만, 인터넷에 떠도는 기사와 악플, 증권 찌라시 등등. 남들이 아는 건 다 안다고. 결국 시끄러워지니까 우리 딸, 유배 보내는 거라 이거지?

"차 본은 뭐래? 너 그냥 이대로 보내는 거야?"

"안 보내주면……? 내가 꼭 허락받아야 해?"

"내 앞에선 센 척하지 마! 엄마도 다 알아."

"엄마……."

미희도 알고 있다는 사실에 유미는 뭐라고 할 말이 없었다.

정말 무섭긴 무섭구나. 이러다가 온 세상 사람들이 다 알게 되는 건 아니겠지? 사실도 아니고 터무니없는 억측일 뿐인데…….

"얼굴도 진하게 생기고 가슴도 넓고 해서 완전 내 타입이라 좋게 봤는데. 영 못 쓰겠다! 그깟 스캔들 하나에 벌벌 떨어서 그러는 거야?"

"스캔들 때문에 벌벌 떠는 건, 본부장님이 아니라 내……."

유미는 흠칫 말을 멈추며 혀끝을 깨물었다. 이야기하다 보면 결국은 그녀가 중학교 때 겪었던 왕따 사건까지 다 털어놓아야만 한다. 철부지 엄마지만, 그럴 순 없었다. 조연이라지만 제대로 된 방송국 드라마 조연 자리도 따냈는데, 시작도 하기 전에 마음의 짐을 안기긴 싫었다.

"나, 쓰레기 좀 버리고 올게."

유미는 말을 잇는 대신 자리에서 벌떡 일어났다.

"본부장님."

막 회의장에서 나온 진욱이 차 회장의 호출을 받아 회장실로 향하고 있을 때였다. 먼저 회장실 앞에 도착해서 진욱을 기다리던 우진이 서류 파일을 들고 앞으로 다가왔다.

"익명 게시판에 글 올린 자가 누군지 밝혀졌습니다. 짐작대로……."

"잠깐."

막 보고하려는데 진욱이 손을 들어 우진을 막았다.

"나한테 하지 말고 회장님 앞에서 해."

"네?"

"나도 누구인지 모르고 있다가 함께 들어야겠어. 그래야 좀 더 극적으로 반응할 수 있을 테니까."

며칠 전 병원에서 퇴원한 차 회장은 어제부터 회사에 출근하기 시작했다. 철저히 비밀로 한 덕분에 몇몇 중역을 빼고는 아무도 차 회장이 입원했다는 사실을 알지 못했다. 회장실 안으로 들어서자, 마침 차 회장과 면담 중이던 맹 이사가 문 쪽으로 고개를 돌렸다.

"차 본부장님이 여긴 웬일이십니까?"

"제가 못 올 곳에 왔습니까?"

진욱은 차 회장 옆에 앉으며 맹 이사를 향해 입매를 비틀었다. 차 회장은 불편한 기색을 숨길 생각이 없는지 찡그린 얼굴로 '흠흠' 헛기침을 내뱉었다. 병실에서 의견 차이를 보이고 난 후, 오늘 처음으로 대면하는 두 사람이었다.

"방금 아주 재미난 보고가 있어서 말이죠. 혼자 듣기 아까워서 함께 듣으려고 왔습니다."

진욱이 뒤에서 대기하는 우진을 향해 손을 들자, 우진은 파일에서 서너 장의 서류를 꺼내 들었다.

"저번 주부터 아주 악질적인 글이 익명 게시판에 올라왔습니다. 기사에 달리는 댓글도 그렇고. 재밌는 건, 그게 다 같은 PC방의 아이피 주소라는 겁니다."

맹 이사의 얼굴이 흠칫 굳어버렸다. 아이피 주소 추적까지 했어?

이미 퇴사한 직원의 아이디로 로그인했으니까 문제 될 건 없었다. 대복에 불만을 품고 그런 짓을 한 거라고 둘러대면 되니까…….

하지만 맹 이사의 안도감은 몇 초 후, 산산이 부서졌다. 우진이 맹 이사가 찍힌 사진을 테이블 위에 내려놓았기 때문이다.

"이건 PC방에서 얻어온 CCTV에 찍힌 사진입니다. 게시판에 글이 올라온 시각과 일치합니다."

맹 이사는 자신의 얼굴이 뚜렷하게 찍힌 사진을 보며 기가 막힌다는 듯 입을 벌렸다.

아니, 지금 수사물이라도 찍자는 거야, 뭐야?

파랗게 질린 얼굴로 안절부절못하는 맹 이사와는 달리 차 회장은 덤덤한 표정으로 익명 게시판에 올라온 글과 댓글을 훑어 내려갔다. 그리고 테이블 위에 놓인 사진을 힐끔 쳐다보았다.

"그래서……?"

"그래서라니요?"

별거 아니라는 차 회장의 반응에 진욱은 미간을 일그러뜨렸다.

"그런 소리 올라올 수도 있는 거지. 그렇게 따지면 꽃뱀이라고 먼저 말한 사람은 나다. 그냥 일 크게 벌이지 말고 알아서 수습해. 반응 더 커지기 전에……."

"어떻게 그냥 넘어갑니까?"

"사적인 감정 끌고 오지 마라. 그만하자."

차 회장은 진욱의 말을 단번에 묵살하며 찻잔을 들어 올렸다. 차 회장과 진욱의 눈치를 보던 맹 이사는 테이블 위에 놓인 사진을 집어 슬그머니 찢어버렸다. 진욱이 날 선 눈초리로 노려보자, 맹 이사는 어깨를 으쓱해 보이며 시선을 외면했다.

"좋습니다."

진욱은 자리에서 벌떡 일어나 흐트러진 재킷을 바로잡았다.

"제가 대복을 나가든지, 맹 이사님이 나가든지 우리 둘 중 한 명이 결단을 내리면 되겠군요."

"뭐야?"

진욱의 선언에 차 회장의 얼굴이 붉게 물들었다. 차 회장은 화를 참으려는 듯 주먹을 불끈 움켜쥐었다.

"인마! 너 지금 내가 퇴원한 지 얼마나 됐다고 생떼를 부려? 너, 내가 다시 쓰러지는 꼴 보고 싶어서 그래?"

"이런 거에 꿈쩍도 안 한다는 거 이제 다 아니까 그만하세요."

"너, 이 녀석!"

차 회장은 치솟는 분노를 힘겹게 억누르며 매서운 눈으로 진욱을 쏘아보았다. 김 비서의 말에 의하면 진욱은 더 이상 유미와 접촉하지 않는다고 했다.

녀석, 그래서 날이 바짝 섰나? 그래, 지금까지 너무 채찍질만 했다. 가끔은 당근도 줘야 하는데…….

"바보짓 그만하고 이제 슬슬, 내 자리 물려받을 준비나 해."

"경영권을 가지고 홍정을 하시겠다? 글쎄요. 지금 이 상황에선 그리 좋은 패가 아닐 텐데요."

진욱은 차갑게 비웃으며 문 쪽으로 몸을 돌렸다.

"전 이만 가보겠습니다."

파격적인 제안에도 진욱이 꿈쩍도 하지 않자, 차 회장은 슬슬 불안해지기 시작했다.

"곧 이사진에 공식 발표할 테니까 그렇게 알아. 당분간은 장가가란 소리 안 할 테니까, 오너 자리 갖고 싶으면 알아서 행동해. 더는 헛짓하지 말고. 회사고 뭐고 죄다 전문 경영인한테 넘기는 수가 있어."

"전문 경영인, 그거 좋네요. 대복을 이끌어나갈 인재, 저 말고도 많습니다."

말을 마친 진욱은 뒤도 한 번 돌아보지 않고 회장실을 걸어나갔다.

대학 캠퍼스 중앙에 자리 잡은 구내식당은 대복 그룹과는 많은 점에서 달랐다. 가장 다른 점은 구내식당 조리사들이 모두 남자로 구성돼 있다는 것이었다. 그래서인가? 회사에 출근한 것 같지 않고 군대에 온 느낌이랄까? 가만히 있어도 무거운 분위기에 군기가 바짝 들었다.

"잘 부탁드립니다!"

새 영양사 가운을 입은 유미가 구십 도 각도로 허리를 꾸벅 숙였다가 일어나자, 조리사들은 떨떠름한 표정으로 같이 허리를 굽혀 인사를 받았다.

"또 여자야? 남자 영양사 좀 보내달라니까. 아후."

조리사들은 유미가 마음에 들지 않는다는 듯 작게 수군덕거렸다.

"남자 영양사 구하기가 쉬운 건 아니지."

"그래도 저렇게 호리호리한 몸매로 어디 견뎌내겠어?"

"내 말이……. 쓰러지지나 않으면 다행이지."

50대 중반쯤으로 보이는 조리장이 팔짱을 끼고 유미 앞으로 나서자, 일순간 쥐 죽은 듯이 조용해졌다. 조리장 가운에 달린 '한덕대'란 이름표가 눈에 확 들어왔다. 이름처럼 한 덩치를 자랑하는 씨름 선수 같은 느낌이었다. 유미는 남다른 조리장의 포스에 무서움을 느끼며 어색한 미소를 띠었다.

"전에 대복 그룹에 있었다고 했죠?"

"네."

산적 두목 포스라고 해야 하나? 사냥에 나선 호랑이 같다고 해야 하나? 지금 조리장과 비교하면 복자는 나긋나긋하고 상냥한 천사였다. 덕대는 가만히 쳐다만 보는데도 오금이 저렸다.

"여기에 비하면 오피스는 지상낙원이지. 먹성 좋은 젊은 애들 삼시 세끼 감당할 수 있겠어요?"

그럼요. 식신 들린 삼시 새끼에게 하루 네 끼, 다섯 끼도 해다가 바친 경험이 있다고요! 까다로운 차진욱 본부장도 견디어냈는데 산적두목쯤 아무것도 아닐 거야.

"무조건 열심히……."

눈치를 보니까 일반인 말투로 해선 안 될 것 같았다. 유미는 차렷 자세를 취하며 구호를 외치는 사병처럼 크게 외쳤다.

"그냥 잘, 하겠습니다!"

"그거야, 두고 봐야 아는 거고. 하여간 잘해봅시다, 영양사님."

조리장이 뒷짐을 진 채 조리실로 걸음을 옮기자, 조리사들은 장군을 따르는 사병처럼 빠르게 뒤를 따랐다.

여기서 적응하려면 또 시간이 걸리겠구나. 그래도 따로 사무실이라도 있는 게 어디야? 기운 내자, 이유미!

유미는 애써 밝은 모습을 유지하며 씩씩하게 사무실로 걸어갔다.

“이유미 씨에게선 아무 연락 없습니까?”

“잘 도착했다더군.”

우진의 질문에 진욱은 아무런 감정도 나타내지 않은 채 짤막하게 대답했다.

지금까지 온 연락이라곤 대전에 잘 도착해서 기숙사에 짐을 풀었다는 문자 한 통이 전부였다. 전화하고 싶었지만, 목소리를 들었다간 당장에라도 대전으로 달려갈까 봐 꾹 참았다.

그녀도 마찬가지일 것이다. 새로운 곳에 적응하려면 정신없이 바쁠 텐데, 마음 들뜨게 해서 괜히 힘들게 하고 싶지 않았다.

“대전에 있는 대학교 구내식당으로 옮겼다면서요?”

“응.”

“당분간은 연락을 삼가시는 게 좋겠습니다. 수습은 했지만, 아직도 기자들이 어슬렁거리니까요.”

“알아.”

진욱은 고개를 끄덕이며 서류 파일을 열었다.

“저, 그런데 그 대학교가 말이죠.”

집무실을 나서던 우진이 걸음을 멈추고 진욱을 향해 고개를 돌렸다.

"젊고 엄청 잘생긴 총각 교수들이 많다던데……."

"그래서?"

진욱의 날카로운 눈초리에 우진은 흠칫 숨을 들이마셨다. 말실수한 것 같아 우진은 빠르게 다음 말을 덧붙였다.

"아, 뭐……. 본부장님의 넘사벽 외모에 대적할 자는 없겠죠."

하지만 아무리 외모가 출중하다고 해도 남자라면 성격이 좋아야 하는데 말이지.

"그런데 또, 거기 교수들이 성격이 너그럽고 인성이 좋다고 하더라고요. 까칠한 누구와는 다르게……."

우진의 횡설수설이 계속되자 진욱이 천천히 서류에서 고개를 들어 올렸다.

"……형, 지금 병 주고 약 주는 거야?"

"아니, 그게 병 주고 약 주는 거라기보단……."

"됐고. 밀린 결재 서류나 몽땅 가져와."

다시 서류로 시선을 내린 진욱은 셔츠 소매를 걷으며 빠르게 내용을 검토하기 시작했다. 잠시라도 유미를 잊으려면 미친 듯이 일에 집중해야 한다. 3년 전 그때처럼…….

이번에는 그 기간이 오래되지 않기를 바랄 뿐이었다.

새로운 곳에 적응하려다 보니 시간은 생각보다 빨리 지나갔다. 처음

에는 군대에 입대한 것처럼 힘들었는데 어느 날 걸려온 복자의 전화 한 통에 이빨을 드러낸 호랑이 '한덕대' 조리장이 귀여운 고양이로 변해버렸다.

"복자가 그렇게 이 선생 칭찬을 하더라고. 내가 복자를 안 지 10년이 넘었는데 지금까지 누구 칭찬하는 거 못 봤거든."

어느새 친해져 편하게 말을 놓은 덕대는 자신과 복자와의 인연을 설명했다.

"복자, 걔가 얼굴은 무표정이지만 속마음 하난 엄청 부드럽거든. 그런 복자가 보증하는 사람이니까 이 선생, 잘해보자고."

"감사합니다."

덕대가 자상하게 대해주자, 유미를 대하는 다른 남자 조리사들의 태도 역시 180도로 바뀌었다. 작은 일도 세심하게 챙겨주고 한 명씩 돌아가면서 퇴근 후에 기숙사로 향하는 유미의 말 상대를 해주었다.

"남학생들이 괜히 치근덕거리지 않아요?"

첫 회식에선 지금까지 품었던 질문을 한꺼번에 쏟아내기도 했다.

"우리 쌤, 너무 미인이라서 구내식당 찾는 남학생이 늘었다니까."

"남자 친구는 있어요?"

"에이, 없을 리가."

"그런데 데이트 안 하나?"

"혹시 장거리 연애?"

대답할 새도 없이 쏟아지는 질문에 유미는 난처한 표정으로 조리사들을 바라보았다.

"자, 자, 쓸데없는 질문 때려치우고 건배나 하자고."

덕대는 모두 그만하라는 듯 맥주잔을 들어 올렸다. 유미는 그들을 따라 맥주잔을 들며 가방 안에 넣어둔 휴대폰을 떠올렸다.

술이 들어가면 그가 너무너무 보고 싶을 텐데……. 목소리라도 듣고 싶어 무작정 전화하게 될지도 모른다. 목소리를 듣게 되면 보고 싶어서 견딜 수 없을 것 같다.

"후우."

유미는 조용히 한숨을 내쉬며 맥주를 쭉 들이켰다.

"밴드 컬러가 왜 이래요?"

신제품 샘플을 들여다보던 진욱이 크게 인상을 찌푸렸다.

"다음 시즌 트렌드가 뭔지 몰라서 그래요?"

"죄송합니다."

"내일 아침까지 싹 다 다시 해오세요."

진욱은 신제품 샘플을 탁 던져버리고 바로 자리에서 일어섰다. 짜증난 얼굴로 회의실을 나서는 진욱의 뒤를 우진이 바짝 뒤따랐다.

유미가 떠난 지, 벌써 3주가 넘어가고 있었다. 그동안 전혀 연락을 하지 않았는지 진욱의 심기는 날로 불편해져 갔다. 우진이 보기에도 밴드 컬러가 좀 많이 촌스럽긴 했지만, 내일 아침까지 샘플을 다시 제작해 오라니. 완전 날밤 새우라는 소리인데…….

이제 진욱의 별명은 시한폭탄을 넘어서 워너크라이(WannaCry)에까지 이르렀다. 그러나 우진이 가장 염려하는 것은 직원들이 아니라 진욱이었다. 유미가 떠나고 나서 진욱의 예전 버릇이 다시 도졌기 때문이었다. 아침은 당연히 거르고, 점심과 저녁 역시 샌드위치는커녕 쿠

키도 입에 대지 않고 커피만 마셔댔다. 아이돌 그룹 멤버도 이렇게까지 다이어트를 하진 않을 거다.

집무실에 돌아오자마자, 진욱은 산더미처럼 쌓인 서류를 집어 들었다. 서류를 넘기는 진욱을 지켜보는 우진의 입에서 작은 한숨이 흘러나왔다.

"본부장님, 식사는……."

"생각 없어."

진욱은 서류에서 시선도 떼지 않은 채 짧게 대답했다.

저리 무섭게 일에만 몰두하다가는 또 쓰러지고 말 텐데…….

아무래도 안 되겠어.

진욱을 물끄러미 바라보던 우진은 조용히 집무실을 걸어나갔다.

어느덧 창밖이 어둑어둑해졌다. 서류를 검토하던 진욱은 피곤한 듯 뒤로 고개를 젖히고, 눈두덩을 눌렀다.

띠리리—.

마침 인터폰이 울리고 진욱은 눈을 감은 채 통화 버튼을 눌렀다.

[본부장님, 꽃바구니 주문할까요?]

"……아, 벌써 날짜가 그렇게 됐나?"

[네. 작년과 똑같이 준비하면 되겠습니까?]

진욱은 잠시 생각에 잠겼다 천천히 고개를 끄덕였다.

"그렇게 해."

진욱은 책상 위에 놓인 달력으로 시선을 옮겼다. 가까운 날짜에 빨간 동그라미가 표시되어 있었다. 조금 있으면 애령의 생일이 돌아온다.

3년 전, 꽃다발을 들고 어머니를 찾아갔지만, 용기가 없어 직접 전하지는 못하고 돌아왔었다. 하지만 그 이후로 한 번도 빠짐없이 생일 때마다 꽃바구니를 보냈다.

얼굴을 마주할 용기는 없었지만, 조금이나마 자신이 아직도 그녀를 그리워한다는 사실을 알리고 싶었기에…….

얼마나 상대를 그리워하는지 표현하지 않으면 무슨 소용일까?

"유미야……."

진욱은 허탈한 얼굴로 천장을 바라보며 작게 중얼거렸다.

"……나, 온종일 아무것도 안 먹었어. ……굶었다고."

그녀의 가슴에 얼굴을 묻고 어린아이처럼 투정 부리고 싶었다. 그러면 유미는 안타까워하며 마법의 손으로 맛있는 도시락을 뚝딱 만들어 주겠지.

보고 싶다. 그녀가 보고 싶어서 미칠 것만 같다.

진욱은 컴퓨터 모서리에 붙은 포스트잇으로 시선을 돌렸다. 포스트잇에는 유미가 머무는 대학교 기숙사 주소가 적혀 있었다.

줄기차게 따라붙던 기자도 점점 보이지 않는데……. 이쯤 되면 몰래 찾아가도 되지 않을까?

기숙사 주소를 뚫어져라 응시하던 진욱은 자리에서 일어나 재킷을 걸쳤다.

"하아."

모든 업무를 마치고 기숙사로 돌아온 유미는 쓰러지듯 의자에 털썩 주저앉았다. 완전히 기진맥진해버렸다.

여자는 그녀뿐이라서 조금이라도 체력이 달린다는 인상을 주기 싫어 악착같이 매달린 결과였다.

천장을 올려다보던 유미는 문득 책상 위에 올려둔 휴대폰으로 시선을 돌렸다. 텅 빈 화면이 눈에 들어왔다.

먼저 연락하겠다고 해놓고선 은근히 그가 먼저 연락하길 기다리다니……. 간사하다, 이유미.

유미는 씁쓸하게 웃으며 휴대폰에서 시선을 거두었다. 그때 '띠링' 하며 문자 알림 소리가 흘러나왔다.

"응?"

문자 내용을 확인한 유미의 눈이 동그래졌다. 그녀는 서둘러 카디건을 걸쳐 입고 종종걸음으로 기숙사를 뛰어나가 주위를 두리번거렸다.

잠시 후, 건물 옆에 세워진 익숙한 차를 발견한 유미의 얼굴에 반가운 미소가 떠올랐다. 차에 가까이 다가가자, 차 문이 열리고 현태가 밖으로 내려섰다.

"갑자기 여긴 무슨 일이야?"

"어. 근처에 들를 일이 있어서. 오는 길에 이것도 가져다줄 겸."

유미는 현태가 내미는 커다란 찬합을 보며 콧등에 주름을 잡았다.

"이게 뭐야?"

"어머니가 너 가져다주라고 밑반찬 좀 만드셨어. 아무리 삼시 세끼 다 나와도 집에서 먹는 밑반찬이랑 다를 거라고 하시면서."

"엄마가?"

이런, 내일은 해가 서쪽에서 뜨려나? 엄마가 밑반찬을 챙겨주다니.

어쩌다 김치찌개 끓여주는 게 전부인데…….

유미는 어리둥절한 얼굴로 찬합을 받아 들었다.

"너 없으니까 어머니도 자주 집에서 요리하시더라고. 가끔 카페에 먹을 거 가지고 내려오시기도 해."

"그래?"

"……너, 그런데 학교에만 있으면 심심하지 않냐?"

어느새 어둠이 깔린 넓은 캠퍼스를 둘러보며 현태가 물었다. 야간 강의에 늦지 않기 위해 종종걸음을 걷는 몇몇 학생을 제외하곤 주위가 썰렁할 정도로 텅 비어 있었다. 현태는 유미가 죄를 짓고 유배 온 것만 같아 마음이 불편했다.

"응, 조금 답답하긴 하다."

답답하긴 해도 사람들의 근거 없는 험담에서 벗어났으니까 크게 불만은 없었다. 가까운 사람들과 떨어져 지내야 한다는 게 아쉬울 뿐.

"이럴 때 바다라도 보면 답답한 게 쑤욱 내려갈 거 같기는 한데……. 이번 주말에 바다나 가볼까, 생각 중이야."

유미는 씁쓸하게 웃으며 벤치에 앉아 찬합을 옆으로 내려놓았다. 현태도 그녀를 따라서 벤치에 앉았다.

"참, 너 요새 손님 엄청 늘었다면서?"

방송 출연 후, 도저히 감당할 수 없을 정도로 손님이 몰려든다고 얼마 전 전화 통화에서 미희가 알려주었다. 결국 현태는 2명의 아르바이트생을 고용했단다.

미희는 자신의 장사가 잘되는 것처럼 들떠 있었다. 그러나 당사자인 현태는 정반대인 듯 불만에 찬 표정으로 긴 한숨을 내쉬었다.

"하, 내가 이렇게 될 줄 알았어. 방송 같은 거 절대로 나가는 게 아니었는데……."

"너, 또 배부른 소리 하지?"

"그래도…… 해볼 만한 희생이었어. 덕분에 내 절친을 구할 수 있었으니까."

"절친을 구하다니? 그게 무슨 소리야?"

현태와 혜리 사이에 오간 조건에 관해 전혀 알 리 없는 유미가 고개를 갸우뚱거렸다.

"하여간 그런 게 있다. 그나저나 너, 괜찮아?"

"괜찮지 않으면 어쩌겠어."

시간이 약이라고 했나? 처음 사건이 터졌을 때보다는 유미의 안색이 많이 밝아진 것 같아 현태는 조금이나마 마음이 놓였다.

"요새 악플이나 찌라시가 좀 뜸해졌더라."

"……그래. 그러다 다들 잊어버리겠지, 뭐."

그렇게 잊어버리면 뭐? 속상하지만, 언제나 당한 사람만 손해였다. 돌은 던진 사람들은 자신이 어떤 짓을 했는지 모르면서 우르르 다른 희생자에게로 관심을 돌린다. 아무 생각 없이 쓴 댓글이, 가볍게 장난삼아 퍼뜨린 찌라시가 어떤 사람에게는 평생 지워지지 않는 상처가 된다는 걸 알기나 할까?

혹 알면서도 별로 신경 쓰지 않는 건 아닐까?

현태는 저급한 대중의 호기심에 희생당한 유미가 안쓰러웠다. 그리고 아무 도움도 줄 수 없다는 사실에 화가 났다.

"잘 알지도 못하면서 아무 댓글이나 막 다는 사람이나 무턱대고 헛소문 나르는 사람이나. 그런 거 보면 플라톤이 했다는 '대중은 어리석다.'라는 말이 아주 틀린 건 아니야."

"누가 작가님 아니랄까 봐, 거창하게 플라톤까지 들먹이네."

유미가 피식 웃음을 터뜨렸지만, 현태의 굳은 표정은 풀리지 않았다.

"하여간 알지도 못하면서 너무 쉽게 손가락질하고 흉보는 사람들, 나중에 본인도 똑같이 당해봐야 해. 그래야 자신이 얼마나 잔인하고 못된 짓을 했는지 깨닫지. 내가 이런 말을 한다고 크게 위로가 되진 않겠지만 말이야."

천사처럼 착한 현태에게서 이런 말이 나온다는 건, 아주 많이 화가 났다는 증거였다. 그래도 친구라고 그녀를 위해 화내주는 현태가 유미는 진심으로 고마웠다.

"현태야, 고마워. 너밖에 없다."

"고맙긴. 아무 도움도 못 줬는데……. 난 그럼 이만 가볼게."

현태는 유미의 머리카락을 한 손으로 헝클어뜨리며 벤치에서 일어섰다. 유미가 현태를 따라서 벤치에서 몸을 일으켰다.

"유미야."

세워진 차로 향하던 현태가 돌연 걸음을 멈추더니 심각한 얼굴로 유미에게 고개를 돌렸다.

"너와 나, 아주 절친한 친구 사이 맞지?"

"응? 어. 당연하지."

"남들이 남녀 사이에 친구가 어디 있냐면서 색안경 끼고 그래도, 난 절대로 아니거든. 나에게 너, 이유미는 여자이기 전에 친구 사람, 이유미야."

"물론이야. 나에게도 넌 착한 천사 친구, 정현태야. 그런데 왜 갑자기? 무슨 일 있었어?"

잠시 침묵을 지키던 현태가 조심스럽게 입을 열었다.

"나 말이야. 솔직히 차진욱이란 인간, 마음에 안 들어. 너 힘들게 하는 것 같아서 싫어. 하지만 네가 좋아하는 남자니까 인정해줄게. 이런 사소한 일로 우리 우정 흔들리면 안 되잖아. 안 그래?"

"현태야……."

"그러니까 행복해져, 인마. 그 인간 때문에 눈물 흘리지 말고. 대신 네가 싫어하는 사람을 내가 좋아하게 되어도 받아줘라."

"내가 싫어하는 사람이 누군데?"

"……그런 사람 있어. 나중에 말해줄게. 우선은 내 생각부터 정리 좀 해보고."

"자식."

남동생을 대하듯 흐뭇한 얼굴로 바라보던 유미는 돌연 손을 뻗어 현태를 와락 끌어안았다.

그녀의 갑작스러운 포옹에 놀란 현태는 눈만 깜박거리다 이내 적응하고 그녀의 어깨에 손을 올렸다. 유미는 손바닥으로 현태의 등을 토닥거리며 밝게 웃었다.

"네가 좋아하는 사람이라면 난 누구라도 상관없어. 잘해봐, 현태야."

잠시 후, 끌어안았던 두 사람은 누구랄 것도 없이 동시에 떨어졌다. 그리고 눈살을 찌푸리며 서로를 마주 보았다.

"그런데 말이지, 우린 정말 친구로만 지내야 할 것 같다. 짧은 포옹조차 너무 어색하다."

"그렇지?"

"아후, 막 소름 돋아."

유미와 현태는 소름이 돋은 팔을 손으로 마구 문지르며 부르르 몸을 떨었다.

진욱은 기숙사 건물 모퉁이 너머에 비스듬히 기댄 채, 말없이 유미와 현태를 지켜보았다. 보고 싶은 충동을 이기지 못하고 차를 몰았지만, 그녀에겐 이미 방문자가 있었다.

이곳에 왔다고 꼭 그녀를 만날 계획은 없었다. 그저 멀리서 우연이나마 보게 된다면 여한이 없을 거란 생각에 달려왔다.

그랬는데 막상 행복한 표정의 두 사람을 보니 가슴이 먹먹했다. 유미를 위로해주는 현태가 한편으론 고맙고, 또 다른 한편으론 아무런 제약도 없이 그녀를 만날 수 있다는 게 부러웠다.

유미와 키득거리던 현태가 우연히 시선을 돌리다 저 멀리 서 있는 진욱을 발견하고 미간을 찌푸렸다.

진욱은 가만히 고개를 저으며 자신이 있다는 사실을 유미에게 알리지 말라는 신호를 보냈다. 그녀의 웃는 모습을 봤으니까 이걸로 된 거다. 괜히 여기 있다가 겨우 가라앉은 소문을 크게 만들고 싶진 않았다.

진욱은 희미하게 웃으며 그대로 등을 돌려 반대쪽으로 빠르게 걸어갔다.

"샤프 같은 놈. 오늘만…… 봐준다."

그리고 내 여자 챙겨줘서 고맙다.

현태를 보내고 막 기숙사 방으로 돌아왔는데 휴대폰이 울리기 시작했다. 화면에 뜬 발신자의 이름에 유미는 헐레벌떡 통화 버튼을 눌렀

다.

"본부…… 아니, 진욱 씨."

[잘 지내지?]

휴대폰 너머에서 나직한 진욱의 목소리가 흘러나왔다. 얼마 만에 듣는 목소린가? 반가운 마음에 눈물이 핑 돌았다.

[네. 전 잘 지내요. 진욱 씨는요?]

'잘 못 지내. 너 보고 싶어서 미친 듯이 일만 하고 있어.'라는 말이라도 나올까 긴장했지만, 다행히 그의 입에선…… '바쁜 거 빼곤 잘 지내.'……라는 말이 나왔다.

목소리를 들으니까 못 견디게 그가 보고 싶었다. 목소리만 들어도 이런데 직접 얼굴을 보게 된다면 어떨까?

대전에 내려온 후, 첫 일주일 동안 끙끙거렸던 것처럼 다시 힘든 날들이 되풀이될 게 뻔했다.

[유미야.]

이름을 불러주는 것만으로도 온몸이 녹아내리는 것처럼 달콤했다. 유미는 두 손으로 휴대폰을 꼭 쥔 채 힘없이 침대 위에 주저앉았다.

[조금만 참아. 장 비서 말로는 많이 사그라지는 중이라니까.]

"네."

내가 힘든 것만큼 그도 힘들 테니까, 아무런 내색도 하지 말자.

유미는 휴대폰 너머로 들리는 진욱의 목소리를 음미하며 천천히 침대 위에 몸을 눕혔다.

Episode 32

에로 배우 딸이란 게 뭐가 어때서?

미희에게 아침 토크쇼 〈모닝 카페〉 출연 제의가 들어온 건 전 피디의 새 드라마에서 배역을 맡았다는 기사가 나가고 얼마 지나지 않아서였다. 녹화를 위해서 한껏 차려입은 미희는 촬영 준비에 바쁜 스태프 사이를 헤치고 스튜디오 안으로 걸어 들어갔다.

"언니 왔어?"

먼저 도착한 경애가 미희를 알아보고 친근하게 그녀의 팔을 툭 건드렸다.

"응. 너도 오늘 출연하니?"

아직 매니저가 없는 탓에 들어오는 출연 제의마다 덥석덥석 받아들였지만, 경애와 함께 출연한다는 걸 알았다면 피했을 텐데…….

'노경애'에게 갈 배역을 자신이 맡았다는 것을 알기에 미희는 그녀를 대하기가 약간 껄끄러웠다.

"이번에 새로 드라마 한다며? 전 피디랑 잘 해봐. 난 이번에 영화 촬영이 있어서 시간을 뺄 수가 없어. 그래서 내가 전 피디한테 언니를 적극 추천했어. 서로 도와야지. 안 그래?"

새빨간 거짓말이란 걸 알면서도 미희는 잠자코 경애의 이야기를 들어주었다. 젊었을 때부터 콧대가 높기로 유명했으니 지금 속에서 얼마나 열불이 날까. 하지만 오경애, 네 시절은 이제 끝났거든. 이제부턴

이 조미희의 시대거든!

미희는 눈만 웃은 채, 살짝 어금니를 물었다.

"하여간 언니, 오늘 잘해보자."

경애는 억지스러울 정도로 환하게 웃어 보인 후, 대기실로 걸어갔다. 미희는 은근히 밀려드는 불안감에 아랫입술을 깨물었다.

경애, 쟤. 뒤끝 길기로 유명한데 이상한 짓 하는 건 아니겠지?

역시나…….

그녀의 예상은 적중했다. 화기 애매한 분위기로 한창 녹화 진행 중일 때, 돌연 경애의 공격이 시작되었다. 공격은 아주 평범한 질문에서 시작되었다.

"조미희 씨는 방송이 얼마 만이죠? 오늘 아주 비장하게 칼을 갈고 오셨다고 들었는데, 특별한 이유가 있나요?"

"제가 늦둥이 아들이 하나 있어요. 그래서 힘닿는 데까지 벌어야 하거든요."

이 기회에 동구가 그녀의 아들이라는 사실을 널리 알려 조금이라도 유미의 헛소문이 사라질 수 있게 도움이 되고자 했지만 결과는 전혀 다르게 나타났다.

"우와, 늦둥이 아들이면…… 나이가……?"

여자 사회자의 질문에 미희는 기다렸다는 듯이 빠르게 대답했다.

"세 살이요."

순간 녹화장 안에 탄성이 튀어나왔다.

"대, 대단하세요! ……세 살이면 거의 손자뻘인데요."

"호호호. 제가 평소에 건강 관리를 잘하다 보니까."

미희가 겸연쩍게 웃자, 잠자코 지켜보던 경애가 불쑥 끼어들었다.

"그래서 언니 딸에게 그런 소문이 돌았구나."

경애의 질문에 남자 사회자가 빠르게 끼어들었다.

"네? 소문이라뇨?"

"요즘 증권가에 핫하게 떠도는 찌라시 있잖아요. 대복이라고 속옷 파는 회사 회장 아들이랑 언니 딸이랑 사귀었다고……."

경애의 발언에 남자 사회자의 눈이 조금 커다래졌다.

그 찌라시 내용을 왜 모르겠는가? 연예 기자들이 상대 여성을 밝혀내기 위해 눈에 불을 켜고 다녔는데…….

"대복 그룹이면 혹시 그분 아닌가요? 얼마 전에 모 아나운서랑 스캔들 났던 C……?"

경애는 이때다 싶어 재빨리 대답했다.

"어머, 다들 아시네요?"

경애가 어떻게 아는 거지? 경애가 소문을 퍼트린 아나운서들과 친하다는 걸 알 리 없는 미희의 얼굴이 흙빛으로 변했다.

"주혜리 놓고서…… 양다리 했다는 그거?"

저마다 귓속말로 웅성거리는 소리가 방청석에서부터 퍼져나갔다.

"어머, 그 C 군이 바로?"

"대박! 어쩌면……."

사회자와 출연자들의 호기심 어린 눈빛이 미희를 향하자, 경애의 얼굴에 승리의 미소가 떠올랐다.

"괜찮으십니까?"

진욱이 어지러운 듯 걸음을 멈추고 한 손으로 벽을 짚자, 놀란 우진이 뒤에서 다가왔다. 그러나 진욱은 부축하려는 우진의 손을 옆으로 밀어냈다.

"……괜찮아."

"안색이 왜 그래요? 밤새 잠 한숨 못 잔 사람처럼. 불면증이 또 심해진 거예요?"

글쎄, 불면증이라기보단 밤늦게까지 밖에 서 있었기 때문일 테지.

진욱은 어젯밤 일을 떠올리며 벽에 힘없이 고개를 기대었다. 아직도 귓가에 유미의 목소리가 맴도는 것만 같았다.

[진욱 씨, 지금 어디예요?]

"집이야."

[그런데 뒤에서 풀벌레 소리가 들려요?]

"아, 정원에 나와 있어서 그럴 거야."

거짓말이었다.

어젯밤 진욱은 기숙사 건물 앞에 서서 불 켜져 있는 유미의 방을 하염없이 바라보았었다. 그녀와 통화를 끊고 한참이 지나서도 쉽게 발을 돌릴 수 없었다.

그저 가까운 공간에 있다는 사실만으로도 말로 표현할 수 없게 마음이 설레었으니까. 행복했으니까.

창백한 진욱의 얼굴을 찬찬히 살펴보던 우진이 협박조로 말했다.

"본부장님 계속 이러시면 저 또 사표 낼 겁니다!"

"그 수법, 이젠 안 통해."

진욱은 기운 없는 듯 희미하게 웃어 보이곤 우진의 어깨를 툭툭 치더니 벽에서 몸을 일으켰다. 그리고 다시 앞으로 걸어가기 시작했다.

우진은 축 처진 진욱의 뒷모습을 바라보며 한숨을 푹 내쉬었다.
"후우, 연애 두 번 했다간 완전 골로 가겠네."

그런 이유에서였다. 혹시라도 혜리가 지금의 진욱에게 도움이 될까 해서……. 지푸라기라도 잡는 심정으로 우진은 도시락을 들고 찾아온 혜리의 앞을 막지 않았다.
"제발, 우리 본부장님. 밥 한술이라도 뜨게 해주십시오."
혜리가 노크하고 문을 열자, 셔츠 소매를 걷어붙이고 일에 몰두하고 있던 진욱이 고개를 들어 올렸다. 앞에 서 있는 상대가 혜리라는 것을 깨닫자, 그는 미간을 찌푸리며 다시 서류로 시선을 내렸다.
"무슨 일이야?"
"많이…… 바쁜가 봐?"
" 여기 이렇게 드나드는 거, 서로한테 좋을 거 없지 않나?"
'탁' 소리 나게 펜을 내려놓으며 진욱이 차갑게 말했다.
"오빠, 이거……."
혜리는 주눅이 든 얼굴로 손에 들고 있던 도시락 가방을 조심스럽게 테이블에 내려놓았다. 그러나 진욱의 굳은 표정은 좀처럼 풀어지지 않았다. 그는 기분 나쁜 듯 도시락 가방을 쏘아보았다.
"뭐야, 이게……?"
"요즘 통 안 먹는다면서. 그러니까 좀 먹고 하라고."
"후우."
진욱은 화를 참는 듯 크게 한숨을 내쉬더니 거칠게 서류를 넘기기 시작했다.

"알았으니까 거기 두고 가."

"오빠, 이러다 또 쓰러지면 어떡하려고 그래? 아버님 걱정 많이 하셔. 나도 마찬가지고."

"걱정한다는 분이 그렇게 행동해? 유미에게 사과하라고 몇 번이나 말했는데도 아버진 눈도 꿈쩍하지 않으셔. 그리고 넌, 얼마나 더 말해야 알아들어? 그때도 말했지만……."

"이거 먹는다고 오빠가 나 받아주는 거 아니라는 거, 잘 알아."

진욱의 말을 도중에 끊으며 혜리가 다급하게 외쳤다.

"그러니까 제발 먹고 해. 응? 진심으로 오빠가 걱정돼서 그래."

괜히 그녀에게 화풀이하는 것 같아 진욱은 조금 미안한 감정이 들기 시작했다.

혼자 좋아하다 포기하겠지 하고 내버려두는 게 아니었는데……. 눈물이 쏙 빠지게 혼이라도 냈어야 했는데……. 진욱은 모두 자신의 잘못 같았다.

"알았어. 먹을 테니까 거기 두고 가."

"응, 오빠."

고개를 숙인 채, 문 쪽으로 향하는 혜리를 바라보던 진욱이 살며시 그녀를 불렀다.

"혜리야."

"응?"

"너도 더 나이 먹으면 알 거야. 세상에는 나보다 백배는 멋진 놈이 널렸다는 걸……."

"그랬으면 좋겠다."

혜리는 눈물이 그렁그렁한 눈으로 애써 밝게 웃음 지었다.

세상에 오빠보다 멋진 남자가 과연 존재하기나 할까?

정신없는 배식이 끝나고 유미와 조리 팀들은 식당 구석에 앉아 늦은 점심을 해결했다. 식당 벽면에 걸린 TV 화면에서는 〈모닝 카페〉 프로그램이 흘러나오고 있었다.

"유미 쌤은 이번 주말에 뭐 할 거야? 아니, 남친이랑 데이트 안 해?"

"네? 아뇨, 뭐……."

그녀가 대전에 내려온 지 꽤 되었지만, 주말이면 기숙사에 틀어박혀 꿈쩍도 안 한다는 사실에 조리사들은 미안한 감정이 들었다. 타지에서 너무 외로운 거 아닌가? 우리가 좀 챙겨줘야 하나?

"그래서 이번 주말에는 바다에 가보려고요."

"그래? 잘했어. 남친이랑 데이트도 하고 그래야지."

[대복 그룹이면 혹시 그분 아닌가요?]

TV에서 흘러나온 '대복'이란 말에 유미는 흠칫 TV 화면으로 시선을 돌렸다. 화면에 보이는 낯익은 얼굴에 유미는 눈을 가늘게 모았다.

'엄마?'

[얼마 전에 모 아나운서랑 스캔들 났던 C……?]

[어머, 다들 아시네요?]

전혀 상상도 하지 못한 내용이 흘러나오자, 유미는 기겁한 듯 입을 크게 벌렸다. 화면에는 흙빛으로 변한 미희의 얼굴과 환하게 웃는 경애의 얼굴이 2분할로 보이고 있었다.

[언니 아들이 그 집 손주인 줄 알고 찾아와서는 난리도 아니었다면서. 친자 확인을 하네, 마네. 맞지?]

[친자 확인은 아니고 그냥…….]

[찾아온 건 맞는다는 말이네. 시중에 돌던 찌라시 내용이 다 틀린 건 아니었구나.]

두 여배우의 찌릿찌릿한 기 싸움 한가운데서 남자 사회자는 난처한 표정으로 은근슬쩍 화제를 돌리려 했다.

[그럼 지금 따님과 그분은 어떻게…….]

[두 사람, 헤어졌다면서요.]

이번에도 경애가 먼저 대답했다.

카메라는 미희의 당황한 얼굴을 클로즈업으로 보여주다가 경애에게로 옮겨갔다.

[이럴 땐 여자만 손해예요. 남자는 멀쩡하게 회사 잘 다니는데 언니 딸만 회사 관두고 대전으로 내려갔대요. 대학교 구내식당에서 영양사로 일한다죠. 딸 이름이 유미라고 했나? 맞지? 이유미?]

'이유미'란 이름을 천천히 발음하는 경애의 얼굴에 사악한 미소가 퍼져나갔다.

말도 안 돼! 이건 꿈이다. 현실이 아닐 거야.

자신도 모르게 자리에서 일어난 유미는 TV 쪽으로 좀 더 가까이 걸어갔다. 그리고 넋이 나간 눈으로 커다란 화면을 물끄러미 바라보았다.

귓가에 울리는 윙윙거리는 소음이 조금씩 커지고 있었다.

"……유……미?"

"대전……?"

함께 프로그램을 시청하던 조리사들이 일제히 유미를 바라보았다.

아주 눈치가 없지 않고서야 지금 경애의 입에서 나오는 사람이 바로 유미라는 건 누구라도 알 수 있었다.

대박, 우리 새 영양사 선생님 남친이 찌라시의 C 군이었어?

"자, 이 그래프를 보시면 이번 신제품 매출 현황을 한눈에 보실 수 있습니다."

한창 마케팅 회의가 진행 중인 회의실 안으로 우진이 노크도 없이 다급하게 문을 열고 들어왔다. 진욱에게 다가간 그가 빠르게 귓속말을 건네었다.

"큰일 났습니다."

"무슨 일이야?"

"나가서 이야기하시죠. 이유미 씨와 관련된……."

진욱은 우진의 말이 끝나기도 전에 표정을 굳히며 자리에서 벌떡 일어나 회의실을 걸어나갔다. 그 뒤를 우진이 빠르게 뒤쫓았다.

모를 거야. 이유미란 이름이 어디 한둘이야?

유미는 학생들로 꽉 찬 식당 안을 둘러보며 떨리는 입술을 꽉 깨물었다.

강의 듣기 바쁜 학생들이 아침 토크쇼를 볼 시간이나 있을까? 대전에 대학교가 어디 한둘이야? 괜찮을 거야. 겁먹지 마라, 이유미!

유미는 식권함 앞에서 애써 밝게 웃으며 학생들이 건네는 식권을 받아 들었다. 하지만 얼마 못 가서 그녀의 안일한 희망은 산산이 부서지고 말았다. 서너 명 뒤쪽에 있던 학생 중 한 명이 유미를 턱짓으로 가리키며 옆에 선 친구에게 수군거렸다.

"맞네. 저 여자, 이유미. 엄마가 에로 배우래."

"와, 대박!"

"주혜리가 저런 여자 때문에 실연당해서 운 거야?"

"남동생을 아들이라고 속여서 사기 쳤다잖아, 완전 그 엄마의 그 딸이네."

"저런 여자가 우리 학교에 왜 있어? 아우, 밥맛 떨어져. 우리, 나가서 먹자."

우르르 몰려나가는 학생들을 차마 바라볼 생각도 못하고 유미는 눈을 내리깐 채 두 손을 꽉 움켜쥐었다.

조리실에서 그 광경을 지켜보던 덕대가 슬그머니 밖으로 나와 유미의 어깨를 툭 건드렸다.

"쌤은 좀 쉬어. 식권은 내가 받을 테니까."

평소 같으면 아니라고 사양할 텐데 지금은 그의 호의를 거절할 수 없었다. 제자리에 서 있을 수도 없이 다리가 후들후들 떨렸기 때문이다.

"감사합니다. 잠시만 봐주세요."

유미는 도망치듯 구내식당을 빠져나와 직원 화장실 쪽으로 향했다. 복도 맞은편에서 오던 학생들 몇몇이 유미를 알아보고 슬쩍 손가락으로 그녀를 가리켰다.

"야, 앞에 봐. 그 여자야."

"어디? 어디?"

유미와 거리가 가까워지자, 한 학생은 아예 대놓고 들으라는 듯 큰 소리로 비웃었다.

"야하게 생겼네. 원래 저렇게 안 꾸민 여자가 뒤에서 더해."

유미가 창백하게 질린 얼굴로 자리에 멈춰 서자, 학생들은 재빨리 반대쪽으로 우르르 몰려가버렸다.

—야, 너 그거 알아? 걔네 엄마, 에로 배우래.

어느새 중학교 시절, 그녀를 괴롭혔던 속닥거림이 귓가에 울리기 시작했다.

—야, 이유미. 너, 꼭 그렇게 꼬리 쳐야겠어?

—얘, 생긴 거 봐.

—진짜 밥맛.

—재수 없어. 누가 에로 배우 딸 아니랄까 봐!

"하아."

유미는 허탈한 한숨을 내쉬며 떨리는 손으로 목 끝까지 채운 셔츠 자락을 꽉 움켜쥐었다.

결국은 제자리였다. 다시는 그런 일을 당하지 않으려고 조심하고 또 조심했는데……. 왜 또 나냐고! 왜 나는 항상 고개만 숙이고 피해 다녀야 하지?

유미는 벽에 등을 기댄 채, 멍하니 복도 끝을 바라보았다. 울고 싶었지만, 너무 기가 막혀서 눈물도 나오지 않았다.

“제길!”

태블릿으로 방송을 확인한 진욱이 주먹으로 책상을 꽝 내리쳤다.

“도대체 무슨 생각으로 이런 걸 방송에 내보낸 거야? 녹화 방송이라면서 이런 건 편집했어야지! 홍보 팀에 연락해서 방송국에 항의하고 재방송 영상에선 차질 없이 모조리 빼라고 전해.”

우진이 급하게 홍보 팀에 연락해 지시 사항을 전달하자마자, 책상 위에 놓인 전화가 울리기 시작했다.

차 회장일 터였다. 진욱이 눈살을 찌푸리며 손을 뻗는데 우진이 선수를 쳤다.

“너, 지금 전화 받을 시간 없다. 내가 알아서 처리할 테니까 그냥 가라.”

너무 급한 나머지 반말이 튀어나왔다. 하지만 지금 그게 대수인가? 우진은 비서가 아닌 형으로서 진욱에게 충고했다.

“다른 사람 신경 쓰지 말고 그냥 가. 스캔들 나려면 나라지. 네가 좋다는데, 어쩔 거야? 안 그래?”

“형.”

우진의 진심 어린 눈빛에 진욱은 우진에게 휴대폰을 돌려받아 그대로 집무실을 뛰어나갔다.

진욱아, 형만 믿어라!

우진은 그런 진욱의 뒷모습을 뭉클한 시선으로 바라보다 천천히 수화기를 들어 올렸다.

“회장님, 장 비서입니다.”

"말도 안 돼!"

은비는 방금 두 눈으로 본 방송을 믿을 수가 없었다. 나머지 조리 팀원들도 그녀와 마찬가지인 듯 기가 막힌다는 표정으로 멍하니 TV 화면만 바라보았다.

"유미 쌤, 어떡해요? 이거 완전 전국적으로 개망신이잖아요."

개망신이란 말에 제니가 은비를 무섭게 째려보았다. 제니의 날카로운 시선에 은비는 흠칫 입을 다물며 슬그머니 신화의 뒤로 몸을 숨겼다.

"아휴, 근무지 옮긴 지 얼마나 됐다고 이 난리야. 그 새가슴이 어떻게 버티려고."

제니의 말에 신화는 안타까운 표정을 지으며 자신의 휴대폰을 들여다보았다.

"지금 전화했는데, 폰이 꺼져 있어요."

"이럴 때는 그냥 혼자 두는 게 약이야. 기다려봐."

근심 어린 얼굴로 조리실로 돌아가던 복자가 가운에서 휴대폰을 꺼내더니 어디론가 전화를 걸기 시작했다.

"유미 쌤. 오늘은 이만하고 먼저 가."

덕대가 풀 죽은 얼굴로 구내식당에 돌아온 유미에게 다가왔다. 그는 복자와 막 통화를 끝낸 상태였다.

"어차피 내일 토요일이잖아. 그동안 제대로 쉬지도 못하고 고생했는데 기숙사에만 있지 말고 어디 좋은 데 가서 주말 동안 푹 쉬다가 오라고."

대충 자초지종을 전해 들은 덕대는 사람들의 호기심 어린 시선에서 조금이나마 유미를 벗어나게 해주고 싶었다. 유미는 아무 말도 못 하고 고개만 숙였다. 그러자 덕대와 조리사들이 저마다 유미의 등을 밖으로 떠밀기 시작했다.

"걱정하지 말고 어서 들어가라니까."

"……그럼 먼저 들어갈게요."

염치없지만 할 수 없었다. 쏟아지는 시선에서 조금이나마 자유로울 수만 있다면. 제대로 숨 쉴 수 없을 정도로 무거운 위압감으로부터 도망치고 싶었다.

"……모두 감사합니다."

유미는 떨리는 목소리를 애써 진정시키며 모두에게 허리를 숙였다.

서울에서 대전까지의 거리가 얼마나 멀게 느껴지는지 모르겠다. 진욱은 구내식당 건물이 보이자마자 '끼익' 소리를 내며 차를 멈추었다. 차에서 뛰어내린 그는 그대로 식당 건물 안으로 달려갔다. 예상과는 달리 구내식당 어디에서도 유미의 모습은 보이지 않았다. 배식대로 다가가 조리사 한 명을 붙잡고 물어볼 수밖에 없었다.

"이유미 영양사, 지금 어디에 있습니까?"

"오늘은 일찍 퇴근했는데요."

"벌써 퇴근했다고요?"

"네."

"혹시 어디로 갔는지 아십니까?"

"저야 모르죠."

조리사는 '댁은 누군데 우리 영양사님을 찾습니까?' 하는 의심스러운 눈빛으로 진욱을 한번 쓰윽 흘겨본 후, 조리실로 걸어가버렸다. 진욱은 서둘러 휴대폰을 꺼내 단축 번호 1번을 눌렀다. 하지만 전화기가 꺼져 있다는 안내 음성만 흘러나올 뿐이었다.

도대체 어딜 간 거지? 분명히 방송을 봤을 텐데…….

진욱은 초조하고 다급한 마음에 한 손으로 머리카락을 마구 헝클어뜨리며 주위를 둘러보았다. 유미가 너무나 걱정돼 입 속이 바짝바짝 타들어갔다. 어디서 혼자 울고 있는 건 아니겠지?

진욱은 혹시나 하는 마음에 이번에는 기숙사로 차를 몰았다.

건물 앞에 차를 세우려는데 기숙사 앞에서 걸어 나오는 현태가 눈에 들어왔다.

"정현태."

누군가 자신의 이름을 부르자, 현태가 놀란 얼굴로 옆을 바라보았다. 자신을 부른 상대가 진욱이란 걸 깨달은 현태의 미간이 살짝 찌푸려졌다.

"유미, 지금 안에 있지?"

"아니, 나도 지금 헛걸음했어."

"제기랄. 전화기도 꺼져 있고 도대체 어딜 간 거야?"

자신보다 현태가 더 먼저 달려왔다는 사실에 부아가 치밀어 오르면서도 다른 한편으론 현태라도 유미 옆에 있었다면 덜 걱정했을 텐데……라는 생각이 들었다.

유미야, 제발 혼자 있지만 마라.

"혹시 어디 갔을지 짐작할 만한 곳 없어?"

물에 빠진 사람이 지푸라기라도 잡는 심정으로 물었지만, 현태에게선 쌀쌀한 대답만이 돌아왔다.

"그걸 왜 나한테 물어? 그냥 친구보다는 남자 친구가 알아야 하는 거 아닌가?"

오늘 사건은 진욱의 잘못으로 일어난 게 아니었다. 하지만 그가 원인 중 하나라는 건 부정할 수 없기에 현태의 눈에 진욱이 곱게 보일 리가 없었다.

이 녀석 때문에 멀쩡히 잘 살던 유미가 고생한다고 생각하니, 잘생긴 얼굴에 주먹이라도 한 방 날리고 싶었다. 하지만 그러면 유미 녀석이 슬퍼하겠지. 그러니까 참아야 한다.

현태는 주먹을 움켜쥐며 막막한 눈으로 하늘을 향해 고개를 젖히는 진욱을 바라보았다.

세상 다 잃어버린 것 같은 표정이네. 녀석이 마음에 들진 않았지만, 그래도 유미를 위해서는 이렇게 가만히 있어선 안 된다.

현태는 속으로 한숨을 내쉬며 진욱의 어깨를 손등으로 툭 건드렸다. 진욱이 허탈한 얼굴로 현태에게 고개를 돌렸다.

"전에 만났을 때 답답하다고 바다가 보고 싶다고 했어."

"바다?"

"두 사람, 동해에서 처음 만났다며……."

순간 무언가를 깨달은 듯 진욱의 눈이 반짝거렸다. 진욱은 그대로 차에 올라타며 현태를 향해 외쳤다.

"고마워."

"찾으면 연락해, 알았어? 난 서울에서 찾아보고 연락할 테니까."

"알았어."

차 문을 닫은 진욱은 시동을 걸고 재빨리 차를 출발시켰다.

"엄마, 도대체 이게 뭐야!"

도저히 참을 수가 없어, 유미는 버스가 휴게소에 정차하자마자 미희에게 전화를 걸었다.

미희는 전화를 기다리고 있었는지 신호 음이 한 번 채 울리기도 전에 전화를 받았다.

[나도 이렇게까지 다 나갈 줄은 몰랐어.]

휴대폰 너머에서 갈라진 미희의 목소리가 흘러나왔다.

"출연한다고 나한테 귀띔이라도 해줬어야지! 그럼 내가 못 나가게 막았을 거 아냐!"

유미는 고속도로 휴게소 앞을 서성거리며 두 손으로 휴대폰을 꽉 움켜쥐었다.

출연하지 말란다고 안 나갈 그녀는 아니었지만 그래도 좀 더 조심하지 않았을까?

[분명히 알아서 편집해준다고 했다고. 난 피디 말만 믿었다니까.]

미희는 자신을 크게 골탕 먹이려 경애가 뒤에서 손을 썼다는 사실을 전혀 알지 못했다. '매니지먼트 소속도 없이 프리로 활동해서 그러나?'라고 짐작할 뿐이었다.

"나 이제 어떡해. 엄마 때문에 세상 모든 사람이 다 알게 됐는데. 에로 배우 딸이라는 거, 다 알게 됐는데 나 이제 어떡하느냐고!"

[얘, 에로 배우 딸이란 게 뭐가 어때서? 너, 지금 엄마 창피하다고 생각하는 거야? 내가 널 어떻게 키웠는데. 너, 정말 너무한다.]

그녀의 중학교 왕따 사건을 전혀 알지 못하는 미희가 빈정상한 듯 언성을 높였다. 평소대로라면 '아차' 하며 화제를 돌렸을 테지만, 오늘은 아니었다. 지금까지 그녀를 내리눌렀던 서운함이 한꺼번에 터져버렸다.

"이게 다 그놈의 〈터질 거예요!〉 때문이잖아!"

유미가 빽 소리를 지르자, 일순간 휴대폰 너머가 잠잠해졌다.

"내가 그것 때문에 아이들에게 얼마나 놀림을 받았는 줄 알아? 내가 왜 중학교 내내 친구 집에 놀러 가지도 않고 우리 집에 놀러 오는 친구가 한 명도 없었는지 모르냐고? 에로 배우 딸이라고, 나도 엄마처럼 끼 부린다고 중학교 시절 내내 왕따 당한 거 모르지?"

[……유미야.]

드디어 참고 참았던 눈물이 터지며 말을 제대로 할 수 없을 정도로 목이 메었다.

"……내가 얼……마나…… 힘들었는데……. 내 엄마가 그런 사람만 아니었어도, 이 지경까진 안 됐을 거야."

미희는 전혀 알지 못했던 사실에 충격을 받아 말문이 막혀버렸다.

"흐흑…… 에로 배우 딸이란 소리 듣고 사는 게 어떤 건지, 엄마가 알아? 에로 배우 딸이라 저런다는 소리 안 들으려고 얼마나 바둥거렸는지 아느냐고! 엄마는 엄마가 좋아서 하는 일이겠지만, 난 아니잖아. 창피하고 쪽팔려!"

유미는 목 끝까지 잠근 셔츠를 다시 한 번 확인하며 흐르는 눈물을 손등으로 닦아냈다.

"꽁꽁 싸매고 있어도 사람들 앞에서 발가벗겨진 기분이란 말이야!"

오랜 침묵이 흐르고 미희가 먼저 말을 꺼냈다.

[……너, 지금까지 왜 말 안 했어?]

"나, 이런 거 알면…… 엄마가…… 속상해할까 봐. 그런데 이젠 나도 지긋지긋해. 난 도저히……."

이대로 있다간 나중에 후회할 말이 튀어나올 것 같아 유미는 재빨리 전화를 끊어버렸다. 미희는 꿈에도 몰랐을 것이다.

그렇게까지 심한 말을 퍼부을 생각은 아니었는데……. 따지고 보면 엄마가 잘못한 게 아니라 '노경애'라는 배우가 잘못한 건데. 괜한 화풀이를 엄마에게 해버리고.

유미는 긴 한숨을 내쉬며 엄청난 숫자를 나타내는 문자 창 버튼을 꾹 눌렀다. 영양사 동기들과 친구들에게 온 문자들이 떠오르기 시작했다.

대복 그룹 영양사, 혹시 너야?

'C 군의 연애 상대, 조미희의 딸'이란 기사 봤어?
이거 너 아니지? 대복 그룹이래서 넌 줄 알았는데.

니네 엄마, 에로 배우 조미희 맞아?

야, TV에서 한 말 다 진짜야? 너, 차진욱이랑 사귀었어?

"하아."

유미는 괴로운 듯 눈을 감으며 휴대폰 전원을 꺼버렸다.

무작정 차를 몰고 오긴 왔는데…….

진욱은 답답한 표정으로 파도가 하얗게 부서지는 바다를 바라보았다. 그럴 리야 없겠지만 제일 먼저 대복 리조트로 달려가 유미가 왔는지 확인했다. 혹시라도 체크인하면 바로 연락하라는 지시를 내린 후 바닷가로 차를 몰았다. 하지만 그녀가 동해에 왔다는 확신도 없었고 어느 바닷가에 있을지 도무지 감이 잡히질 않았다. 휴대폰은 계속 꺼진 상태였다.

현태가 서울에서 찾아보겠다고 했으니까 만났다면 연락이 오겠지.

"유미야."

진욱은 울고 싶은 충동을 느끼며 힘없이 운전대로 고개를 숙였다.

버스에서 내려선 유미는 익숙한 풍경을 둘러보다 픽 실소를 내뱉었다. 이유미, 너 정말 답이 없다. 하, 고작 도망친 데가 여기야? 그래도 절대로 대복 리조트는 가지 않을 거야. 근처 카페에라도 들어가서 차라도 마실까 하면서 주위를 둘러보는데 왠지 익숙한 도로 명이 눈에 들어왔다.

여긴……?

유미는 재빨리 가방을 열어 항상 가지고 다니던 전단지를 꺼내 주소를 확인했다.

이럴 수가!

애령이 알려준 식당 주소와 지금 그녀가 서 있는 곳과 같은 도로 명이었다. 번호를 봐도 여기서 가까운 것 같은데…….

유미는 전단지를 들고 도로 번호를 따라서 쭉 앞으로 걸어갔다. 여기 온 김에 애령을 만나는 것도 썩 나쁘지 않을 거란 생각이 들었다. 애령은 그녀가 지금 어떤 상태인지 전혀 모를 것이다. 그저 반갑게 인사하다 보면 조금은 위로가 되지 않을까?

"유미 씨?"

전복죽 식당 앞에 막 다다르는 순간 누군가가 그녀의 이름을 불렀다. 뒤돌아보자, 커다란 장바구니를 든 애령이 서 있었다. 유미란 걸 확인한 애령의 얼굴에 환한 미소가 떠올랐다.

"혹시나 했는데 유미 씨 맞군요."

애령은 반가운 얼굴로 다가와 유미의 팔에 손을 얹었다.

"정말 잘 왔어요. 어서 들어와요."

상냥하게 맞아주는 애령 덕분에 유미는 마음이 가벼워지는 것 같았다. 유미는 밝게 웃으며 식당 안으로 애령을 따라 들어갔다.

끼익—.

두 사람이 들어가고 잠시 후, 진욱의 차가 식당 앞에 멈춰 섰다.

"이를 어쩌나? 대접할 게 전복죽밖에 없는데……."

테이블 두세 개가 전부인 작고 소박한 식당이었다. 벽에 붙은 메뉴판에는 달랑 전복죽 하나만 적혀 있었다.

"저, 전복죽 아주 좋아해요."

"그러면 다행이고. 조금만 기다려요."

애령은 서둘러 앞치마를 두르고 주방 안으로 뛰어 들어갔다.

이상하게도 저번에도 그렇고 이번에도 그렇고 저분을 만나면 걱정이 덜고 기분이 좋아진다. 이해심 많은 듯한 따뜻하고 자상한 미소 때문일까?

주방으로 향하는 애령의 뒷모습을 바라보는 유미의 얼굴에 어느새 미소가 내려앉았다.

유미를 찾아서 바닷가를 쭉 달리다 보니 낯익은 건물이 눈에 들어왔다.

이렇다 할 간판도 없는 어머니의 조그마한 식당. '전복죽 팝니다.'라는 팻말 하나만 입구에 걸려 있었다.

3년 전, 앞까지 찾아왔다가 꽃다발만 두고 돌아간 후 처음이었다.

진욱은 차를 세우고 말없이 식당을 바라보았다. 그때나 지금이나 애령을 만날 용기가 선뜻 나지 않았다. 그리고 지금은 유미를 찾는 게 우선이었다.

유미를 찾으면 같이 올게요, 어머니.

"이유미, 어디에 있는지 찾기만 해봐!"

진욱은 다시 시동을 걸고 빠르게 차를 출발시켰다.

“차린 건 없지만, 많이 먹어요. 그래도 밑반찬이 있어서 다행이네.”

모락모락 김이 나는 전복죽을 내려놓으며 애령이 상냥하게 웃어 보였다. 전혀 배고프지 않을 거 같았는데 먹음직스러운 전복죽을 보자마자, ‘꼬르륵’ 하며 위에서 신호를 보냈다.

‘호호’ 불어 전복죽을 한입 떠먹자, 병원 구내식당에서 먹었던 전복죽과는 다르게 깊고 고소한 맛이 입 안을 가득 채웠다.

그녀가 진욱에게 해주었던 전복죽과는 비교할 수 없을 만큼 훌륭한 맛이었다.

문득 예전에 진욱이 해준 말이 떠올랐다.

—……우리 어머니는 전복죽을 참 좋아하셨어요. 직접 생물을 사다가 전복죽을 끓이기도 하고. 다른 건 몰라도 그건 확실하게 기억나요.

—본부장님도 전복죽 좋아하세요? 그러면 다음엔 전복죽 먹으러 갈까요?”

—아뇨, 됐어요. 어딜 가도 그 맛은 안 나니까.

그가 말한 게 바로 이런 맛이었나?

유미는 감동한 눈으로 전복죽을 내려다보았다.

“맛, 어때요?”

“진짜 맛있어요! 비법이 뭐예요? 전복죽 맛있게 만드는 법이요.”

“글쎄, 비법이랄 게 뭐 있나……? 아, 육수 만들 때 전복 껍데기를 함께 넣고 끓이면 좋아요. 거기서 시원한 맛이 나오거든. 가다랑어 포 있으면 한 줌 넣어도 좋고."

"잠시만요."

유미는 가방에서 수첩을 꺼내 애령이 알려준 비법을 적어 내려가기 시작했다.

"전복 껍데기랑…… 가다랑어 포."

애령은 심각한 얼굴로 메모하는 유미를 보며 말을 건넸다.

"요리하는 거 좋아하나 봐요?"

"잘하지는 못 해도 좋아는 해요. 그리고…… 전복죽 좋아하는 사람이 생각나서요. 엄마가 해주신 전복죽을 먹고 싶다고 그랬거든요. 어딜 가도 엄마가 해준 그 맛이 안 난다고. 무슨 말인가 했는데, 바로 이런 전복죽을 두고 하는 말인 것 같아요."

"그래요? ……우리 아들도 전복죽 좋아……했는데……."

좋아했는데……? 살짝 과거형인 게 마음에 걸린다.

유미가 눈치를 보듯 바라보자, 애령은 씁쓸하게 웃으며 갓김치를 그녀 앞으로 밀어주었다.

"자, 갓김치랑 같이 먹어요. 막 익어서 죽이랑 어울릴 거예요."

"네. 감사합니다."

애령 덕분에 긴장이 풀린 유미는 한 그릇을 뚝딱 비우고 한 그릇을 더 먹었다. 그런 유미를 애령이 고마운 눈으로 바라봐주었다.

"내가 만든 음식, 맛있게 많이 먹어주면 얼마나 기쁜지 몰라요."

전복죽을 먹은 후, 유미는 애령과 간단한 이야기를 나누며 차를 마셨다.

좀 더 있고 싶었지만 슬슬 손님이 몰려오기 시작한 탓에 유미는 아쉬운 얼굴로 자리에서 일어났다.

"덕분에 잘 먹고 잘 쉬다 갑니다. 정말 감사합니다."

"별말을. 이런 시골까지 찾아와줘서 내가 더 고마워요."

괜찮다고 하는데도 문 앞까지 걸어 나온 애령은 유미가 걸어서 버스 정류장으로 가려고 하자, 서둘러 그녀를 불러 세웠다.

"유미 씨, 혹시 자전거 탈 줄 알아요?"

"네? 아, 탈 줄 아는데요."

그러자 애령은 식당 앞에 세워진 낡은 자전거를 가리켰다.

"그러면 이거라도 타고 다녀요. 걸어서 다니는 것보다 훨씬 나을 거예요."

"정말 그래도 돼요?"

버스도 자주 오지 않는 곳에서 하염없이 기다려야 하나 걱정하던 중 눈이 번쩍할 만한 제안이었다. 유미는 활짝 웃으며 애령에게서 자전거를 건네받았다.

"그럼 잘 타고, 가기 전에 다시 올게요."

"그래요. 그때도 나랑 같이 식사해요."

유미는 몇 번이나 고맙다는 인사를 한 후, 자전거에 올라탔다. 청명하고 맑은 풍경을 바라보며 자전거를 타니, 짠 냄새 나는 바다 냄새마저도 상쾌하게 느껴졌다.

맛있는 전복죽으로 배를 채우고, 아름다운 분과 차를 한 잔 마시고, 그리고 얼굴에 시원한 바람을 맞는 기분. 그리 나쁘지 않았다.

유미는 어느새 어깨를 내리눌렀던 억압감을 훌훌 털어버리며 자전거 페달을 더욱더 힘차게 밟았다. 이렇게 싱그러운 바닷바람을 즐기다 돌아가면 어떤 세상의 편견과도 싸울 수 있을 것 같았다.

에로 배우의 딸이면 어때? 그게 뭐? 그래도 난 엄마를 사랑하잖아. 동구도 사랑하잖아.

나이 들어서 재혼했다가 이혼하는 게, 뭐 그리 큰 흠이라고.

페달을 세게 밟으면 밟을수록 저 안에 웅크리고 있던 용기란 녀석이 슬그머니 밖으로 기어 나오는 것만 같았다.

이따위, 세상! 언제나 다수의 눈치만 보면서 약하게 살기엔 너무 억울하잖아! 내가 진욱 씨를 사랑하는 게 죄는 아니잖아! 에로 배우의 딸은 연애도 못 하나? 까짓것 욕하라고 하지 뭐! 어차피 대다수의 군중은 진실을 알려 하지 않고 우선 손가락질부터 할 테니까. 그게 무서워서 물러나면 나만 손해 아닌가?

"그래! 왜 나만 손해 봐야 하는데?"

유미는 갑자기 자전거를 세우고 거칠게 밀려오는 파도로 시선을 돌렸다. 파란 물결이 작은 거품으로 하얗게 부서지며 모래사장을 적시고 있었다.

"미쳤어요? 유미 씨가 여길 왜 와요?"

혜리는 자신을 만나러 온 현태를 믿을 수 없다는 듯 바라보았다.

마지막 녹화를 끝내고 스튜디오를 걸어 나오자, 로비에 그녀를 만나러 온 손님이 있다는 연락이 왔다.

기자는 절대 아니라는 말에 아무 생각 없이 방송국 로비로 내려갔는데 현태가 대기실 의자에서 일어나 그녀에게 다가왔다.

"갈 만한 곳을 다 뒤졌는데 없어요. 친한 친구들에게도 다 전화해봤는데 아무 연락도 없었다고 하고."

"그러니까요. 그런데 유미 씨가 왜 여길 오느냐고요."

"당신 때문에 저 꼴이 됐으니까 열 받아서 혹시 한 대 때리러 오는 건 아닌가 해서요."

"뭐라고요?"

언성을 높이려던 혜리는 이곳이 방송국 로비라는 것을 깨닫고 이를 악물며 억지로 웃어 보였다.

"나 때문에 그렇게 된 건 미안하지만, 내가 댓글을 단 것도 아니고, 나도 피해자라고요. 방송에서 폭로를 한 사람도 내가 아니라 노경애 씨고요."

"그래서 본인은 잘못 없다고 생각해요?"

양심상 아니라고는 말 못 하겠다.

혜리가 대답을 하지 못하고 시선을 피하자, 현태는 그럴 줄 알았다는 듯 입꼬리를 올렸다.

"생각보다 안하무인은 아니군요."

"뭐예요?"

"유미 돌아오면 사과할 생각은 있어요?"

그렇지 않아도 유미를 한번 만나볼 생각이었다. 찌라시 때문이 아니라 술 먹고 그녀에게 마구 퍼부었던 악담이 마음에 걸려서였다.

—쪽팔리지도 않니? 원나잇이나 하면서, 게다가 에로 배우 딸인 주제에, 감히 어딜 넘봐?

진욱을 포기한 것과는 별개로 한번은 짚고 넘어가야 할 문제였다.

아무리 유미가 얄밉고 질투 난다고 해도 할 말이 있고 하지 말아야 할 말이 있는데.

인정! 그날 밤은 그녀가 잘못한 게 맞았다.

"좋아요. 사과할게요. 하지만 찌라시 건을 사과하는 게 아니라, 유미 씨와 나와 사적으로 짚고 넘어가야 할 말이 있어요."

"그러시든지. 하여간 혹시라도 유미가 나타나면 꼭 붙잡고 내게 전화 줘요."

유미에 관련된 일이라면 어쩔 줄 모르고 이리저리 뛰어다니는 현태에게 혜리는 부아가 치밀어 올랐다. 정확한 이유는 알 수 없었지만, 그냥 거슬렸다.

혜리는 두 손을 허리에 짚으며 싸늘한 눈으로 현태를 노려보았다.

"당신, 정말 단순한 친구 맞아요? 내 눈엔 사라진 여자 친구를 찾으러 다니는 것처럼 보이는데."

"아, 참!"

로비 문을 향해 돌아서던 현태가 잠시 동작을 멈추었다.

"유미와 나, 친구 관계 분명합니다."

"아……, 네."

혜리가 웃기는 소리 말라는 듯 고개를 끄덕거리자, 현태는 화가 난 표정으로 그녀 앞으로 바짝 다가섰다. 그가 얼굴을 들이밀자, 혜리는 화들짝 놀라며 뒤로 한 발 물러섰다.

"뭐, 뭐예요?"

"후."

당황하는 혜리를 바라보며 현태가 씁쓸한 미소를 떠올렸다.

"내가 유미에게 이러면 유미는 한 발 물러서긴 커녕 '왜? 눈에 뭐 들어갔어?' 하고 더 가까이 와요."

"그……그게 어째서요?"

"그만큼 우리 두 사람은 아무런 반응도 일어나지 않는다고요. 그런데 당신은 어때?"

현태가 혜리의 허리를 확 끌어당기며 다시 한 번 얼굴을 가까이 들이밀자, 혜리는 눈을 동그랗게 뜨고 급하게 숨을 들이마셨다.

뭐지? 방금 눈앞에서 뭔가 번쩍한 거 같은데?

혜리는 조금만 움직여도 코가 닿을 것 같은 현태의 얼굴을 멍하니 바라보았다.

어느새 그녀도 모르게 얼굴이 빨개지고…….

"크흡!"

……난데없이 입에서 딸꾹질이 흘러나왔다.

내가 왜 이러지?

놀라서 두 손으로 입을 막아봤지만 딸꾹질은 멈추지 않고 계속해서 흘러나왔다.

"큭."

어쩔 줄 모르고 당황하는 혜리의 반응에 현태는 실소를 터뜨리며 껴안았던 손을 풀어주었다. 비틀거리듯 현태의 품에서 빠져나온 혜리는 아주 혼란스러워 보였다.

"그래요, 바로 그거."

"……크윽, 뭐……가요?"

알쏭달쏭 뜻을 알 수 없는 현태의 말에 혜리는 발끈한 얼굴로 그를 노려보았다.

갑자기 뭐 하자는 거야? 수수께끼라도 하자는 거야?

잠시 후, 현태의 입에서 심장이 저 아래로 쿵 떨어질 것 같은 말이 흘러나왔다.

"당신이 반응하는 것처럼…… 나도 당신에게만 반응하거든."

"와, 너 깜순이 친척 맞지!"

자전거를 타고 한적한 시골길을 달리던 유미는 깜순이를 닮은 고양이를 발견하고 자전거를 멈추어 세웠다.

"야옹."

고양이는 유미를 보더니 낯을 가리지 않고 그녀 곁으로 가까이 다가왔다.

유미는 허리를 굽혀 다리에 얼굴을 비비는 고양이의 머리를 부드럽게 쓰다듬어주었다. 깜순이를 닮은 검은 고양이를 보았다고 곧바로 그가 보고 싶다니.

유미는 쓰게 웃으며 자리에서 몸을 일으켰다. 다시 페달을 밟고 앞으로 나아가는데 어딘지 눈에 익은 절벽이 모습을 드러냈다.

절벽 밑으로 바다가 연결되어 있고 그 밑에 아주 작은 카페가 있었던 걸로 기억한다. 그리고 그 앞에 펼쳐진 바닷가는 바로…….

진욱과 와인을 마셨던, 그와 처음으로 사랑을 나누었던 바로 그곳!

수신이 안 되는 휴대폰을 들고 여기저기 뛰어다녔기에 지금도 또렷이 생각난다.

가까운데…… 한번 가볼까?

유미는 절벽 쪽으로 자전거의 방향을 틀었다.

"진짜로 바다 보러 간 거 맞아?"

진욱은 한적한 바닷가에 차를 세우며 넥타이를 거칠게 풀어헤쳤다.

현태에게선 아직 아무 연락도 없었다. 그렇다면 서울에는 없다는 말인데 도대체 이 여자 어딜 간 거야? 갈 때는 가더라도 전화나 좀 받던지……. 온종일 음성 메시지를 너무 많이 남겨서 음성 사서함이 꽉 차고 말았다. 더 이상 메시지를 남길 수 없자, 진욱은 짧게 욕설을 내뱉으며 휴대폰을 차 뒷좌석에 던져버렸다.

"하, 이유미."

혹시 동해가 아니라 부산에 간 건 아니겠지?

진욱은 허탈하게 한숨을 내쉬며 차 문을 열고 밖으로 나갔다.

휘이잉—.

쌀쌀한 바닷바람이 세차게 얼굴을 때리기 시작했다.

"와아."

어쩜 3년 전 그때와 변한 게 하나도 없는지…….

유미는 눈앞에 펼쳐진 푸른 바다를 먹먹한 시선으로 바라보았다.

글쎄, 변하지 않은 게 어디 바다뿐일까?

그를 향한 그녀의 마음도, 그녀를 향한 그의 마음도, 하나도 변한 것이 없다. 그런데 뭐가 무서워서 피했던 걸까? 뭐가 그리도 견딜 수 없어 허겁지겁 도망친 걸까? 언제까지 도망만 칠 순 없는 거야, 안 그래?

자전거를 끌고 바다를 바라보며 걷는 유미의 눈에 뭔가 반짝이는 물체가 들어왔다.

"응?"

유미는 받침대를 내려 자전거를 잠시 옆에 세우고 허리를 굽혀 반짝이는 물체를 주워 들었다. 오백 원짜리 동전이다! 습관처럼 뒷면으로 년도를 확인한 유미의 얼굴에 씁쓸한 미소가 떠올랐다. 그녀가 태어난 해의 숫자가 동전에 선명히 새겨져 있었기 때문이다.

―이거 내가 태어난 해에 만들어진 동전이에요. 오늘 운 되게 좋다.

―운 좋다고 하기에는…… 그쪽 오늘 좀 그렇지 않았나?

그때 그녀를 보며 진욱은 빈정거렸었다.

어쩌면 그 말이 맞을지도 모른다. 운 좋다고 하기에는…… 오늘 좀 그랬으니까. 물끄러미 손바닥 위에 놓인 동전을 보던 유미는 동전에 묻은 흙을 닦아내기 위해 옷자락으로 쓱쓱 문질렀다. 그러다 그만 손에서 툭 떨어뜨리고 말았다. 바닥에 떨어진 동전이 '또르르' 앞으로 굴러가기 시작했다.

"어, 어?"

유미는 굴러가는 동전을 쫓아 고개를 숙이고 종종걸음으로 따라갔다. 동전은 그녀의 손에 잡힐 듯 안 잡힐 듯 아슬아슬하게 앞으로 굴러갔다. '또르르' 굴러가던 동전이 갑자기 나타난 누군가의 구두에 마주치며 툭 멈추었다.

유미의 시선이 조용히 동전을 주워 드는 낯익은 손가락에 박혔다. 누구의 손인지 얼굴을 보지 않아도 알 것 같았다.

갑자기 다리에 힘이 빠져버린 유미는 그대로 제자리에 쭈그리고 앉아 길바닥으로 고개를 숙였다. 왜 그가 여기 있는 거지? 어째서? 유미는 차마 위를 올려다보지 못하고 멍하니 길바닥만 노려보았다. 그의 얼굴을 보면 눈물이 펑펑 쏟아질까 봐, 그의 얼굴을 보면 지금까지 참았던 서러움이 터져 나올까 봐, 그렇게 되면 그에게 기댄 채 절대로 떨어지지 않게 될까 봐……. 두려웠다.

"……이유미."

진욱의 나직한 목소리가 위에서 흘러나왔다.

어쩌면 좋아. 얼굴을 본 것도 아니고 목소리만 들었을 뿐인데도 울컥 눈물이 나오려고 한다.

그녀는 힘겹게 울음을 참으려 입술을 비죽거렸다.

"유미야!"

유미가 일어날 생각이 전혀 없자, 진욱은 유미의 어깨를 와락 끌어안아 자리에서 일으켜 세웠다. 그리고 고개를 숙여 눈을 마주쳤다.

조금은 화가 난 얼굴로 유미를 노려보던 그가 잠시 후, 두 팔로 그녀를 품에 끌어당겼다. 동시에 유미의 눈에서 참았던 눈물이 흘러내렸다. 진욱은 커다란 손으로 유미의 머리를 감싸며 그녀의 어깨에 얼굴을 묻었다.

"오늘 얼마나 찾아다닌 줄 알아? 온종일 미친 듯이 돌아다녔다고!"

유미는 아무 말도 할 수 없었다. 그저 그의 품에 안긴 채 하염없이 눈물을 흘릴 뿐이었다. 진욱은 비에 젖은 새처럼 바들바들 떠는 유미를 더욱더 세게 끌어안았다.

"걱정돼서 죽는 줄 알았다고!"

"……미안해요. 날 찾으러 온 줄 몰랐어요. 난 그냥 생각할 게 좀 있어서…….”

“왜 전화를 안 받아?”

“음성 메시지 남기지 그랬어요?”

“네가 걱정돼서 미치겠는데 가만히 앉아서 너에게 연락 올 때까지 기다리라고? 그리고 내가 하도 남겨서 음성 사서함이 꽉 차버렸어.”

“좀 있다가 확인해보려고 했는데.”

그가 온종일 그녀를 찾아 헤맸다면 그건 아마도 방송 때문일 거다.

“방송 봤구나.”

유미가 혼잣말처럼 작게 중얼거렸다.

“보지 않으려고 해도 어떻게 안 볼 수가 있어? 그런 일이 있으면 나에게 제일 먼저 달려왔어야지. 여기서 혼자 청승맞게 뭐 하는 거야?”

혼자가 아니었는데. 아주 마음 따뜻한 분과 이것저것 이야기하면서 식사도 하고 차도 마셨는데.

하지만 그런 이야긴 차차 해도 늦지 않을 것이다.

유미는 가만히 손을 들어 진욱의 등을 어루만졌다. 안 본 사이 많이 여윈 것 같아 마음이 아팠다.

“그런데 왜 이렇게 말랐어요?”

진욱은 유미를 살며시 떼어놓으며 시선을 마주했다.

“내내 굶었거든. 당신 찾아다니느라.”

“오늘 하루 굶었다고 이렇게 마를 리가 없잖아요.”

“……그동안 바빴어.”

“그래서 또 끼니도 거르고 미친 듯이 일만 했어요?”

진욱은 대답 대신 천천히 고개를 끄덕였다.

“……나 보고 싶어서?”

"응."

—죽도록 일만 했어. 그래야 살 수 있을 것 같아서……. 이유미, 너란 여자 때문에.

그때 해준 말은 모두 사실이었나 보다.

유미는 손을 들어 진욱의 뺨을 조심스럽게 감쌌다.

"바보같이, 왜 그랬어요? 그렇게 힘들면 그냥 나한테 말을 하지."

그러자 진욱은 다시금 유미를 품에 끌어안았다.

"나보다는 네가 훨씬 더 힘들 텐데, 너에게 투정 부리라고?"

"……투정 부려도 되는데. 그런 투정이라면 언제든지."

유미는 등 뒤로 팔을 두르며 그의 가슴에 뺨을 기대었다. 끊임없이 눈물이 흘러내렸지만, 개의치 않았다.

이건 슬퍼서 흐르는 눈물이 아니라 그를 다시 만나 기뻐서 흘리는 눈물이니까.

눈물이 펑펑 쏟아져도, 지금까지 참았던 서러움이 터져도, 그에게 기댄 채 절대로 떨어지지 않게 되어도, 이젠 두렵지 않았다.

사랑해요, 진욱 씨.

그녀를 감싸고 있는 진욱의 따뜻한 체온을 느끼며 유미는 두 눈을 감았다.

깊이 끌어안고 있는 두 사람 위로 분홍빛 노을이 서서히 내려오기 시작했다.

쏴아아—.

멀리서 밀려오는 파도 소리가 오늘따라 아늑하기만 했다.

Episode 33

꿈만으로는 만족 못하니까

노을 지는 바다를 물끄러미 바라보던 진욱은 유미의 손을 잡고 천천히 바닷가를 걷기 시작했다. 바로 몇 시간 전만 해도 발아래가 밑으로 꺼진 것처럼 막막했는데…….

유미는 지금 진욱이 옆에 있다는 사실이 도무지 믿기지 않았다. 단단하게 깍지 낀 손에서 느껴지는 따뜻한 온기에 가슴이 설레며 그녀도 모르게 미소가 떠올랐다.

참 웃기지? 세상 사람 모두가 비난하는 것만 같아 무척이나 절망스러웠는데 따뜻한 전복죽과 자전거에 마음이 풀리더니, 그가 옆에 있다는 사실에 천군만마를 얻은 것처럼 마음이 든든했다. 사람은 아무리 어렵다고 해도 아주 작은 손길 하나에 희망을 되찾나 보다.

"혹시 전에 말한 적 있었나?"

말없이 바닷가를 걷던 진욱이 나직이 입을 열었다.

"내가 불면증이 심한 이유?"

"……아뇨."

"동구 나이 정도 됐을 때였나……."

아무렇지 않게 말을 꺼냈지만, 진욱의 얼굴에는 어두운 그림자가 서서히 내려앉고 있었다.

"어느 날 아침에 일어났는데 어머니가 보이지 않았어. 지금 생각해도 그때 얼마나 놀랐던지……. 울고 불며 지칠 때까지 어머니를 찾아 헤맸지. ……하지만 집 안 어디에서도 어머니를 볼 수 없었어. 그렇게 어머니는 내 인생에서 사라지셨지."

아주 오래전 일이지만, 그날의 아침은 아직도 생생하게 눈앞에 떠올랐다.

"어린 나이에 이혼이 뭔지 이해할 수나 있었겠어? 그러니 누구도 옆에서 내게 쉽게 설명해주려고 하지 않았어."

진욱은 숨을 들이마시며 잡은 손에 더욱 힘을 주었다.

"그래서 나는 어머니가 없다는 사실에 절망하며 매일매일 울기만 했지. 그때 남은 유일한 어머니의 흔적이란 거실 소파에 있던 담요뿐이었어. 어머니와 같이 쓰던 거라서 그걸 덮고 있으면 달콤한 엄마 냄새가 났거든. ……지금은 아니지만."

진욱은 어둠이 내리는 먼바다로 시선을 돌리며 덤덤하게 말했다.

"그래서 동구에게 더 마음이 쓰였나 봐. 혹여 나처럼 될까 봐. 동구에게서 내 어린 날의 모습이 보였다고나 할까? ……아버지가 내 아이라고 말하는데, 완전 충격이었어. 순간 멍해져서 귀에 아무 말도 안 들어오더군. 그다음부턴 그냥 쉽게 모든 걸 인정했던 것 같아. 동구가 나처럼 되지 않게 옆에서 보살펴줘야 한다는 책임감이 우선이었으니까."

"……진욱 씨."

"아무래도 짚고 넘어가야 할 것 같아서. 아무리 네가 나를 있는 그대로 이해해준다고 해도, 왜 내가 그런 말도 안 되는 착각을 했는지 조금은 알아주길 바라니까…… 그래서……."

부모님이 어려서 헤어졌다는 건 알았지만, 이런 식으로 어린 그에게 상처를 냈을 거라곤 미처 생각하지 못했다. 하루아침에 어머니의 품을 잃어버리고 얼마나 외로웠을까?

유미는 손을 들어 진욱의 등을 다정하게 쓸어주었다. 그런다고 어린 날의 아픔이 사라지는 건 아닐지라도, 조금은 위로가 되지 않을까?

"……어머니…… 원망해요?"

"아니……."

진욱은 살며시 고개를 내저으며 희미하게 웃어 보였다.

"바다에서 나고 자란 분한테 서울은 너무 갑갑했을 거야. 주위는 삭막한 빌딩뿐이고 아무리 큰집이라도 바다보다 넓진 못했을 테지. 아버진 사업에 열중하느라 그런 어머니를 그냥 내버려두기만 하셨어. 친척들은 시골에서 올라왔다고 은근히 어머니를 홀대했고……. 혼자서 견디기 힘드셨을 거야. 그래서 힘겹게 이혼을 결정하셨던 같아. 문제는 나란 존재였는데……. 어린 나를 데리고 가기엔…… 어머니는 너무 힘이 없었어. 그리고 내가 어머니를 따라가서 힘들게 사는 것보다는 아버지 밑에서 풍족하게 사는 게 나을 거라고 생각하셨을 거야. ……나를 떼어놓고 어머니도 매우 힘드셨겠지. 그러니까…… 나는 어머니를 원망 안 하려고."

그렇구나. 진욱 씨는 자신을 떼어놓고 간 어머니를 이해해주는구나. 그런데 나는…….

"후."

유미는 씁쓸하게 웃으며 작게 한숨을 내쉬었다.

"……난 진욱 씨와는 달라요. 나는…… 엄마를 원망해요. 이렇게 된 것도 다 엄마 때문인 것 같고. 엄마가 에로 배우만 아니었더라도 좀 더 순탄하게 살 수 있었을 텐데…… 하면서. 쭉…… 사춘기 소녀처럼…… 엄마에게 불평만 늘어놓으면서…… 그렇게 살았어요."

진욱이 안타까운 얼굴로 유미에게 고개를 돌렸지만, 유미는 그의 시선을 외면한 채, 계속해서 바다만 바라보았다.

"혹시라도 남들한테 손가락질을 받을까 봐, 답답해도 목 끝까지 단추 채우고, 헤프다는 소리 들을까 봐 제대로 된 연애 한 번 못 해보고……. 후, 그냥 로맨스 소설이나 읽으면서 간접 경험하는 거에 만족하고 살았네요."

그제야 유미는 진욱을 바라보며 슬픈 미소를 떠올렸다.

"나, 참 바보 같죠……?"

"중학교 때, 그 일 때문이야?"

"아니요."

유미는 살며시 고개를 내저었다.

처음엔 그녀도 그렇게 생각했다. 중학교 때 트라우마가 너무 커서 이러는 거야, 라고. 그렇게 전교에서 왕따를 당하고 괜찮을 사람이 누가 있겠어? 그래서 더욱더 엄마가 창피하고 원망스러웠다. 하지만 이제는 그것만이 전부가 아니라는 걸 깨달았다.

"……중학교 때 아이들에게 왕따를 당하지 않았더라도 난 엄마가 원망스럽고 창피했을 거예요."

내가 아는 엄마는 왕년에 유명했던 배우야! 그런데 남들 앞에서 옷을 벗었다고? 어떻게 그게 말이 되느냔 말이야!

"엄마가 남들 앞에서 옷을 벗는다는 것 자체가 싫었어요. 난 우리 엄마가 좀 더 고상하고 멋진 배우라고 상상했는데, 그게 아니라는 걸 알자, 자존심이 상하고 화도 나고……. 내 스펙에 도움이 되기는커녕 큰 흠이 될 테니까. 그래서 고등학교 가서도, 대학교 가서도 엄마가 에로 배우라는 거, 숨기느라 바빴어요. 나는 참…… 이기적인 딸이었어요."

"유미야."

진욱은 위로하듯 바닷바람에 헝클어진 그녀의 머리칼을 부드럽게 쓸어 넘겨주었다.

"우리…… 엄마……."

유미는 눈물이 글썽이는 눈으로 진욱의 손에 자신의 손을 얹었다.

"아빠, 사고로 그렇게 먼저 보내고 나서 혼자 많이 힘들었을 텐데……. 그래도 저를 포기하지 않고 끝까지 부족한 거 없이 키워줬거든요. 엄마가 철이 없어서 가끔 말썽 부리긴 했지만, 그래도 내게는 언제나 든든한 울타리였어요. 그런데도 나는……."

왜 이제야 깨달았을까? 이 모든 일은 내가 먼저 엄마를 부끄러워했기 때문이다. 왜 좀 더 당당하게 나서지 못했을까? 엄마가 사람을 죽이기라도 했어? 엄마가 사기꾼이야? 아니면 가정 파괴범이라도 돼?

유미는 진욱의 손을 꽉 움켜쥐며 희미하게 웃어 보였다.

"난 이제 우리 엄마, 창피하게 생각하지 않을 거예요. 에로 배우는 뭐 배우 아닌가? 그냥 연기라고요. 괜히 잘못된 편견으로 이상하게 보는 사람이 문제지……."

말로 표현하니까 문제점이 좀 더 명확하게 보였다.

"나 이젠 당당하게 맞설래요. 잘못한 거 하나도 없는데 도망갈 이유 전혀 없어요."

유미의 단호한 선언에 진욱은 그녀의 어깨를 따뜻하게 감싸며 살며시 품으로 끌어당겼다.

"그래, 우리 이젠 피하지 말자. 우리만 아니면 된 거야. 남들 눈초리 그런 거, 신경 쓰지 말자."

진욱은 유미를 품에 안으며, 어둑어둑해지는 진한 붉은빛 바다로 시선을 돌렸다.

붉은 노을의 색이 점점 더 짙어지며 바다 위에 녹아들 듯 스며들고 있었다.

"진욱이의 행방을 모른다는 게 말이 된다고 생각해?"

진욱이 어디에 있는지 전혀 모른다는 우진의 보고를 믿을 수 없었는지 차 회장은 급기야 본부장실까지 쳐들어왔다.

텅 빈 집무실을 직접 확인한 차 회장의 얼굴이 분노로 일그러졌다. 아까부터 우진을 닦달했지만, 그에게선 계속 모른다는 답이 돌아올 뿐이었다.

"집에도 없고, 그럼 도대체 이 녀석이 어딜 간 거야? 그 여자가 있다는 대전에라도 내려갔어?"

"이미 대전에 사람을 보내시지 않으셨습니까, 회장님."

"뭐?"

"대전에 아무도 없다는 보고를 받으신 거, 저도 잘 압니다, 회장님."

언제부터인가 완전히 진욱의 사람처럼 행동하는 우진을 차 회장은 괘씸한 듯 노려보았다.

"장 비서. 내 밑에서 처음 일 시작했다는 거, 벌써 잊어버린 건가?"

"그럴 리가 있습니까."

우진의 아버지는 대복이 대기업 형태를 갖추기 전부터 차 회장의 오른팔이었다. 하지만 우진이 대학을 막 졸업하는 해에 지병으로 쓰러졌고, 우진은 아버지를 대신해서 대복에 입사했다. 그때부터 우진은 줄 곧 차 회장 밑에서 비서 업무를 수행했고, 진욱과 일하게 된 것은 3년 전부터였다.

차 회장도 안다. 진욱에게 우진은 비서라기보다는 옆에서 돌봐주는 형 같은 존재라는 것을. 외롭게 자란 진욱에게 누구보다도 필요한 아군이라는 것을. 그걸 잘 알면서도 괜스레 입 안이 씁쓸한 건 어쩔 수 없었다.

"정말 몰라?"

"모릅니다."

"짐작 가는 데는?"

"……음, 글쎄요."

우진은 잠시 고민하는 것 같은 표정을 지었다. 뭐라도 내뱉지 않으면 차 회장은 절대로 물러나지 않을 태세였다. 아무 미끼나 툭 던져버린 이유는 그래서였다.

"얼마 있으면 그분 생신이십니다."

우진이 말하는 그분이 애령이라는 건 따로 말할 필요도 없었다. 곧바로 차 회장의 얼굴에 어두운 그림자가 내려앉았다.

"머릿속이 복잡할 때면 본부장님은 멀리서라도 어머니를 보고 싶다고 했습니다만……."

"흠."

차 회장은 무거운 표정으로 입을 꾹 다물었다.

"하여간 진욱이 녀석에게 연락 오면 나에게 당장 연결해. 알았나?"

"네, 회장님."

차 회장은 못마땅한 눈으로 우진을 흘겨본 후, 그대로 등을 돌려 집무실을 걸어나갔다.

“그때랑 같네요.”

뚜껑이 열린 진욱의 차 뒤에 나란히 앉아 밤하늘을 바라보던 유미가 말했다.

그때라면 3년 전을 말하는 것일 테다. 엄마의 재혼으로 기분이 가라앉은 그녀와 엄마의 생신임에도 찾아가지 못하는 그가 와인을 마시며 각자 힐링하던 그날.

“이런, 어떡하지? 와인이 없는데…….”

진욱이 농담으로 받아치자, 유미는 살짝 미간을 찌푸렸다.

“됐네요. 그때처럼 히터도 틀지 못하고 생고생하라고요?”

음주한 상태에선 운전석에 앉아도 안 되고 시동도 걸면 안 된다는 진욱의 단호함에 두 사람은 비를 쫄딱 맞고도 추위에 덜덜 떨어야만 했다. 그때 그날, 비가 오지 않았으면 어땠을까?

유미는 가끔 그런 생각을 해보았다.

우연히 그를 버스 정류장에서 만나고, 우연히 같은 날 서로 엄마라는 존재로 인해 상처받고, 우연히 멀쩡하던 하늘에서 비가 쏟아져 내리고……. 정말 많은 우연히 겹쳤던 날이었다.

“잠깐만.”

진욱은 재킷 주머니에서 휴대폰을 꺼내 화면을 들여다보았다.

“3년 전과 다르게 신호 잘 잡히는데? 대리운전 부르는 데 아무 문제 없겠어.”

“뭐라고요? 치이…….”

유미는 팔꿈치로 진욱의 옆구리를 쿡 찌르고 밤하늘로 시선을 돌렸다. 검은 하늘에 잔잔히 박힌 별은 금방이라도 바다 위로 후두두 떨어질 것처럼 반짝거렸다.

"진욱 씨 덕분에 오늘 행복했어요."

자잘한 별을 바라보는 그녀의 눈에 어느새 눈물이 스며들었다. 유미는 손등으로 눈물을 닦아내고 이내 부드럽게 미소 지었다.

"이렇게 멋진 영화 같은 재회도 해보고."

뭔가 불안한 예감이……. 이런 대사는 헤어지는 연인에게 하는 말 아닌가? 오늘 지나면 다시 또 당분간 만나지 말자는 말을 하려는 걸까?

진욱은 인상을 굳히며 유미에게로 고개를 돌렸다.

"나에겐 정말……."

별에 시선을 고정한 채, 유미가 목멘 목소리로 말을 이었다.

"꿈같은 시간이었어요."

아무래도 그냥 놔두면 안 될 것 같은 예감에 진욱은 두 손으로 유미의 어깨를 잡아 그녀와 시선을 맞추었다.

"그런 말 하지 마."

유미가 아무 말도 하지 않고 가만히 바라보자 진욱은 속에 있는 진심을 담아 말했다.

"난 당신한테 꿈, 그딴 거 아냐."

그 말에 유미의 눈빛이 살며시 일렁였다.

"난 아직 당신이랑 못해본 게 너무 많다고. 앞으로도 오래오래…… 같이 있으면서 하나씩 해 나갈 거야. 그러니까……."

순간 유미는 진욱의 입술에 손가락을 대며 말을 막았다.

"그래요. 나 이제, 그 꿈, 현실로 만들 거예요. 꿈만으로는 만족 못하니까.”

“유미야.”

“당분간 장거리 연애해야 하는데 괜찮겠어요? 나도 가끔 서울에 올라가긴 할 테지만, 매주 올라갈 순 없어요.”

이 여자, 지금 그게 문젠가? 대전이 아니라, 부산, 제주도, 울릉도, 독도! 아니, 미국에 있다고 해도 그녀만 볼 수 있다면 어디든 갈 수 있다.

“……장거리 연애라는 게 말처럼 그리 쉽진 않대요. 그래서 혹시라도 진욱 씨 마음이 식는다 해도 전 이해해요. 그렇잖아요. 몸이 멀어지면 마음도…….”

말도 안 되는 소리를 조잘거릴 때는 이 방법밖에 없다. 진욱은 유미의 양볼을 두 손으로 감싸며 재빨리 입을 맞추었다.

“읍!”

깜짝 놀라 눈을 동그랗게 떴던 유미도 어느새 스르르 눈을 감으며 그의 목에 팔을 둘렀다. 그의 입술은 언제나 달콤하고 짜릿하며 그녀의 아픔을 아는 듯 자상하게 어루만져준다. 뜨거운 숨결에 입술이 파르르 떨리며 저절로 크게 벌어졌다. 뺨을 감싸던 손이 밑으로 내려와 목 끝까지 채워진 단추에 닿았다. 그의 손이 단추를 풀려고 하자, 유미는 움찔하며 감았던 두 눈을 떴다.

“쉬이.”

긴장한 그녀의 표정에 진욱은 엄지손가락으로 가볍게 뺨을 쓸어내리며 달래듯 속삭였다.

“……괜찮아. 이젠 풀어도 돼.”

나직한 그 한마디에 마법에 걸린 것처럼 스르르 걱정이 사라진다. 진욱은 재빨리 단추를 풀고 다시금 그녀에게 입술을 포갰다.

쏴아아—.

"으음."

파도 소리라면 알람일 텐데…….

유미는 눈을 감은 채 알람을 끄려 옆으로 손을 뻗었다. 그러나 그녀의 손에 닿는 건 딱딱한 알람 시계가 아닌 단단하고 따뜻한 정체불명의 사물이었다. 억지로 졸린 눈을 뜨니 양팔로 그녀를 껴안고 잠든 진욱의 얼굴이 보였다.

쏴아아—.

멀리서 들려오는 소리는 알람이 아니라 진짜 파도 소리인 것 같은데…….

그제야 유미는 어젯밤 진욱과 이런저런 이야기를 하다가 그대로 차 안에서 잠들었다는 사실을 깨달았다. 유미는 자신의 몸에 덮인 진욱의 코트를 보며 '후' 짧은 웃음을 내뱉었다.

어쩌면 비슷한 상황인데 이렇게나 느낌이 다를까? 3년 전에는 눈을 뜨자마자 기겁했었는데 지금은 말로 표현할 수 없을 정도로 행복했다. 유미는 곤히 잠든 진욱을 바라보며 이마에 흘러내린 머리카락을 가만히 쓸어 올려주었다. 어제 온종일 그녀를 찾아 헤맸다더니, 무척 고된 하루를 보낸 듯 진욱은 쉽사리 잠에서 깨지 못하고 있었다.

유미는 살며시 눈, 코, 입을 손으로 하나하나 어루만져보았다. 아름다운 사람. 그리고 내가 사랑하는 남자. 그녀는 따뜻한 눈빛으로 진욱을 바라보다 그의 입술에 조심스럽게 입을 맞추었다.

"하아."

그냥 가볍게 키스할 생각이었는데 입술이 닿는 순간, 자는 줄 알았던 진욱이 확 손을 뻗치더니 그녀의 뒤통수를 감싸 안았다. 그리고 폭풍 같은 키스를 퍼부었다.

한참 후에야 입술을 떼는 진욱을 유미가 겸연쩍은 눈으로 보았다.

"미안. 나 때문에 깼어요?"

"응."

아침부터 아주 진한 키스를 해놓고 그는 아직도 잠이 덜 깼다는 듯 나른한 표정이었다.

"꿈인 줄 알았는데……. 그런데 꿈속에서도 네가 사라질까 봐 두려웠어."

"꿈 아니에요."

유미는 진욱의 가슴에 얼굴을 묻으며 한 손으로 그의 어깨를 토닥거렸다. 그럴 만도 하겠다. 3년 전, 그녀는 그를 혼자 버려둔 채 도망가 버렸으니까. 지금 생각해도 자신의 행동이 후회스러웠다.

"이젠 무슨 일이 있어도 진욱 씨 안 떠나요. 안 숨을 거예요. 사람들 손가락질 신경 안 써요. 안티 백만 명 되라지! 내가 잘못한 것도 없는데 왜?"

"이런, 아주 기특하네. 이유미."

그녀를 으스러지게 품에 꽉 껴안으며 진욱이 낮게 속삭였다.

"차 안에서 자는 거 불편하지 않았어? 리조트로 가서 샤워하고 아침 먹자."

"그런데 그 전에 자전거 돌려주고 와야 해요."

"아, 자전거."

진욱은 차 옆에 덩그러니 세워져 있는 자전거를 보며 미간에 주름을 잡았다.

"그런데 저건 어디서 난 거야?"

"여기에서 빌렸다고?"

"네."

진욱은 유미가 가리키는 식당을 믿을 수 없다는 얼굴로 바라보았다.

말도 안 돼. 어째서 그녀가 여길…….

유미는 충격받은 듯 눈을 커다랗게 뜬 진욱을 바라보며 못 말린다는 듯 설레설레 고개를 내저었다.

저번에 찜닭 집에 가서도 그러더니 이번에도 식당이 너무 낡아서 들어가기 싫은 모양이다.

후, 유난히도 깔끔한 체하는 저 버릇. 언제쯤 고칠 수 있을까?

"여긴 테이블 있는 곳이니까 걱정하지 말아요."

"뭐?"

당황한 탓에 유미의 말뜻을 이해하지 못한 진욱이 살짝 인상을 찌푸렸다.

"다리가 길어서 앉아 먹는 건 불편하다면서요. 이 식당은 방에서 들어가서 먹는 구조 아니니까 염려하지 말라고요. 아침 일찍 문 여신다고 했으니까, 여기서 아침 먹고 가요. 주인아주머니가 직접 끓여주시는 전복죽 정말 맛있어요."

"……여기서 먹어봤어?"

"그럼요. 어제도 여기서 먹었는걸요. 너무 맛있어서 두 그릇이나 먹었어요. 자, 들어가요."

주춤거리며 선뜻 안으로 들어가지 못하는 진욱의 팔을 잡아당기며 그녀가 말했다. 유미의 손에 이끌려 우물쭈물 안으로 들어가니 텅 빈 실내가 눈에 들어왔다. 아직 아침을 하기에도 이른 시각이라서 손님이 뜸한 듯싶었다. 우진의 말에 의하면 애령은 일하는 사람을 두지 않고 그녀가 모든 일을 도맡아 한다고 했다. 유미는 익숙한 걸음으로 썰렁한 실내를 가로질러 인기척이 나는 주방으로 다가갔다.

"아주머니, 저 왔어요."

"유미 씨?"

유미의 목소리에 주방에서 작업 중이던 애령이 힐끔 밖을 내다보았다.

"잠깐만요. 전복을 손질하고 있었거든요. 손 좀 씻고."

잠시 후, 애령이 앞치마에 손을 닦으며 주방에서 밖으로 걸어 나왔다. 유미를 보고 반갑게 웃던 애령은 유미의 뒤에 서 있는 진욱을 발견하고 제자리에 얼어버리고 말았다.

"……아."

애령은 흐느낌 같은 탄식을 흘리더니 현기증이 왔는지 한 손으로 이마를 짚고 비틀거렸다.

"앗! 괜찮으세요?"

저번처럼 쓰러지는 게 아닌가 걱정된 유미가 애령에게 다가가려 했지만, 진욱의 행동이 더 빨랐다. 단숨에 애령에게 달려간 진욱은 그녀의 어깨를 감싸며 자신에게 기대게 했다.

"흐흑."

쓰러지듯 진욱에게 안긴 애령의 입에서 작은 흐느낌이 흘러나왔다.

그녀는 한 손으로 입을 틀어막으며 눈물이 글썽거리는 눈으로 진욱을 올려다보았다.

전혀 예상하지 못한 애령과 진욱의 반응에 유미는 당황한 얼굴로 두 사람을 번갈아 바라보았다.

이상하다. 그가 처음 보는 사람에게 저렇게 다정하게 나올 리가 없는데……. 그리고 아주머니는 왜 갑자기 우시는 걸까?

아무 말 없이 진욱을 바라만 보던 애령이 이윽고 손을 들어 진욱의 뺨을 어루만졌다. 그리고 힘겹게 입술을 달싹거렸다.

"왔니? ……아들."

애령의 입에서 나온 단어가 유미를 충격 속으로 몰아넣었다.

방금 뭐라고 하셨지? 아들? 그렇다면 저분은 바로?

애령이 누구인지를 깨달은 유미의 눈이 튀어나올 것처럼 커다래졌다.

"늦어서 죄송합니다, 어머니."

진욱은 울먹이듯 속삭이며 애령을 두 팔로 힘껏 끌어안았다.

"안 그래도 유미 씨 오면 함께 먹으려고 어젯밤에 돼지갈비를 좀 재워놓았는데 잘됐네요. 여기 앉아서 잠시만 기다려요."

"아니에요. 어제처럼 전복죽만 주시면 돼요."

"무슨 소리. 어제도 전복죽 하나만 달랑 대접해서 마음이 영 그랬는데. 금방 되니까 기다려요."

전복죽 하나면 된다는데도 불구하고 애령은 고집을 부려 상다리가 부러질 것 같은 아침상을 차렸다. 강산이 변하고도 남았을 세월 동안 만나지 못한 아들을 위해 차리는 아침상이기에 유미는 더는 반대하지 못했다. 옆에서 도울 수 있게라도 해달라고 부탁했지만, 애령은 손님을 주방에 들어오게 할 수는 없다며 등을 떠밀었다.

"어머니를 병원에서 처음 뵈었어요. 회장님 쓰러지셔서 병원에 갔을 때요."

아침상이 차려지는 동안, 유미는 진욱에게 애령과 알게 된 사연을 털어놓았다. 진욱은 별말 없이 무표정으로 이따금 고개를 끄덕이며 유미의 이야기에 귀를 기울였다.

"어머니 돌봐줘서 고마워."

"아니에요. 제가 딱히 뭐 해드린 것도 없어요. 오히려 제가 어제 어머니께 위로를 많이 받았죠."

"그래?"

왠지 모를 쓸쓸한 미소가 진욱의 얼굴에 내려앉았다. 애령이 주방에서 음식이 담긴 그릇을 들고 나오자, 유미는 음식 나르는 것만이라도 돕겠다며 빠르게 애령에게서 그릇을 받아 들었다.

잠시 후, 테이블 위에 푸짐한 아침이 차려졌다.

"차린 건 없지만 많이 먹어요."

차린 게 없다니! 미역국만 있다면 이건 완벽한 생일상이었다. 전복죽과 돼지갈비 옆으로 생선 구이와 모둠 전, 각종 나물 무침이 놓이고 갓김치, 멸치조림, 양념 게장 등 밑반찬이 쫘악 깔렸다.

"와아."

채 한 시간도 되지 않아 뚝딱 차려진 한 상에 유미는 혀를 내둘렀다. 진욱의 입맛이 까다로운 이유가 어릴 때 애령이 차려준 진수성찬에 길들어서인가 보다.

"그럼 맛있게 먹겠습니다."

활짝 웃는 유미와 달리 진욱은 수저를 들 생각도 하지 못하고 앞에 놓인 전복죽만을 물끄러미 내려다보았다. 그러자 애령이 손을 뻗어 진욱의 손에 숟가락을 쥐여주었다.

"해마다 꽃바구니만 보내더니…… 이렇게 얼굴을 보니까, 좋네."

"……알고 계셨어요?"

애령은 희미하게 웃으며 살며시 고개를 끄덕거렸다.

"그럼. 당연히 알지. 알면서 모르는 척, 보고도 못 본 척, 그렇게 기다렸어. 네가 언제나 날 보러 와줄까 하면서……."

어떻게 보면 그가 오늘 어머니와 재회한 것도 모두 유미 덕분이었다. 진욱은 고마운 마음에 옆에 앉은 유미의 손을 꼭 잡아주었다.

"유미 덕분에 더 빨리 오게 됐습니다."

"그럴 거라고 생각했어."

애령은 젓가락을 들며 유미를 향해 상냥하게 웃어 보였다. 그때 재킷 안에 넣어둔 진욱의 휴대폰이 울리기 시작했다. 우진에게서 온 전화였다.

"저, 잠시만요."

진욱이 전화를 받기 위해 잠시 식당 밖으로 나가자, 애령은 유미를 향해 상체를 기울이며 은근한 목소리로 물었다.

"전복죽 해주고 싶다는 사람이 우리 진욱이 맞죠? 엄마가 만들어주던 전복죽을 먹고 싶다고 했었나?"

"아? ……네."

유미는 수줍은 듯 얼굴을 붉혔다. 어제 정신없는 와중에도 꼼꼼하게 메모까지 했지만, 애령의 전복죽과 비슷하게라도 재현할 수 있을지 자신은 없었다. 유미는 입 안에 퍼지는 고소한 전복죽 맛을 느끼며 어제에 이어 오늘도 감탄했다.

맛있게 전복죽을 먹는 유미를 바라보는 애령의 얼굴에 흐뭇한 미소가 퍼졌다.

"유미 씨가 제겐 행운의 여신인가 봐요. 저번에는 병원에서 도와주고, 오늘은 또 이렇게 아들 얼굴도 보게 해주고."

글쎄……. 그건 에로 배우의 딸이라는 것을 모르기에 하는 말 아닐까? 내 배경을 알고 시중에 떠도는 헛소문을 알게 돼도 저런 따뜻한 얼굴로 바라봐주실까?

바보 같다. 분명히 더는 흔들리지 않을 거라고 해놓고선 막상 앞에 닥치고 나니까 예전처럼 어깨가 움츠러든다.

먼저 말해야 하나? 저, 우리 엄마가 에로 배우인데 괜찮으시겠어요?

유미는 전복죽을 떠먹던 동작을 멈추고 살며시 시선을 떨구었다.

잠시 후, 통화를 마친 진욱이 조금은 어두운 표정으로 돌아왔다. 유미가 무슨 일이냐는 듯 눈을 가늘게 모으자, 그제야 그는 활짝 웃으며 아무 일도 아니라는 듯 고개를 내저었다.

"별일 아니야. 월요일에 있을 미팅 준비 때문에……. 어서 먹어. 음식 식겠다."

"네."

다시 식사를 시작하고 얼마 지나지 않아, 애령이 조심스럽게 말을 꺼냈다.

"……난 말이죠. 우리 진욱이가 자신이 좋아하는 여자랑 행복하면 좋겠어요. 그게 내가 바라는 거예요. 다른 건 하나도 필요 없어요."

뭔가 좀 더 깊은 뜻이 담긴 말 같아, 유미는 고개를 들어 애령과 시선을 마주했다. 애정을 담은 애령의 따뜻한 눈이 그녀를 향하고 있었다.

"내가 이런 시골구석에서 살고는 있지만, TV도 보고 인터넷 기사도 읽고 그래요. 남들 아는 거, 나도 다 알아요."

애령은 아까보다 더 환하게 웃으며 유미의 접시에 생선 살을 발라서 올려주었다.

"유미 씨, 마음고생이 참 많았겠어요. 방송에선 두 사람이 헤어졌다고 해서 내가 너무 속상했는데……. 지금 보니까 두 사람, 계속 만나고 있는 거 같아 마음이 놓여요."

전혀 예상하지 못한 애령의 말에 유미와 진욱은 동시에 할 말을 잃었다.

두 사람 모두 멍한 얼굴로 자신을 바라보자 애령은 아무것도 아니라는 듯 손을 내저었다.

"나도 어젯밤에 우연히 TV 방송에 관한 기사를 읽다가 알았단다. 내가 자격이 있을지는 모르지만, 누가 뭐래도 나는 두 사람 편이야."

"어머니…… 저, 그게."

진욱이 뭐라고 한마디 하려는데 드르륵 문이 열리며 누군가 식당 안으로 들어섰다.

"죄송하지만, 오늘은 아침 영업 안 하는……."

아무 생각 없이 자리에서 일어서던 애령은 문 앞에 서 있는 누군가를 보자마자 그대로 입을 다물며 굳어버렸다.

애령의 시선을 따라 옆으로 고개를 돌리던 유미와 진욱도 놀란 듯 숨을 들이마셨다.

차 회장이 무거운 눈빛으로 세 사람을 노려보고 서 있었다.

쿵쿵쿵—.

문을 두드리는 소리에 현태는 비몽사몽인 상태로 비틀거리며 출입문 쪽으로 걸어갔다.

"하아암."

쿵쿵쿵—.

다시 한 번 문을 두드리는 소리가 났다. 힐끗 벽에 걸린 시계를 보니 시간은 아침 7시를 향해가고 있었다. 이렇게 아침 일찍 누구지?

아무 생각 없이 문을 연 현태는 문 앞에 서 있는 평범하지 않은 불청객의 모습에 눈을 가늘게 모았다.

이른 시간에도 불구하고 혹시라도 누가 알아볼까 봐, 커다란 모자를 푹 눌러쓴 채, 마스크에 선글라스를 낀 여자는 바로 주혜리였다.

오늘은 주말이라서 평소보다도 늦게 여는데, 왜 꼭두새벽부터 찾아와서 잠을 설치게 하는 거야?

"아침부터 여긴 웬일입니까?"

현태는 불만 어린 목소리로 투덜거렸다.

"그러는 댁은 왜 이렇게 아침 일찍 문을 열었어요?"

혜리의 반응은 적반하장이었다.

"아니, 내가 언제 문을 열었다고 그래요? 요 앞, CLOSED 팻말 안 보여요?"

"문 두드리니까 바로 열었잖아요."

"그거야 혹시라도 누가 급한 일이 있나 해서……."

"됐어요. 문 열어줬으면 됐지 무슨 말이 그리 많아요?"

혜리는 들어오라는 말도 하지 않았는데 현태의 어깨를 툭 밀치더니 또각또각 카페 안으로 들어섰다.

"밤새 파티라도 벌였어요?"

선글라스와 마스크를 벗던 혜리는 테이블 위에 널린 술병을 발견하고 인상을 찌푸렸다. 맥주병, 소주병, 위스키 병까지 정말 이것저것 섞어서 마셨나 보다. 빈 병의 숫자를 세어보니 적어도 8병은 넘었다. 이건 도저히 혼자 마실 수 있는 주량이 아니다. 누구랑 마셨을까? 혹시 이유미와?

현태와 유미가 어젯밤 같이 있었을 거라고 생각하니까 괜히 기분이 나빠졌다. 혜리는 가슴 앞으로 팔짱을 끼며 현태를 향해 턱을 치켜들었다.

"아주 골고루 마셨네. 술 마실 정신은 있었나 봐요? 친구 없어졌다고 방송국까지 찾아와서 그 난리를 치던 사람이?"

"후우, 설명하자면 길어요."

현태는 한숨을 내쉬며 에스프레소 커피 머신 쪽으로 걸어갔다. 혜리와 맞서 싸우려면 아무래도 커피 한 잔 마시고 정신을 차려야 할 것 같았다.

"나, 커피 내릴 건데, 마실래요?"

"카페 라떼로 주세요."

혜리는 테이블 위에 놓인 술병을 한곳으로 치우고 의자를 빼 앉았다.

"에스프레소 샷 3개, 우유는 듬뿍 넣어서."

그냥 간단하게 커피만 내리려고 했는데 제대로 갖춰서 마시겠다 이거군. 현태는 자신을 개인 전용 바리스타쯤으로 여기는 혜리를 향해 피식 실소를 터뜨리며 에스프레소 머신을 작동시켰다.

"알겠습니다. 카페 라떼 대령하죠."

치이익—. 치이익—.

뜨거운 스팀이 올라오는 소리가 기분 좋게 주위로 울려 퍼진다. 현태는 포터 필터에 에스프레소 가루를 꾹꾹 누르며 복잡했던 어제 일을 떠올렸다.

온종일 유미를 찾아 헤매고 밤늦게가 돼서야 유미를 찾았다는 진욱의 문자를 받았다.

현태는 유미에게 전화해볼까 하다가 혹시라도 두 사람 사이에 방해가 될까 봐 꾹 참았다. 대신 걱정하고 있을 미희를 안심시키려 맥&북으로 돌아왔다.

—현태, 넌 알고 있었니?

그날 현태는 미희가 우는 모습을 처음 보았다. 소녀 감성을 가진 언제나 해맑은 분이라고 생각했는데 미희도 나름대로 아픔이 있었나 보다. 그래서 현태는 미희를 위로할 겸 밤새도록 함께 술을 마셨다.

—난 우리 유미가 중학교 때 그런 일 당한 줄은 정말 꿈에도 몰랐어. 짜증이 심해져서 그냥 사춘기인가 보다 했지. 누가 왕따를 당하리라고 상상이나 했겠니!

어렴풋이 알고 있었지만 현태 역시 그 정도로 심각한 줄은 몰랐다. 미희는 답답한 듯 주먹으로 가슴을 치며 밤새도록 울분을 터뜨렸다.

—왜 그걸 나에게 말을 안 하고, 자기 혼자 끙끙 앓아, 앓긴! 아니, 왕따가 뭐야. 왕따가?

—도대체 얼마나 제 자식에 신경 쓰지 않는 집안이면 중학생이 그런 성인 영화를 보게 놔두느냐고! 중학생이 그런 영화를 본 걸 창피하게 생각해야지, 왜 애먼 우리 딸은 잡는 거야! 안 그래?

미희의 말이 맞았다. 에로 배우의 딸이라고 놀리기보다는 중학생이 성인 영화를 아무런 제약 없이, 그것도 자기 집 안방에서 볼 수 있다는 사실을 지적했어야 했다.

왜 자신의 허물은 보지 못하고 남의 잘못에 흥분해 손가락질하는 걸까? 아무리 어려서 철이 없어서였다고는 하지만, 뒷맛이 씁쓸한 건 사실이었다.

—에로 배우 딸이 어때서? 집에서 아무렇지 않게 성인물 보는 그런 집안 자식보단 내가 백배 천배는 더 도덕적으로 키웠어!

"후우."

아직도 미희의 한탄이 귓가에 들리는 것 같아 현태는 긴 한숨을 내쉬었다. 고등학교 때 유미는 확실히 또래와는 좀 다르게 행동했다. 아무리 더운 여름이라도 목 끝까지 셔츠 단추를 꼭 잠그고 다녔던 것도, 남학생이 말을 걸어오면 불안한 표정으로 어쩔 줄 몰라 당황했던 것도, 다른 애들은 학생주임 몰래 교복 치맛단을 짧게 줄일 때, 유미는 오히려 치맛단을 길게 늘인 것도 모두 이유가 있었다.

유미는 중학교 때 친구를 많이 사귀지 못했다고만 했지, 전교적으로 왕따를 당했다는 사실은 털어놓지 않았었다. 그렇다고 제일 친한 친구라면서 그런 과거를 전혀 눈치채지 못하고 있었다니.

대신 남자 사귀는 게 두려워 로맨스 소설만 읽는다고 그녀를 놀려대기만 했었다.

현태는 착잡한 마음을 애써 내리누르며 잔에 커피를 따라 혜리가 앉아 있는 테이블로 걸어갔다. 혜리는 모자를 벗어 테이블에 올려놓고 한 손으로 긴 머리를 쓸어내리고 있었다.

아, 참. 아침부터 이러면 반칙인데…….

"자요. 쓰리 샷에 우유 듬뿍."

현태는 퉁명스러운 표정으로 불쑥 커피 잔을 내밀었다.

"고마워요."

혜리는 커피 잔을 두 손으로 받아 들고 조심스럽게 커피를 한 모금 마셨다. 커피 맛이 좋은지, 마시자마자 반달 모양으로 눈꼬리를 휘었다.

유미도 항상 저러는데 그때는 아빠 미소만 떠오르고 말았는데, 왜 지금은 목구멍이 간질거리고 심장이 살짝 조이는지 모르겠다. 아침부터 싱숭생숭해지고 싶지 않아 현태는 재빨리 시선을 딴 곳으로 돌려버렸다.

"그래서 아침부터 무슨 일입니까?"

"……유미 씨랑 연락되었어요?"

"직접 연락된 건 아니지만 차 본부장에게서 문자 받았어요. 두 사람, 지금 같이 있다고."

"아……."

혜리가 어두운 표정으로 고개를 끄덕거리자, 현태는 욱하는 감정에 '쾅' 소리 나게 커피 잔을 내려놓았다.

"아직도 혼자 아파하는 그런 애타는 사랑 하는 겁니까?"

예전 같았으면 '남의 일에 신경 끄시죠!'라며 발끈했을 텐데, 지금 혜리는 풀 죽은 얼굴로 씁쓸한 미소를 떠올릴 뿐이었다. 지금 보니까 어깨도 축 처진 것 같다. 그게 더더욱 현태의 신경을 거슬리게 만들었다.

"인생 그리 길지 않습니다. 특히 불타게 사랑할 수 있는 청춘은 더더욱 짧아요. 봐주지 않는 사람만 바라보는 거, 시간 아깝지 않아요?"

"알아요. 나도 잘 안다고요."

혜리는 중얼거리듯 투덜거리며 현태를 슬쩍 흘겨보았다.

모르겠다. 왜 아침에 눈을 뜨자마자 이곳으로 오고 싶었는지. 그냥 유미가 없어졌다는 사실에 불안했고, 또 그녀 때문에 일이 틀어진 건 아닐까 두려웠다.

그때 갑자기 현태의 얼굴이 떠올랐다. 그냥 그를 보면 마음이 편해질 것만 같았다. 그리고 지금 이 순간, 정말 거짓말처럼 마음이 한결 가벼웠다. 유미와 진욱이 함께 있다는 말에 가슴이 아프다기보다는 다행이라는 생각이 들었다.

그녀의 앞에서 커피를 마시는 현태가 누구보다 가깝게 느껴졌다. 따지고 보면 진욱의 뒤를 졸졸 쫓아다니기만 했지 제대로 된 대화를 나누어본 기억도 없었다. 또한, 그 어느 남자와도 현태처럼 진솔하게 대화를 나눈 적이 없었다.

—당신이 반응하는 것처럼…… 나도 당신에게만 반응하거든.

자꾸만 현태가 한 말이 귓가에 맴돈다.

왜 자꾸만 이 남자가 멋있어 보이는 거지? 아, 모르겠다.

혜리는 홀짝 커피를 마시며 현태의 얼굴을 슬그머니 훔쳐보았다.

절대로 식당 안까지 들어갈 생각은 없었다. 그저 밖에서 지켜만 보다가 돌아갈 생각이었다. 그러나 식당 앞에 세워진 진욱의 차를 보는 순간, 차 회장은 그대로 문을 열고 차에서 내려섰다. 자석의 힘에 끌리듯 문을 열고 안으로 들어가자, 밝게 미소 지으며 단란하게 아침을 먹는 애령과 유미, 진욱이 눈에 들어왔다.

너무나도 행복해 보이는 세 사람에게 차 회장은 말로 표현할 수 없는 소외감을 느꼈다. 그 혼자만 가족이란 공동체에서 밀려난 느낌이었으니까. 어떻게 보면 배신감일 수도 있겠다.

세 사람은 자신이 그렇게나 원했던 화목한 가정의 모습을 보여주고 있었다. 당장에라도 허물어질 것 같은 낡은 건물의 식당 안에서, 테이블도 몇 개 없는 허름한 곳에서, 진욱과 애령은 한 번도 헤어진 적이 없었던 것처럼 서로를 애틋한 눈으로 바라보았고, 그 옆을 유미가 차지하고 있었다.

그랬던 세 사람이 차 회장을 보는 순간 제자리에 얼어붙은 듯 굳어버렸다. 아무리 노력해도 할 수 없었던 일을 너무나도 쉽게 해내는 애령을 질투해서랄까? 아니면 아직도 애령을 원하는 삐뚤어진 사랑의 잘못된 표현이랄까?

차 회장은 얼굴을 굳히며 그 자신이 듣기에도 꽤 곱지 않은 말을 내뱉었다.

"유령이라도 봤어? 뭘, 그런 얼굴로 쳐다보나?"

"……아버지."

애령이 아무 말도 하지 못하고 테이블 끝을 붙잡고 바들바들 떨기만 하자, 진욱이 자리에서 일어나 차 회장에게 다가갔다. 차 회장은 못마땅한 기색을 숨길 생각도 없는지 식당 안이 쩌렁쩌렁 울리게 목청을 높였다.

"회의하는 도중에 달려나간 이유가 고작 여기 오려고 그런 거냐? 왜 사랑의 도피라도 하게?"

차 회장의 날 선 눈이 유미를 향했다.

이 모든 일이 다 유미, 그녀 때문인 것 같았다. 하도 막 나가서 골치만 썩이던 진욱이 녀석이 어느 날 정신을 차렸나 싶었는데 그녀가 나타나자마자 뭐에 홀린 듯 어처구니없게 행동한다.

"넌 그래서 방송을 통해 동네방네 대복 욕을 하니까 속이 시원하냐?"

"아버지, 무슨 말씀입니까? 유미야말로 피해자예요."

"피해자 같은 소리 한다. 뭐가? 도대체 뭐를 피해 봤는데? 너, 지금 정신이 있는 거냐, 없는 거냐! 지금 대복 그룹의 이미지가 어떻게 됐는지나 알고 저 여자애를 감싸고 있어?"

차 회장은 유미와 진욱을 노려보며 호통친 후, 하얗게 질린 애령에게로 시선을 돌렸다.

도대체 얼마 만에 애령을 이리 가까운 곳에서 보는 걸까? 그녀와 얼굴을 맞대고 하고 싶었던 말은 이런 게 아니었는데…….

제길, 모든 게 엉망진창이 돼버렸다.

차 회장은 굳은 표정으로 재빨리 애령에게서 시선을 돌렸다.

"월요일에 이사진 회의 소집할 거다. 대복을 물려받을지, 전문 경영인에게 빼앗길지는 모두 네 결정에 달렸다."

차가운 한마디를 내뱉은 차 회장은 그대로 등을 돌려 식당을 걸어나갔다.

차 회장이 나간 후, 한동안 적막한 침묵이 식당 안에 감돌았다.

먼저 침묵을 깬 사람은 유미였다.

"……진욱 씨, 괜찮아요?"

그녀는 진욱의 손을 잡으며 걱정스러운 목소리로 물었다. 이에 진욱은 피식 입꼬리를 올리며 가볍게 고개를 옆으로 흔들었다.

"어머니."

진욱은 앞에 선 애령을 진심 어린 눈빛으로 보며 단호히 말했다.

"저는 어머니의 충고를 따를 겁니다. 제가 좋아하는 여자와 행복하게 살 거예요."

Episode 34

결혼해, 우리!

"왜 차 본이랑 같이 안 들어오고 너 혼자 와?"

2층에서 아래를 내려다보았는지 미희는 유미의 뒤를 두리번거리며 진욱을 찾았다.

"바래다주기만 한 거야. 월요일에 이사진 긴급 회의 때문에 준비할 게 있대."

"그럼 다시 회사로 간 거야? 오늘 같은 토요일 오후에?"

"응."

여기까지 와서 유미만 내려주고 쌩 가버리다니……. 슬쩍 '이 녀석, 내가 에로 배우라서 피하는 건가?'라는 의구심이 들었다. 하지만 어쩌랴! 이런 편견, 어디 하루이틀인가?

미희는 잡생각을 떨쳐버리며 어색한 얼굴로 서 있는 유미에게로 다시 시선을 돌렸다.

"이거 받아."

잠시 머뭇거리던 유미가 보온 통을 불쑥 앞으로 내밀었다. 미희는 얼떨결에 보온 통을 받으며 '이게 뭐냐?'라는 표정을 지었다.

"전복죽이야. 엄마, 전복죽 좋아하잖아."

유미는 툴툴거리듯 무뚝뚝하게 말하고 허리를 굽혀 신발을 벗었다.

조금 전, 유미와 진욱은 동해에서 서울로 올라왔다. 애령의 옆에서 좀 더 시간을 보내고 싶었지만, 그녀도 진욱도 서울에서 정리할 일이 있었기에 아쉬움을 뒤로하고 자리에서 일어나야만 했다.

—그래, 진욱아. 너나 유미 씨나 바쁠 텐데 어서 가보렴.

애령은 자신은 괜찮으니 상관하지 말라며 어서 가라고 재촉했다. 그러고는 보온 통에 전복죽을 듬뿍 담아 두 사람에게 안겨주었다.

"웬 갑자기 전복죽이래?"

보온 통을 열어본 미희의 얼굴에 여린 미소가 떠올랐다.

"그럴 일이 있었어. 지금 먹어. 내일 먹으면 맛없어."

겉으로는 맨날 투덜거려도 언제나 뭔가 하나씩 미희가 좋아하는 음식을 챙겨오는 유미였다.

"넌 저녁 먹었어?"

"아니, 아직."

"그럼 손 씻고 와. 엄마가 찌개 데울게."

"김치찌개?"

"얘는 내가 뭐 김치찌개만 끓이는 줄 아니? 꽃게 찌개 끓여놨으니까 어서 가서 손 씻고 와."

"……어."

난리를 피우고 전화를 끊은 후, 다시 어떻게 엄마 얼굴을 보나 은근히 두려웠는데…….

도대체 누가 너를 왕따시켰느냐고, 바보처럼 왜 그런 말 안 했느냐고, 네가 왕따 당한 게 왜 다 내 탓이냐고 울며불며 화낼지도 모른다고 걱정했었다. 하지만 미희는 전혀 아무 일 없었던 것처럼 행동했다.

다행이지만 그래서 더 미안했다.

주방으로 향하는 미희의 뒷모습을 바라보는 유미의 얼굴에 어두운 그림자가 내려앉았다. 세면대에서 손을 씻는데, 동구가 토끼 인형을 껴안고 까르르 웃으며 욕실로 들어왔다.

"느나, 나도 소 띠딜래(누나, 나도 손 씻을래)."

"그래. ……어, 잠깐만. 너 방금 나, 뭐라고 불렀어?"

유미가 깜짝 놀란 얼굴로 되물었다. 아직 발음이 어눌하지만 분명 '어마'는 아니었다. 동구는 뭘 그런 걸 다시 물어보느냐는 듯 느리게 눈을 깜박거렸다. 그러고는 이내 작은 입술을 오물거리며 열심히 또박또박한 발음으로 말했다.

"느, 나."

"너 지금 나보고 '누나'라고 그런 거야? '어마'가 아니라? 와, 똥구!"

몇 주 안 본 사이에 이렇게 장족의 발전이 있다니!

유미는 감격에 버럭 소리를 지르며 동구를 끌어안았다. 동구는 칭찬을 받자 기분이 좋은지 유미의 품에 안겨 헤헤 웃었다. 그리고 혀 짧은 소리로 웅얼웅얼 설명에 들어갔다.

"어마가 따라해보라고 해떠. 느나, 느나, 하면서(엄마가 따라해보라고 했어. 누나, 누나, 하면서)."

"엄마가?"

"어."

동구가 진지한 얼굴로 크게 고개를 끄덕거렸다. 어린 동구 딴에는 스파르타식 교육이었으니까.

"엄마는 왜 또 갑자기 시키지도 않은 일을?"

말은 그렇게 하면서도 유미는 속으로 '엄마도 꽤 속상했겠구나.'라고 중얼거렸다.

표현을 제대로 하지 않아서 그렇지, 미희도 지금까지 살면서 많은 상처를 받았을 것이다. 사람들의 편견이 어디 가는 것도 아니고, 미희가 살았던 세대는 개방적인 지금보다 더 고리타분했을 테니까.

아무리 중학교 때 아이들에게 놀림을 당했다고 해도, 당사자인 엄마에게 쏟아졌던 손가락질보다야 더했을까 하는 생각이 문득 들었다. 엄마 역시 유미가 상처받지 않게 혼자 속으로 삭이며 숨겨왔는지도 모르겠다.

"후."

"왜 안 먹고 한숨만 쉬고 있어? 비린내 나?"

유미가 숟가락을 들고 찌개를 노려보고만 있자, 미희는 미간을 좁히며 국물을 맛보았다.

잠시 후, 국물을 한 입 맛본 미희의 얼굴에 뿌듯한 미소가 떠올랐다. 요리 방송 따라서 한 첫 작품치곤 그녀가 먹기에도 꽤 괜찮았다.

"맛있기만 하네. 자, 식기 전에 어서 먹어."

"응."

"젓가락으로 깨작깨작 먹지 말고 팍팍 먹으라고."

미희의 성화에 할 수 없이 숟가락으로 밥을 떠먹던 유미는 이윽고 조심스럽게 말을 꺼냈다.

"……엄마."

"응."

"……미안해. 어제는 내가 너무 흥분해서……."

"아냐. 네가 미안할 게 뭐가 있니."

"……나……. 이제는 엄마 창피하지 않아."

"알아."

"응?"

미희는 예상과 다르게 너무나도 담담했다.

"창피해한 거야, 네가 어릴 때 그런 거고. 지금은 아니잖아."

유미가 의아한 표정으로 바라보자, 미희는 숟가락을 테이블에 내려놓으며 일장연설을 늘어놓았다.

"네가 날 왜 창피하게 생각하니? 얘, 내 나이에 나처럼 몸매 좋고 얼굴 예쁜 엄마, 별로 없다, 너! 지금 TV 나오는 유명 배우들도 가까이 가서 보면 주름이 자글자글해."

"……어, 엄마."

그러면 그렇지. 엄마가 눈물을 글썽이며 '미안해, 유미야. 내가 그런 것도 모르고…….'라고 아침 드라마를 찍을 리가 없지. 유미는 '킥' 실소를 내뱉으며 못 말린다는 듯 고개를 내저었다.

"에로 배우라고 손가락질하는 것도, 자기들은 벗으면 내 몸매가 안 되니까 막 질투 나서 그러는 거야."

흥분한 듯 다다다 말을 쏟아내던 미희는 잠시 입을 다물더니 짧게 한숨을 내쉬었다.

"후우…… 그래도…… 미안하긴 미안하다."

"……아냐, 엄마."

미희가 그녀에게 해줄 수 있는 최대의 사과 방법일 것이다. 세상의 모든 모녀 사이가 어떻게 똑같을 수 있을까. 이런 사이도 있고 저런 사이도 있고 그런 거지.

남들이 부러워할 만큼 아주 친숙한 사이는 아니었지만, 그리 나쁘진 않았다. 그녀도 엄마도 서로 상처 주지 않으려고 노력하니까 말이다.

“앞으론 그런 일 있으면 너 혼자 끙끙대지 말고 다 말해. 알았어?”

“응.”

“그리고 그 배불뚝이 영감, 아 참…… 사돈이 될지도 모르는데, …… 그 차 회장인가 뭔가 하는 사람이 에로 배우 딸이라고 뭐라고 하면 바로 말해. 내가 가서 해결해줄 테니까.”

“말이라도 고마워.”

“……찌개 어때?”

“맛있어.”

간이 조금 센 편이고 조미료를 너무 많이 넣었는지 야릇한 단맛이 느껴지긴 했지만, 그래도 미희가 손수 끓여준 찌개였다.

유미는 숟가락으로 찌개 국물을 뜨며 미희를 향해 밝게 웃었다.

일요일 아침, 진욱은 대복 그룹의 텅 빈 로비를 천천히 가로질러갔다. 항상 바빠서 주위도 보지 않고 걸었는데 오늘따라 벽에 달린 장식 하나하나가 친근하게 눈에 들어왔다.

그가 발걸음을 옮길 때마다 뚜벅뚜벅 구두 소리가 고요한 로비에 울려 퍼졌다.

차진욱 본부장이 일요일에도 출근하는 건, 그리 놀랄 일도 아니기에 프런트 데스크에 앉아 있던 경비원은 미소를 띠며 고개를 숙였다.

지금 생각해 보면 서류를 들여다보며 걷느라 그들의 인사를 제때 받아주지 못했던 적이 더 많았던 것 같다.

진욱은 경비원을 향해 환하게 웃으며 같이 고개를 숙였다.

평소와 다른 진욱의 상냥한 태도에 경비원의 얼굴에 흠칫 경계의 빛이 떠올랐다. 그는 진욱이 아무 말 없이 앞을 지나치고 나서야 안도의 한숨을 내쉬었다.

엘리베이터를 타려던 진욱은 마음을 바꿔 1층에 있는 구내식당으로 발길을 돌렸다.

로비와 마찬가지로 썰렁한 홀이 그를 기다리고 있었다.

진욱이 안으로 들어서자, 천장에 달린 조명이 자동으로 하나둘 켜지기 시작했다.

모두 눈에 새겨두자.

진욱은 느릿하게 주위를 둘러보았다.

마지막으로 마스카라 손질을 끝낸 미희가 막 의자에서 일어서려는데 '똑똑' 노크 소리와 함께 분장실 문이 열렸다. 문을 연 제작진은 미희를 보며 손목시계를 가리켰다.

"생방송 10분 전입니다. 준비해주세요!"

"네."

띠리리—. 띠리리—.

마침 옆에 놓아둔 휴대폰이 울리기 시작했다.

발신인을 확인한 미희는 살짝 미간을 찌푸리고 단번에 휴대폰 전원을 꺼버렸다.

잠시 긴장한 얼굴로 '후우' 긴 심호흡을 내뱉던 미희가 천천히 몸을 일으켰다.

“아, 또!”

유미는 음성 사서함으로 넘어가는 휴대폰을 내려다보며 불만스럽게 투덜거렸다.

“엄마는 아침부터 또 어딜 간 거야?”

오랜만에 딸내미 왔다고 똥구를 맡겨놓고 자유를 즐기시겠다! 그래도 요새는 현태에게 똥구를 맡기지 않고 베이비시터를 부르는 등 폐끼치지 않으려 노력한다니까 오늘만 참는다. 일요일이라서 베이비시터를 부르기도 뭐하고 하니까 말이다.

“후우.”

유미는 옅은 한숨을 내쉬며 어제 미희가 찌개를 끓이느라 엉망으로 만든 주방을 둘러보았다.

“다음부터는 그냥 사다가 먹자고 해야지. 어휴, 이게 뭐야.”

요리하는 것도 중요하지만, 뒷정리도 그만큼 중요하다는 것을 요리 초보인 미희가 알 리가 없었다. 유미는 ‘끙’ 신음을 흘리며 팔을 걷어붙였다. 그리고 쭈그리고 앉아 주방 바닥에 떨어진 음식 재료 찌꺼기를 줍고 산더미같이 쌓인 설거지를 시작했다.

대충 주방을 정리하고 나오니 이번에는 똥구의 장난감이 어지럽게 널린 방 안이 눈에 거슬렸다.

“똥구, 너 오늘 이거랑 이거만 가지고 놀아. 나머진 누나가 상자에 넣어놓을게.”

“어.”

유미는 방구석에 놓인 상자를 끌고 와 방바닥에 뒹구는 장난감을 모으기 시작했다. 적적해서 켜놓은 TV에서는 생방송 아침 토크쇼가 진행 중이었다.

장난감을 모두 담은 후, 상자를 옆으로 치우려는데 별안간 TV에서 믿을 수 없는 말이 흘러나왔다.

[자, 이번에는 〈터질 거예요!〉 조미희 씨를 모십니다!]

뭐?

깜짝 놀란 유미는 눈을 동그랗게 뜨며 TV 화면으로 홱 고개를 돌렸다. 한껏 치장한 미희가 당당한 걸음으로 스튜디오로 걸어 나오고 있었다.

“엄마!”

유미는 넋이 나간 얼굴로 멍하니 TV 화면을 쳐다보았다.

미희가 우아한 동작으로 소파에 앉자, 남자 진행자는 카메라를 향해 환히 웃어 보였다.

“오늘은 조미희 씨 단독 인터뷰를 생방송으로 진행하게 됐습니다.”

“그러게요. 저 혼자 단독으로 나와서 경애가 샘 좀 내겠는데요?”

미희의 뼈 있는 농담에 방청석에서 ‘하하하’ 웃음이 터져 나왔다. 미희는 노경애를 향해 부글부글 끓어오르는 분노를 꾹 내리누르며 애써 상냥하게 미소 지었다. 웃으며 복수하는 게 얼굴을 찡그리는 것보다 훨씬 효과가 좋다는 걸 잘 알기에…….

“민감한 얘기지만, 이 얘기를 안 물어볼 수 없겠죠? 대복 그룹 차진욱 본부장과의 스캔들. 그 상대가 조미희 씨 따님으로 알려져서 더 파장이 컸는데요. 사실입니까?"

"네. 모두 사실입니다."

미희는 차분한 표정으로 짧게 대답했다. 오늘 이 자리는 아침 방송을 우연히 시청했던 강 국장과 전 피디의 계획으로 이루어졌다.

—솔직히 나쁘진 않습니다. 스캔들 덕분에 잘 모르던 시청자까지 조미희 씨를 알게 되었으니까요. 하지만 그렇게만 놔둬선 안 되겠죠.

노이즈 마케팅으로 스캔들을 이용할 수도 있겠지만 두 사람의 의견은 조금 달랐다. 새로운 드라마 주제가 지금 미희의 사정과 맞물린 이유도 있었다. 스캔들이 가라앉을 때까지 잠자코 있는 것보다는 맞서서 크게 한 방 날리는 것이 모두에게, 그리고 새 드라마 홍보에도 좋을 거라는 것에 강 국장과 전 피디는 입을 모았다.

미희가 맡은 배역은 왕년의 유명한 여배우로서 힘든 과거를 보내다가 어렵게 재기에 성공하는 인물이었다. 여배우라는 편견에 맞서 싸우던 그녀는 자신의 외동딸이 주위에서 왕따를 당한다는 사실을 알고 분노한다. 기가 막히게도 지금 미희의 처지와 아주 비슷한 점이 많았다.

"우리 딸이 유혹해서 그런 거라고 사람들이 손가락질하더라고요. 아니, 왜요? 내가 에로 배우라서? 배우면 배우지 거기다 에로는 왜 가져다 붙여요? 에로 배우 딸은 연애도 못 합니까? 그럼 뭐, 성직자 딸은 욕도 안 하고, 클럽 가서 즐기지도 않나요?"

"그렇죠. 맞는 말입니다."

남자 진행자는 크게 고개를 끄덕이며 미희의 의견에 동의했다. 방청석에서도 '맞아. 맞아.', '그래, 그러면 안 되는 거지.' 등등 말이 흘러나오며 술렁거렸다.

“여러분, 사람과 직업은 서로 다른 거라고요. 제발 구분해주세요. 사기꾼이 아닌 바에야, 직업 때문에 사람에게 손가락질하면 안 되는 거예요.”

“조미희 씨의 말을 듣고 보니 참 그러네요. 따님이 중학교 시절 왕따도 당했다면서요.”

“네. 저도 얼마 전에 알게 돼서 억장이 무너졌답니다. 우리 딸은 내가 상처받을까 봐 그걸 말하지 않고 혼자 가슴에 품고 살았더라고요.”

미희는 말꼬리를 흐리며 손끝으로 눈가의 눈물을 훔쳐냈다. 그러고는 정면 카메라에 빨간 불이 들어오자, 카메라를 똑바로 바라보며 말을 이었다.

“이유미! 너 잘못한 거 하나도 없어. 떳떳하게 굴어! 네가 아니라, 왕따시키고 놀리는 애들이 잘못인 거야. 도대체 어떻게 돼먹은 집안이기에, 중학생이 아무렇지 않게 성인 영화를 보게 놔두느냐고! 그게 더 창피한 거야.”

TV를 보던 유미의 눈가에도 어느새 눈물이 맺히기 시작했다.

“엄마는…… 가만히 좀 있지. ……그게 뭐, 자랑이라고 인……터뷰까지…… 하고 난리야.”

그래도 그녀 대신 세상을 향해 떵떵거려주는 미희가 너무나도 든든하고 고마웠다.

“정말 못 말려. ……후후.”

손등으로 눈물을 닦아내던 유미의 입에서 어느새 작은 웃음소리가 흘러나왔다.

"어? 느나?"

유미의 웃음소리에 방바닥을 뒹굴던 동구는 아주 심각한 얼굴로 유미를 올려다보았다.

"우다가 우뜨면 안 되는데(울다가 웃으면 안 되는데)……."

세 살짜리 동구는 누나의 뒷사정이 진지하게 걱정되기 시작했다.

"하아, 우따지(하아, 어떡하지)?"

동구의 입에서 한숨이 흘러나왔다.

[모두 편견에 맞서 싸워요. 기죽지 말고.]

컴퓨터 모니터에서는 어제 생방송으로 방영된 미희의 인터뷰가 흘러나오고 있었다. 진욱은 희미한 미소를 떠올리며 다시 서류로 시선을 돌렸다.

"본부장님, 이사진 회의 안 들어가십니까?"

옆에서 대기 중인 우진이 더는 참지 못하고 걱정스러운 얼굴로 물었다. 아무리 차 회장이 크게 화냈다고 해도 대복의 경영권을 전문 경영인에게 넘겨줄 리는 없을 거라고 짐작했던 우진이었다. 하지만 진욱이 이사진 회의마저 불참한다면 그건 또 이야기가 달라진다.

"이제 5분 남았습니다."

우진은 초조한 얼굴로 손목시계와 진욱을 번갈아 바라보았다.

"지금 출발하면 딱 제시간에……."

"장 비서, 지금 마케팅 팀이랑 패키지 팀 공동 회의할 시간 아닌가?"
"네? 맞습니다만 그건 왜?"
진욱은 대답 대신 서류철을 덮으며 자리에서 일어났다.
"가자고. 회의 가야지."
"네. 회의 가셔야죠! 가서 이사진들을 확 휘어잡으셔야……."
환해진 우진의 안색은 진욱의 다음 말로 다시 파랗게 질려버렸다.
"마케팅 팀과 패키지 팀, 어떻게 회의하는지 지켜봐야겠어."
"네? 이사진 회의에 가는 게 아니라……."
진욱이 뒤도 돌아보지 않고 집무실을 걸어나가자, 우진은 화들짝 놀라며 부랴부랴 뒤를 따랐다.

회의 시작 시간이 20분이나 지났는데도 진욱의 모습이 보이질 않자, 차 회장은 침통한 얼굴로 김 비서를 향해 손을 들었다.
"어떻게 된 건지 알아봐."
잠시 후, 김 비서가 돌아와 차 회장의 귀에 작게 속삭였다.
"뭐야? 이 녀석이 지금 제정신이야?"
차 회장은 화가 머리끝까지 차오른 얼굴로 의자에서 벌떡 일어났다.

"분명히 말하지만, 강요는 아닙니다."
진욱은 소회의실에 모인 팀원들을 바라보며 차분한 목소리로 설명

했다.

“따라올 사람은 따라오고 남을 사람은 여기 남아요. 내가 없더라도 아무 걱정하지 말고. 훌륭한 전문 경영인과 중역들이 서로 힘을 합쳐 대복을 잘 이끌어 나갈 겁니다.”

팀원 모두 방금 진욱에게서 나온 폭탄선언에 할 말을 잃은 것 같았다. 서로 마주 볼 생각도 하지 못한 채, 그저 입만 벌리고 있었다. 특히 진욱의 뒤에 선 우진은 금방이라도 기절할 것 같은 얼굴로 이마를 짚으며 비틀거렸다.

내가 잘못 들었나? 방금 진욱이 저 녀석이 뭐라고 한 거지? 뭐? 대복을 나가서 스타트업 컴퍼니를 세우겠다고? 뒤에 선 탓에 진욱의 얼굴을 볼 순 없었지만, 분명 농담하는 것 같진 않았다.

“나와 함께 간다면 보수와 직원 복지만은 최대한 대복의 수준과 맞추도록 노력하겠습니다.”

보수와 복지 문제가 나오자 그제야 팀원들 사이에서 웅성거림이 흘러나왔다. 요즘 세상에 ‘열정 페이’ 같은 건 있을 수 없고 있어서도 안 되는 일이니까.

“신생 회사니까 업무 내용은 대복에서 일하는 것보다 더 재미있을 겁니다. 그러나 대복 그룹처럼 크게 성장할 거라고는 장담 못 합니다. 사탕발림으로 여러분을 유혹하진 않겠습니다. 새로운 도전에 뛰어들 야망이 있는 사람에 한해서 나와 같이 갑시다.”

팀원 사이에서 동요의 빛이 떠올랐다. 탄탄한 대복 그룹을 떠나서 신생 회사로 가자는데 선뜻 나설 사람이 누가 있겠는가? 하지만 진욱이 빠진 대복이라……. 전혀 그림이 그려지지 않는다.

우진은 아까부터 더 초조한 얼굴로 손톱 끝을 물어뜯었다. 아, 미치겠네, 진짜! 의리를 따라 진욱과 함께하자니 제니가 울겠고 사랑을 따라 제니 곁에 남자니 진욱이 서운해할 테고…….

우진은 이러지도 못하고 저러지도 못하고 울고만 싶었다. 대복을 그만두면 이젠 제니 씨와 사내 연애는 물 건너가는 거라고! 사내 연애 시작한 지, 아직 반년도 채 되지 않았는데…….

"자, 아무도 없습니까?"

진욱의 질문에 팀원 모두 서로 눈치만 보며 선뜻 손을 드는 사람이 없었다. 할 수 없이 우진은 울 것 같은 얼굴로 손을 번쩍 들어 올렸다. 진욱의 오른팔인 자신마저 망설이면 도대체 누가 진욱의 뒤를 따르겠는가! 나의 사랑이여, 이런 나를 이해해다오! 역시 우진이 먼저 손을 들자, 팀원 중에서도 한두 명씩 손을 올리기 시작했다.

"저는 본부장님 때문에 대복에 입사했습니다. 그러니까 본부장님을 따라서 나가겠습니다."

"본부장님 혼자 가시는 게 어디 있습니까."

"그럼요. 시한폭탄이 터질 때 우리 모두 함께해야죠."

"모두 감사합니다."

진욱의 얼굴에 환한 미소가 떠오르는 순간…….

쾅—.

문이 거칠게 열리며 화난 얼굴의 차 회장이 소회의실로 들어왔다.

"앗, 회장님!"

팀원 모두 당황해 자리에서 벌떡 일어섰지만, 진욱은 의자에 앉은 채 태연한 얼굴로 천천히 뒤를 돌아보았다.

"긴급 이사진 회의에 있어야 할 분이 여긴 어쩐 일로 오셨습니까?"

진욱은 무표정한 얼굴로 차 회장을 빤히 바라보았다.

“뭐가 어쩌고 어째? 대복을 나가겠다고? 너, 지금 제정신이야?”

“물론입니다.”

진욱은 한 점 흔들림 없는 차가운 눈으로 차 회장을 응시했다.

“본부장 자리, 후계자 자리, 모두 내놓겠습니다. 어차피 3년 전, 회장님이 쓰러지시는 바람에 어쩔 수 없이 맡았던 자리입니다. 다시 정상궤도로 돌아왔으니까 이제부터는 전문 경영인한테 맡기세요.”

“야, 차진욱!”

그저 겁이 나 주려고 전문 경영인을 들먹였던 건데, 날카로운 부메랑이 되어 돌아오다니…….

차 회장의 얼굴색이 누르락푸르락하다 못해 검붉게 변해갔다. 싸늘한 얼굴의 진욱은 무서울 정도로 진지했다. 결코 떠보려고 하는 소리가 아니었다.

“이제부터는 제 인생을 살겠습니다. 자신에게 부끄럽지 않은 그런 후회 없는 삶 말입니다. 죄송합니다, 아버지.”

진욱은 자리에서 일어나 차 회장을 향해 공손히 머리를 숙였다. 차 회장은 할 말을 잃은 채, 그저 멍한 얼굴로 진욱을 바라보았다.

애석하지만, 이미 돌이킬 수 없다는 사실을 인정할 수밖에 없었다. 이제 진욱은 어머니를 잃고 눈물만 글썽이던 품 안의 어린 아들이 아니었다.

그걸 모르는 건 아니었지만 아마도 인정하기 싫었던 거겠지.

품 안의 자식이 안락한 보금자리를 떠나 거친 세상 밖으로 나가겠다는데 아무렇지 않을 부모가 어디 있을까 싶다.

마음이 무겁고 착잡했다. 하지만, 다른 한편으론 혼자 서기를 결심한 진욱이 대견스러웠다. 그 자신도 선대의 가업을 물려받지 않고 혼자 힘으로 지금의 대복을 세웠으니까. 걷잡을 수 없는 혼란스러운 감정이 차 회장을 휘감았다.

진욱은 아무 말 없이 곤혹스럽게 일그러진 차 회장의 얼굴을 바라보다 천천히 소회의실을 걸어나갔다. 그의 뒤를 자리에서 일어난 팀원들이 한두 명씩 조심스럽게 따라가기 시작했다.

1년 후…….

싱그러운 햇살이 파릇파릇한 대학 캠퍼스 위로 쏟아지는 아침.

유미는 두 손으로 영양사 가운의 깃을 여미고 빠른 걸음으로 구내식당 로비를 가로질렀다. 아직 꽤 이른 시각이라 학생 한두 명만이 로비를 서성거리고 있었다.

탁탁탁—.

대리석 바닥에 단화 밑창이 닿는 소리가 로비 안으로 경쾌히 울려 퍼졌다.

오늘은 금요일이라 퇴근 후, 서울로 올라갈 예정이었다. 정시 퇴근에 조금이라도 차질이 없기 위해 평소보다 30분 일찍 서둘렀다.

유미는 머리를 질끈 하나로 묶고 콧노래를 부르며 조리실로 들어섰다. 평소보다 일찍 출근했음에도 조리실 안은 음식 준비에 한창인 조리사들로 북적거렸다. 유미가 안에 들어서자 모두의 시선이 일제히 그녀를 향했다.

"안녕하세요. 좋은 아침입니다!"

유미는 한 명, 한 명 조리사들과 눈을 맞추며 환하게 웃었다. 조리사들은 같이 밝게 웃으며 그녀를 향해 손을 들어 올렸다.

"오늘은 일찍 출근했네?"

"왜? 조금 더 자고 오지 그랬어."

지난 1년 사이, 친오빠를 5명이나 얻은 것처럼 조리사 한 명, 한 명은 그녀를 친여동생처럼 자상하게 보살펴주었다. 처음에는 군대에 입대한 것처럼 잔뜩 긴장했는데 이제는 친정에 있는 것처럼 마음이 푸근해졌다고나 할까?

유미가 준비 과정을 점검하러 조리대로 다가오자, 저마다 기다렸다는 듯 말 보따리를 풀어놓았다.

"유미 쌤 애인, 어제 TV에 나왔더라고. 제2의 성공 신화, 어쩌고 하면서……."

"진짜 멋있던데!"

"차진욱! 일과 사랑, 두 마리 토끼를 잡다!"

"대복 경영권 포기한 차진욱, 독립 브랜드로 홀로서기!"

석 달 전 어느 날, 신생 기업의 성공 신화를 다루는 TV 프로그램에서 진욱에게 출연 요청이 왔었다. 예전 같으면 시간 없다고 단번에 거절했을 테지만, 이제 시작인 회사에 방송 출연은 홍보의 기회였다.

흔쾌히 승낙하자, 프로그램 제작진은 거의 한 달 동안 진욱을 따라다니며 밀착 취재에 들어갔다.

진욱은 혹시라도 대중의 호기심이 유미에게 쏠릴까, 철저하게 주의를 기울였다. 그 탓에 유미와 진욱은 한 달 동안 전화 통화만 하고 서로 얼굴을 볼 기회가 전혀 없었다.

그렇게 조심했는데도 불구하고 회사에 관한 이야기만 방송에 나올 줄 알았는데 시청률 때문인지 유미와의 사랑 이야기도 조금 다루어졌다. 그래서 그런가 보다. 유미를 바라보는 조리사들의 얼굴에 함박웃음이 담겨 있었다.

"애인이 유미 쌤, 엄청 좋아하더라고."

"그래, 인터뷰하면서 프로그램 때문에 유미 쌤이랑 데이트 못 하게 됐다고 투덜거리던데……."

"아, 그게요……."

자신이 직접 TV에 출연한 것도 아니면서 유미는 겸연쩍은 표정으로 뺨을 붉혔다. 처음 진욱이 그녀의 남자 친구란 소리를 듣고 깜짝 놀랐던 조리사들은 시간이 흐르자, 이제는 서슴없이 진욱을 '차 서방' 또는 '매제'라고 불렀다.

"사귄 지 1년도 넘었는데 이제 슬슬 결혼해야지, 안 그래? 차 서방, 안달 나겠어."

"다음 달에 안 쌤이 출산휴가에서 돌아오면 유미 쌤은 다시 서울로 올라갈 거잖아."

"서울 올라가는 김에 그냥 매제 집으로 들어가서 살림 차려."

아, 또 이분들, 감당 못하게 너무 앞서 나가신다!

"아, 몰라요."

유미는 조리사들에게 곱게 눈을 흘기며 피식 실소를 내뱉었다.

"자! 잡담 그만하고 어서 일해. 금요일인데 칼퇴근해야 할 것 아냐!"

조리장 덕대가 소리치자, 그제야 조리사들은 다시 분주하게 손을 놀리기 시작했다. 먹성 좋은 학생들이 우르르 몰려오는 점심시간은 언제나 전쟁터를 방불케 했다.

유미는 이리저리 뛰어다니면서 조금이라도 물량이 부족한 건 아닌지 끊임없이 확인하고 동시에 식권을 수거해야 했다.

스캔들이 일어난 지 1년이 지났지만, 그렇다고 그녀를 향한 타인의 손가락질이 아주 사라진 건 아니었다. 사람들의 편견이 어디 하루아침에 그리 쉽게 사라질까. 아직도 잊을 만하면 뜨문뜨문 그녀를 괴롭혔다. 세상은 달라진 게 없었다.

하지만 이유 없는 손가락질을 받아들이는 그녀의 자세가 변했다.

점심시간이 되자, 학생들이 왁자지껄 떠들며 우르르 구내식당으로 몰려들었다.

"맛있게 먹어요."

학생에게 식권을 받은 유미는 활기차게 웃으며 귤을 하나씩 건네주었다. 그때였다.

"에이 씨……."

학생들과 일일이 눈을 맞추며 인사하는데 뒤쪽에서부터 굵직한 남학생의 욕설이 들려왔다.

"뭐냐? 시시하게. 조미희는 가슴 죽이게 크던데……. 딸은 영 아니잖아. 벗겨봐야 아나?"

두서너 명 뒤에 줄 서 있는 남학생이 유미를 가리키며 키득거렸다. 휴학했다가 복학한 지 얼마 안 되었는지 나이는 꽤 들어 보이는데 처음 보는 얼굴이었다. 남학생은 자신의 차례가 되자, 유미를 위아래로 훑더니 징그럽게 히죽거렸다.

"자, 여기 식권이요."

"그건 필요 없고, 이거 받아."

유미는 식권을 거부하고 대신 종이를 불쑥 내밀었다.

"학생, 이름이 뭐지?

남학생의 눈을 빤히 들여다보며 그녀가 딱딱한 목소리로 물었다.

"과, 지도 교수님 성함, 여기다 적어줘."

"……네?"

남학생이 이해가 안 간다는 듯 인상을 찌푸리자, 유미는 조금의 흔들림 없이 또박또박 말을 이었다.

"방금 그거 성희롱인 거 몰라? 다른 곳도 아니고 지성인이 모인 대학교에서 그러면 안 되지. 이번엔 처음이니까 지도 교수님께 항의하는 것으로 끝낼게. 하지만 또 그러면 아예 학교 당국에 신고할 거야."

"이봐요!"

남학생은 목까지 벌겋게 물들이며 화난 얼굴로 유미를 노려보았다.

"너무하잖아요. 그저 농담 한 번 한 거 가지고."

"학생은 남의 어머니 가지고도 그렇게 농담해?"

"쳇, 남들 보라고 옷이나 벗는 여자 딸이 무슨……."

"한 번만 말할 테니까 잘 들어. 우리 어머니는 연기한 거지, 눈요기용으로 옷을 벗은 게 아니야."

유미는 애써 평정을 유지하며 허리에 손을 얹고 남학생을 매서운 눈으로 응시했다. 먼저 흥분해서 언성을 올리는 사람이 심리전에서 지는 거니까.

"뭐야? 뭐야?"

뒤에서 소란을 지켜보던 조리사들이 우르르 조리실에서 몰려나와 유미의 뒤에 쫙 둘러섰다.

"너 이 녀석, 빨리 사과 안 해?"

가뜩이나 우락부락해 보이는 조리사 중에서도 한 덩치 하는 덕대가 무섭게 호통을 쳤다.

"에이, 재수 없으려니까."

남학생은 인상을 찡그리며 슬그머니 뒷걸음치더니 후다닥 밖으로 뛰어나가버렸다.

"저, 저 못난 놈! 남자 망신 다 시키지!"

남학생을 향해 삿대질하던 덕대가 걱정스러운 얼굴로 유미에게 물었다.

"유미 쌤, 괜찮아?"

"네, 그럼요."

유미는 무슨 일이 있었느냐는 듯 생긋 웃으며 고개를 내저었다. 예전 같았으면 화장실로 뛰어가 펑펑 울었겠지만, 이젠 아니다.

나는 이제 엄마가 전혀 창피하지 않으니까. 내가 잘못한 게 아니라 저들이 잘못한 거니까.

"여기는 저에게 맡기시고 어서 들어가세요."

유미는 씩씩하게 말하며 덕대의 등을 떠밀었다.

"저, 여기 식권이요."

옆에서 조용히 지켜보던 여학생이 조심스럽게 식권을 내밀었다.

"네, 맛있게 먹어요."

유미는 상냥하게 웃으며 식권을 받아 통에 집어넣었다. 귤을 건네주려고 하는데 여학생이 먼저 말을 꺼냈다.

"지금 저 남학생, 누군지 알아요. 제가 지도 교수님께 말씀드릴게요."

"어머, 고마워요."

"아뇨. 고맙기는요. 이렇게 하나씩 고쳐나가는 거죠."

배식대로 향하던 여학생은 잠깐 머뭇거리더니 유미를 향해 엄지를 척 들어 보였다.

"영양사님, 완전 멋져요!"

묵묵히 식사에만 열중하던 차 회장이 돌연 젓가락을 테이블 위에 탁 내려놓았다. 전혀 긴장하지 않고 여유만만한 얼굴로 자신을 바라보는 진욱이 마음에 들지 않았기 때문이다. 차 회장은 앞에 놓인 물 잔을 들며 못마땅한 목소리로 투덜거렸다.

"대복을 박차고 나가더니 얼굴색이 아주 좋아졌구나."

"그럼요."

차 회장은 기분 좋은 듯 생글거리는 진욱을 싸늘하게 노려보았다. 말이나 못하면 밉지나 않지.

"못된 놈."

생각하면 생각할수록 분하고 괘씸하다. 차 회장은 테이블 위에 물잔을 '쾅' 내려놓으며 언성을 높였다.

"다 포기하겠단 놈이 마케팅, 패키지 팀 노른자는 싹 다 빼가고 말이야."

"나가면 완전 전쟁인데 저도 총알은 있어야죠."

"쳇, 말이나 못하면……."

"그래도 회사 있을 때보다 식사도 더 자주 같이 하고 좋지 않으세요?"

그건 진욱의 말이 맞았다. 대복을 나가고 나서야, 진욱은 차 회장을 회장님이 아닌 아버지로서 살갑게 챙기기 시작했다. 하지만 그렇다고 좋은 티를 낼 수야 있나.

"좋긴 개뿔이."

차 회장은 못마땅한 얼굴로 고개를 돌려버렸다.

"그러면 오지 말까요?

녀석, 무슨 말을 못하게 해요! 전문 경영인 어쩌고저쩌고 겁 좀 주었다고 곧바로 회사를 박차고 나가버린 녀석인데, 진짜 안 찾아오는 건 아니겠지?

차 회장은 은근히 겁이 났다.

"한 달에 한 번은…… 집으로 와서 먹어! 흠흠."

빠르게 상황을 수습한 차 회장은 머쓱한 듯 헛기침을 내뱉었다. 차 회장이 자신에게 백기를 들자, 진욱은 슬쩍 다른 건을 밀어붙였다.

"다음엔 유미랑 같이 올게요."

"뭐?"

유미라는 말에 차 회장의 인상이 험악하게 일그러졌다.

이 녀석이 지금 어디를 비집고 들어오려고! 내가 항복했다고 우습고 만만하다 이건가!

"부자 인연까지 끊고 싶으면 그렇게 해봐라, 어디!"

"그래요? 이런……. 저랑 유미랑 한 달에 한 번은 어머니와 함께 식사하거든요. 그래서 이번에는 아버지랑 다 같이 식사하려고 했는데 그거 참 아쉽네요."

뭐? 애령이와 함께? 차 회장의 눈이 튀어나올 것처럼 커다래지자, 진욱은 입술을 비죽거리며 나오려는 웃음을 삼켰다. 천하의 차대복 회장도 김애령이란 여자 앞에선 종이호랑이나 다름없었다.

"이 자식, 아비를 놀려먹으니까 재미있냐!"

불같이 노려보는 차 회장이지만, 예전보다는 많이 누그러진 모습이라고 진욱은 생각했다.

왠지 모두 함께 모여 식사할 날이 그리 멀지 않은 느낌이다.

"유미 씨."

"어머!"

전혀 예상하지 못한 손님의 방문에 유미는 환하게 웃으며 배식대 뒤에서 걸어 나왔다. 정신없이 북적거리던 점심 배식이 거의 끝나고 한산한 구내식당으로 철민과 경희가 들어섰다.

선남선녀인 두 사람은 곧바로 주위의 시선을 끌었다. 특히 미스 코리아처럼 늘씬한 경희에게 사람들은 저마다 선망의 눈빛을 보냈다.

"여기까지 무슨 일이세요?"

"제가 여기 나왔거든요. 대전에 온 김에 모교 둘러보려고 왔어요. 그런데 유미 씨가 여기서 근무한다기에 지나가다 인사나 할 겸 해서."

경희는 처음 봤을 때처럼 상냥하게 웃으며 유미의 물음에 나긋나긋 대답했다.

두 사람을 만나는 건 결혼식 이후로 처음이었다. 신혼여행에서 돌아온 철민은 유미와 진욱을 집들이 파티에 초대했지만, 그 당시에는 막 터져버린 스캔들로 참석할 수 없었다.

그 후론 진욱이 대복을 퇴사하고 새 회사를 설립하느라 도저히 시간을 낼 수 없었다.

식판에 음식을 담아온 경희는 마치 학창 시절로 되돌아간 듯 즐거워 보였다.

"와, 나 학교 다닐 때보다 훨씬 더 맛있어요. 영양사님이 좋아서 그런가?"

"여기 조리사님들이 워낙 요리를 잘하세요."

"그런데……."

두 여자의 눈치를 보던 철민이 넌지시 말을 꺼냈다.

"유미 씨, 다음 달이면 다시 서울 올라온다면서요."

"네. 원래 있던 영양사님이 출산 휴가로 잠시 자리를 비웠던 거라서 그분 돌아오시면 전 서울에 있는 초등학교로 가요."

"지금 진욱이 회사와도 가깝다고 들었어요."

"네."

걸어서 5분도 안 걸리는 거리였다. 이제야 장거리 연애를 끝내고 서로 실컷 볼 수 있겠다며 진욱은 아이처럼 기뻐했다.

"진욱이 녀석, 그래서 이참에 빨리 결혼하고 싶어 하더라고요."

철민의 말에 유미는 살짝 고개를 갸우뚱거렸다.

음……. 그건 아닌 것 같은데.

진욱은 그 이후로 결혼의 '결' 자도 꺼내지 않았다. 하긴, 오해 때문에 첫 청혼을 무참히 망쳐버렸는데 어떻게 아무렇지 않게 다시 하자고 말할 수 있을까.

유미는 그저 씁쓸하게 웃어 보였다. 철민은 그녀의 그런 반응이 수줍어서라고 생각했는지 계속해서 말을 이어나갔다.

"녀석이 첫 번째를 능가하는 청혼을 해야 한다고 지금 머리를 쓰고 있는데 어려운가 봐요. 사실 첫 번째 청혼이 닭살 돋게 획기적이긴 했죠."

"……식당 전체를 빌려서 프러포즈한 거요?"

돈이 좀 많이 들긴 했지만, 획기적인 것과는 거리가 멀지 않나? 레스토랑 전체를 빌리고 꽃다발을 내미는 거야, 드라마나 영화에서 흔하게 나오는 장면인데…….

"봐, 봐. 내가 이럴 줄 알았어."

유미의 떨떠름한 표정에 철민이 짝 소리 나게 손뼉을 마주쳤다.

"유미 씨, 전혀 모르고 있었죠? 그때 그 청혼이 뭐였는지."

"네? 저는 무슨 말인지……."

"내가 이럴 줄 알았다니까. 진욱이 녀석. 내가 너무 난해하다고 그거 알아채기 힘들 거라고 그렇게 말렸는데 몰라도 상관없다고 고집부리더니."

"뭐가 난해하다는 거예요?"

철민은 계속해서 전혀 알아들을 수 없는 말을 늘어놓았다.

"유미 씨, 나도 첫 번째 청혼이 어떻게 해서 틀어졌는지 다 아는데요. 음……. 그래도 그때 진욱이가 엄청 진지했었던 건 사실이에요. 오해고 뭐고 다 떠나서 정말 유미 씨와 결혼하고 싶어 했어요."

아니, 그러니까 도대체 뭐냐고!

철민은 심각한 얼굴로 말을 이었다.

"악보를 그릴 때, 음표를 그리잖아요. 보통은 우선 머리만 찍고 그다음에 꼬리를 그려요. 무슨 말인 줄 알겠어요? 쉽게 말하자면 콩나물 꼬리가 아니라 머리가 중요하다 이겁니다. 힌트는 여기까지예요."

도대체 무슨 말이야!

유미는 철민의 알쏭달쏭한 말을 전혀 알아들을 수가 없었다.

"우와, 이유미!"

유미가 캐리어를 끌고 맥&북 안으로 들어서자, 카운터에 서 있던 현태가 빠르게 달려와 캐리어를 받아 들었다.

"전화하지 그랬어. 그럼 내가 데리러 갔지."

"아냐. 요 앞까지 오는 버스 있던데 뭘. 그런데 동구는?"

오늘 미희는 마지막 드라마 촬영이라며 베이비시터를 불렀다. 하지만 베이비시터도 7시 이후에는 퇴근해야 해서 유미가 올 때까지 현태가 잠시 동구를 돌봐주기로 했다.

현태가 턱짓으로 카페 구석을 가리키자, 소파 위에서 토끼 인형을 껴안고 곤히 잠든 동구가 눈에 들어왔다.

"몇 주 안 본 사이에 부쩍 컸네."

유미는 엄마 미소를 지으며 동구의 머리카락을 쓰다듬어주었다.

"자, 커피."

"어. 고마워."

어느새 에스프레소 머신에서 커피를 내린 현태가 유미 앞에 커피 잔을 내밀었다. 따뜻한 커피를 홀짝홀짝 마시던 유미는 맞은편에 앉은 현태를 물끄러미 바라보았다.

혹시 현태는 알 수 있지 않을까? 그래도 명색이 작가인데…….

"……현태야, 나보단 네가 더 잘 알까 해서 그러는데."

유미는 심각한 얼굴로 오늘 철민에게 들은 이야기를 현태에게 털어놓았다.

"그래서 차 본이 너에게 어떻게 청혼했는데?"

"응. 해우리라는 회사 근처에 있는 레스토랑을 전체로 빌리고 꽃다발을 주면서 청혼했어."

"음…… 그건 평범한데……. 혹시 그전에 뭐 평소와 다른 행동을 보인 건 없었어?"

맞아. 생각해보니까 그 한 주 동안 좀 이상하긴 했다.

"난데없이 도시락을 싸주긴 했어. 첫날은 직접 만든 유부 초밥을 가져오고, 다음날은 미나리 생채……."

현태는 유미의 말을 진지하게 들으며 고개를 끄덕거렸다.

"있잖아. 철민 씨가 그랬다면서……. 악보를 그릴 때, 음표 머리부터 그리고 꼬리는 나중에 그린다고."

"응."

"난 알 것도 같은데……."

"뭐?"

"후우, 차 본이 너 진짜 많이 좋아했네. 그렇게 청혼을 했으니, 두 번째는 더 끝내주게 하려고 고심하는 거지. 왠지 차 본이 짠해지는걸. 이 눈치 없는 B 사감은 무슨 뜻인지도 전혀 모르는데."

"야! 너!"

가뜩이나 궁금해 죽겠고만, 사람이나 놀리고……. 지금 말장난하나! 잠깐……! 말장난? 순간 번쩍하고 무언가가 머릿속을 지나갔다.

"그러니까 첫날은……."

유미는 멍한 표정으로 혼잣말처럼 중얼거리기 시작했다.

유부 초밥, 그리고 둘째 날은

미나리 생채 무침, 셋째 날은

결명자차, 넷째 날은

혼밥을 하라고…… 그리고 마지막은

해우리에서 만나자고.

"앞 글자를 따면…… 유부 초밥의 유, 미나리 생채 무침의 미, 결명자차의 결……."

어쩌면 이리도 쉬운 걸, 전혀 깨닫지 못하고 있었다니!

"유미, 결혼해, 우리?"

"아휴, 이제야 깨달으셨어요?"

진욱의 청혼은 진심이었다. 동구 때문에 할 수 없이 억지로 서두른 것만은 아니었다. 만약에 그랬다면 이렇게 공들여서까지 청혼을 하지 않았을 것이다.

유미가 자리에서 벌떡 일어서자, 현태는 피식 웃으며 주머니에 있던 스쿠터 열쇠를 내밀었다.

"이게 필요할 텐데……. 빌려줄까?"

"고마워, 친구!"

유미는 낚아채듯 스쿠터 열쇠를 집어 들고 카페를 뛰어나갔다.

쾅—.

갑자기 문이 열리며 유미가 사무실 안으로 들어왔다.

"헉, 헉, 헉."

건물 입구에서부터 뛰어왔는지 그녀는 거칠게 숨을 몰아쉬며 비틀비틀 진욱의 파티션으로 걸어왔다.

밤늦은 시간이라 다른 직원들은 모두 퇴근한 후였고, 진욱 혼자 사무실을 지키고 있었다. 새 회사로 옮긴 후, 진욱은 개인 사무실 없이 모든 직원과 커다란 사무실을 함께 사용했다. 서로 얼굴을 맞대며 언제든지 의견을 교환할 수 있고 위아래가 없는 하나의 공동체라는 의식을 강조하기 위해서였다. 덕분에 진욱은 무서운 상사라는 편견에서 조금이나마 벗어날 수 있었다. 그가 얼마나 일에 몰두하는지 직원 모두 한눈에 볼 수 있었으므로…….

"유미야?"

진욱은 어리둥절한 표정을 지으며 자리에서 일어섰다. 난데없는 그녀의 방문이 반가우면서도 다른 한편으로 '큰일이 생긴 건 아닌가?' 하고 은근히 걱정됐다.

"이 시간에 무슨 일이야? 오늘은 동구 때문에 안 되고 내일 만나자고 했잖아?"

"진욱 씨……."

유미는 대답 대신 빨갛게 상기된 얼굴로 재빨리 진욱에게 달려들어 두 팔로 그를 와락 껴안으며 진욱의 가슴에 머리를 콩 찧었다.

"말……해주지. 그렇다고 말해줬으면…… 절대로 오해 안 했다고요. 난 그렇게 청혼한 줄도 모르고."

"무슨 소리야?"

그녀는 확 고개를 들어 시치미 떼려는 진욱을 빤히 바라보았다.

'지금 말하지 말고 혼자 속 좀 타보게 할까?'라는 심술궂은 생각도 잠시 들었지만, 이내 마음을 바꾸었다.

"나 알아냈다고요. 첫 번째 청혼에 담긴 퀴즈."

"아…… 그거."

처음엔 조금 움찔했지만, 어느새 진욱의 얼굴에 부드러운 미소가 떠올랐다.

"유미, 결혼해, 우리!"

진욱을 빤히 올려다보며 그녀가 목청껏 크게 외쳤다.

"이제 알았어? 난 우리 결혼 10주년 되는 날에 알려주려고 했는데."

"몰라요. 몰라."

유미는 다시 진욱의 가슴에 얼굴을 묻으며 주먹으로 그의 어깨를 팡팡 때렸다.

손바닥도 마주쳐야 소리가 난다고, 멋진 청혼을 알아보지도 못하고 그냥 지나쳐버리다니! 유미는 눈치 없는 자신이 너무나도 원망스러웠다. 그 많은 로맨스 소설을 읽고서도 전혀 몰랐다니. 이론에는 강할지 몰라도 실전엔 약한 게 분명하다.

"유미야."

진욱이 한마디 하려고 하자, 유미는 서둘러 그의 말을 잘랐다.

"아뇨. 이번엔 내가 먼저 말할래요."

항상 그가 먼저 다가와주었다. 그리고 이번에는 그녀가 먼저 다가갈 차례였다.

"진욱 씨, 결혼해요, 우리! 내가 평생 당신의 몸과 마음을 책임질게요."

잔뜩 긴장해서인지 그녀의 목소리 끝이 갈라지며 조금 흔들렸다. 하지만 진욱에게는 그녀의 가늘게 떨리는 목소리가 세상 어느 소리보다 아름답게 들렸다. 그는 손을 들어 그녀의 뺨을 부드럽게 쓸어내렸다. 말랑말랑하고 부드러운 피부의 촉감이 손끝에 스미듯 전해지자, 온몸으로 짜릿한 열기가 지나갔다.

진욱은 입 맞추고 싶은 감정을 억제하며 그녀에게 천천히 얼굴을 가져갔다. 진심을 담은 그녀의 짙은 눈빛이 오롯이 그를 향하고 있었다.

"정말 날 책임지는 거다."

"네!"

진욱의 입술이 닿을 듯 말 듯 가깝게 다가왔다.

"그럼 나는 뭘 책임져야 하지?"

진욱의 따뜻한 숨결이 속삭이듯 그녀의 입술 위로 쏟아졌다. 유미는 두 손으로 그의 셔츠를 꽉 움켜쥐며 떨리는 목소리를 가다듬었다.

"아무것도…… 아무것도 필요 없어. 그저 내 옆에만 있어줘요."

먼저 결혼하자는 말을 꺼내기까지 얼마나 큰 용기가 필요했는지, 유미의 평소 성격으로 미루어 쉽게 짐작할 수 있었다.

그녀가 서울로 오기 전에 청혼해야 하는데……. 이번에는 어떻게 해야 첫 번째보다 더 멋지고 감동적일까?

한 달 전부터 끊임없이 진욱을 따라다니던 숙제였다. 그런데 유미에게 선수를 놓치고 말았다. 그러나 아쉬운 생각은 들지 않았다. 이렇게도 사랑스럽고 화끈한 청혼을 받았는데 무슨 불만이 있겠는가!

"사랑해."

진욱의 갈라진 목소리가 뜨거운 숨결과 함께 그녀 입술 위로 내려앉았다.

"사랑해요, 진욱 씨."

그동안 떨어져 지내서일까? 그저 서로 바라만 봐도 바짝바짝 속이 타는 것처럼 목이 말랐다.

진욱이 먼저 한 손으로 유미의 뒷머리를 감싸며 촉촉하고 달콤한 입술을 맘껏 머금었다. 입 안으로 밀려드는 달콤함을 음미하며 유미는 살포시 두 눈을 감았다.

Episode 35

우리만의 애타는 로맨스를 위하여

아무 생각 없이 비밀번호를 누르고 현관문을 열었는데, 미희와 동구 말고도 집 안에 누군가 더 있었다.

"앗!"

유미는 정체불명의 남자와 부둥켜안고 있는 미희를 발견하고 크게 소리 질렀다. 밤이 늦었지만 결혼하기로 했다는 말을 미희에게 직접 전하고 싶다는 진욱의 부탁으로 함께 집으로 향한 길이었다.

그냥 내일 아침까지 기다리자고 할걸! 기가 막히고도 남사스러운 장면을 진욱과 함께 목격하고 말았으니 어쩌면 좋을까! 유미는 당장 쥐구멍에라도 숨고 싶었다.

"엄마! 도대체 지금……!"

진욱은 어쩔 줄 모르고 부들부들 떠는 유미의 어깨를 뒤에서 부드럽게 감싸 안았다. 그녀가 이대로 혼절이라도 해버릴 것 같아 두려웠다. 어렵게 다시 찾은 가족의 평화, 오늘의 스캔들로 다시 산산이 부서지는 건 아니겠지?

진욱은 한껏 긴장한 눈으로 앞에 선 두 사람을 주시했다.

"어머, 깜짝이야!"

유미의 비명에 가까운 소리에 미희와 정체불명의 남자가 화들짝 놀라며 뒤를 돌아보았다. 남자의 얼굴을 알아본 유미가 놀란 듯 입을 벌렸다.

"아저씨?"

"어…… 그래, 유미야, 그동안 잘 있었니?"

영한이 쑥스럽게 웃으며 품에 안았던 미희를 떼어놓았다. 무안해서 얼굴이 붉어진 영한과는 달리 미희는 생글거리며 그에게 몸을 기대었다. 아주 행복해서 미치겠다는 표정이었다. 드라마에 출연하게 되었다고 알려줄 때보다도 훨씬 더 행복한 표정.

"우리 딸, 미래 사위, 마침 잘 왔어."

미희의 얼굴에 어린 소녀처럼 해맑은 미소가 가득했다.

"서프라이즈한 소식이 있거든."

어째 오늘의 좋은 소식은 하나로만 끝나지 않을 것 같은 예감이 들었다.

"그래서 우리 두 사람, 다시 합치기로 했단다."

김이 모락모락 오르는 찻잔을 가운데 두고 영한이 담담한 목소리로 미희와의 재결합 소식을 알렸다.

"처음엔 그저 몇 달간 서울에서 머리 좀 식히다 돌아올 거라고 믿었어. 동구도 있는데 도저히 혼자 힘으론 얼마 버티지 못할 거라고 생각했거든."

반대하면 더 하고야 마는 미희의 성격을 알기에 영한은 그녀가 원하는 대로 이혼 서류에 도장을 찍고 편하게 놓아주었다고 했다. '사랑했으니 됐노라!'라며 위자료, 양육비도 하나도 필요 없다는 말에, 마음대로 하라며 크게 말리지도 않았다.

"전 사실 그래서 아저씨에게 조금 실망했었어요. 아무리 그래도 동구는 아저씨 아들인데 이렇게 나 몰라라 보내버리셔서."

유미의 불평에 영한은 미안한 표정으로 고개를 끄덕거렸다.

"그래, 잘 안다. 나도 불안해서 어쩔 줄 몰랐어. 하지만 그래야지 네 엄마가 혼자 버티지 못하고 곧 돌아올 거라고 예상했지. 이렇게 혼자의 힘으로 멋지게 재기하리라곤 꿈에도 상상하지 못했다."

"어머, 왜 이래? 나, 조미희야, 조미희! 혼자 힘으로 못 할 것 같아?"

미희의 반격에 영한은 사람 좋은 미소를 띠며 그녀의 등을 다정하게 토닥거렸다.

"알아, 알아. 그러니까. 내가 크게 잘못 판단했다는 거지."

꿀이 뚝뚝 떨어지는 눈빛으로 미희를 바라보던 영한이 다시 유미와 진욱에게 시선을 돌렸다.

"앞으로는 네 엄마, 방송 활동도 적극적으로 응원하고 서울에 거처도 마련할 생각이야. 우선은 네 엄마와 동구는 서울에서 지내고 난 주말마다 올라오는 것으로 하고."

"정말 잘됐네요."

진욱과 결혼하게 되면 미희와 동구를 남겨두고 가야 해서 마음에 걸렸는데 듣던 중 반가운 소식이었다.

유미는 밝게 웃으며 행복해 보이는 미희와 영한을 번갈아 바라보았다. 한 번 떨어져본 두 사람이니까 이제는 헤어질 일은 없을 거라고 믿는다.

"그런데 상견례는 언제 하는 게 좋을까?"

미희와 재결합하기로 했다고 영한은 자신이 유미의 아버지가 된 것처럼 진지한 얼굴로 진욱을 대했다. 그동안 잘해주지 못한 아버지 노릇을 이 기회에 제대로 해볼 참인 것 같았다.

진욱이 선뜻 말을 못 꺼내자, 유미가 대신 물음에 대답했다.

"우리 두 사람은 우선 혼인신고만 하려고요. 결혼식은 나중에 여건이 나아지면 그때 할 거예요."

"그게 무슨 소리니?"

유미의 대답이 마음에 들지 않아 미희가 팍 인상을 찌푸렸다.

"너희 여건이 어때서? 결혼식 비용은 걱정하지 마. 엄마, 요즘에 광고 많이 들어와서 네 결혼식 남부럽지 않게 해줄 수 있어."

"비용 때문이 아니라, 진욱 씨 지금 일하느라 시간도 없고……."

"죄송합니다, 어머님."

유미가 자신을 위해 변명을 늘어놓자, 진욱이 빠르게 끼어들었다. 그는 고개를 푹 숙이며 미희와 영한의 앞에 무릎을 꿇었다. 진욱의 돌연한 행동에 유미는 물론 미희와 영한 역시 깜짝 놀랐다. 양반 다리도 불편하다는 남자가 무릎을 꿇다니!

이어서 진욱의 침통한 목소리가 이어졌다.

"아직 아버지의 허락을 받지 못했습니다. 아버지 없이 결혼식을 하려고도 했지만 유미가 양가 부모님이 모두 참석하지 않은 결혼식보다는 나중에 하는 게 좋을 것 같다고 해서. 우선은 혼인신고만 하고 제 집에서 신혼 생활을 시작하는 게 어떨까 싶어서요."

진욱의 설명에 미희는 속으로 짧게 한숨을 내쉬었다.

내 이럴 줄 알았어. 그놈의 심술쟁이 영감을 그냥!

하지만 차 회장만을 탓할 일은 아니다. 이 모든 게 에로 배우였던 자신의 과거 때문인 것 같아 미희는 마음이 무거웠다.

아무리 지금 잘나가는 중년 배우면 뭐하느냐고. 사돈 될 집안에서 꼬치꼬치 따지며 흠집을 잡아버리면 어떻게 해볼 도리가 없는 거니까.

마음 같아서야 '우리 딸이 어디가 어때서 허락을 안 해주는 거야? 나도 그런 집안과 사돈 맺고 싶지 않아!'라고 쏘아붙이고 싶었다.

하지만 그녀보다는 당사자가 더욱더 마음 아플 터이니 꾹 참기로 했다. 차 회장은 그렇다고 치고 몇 번 만나본 애령은 다행히도 인자하고 부드러운 성품을 지낸 사람이었으니까. 절대로 깐깐한 시어머니는 되지 않을 거라고 믿는다.

"그렇다고 결혼식을 생략하니? 간단하게라도 하고 나중에 허락받고 또 하면 되잖아."

"에이, 그럴 필요까진 없고. 내가 하루라도 빨리 진욱 씨랑 살고 싶어서 그래."

"그래도 그렇지."

미희는 서운한 얼굴로 유미와 진욱을 번갈아 바라보며 작게 투덜거렸다.

"진짜, 우리 엄마 못 말려!"

뚱한 얼굴로 불쑥 카페에 들어선 유미는 한창 커피 내리기에 바쁜 현태에게 다가가 한탄을 늘어놨다.

"정말 언제 철드는 거야? 엄마가 아니라 딸이라니까, 딸!"

현태는 능숙한 솜씨로 잔에 커피를 따르며 피식 입꼬리를 올렸다.

"또 무슨 일인데 그래?"

"너, 엄마에게 아무 말 못 들었어? 이번에 또 결혼식 한다잖아."

유미와 진욱이 결혼식을 사양하자, 미희는 '그래, 그럼. 너희는 생략해. 우리는 그래도 성대하게 할 거야.'라고 선언했다.

"두 사람 다시 합치는 건데, 그렇게까지 크게 할 건 없잖아. 그리고 왜 내 친구들은 다 초대하는 건데? 소영이랑 다른 친구들에게도 연락했나 봐."

"네가 저번에 아무도 안 불렀으니까 그게 섭섭해서 그러시는 건 아닐까?"

"너보고도 이번엔 꼭 참석해야 한다고 다짐에 다짐을 받았다며?"

"어."

현태는 별일 아니라는 듯 가볍게 고개를 끄덕였다.

"좋아. 그건 그렇다고 쳐. 왜 나보고 들러리 서라면서 하얀 드레스를 입으라는 거야?"

"그거야 어머니가 빨간 드레스를 입으실 거니까 본인이 돋보이려고……. 드레스 코드라잖아."

"아, 몰라. 몰라. 진욱 씨, 새로 사업해서 바쁜데 뭘 또 강원도까지 가자고 하고."

유미가 두 손으로 머리를 감싸고 마구 흔들어대자, 현태는 킥 웃으며 커피 잔을 입에 가져갔다.

"솔직히 말해. 너 지금 부러워서 그러는 거지?"

"부럽긴! 전혀 아니거든!"

"흠, 강한 부정은 강한 긍정이라던데."

"야, 정현태! 너 자꾸……!"

한마디 톡 쏘아붙이려던 유미는 현태의 눈에 어린 쓸쓸한 눈빛에 급히 입을 다물었다. 입은 웃고 있지만, 눈은 울고 있는 모습이랄까? 대전에서 서울을 오르락내리락하느라 예전처럼 현태를 자주 보지 못해서 빨리 눈치채지 못했는데 지금 보니까 체중도 좀 준 것 같고 왠지 풀이 죽어 보였다.

"……현태야, 너 요새 혜리 씨 안 만나?"

얼마 전, 현태는 그녀에게 주혜리가 마음에 있다며 어쩌면 사귈지도 모르겠다고 털어놓았었다. 유미와 혜리와의 악연을 잘 알기에 망설인 건 사실이지만, 그래도 끌리는 감정은 어쩔 수 없다면서.

—야, 네가 좋으면 그만이지. 난 괜찮으니까 신경 쓰지 마, 알았지!

전혀 걱정하지 말라며 두 사람을 응원했었는데, 지금 현태의 얼굴은 어째 새로 연애를 시작한 사람의 얼굴이 아니었다.

"아, 그게…… 말이지."

현태는 말꼬리를 흐리며 커피 잔을 입에 가져가, 커피를 한 모금 마신 후, 느릿하게 말을 이어나갔다.

"마음이 다 정리될 때까지 기다려주기로 했어. 10년 넘게 한 사람만 바라봤는데 그렇게 쉽게 다른 사람에게 마음 가는 것도 그렇잖아. 리바운드라면 나도 사양이야."

듣고 보니 틀린 말은 아니다. 사랑의 실연으로 마음이 약해졌을 때보다는 아픔을 치유하고 다시 건강해진 마음으로 상대를 맞이하는 게 나을지도 모른다.

"그래, 잘 생각했어."

유미는 격려하듯 현태의 등을 손바닥으로 툭툭 내리쳤다.

"그나저나 혜리의 사과 받아줘서 고맙다. 너도 쉽지는 않았을 텐데."
"어려울 것도 없지, 뭐."
유미는 몇 달 전 자신을 찾아 대전에 내려왔던 혜리를 떠올리며 고개를 내저었다. 그러고 보니 현태가 혜리에 대한 감정을 털어놓고 얼마 지나지 않아서였다.

—미안해요. 더 일찍 와서 사과했어야 했는데, 유미 씨가 나를 보고 싶어 할지 자신도 없었고. 혹시나 기자가 냄새 맡고 쫓아와서 또 힘들게 되는 건 아닌가, 망설여지고 그랬어요.

혜리는 지금까지 자신이 유미에게 심했다며 정중히 사과했다.

—변명처럼 들릴지 모르겠지만, 넘어오지 않는 상대를 너무 오랫동안 바라보다 도덕적 평행 감각이 둔해져버렸어요. 나, 착한 사람은 아니지만 그렇다고 아주 악랄하게 나쁜 사람도 아니라고 생각했는데……. 유미 씨에게는 그동안 참 못된 행동을 많이 했네요.

사과 한마디로 당장 혜리를 향한 어색함이 풀어진다든지 그녀와 친구가 되는 건 아닐지라도 유미는 직접 찾아와 사과하는 혜리의 용기가 고마웠다.
"넌 어머님이랑 가고 차 본은 따로 갈 거지?"
"응."
다시 미희의 결혼식으로 화제가 돌아오자 유미의 얼굴에 어두운 그림자가 내려앉았다.

"장 비서님이 결혼식 사회 봐준다고 해서 같이 내려올 거래."

그뿐인가? 대북 그룹과 대학교 조리 팀에 따로 웨딩 케이터링까지 의뢰했단다. 얼마나 많은 하객을 초대하기에 조리사가 9명이나 필요한 거지? 아, 생각만 해도 골치가 아프다.

유미는 한 손으로 관자놀이를 누르며 깊은 한숨을 내쉬었다.

"아무리 생각해도 이건 들러리 드레스 같지 않고 웨딩드레스 같아."

하얀 드레스를 입은 자신의 모습을 전신거울에 비추며 유미가 혼잣말처럼 중얼거렸다.

머리에는 화관을 쓰고 손에도 앙증맞은 부케가 들려 있었다. 모르는 사람이 보면 영락없는 신부의 모습이었다.

"준비 다 됐어?"

검은 턱시도를 입은 진욱이 거울 앞에서 마지막 몸단장으로 바쁜 유미에게 다가왔다. 진욱 역시 신랑 들러리라고 하기엔 너무나 신랑 같은 모습이었다. 오히려 빨간 넥타이를 맨 영한이 들러리같이 느껴졌다.

미희와 영한의 결혼식은 처음 두 사람이 식을 올렸던 대복 리조트에서 이루어졌다. 온통 하얀 꽃으로 꾸민 야외 결혼식장 분위기도 그때와 비슷했다. 신부와 신랑이 하얀 드레스 대신 빨간 드레스와 빨간 넥타이로 멋을 낸 것만 빼고는…….

"어머, 어머님도 초대받으셨어요?"

하객을 둘러보던 유미는 맨 앞줄에 앉은 애령을 발견하고 놀란 듯 미간에 주름을 잡았다.

"어. 사부인을 빼놓으면 어떻게 하느냐고 하셔서."

아, 미치겠다, 엄마! 이혼했다가 다시 합치는 게 뭐 자랑할 일이라고 진욱 씨 어머님까지 초대한 거야? 그뿐인가? 그 뒤로 진욱의 직장 동료들까지 보였다. 잠깐, 저 두 사람은 철민 씨와 경희 씨? 내 친구까지 부르는 것도 모자라서 진욱 씨 친구까지 초대한 거야?

"진욱 씨, 어떻게 된 거예요?"

유미가 손가락으로 두 사람을 가리키자 진욱은 별일 아니라는 듯 어깨를 으쓱거렸다.

"여기 볼일이 있어서 내려왔는데 장 비서랑 우연히 연락됐대. 장 비서가 하객이 모자란다고 와달라고 했다나."

"네?"

이 말도 안 되는 변명 같은 이유는 뭐지?

유미는 휘둥그레진 눈으로 다시금 찬찬히 하객을 둘러보았다. 어떻게 된 게 미희와 영한과 연관된 하객보다 그녀와 진욱과 관련된 사람이 더 많아 보인다.

뭐지? 이 묘한 분위기는?

"자, 식 시작하겠다. 유미야, 뭐 하니. 어서 나가야지."

어깨가 드러난 새빨간 드레스를 입은 미희가 생글생글 웃으며 영한과 함께 다가왔다.

"응, 엄마."

아무리 그래도 오늘은 엄마의 결혼식인데, 불평은 잠깐 접어두고 활짝 웃자.

유미는 입꼬리를 힘겹게 위로 끌어올렸다.

어, 그런데 이건 또 뭐야?

유미를 따라 버진 로드를 걷던 미희는 주례석 앞에 서지 않고 맨 앞줄에 앉아버렸다. 그 옆은 이미 영한이 자리 잡고 있었다.

"엄마, 지금 뭐 하는 거야?"

유미는 당황한 얼굴로 미희의 팔을 잡아당겼다.

"뭘? 결혼식 진행하니까 난 이제 앉아야지."

뒤에서 지켜보던 진욱이 뭔가 상황이 이상하게 돌아가는 것 같자 빠른 걸음으로 두 사람에게 다가왔다.

"신부가 여기 앉아버리면 어떡해!"

"신부라니? 어머 얘, 나, 신부 아냐. 난 신부 엄마. 네가 오늘의 신부지. 네 결혼식이잖아."

"뭐?"

이게 무슨 귀신 씻나락 까먹는 소리래?

유미는 황당하다는 얼굴로 진욱에게 시선을 돌렸다.

"진욱 씨는 알고 있었어요?"

"아니. 전혀."

진욱은 자신도 까맣게 몰랐었다는 얼굴로 유미를 마주 보며 고개를 내저었다.

"엄마, 이게 도대체……!"

유미가 뭐라고 항의하려고 하자, 미희는 재빨리 손을 들어 그녀를 제지했다.

"나중에 차 회장님께 허락받으면 그때 다시 하는 걸로 하고 오늘은 그냥 간단하게 언약식 올린다고 생각해. 혼인신고하면서 친구들이랑 간단하게 파티한다고 치면 되잖아. 사부인도 흔쾌히 찬성하셨어."

"아무리 그래도 그렇지."

어쩌면 이렇게 감쪽같이 속일 수가!

"그러니까 엄마 말은, 우리만 모르고 여기 참석한 사람들 다 알고 있었단 말이야?"

"그래. 네가 또 거절할까 봐 서프라이즈 해주려고 엄마가 손 좀 썼어. 왜, 싫어?"

"……엄마."

만날 본인 서프라이즈 이벤트만 하느라 바쁜 줄 알았는데, 이번에도 무슨 결혼식을 그리 거창하게 준비하느냐고 핀잔했는데, 이 모두가 그녀를 위해서가 아니라 딸을 위해서였다니.

"영한 씨와 나야, 부모석에 같이 나란히 앉아 있으면 모두 우리가 다시 합친 줄 알 거잖아. 귀찮게 또 결혼식 할 필요 있니?"

미희는 유미의 손을 잡으며 나긋하게 설득했다.

"유미야, 오늘은 네가 주인공이야."

갑자기 눈물이 핑 돌며 눈앞이 흐려졌다. 유미는 입술을 비죽거리며 미희를 슬쩍 흘겨보았다.

"엄마. 요새 자꾸만 안 하던 짓을 하고 그래? 나, 감동했잖아."

"얘가 왜 갑자기 울고 그래? 안 돼! 화장 번져!"

미희는 서둘러 손수건을 꺼내어 유미의 눈가를 꾹꾹 눌러주었다. 옆에서 모녀의 대화를 가만히 듣고만 있던 진욱이 미희를 향해 머리를 숙였다.

"감사합니다, 장모님."

차 회장이 결혼을 허락하지 않아 기분이 안 좋을 텐데도 미희는 끝까지 아무런 불평도 하지 않고 묵묵히 두 사람을 응원했다. 그게 얼마나 어려운 일인지 알기에 진욱은 진심으로 미희가 고마웠다.

"아니야. 내가 더 감사하지. 우리 유미, 잘 부탁해."

유미의 손을 진욱에게 넘겨주며 미희도 살짝 눈물을 글썽거렸다.

"엄마는 나보고 울지 말라고 하더니……. 흑."

"나는 우는 거 아냐. 눈에 뭐가 들어가서 그래!"

뻔히 보이는 미희의 거짓말에 유미는 픽 웃음을 터뜨렸다.

오늘은 너무나도 행복한 날이다.

이런 날에는 화장이 조금 번졌다 해도 모두 느긋한 마음으로 이해해 주지 않을까?

"자, 준비됐지?"

진욱이 손을 내밀자, 유미는 눈가에 번진 눈물을 훔치고 세상을 다 가진 듯 해맑게 웃었다.

"네."

두 사람은 서로의 손을 꽉 붙잡고 주례석을 향해 천천히 걸어가기 시작했다.

주위를 감싸듯 저 멀리서 '결혼 행진곡'이 부드럽게 흘러나왔다.

"그런데 엄마, 어떻게 다 알고 초대한 거야?"

본식이 끝나고 피로연이 한층 무르익자, 유미는 미희가 앉은 테이블로 다가가 참았던 궁금증을 쏟아냈다. 미희는 별거 아니라는 듯 어깨를 으쓱하며 와인을 들이켰다.

"현태랑 장 비서가 팔 걷어붙이고 도와준 덕분이지."

그러니까 현태와 우진은 모두 알고 있었으면서도 모르는 척 시치미를 뚝 떼었다는 말이다.

유미는 기가 막힌다는 표정으로 미희를 바라보다 결국 피식 웃어버렸다. 어찌 됐든 두 사람을 위해서 계획한 일이니까.

"그런데 차 서방은 어디 갔어?"

미희는 유미의 뒤편으로 고개를 빼며 진욱의 모습을 찾았다.

결혼식이 끝난 지 얼마나 되었다고 '차 본'이 아니라 '차 서방'이란다. 빠르기도 하셔라. 지금까지 '차 서방'이라고 부르고 싶은 걸 어떻게 참으셨을까?

"동구가 화장실 가고 싶다고 해서 같이 갔어. 아, 마침 저기 오네."

유미가 저편에서 걸어오는 진욱과 동구를 손으로 가리켰다. 동구를 한쪽 팔에 번쩍 안은 진욱의 모습은 언뜻 봐선 아들을 안은 아버지처럼 보였다.

"똥구야, 화장실 가고 싶으면 나랑 가자고 하지. 왜 차 서방은 귀찮게 하니?"

미희는 진욱의 품에서 동구를 떼어내며 가볍게 나무랐다.

"괜찮습니다, 어머니."

"괜찮긴. 다른 날이면 몰라도 오늘은 다르지. 똥구, 뭐 해? '고맙습니다.' 해야지?"

"고마뜹니다, 엉(고맙습니다, 형)."

동구는 양손을 앞으로 모으고 허리를 꾸벅 숙였다. 요새 새로 배운 '배꼽 인사'였다. '형'이라는 호칭에 미희의 미간이 살짝 찌푸려졌다.

"동구야. 이제는 '형'이 아니라 '매형'이라고 불러야 해. 알았지?"

"매엉(매형)?"

"응."

아주 이참에 호칭을 다 정리할 모양이다.

유미는 동구에게 새로운 단어를 가르치는 미희를 지켜보다 살며시 진욱의 팔을 잡아끌었다. 그들의 테이블로 돌아가던 중 진욱이 혼잣말처럼 중얼거렸다.

"그럼 동구는 내게 처남이 되는 건가?"

"풋, 그러네요."

진욱과 동구가 서로 '매형', '처남' 하고 부른다고 상상하니 저절로 웃음이 나왔다. 하지만 혼자 킥킥거리는 그녀와 달리 진욱은 심각한 얼굴로 자꾸만 동구에게 고개를 돌렸다.

"참 아쉬워."

"뭐가요?"

"그때 첫날밤에 실패하지 않았으면 우리도 동구 또래의 아이가 있었을 텐데……."

"뭐라고요?"

유미가 기가 막힌다는 듯 입을 크게 벌리자, 진욱은 한 손에 그녀의 허리를 감아 자신에게 가깝게 잡아당겼다. 그러고는 고개를 숙여 그녀의 귓가에 나직이 속삭였다.

"기대해. 오늘 밤엔 꼭 성공할 테니까."

애정 가득한 눈으로 유미와 진욱을 지켜보던 애령은 다른 사람이 눈치채지 못하게 조용히 자리에서 일어났다. 그리고 피로연 장소에서 조금 떨어진 나무로 지어진 정자로 걸음을 옮겼다.

"이제 그만 나오세요."

조명이 미치지 않는 어두운 정자를 물끄러미 바라보던 애령이 조심스럽게 말을 꺼냈다. 그 소리에 길게 드리워진 그림자 속에서 부스럭 인영이 움직였다.

잠시 후, 굳은 표정의 차 회장이 모습을 드러냈다.

"흠, 흠."

차 회장은 멋쩍은 얼굴로 애령의 시선을 피하며 짧게 헛기침을 내뱉었다.

오늘 아침 애령은 차 회장에게 유미와 진욱의 결혼식을 알리는 문자를 보냈었다.

차 회장에게 허락받기 전까지는 결혼식을 올리지 않겠다는 두 사람을 위해 미희와 자신이 깜짝 이벤트를 계획했다는 설명과 함께…….

참석하거나 안 하거나 당신 마음이에요.
하지만 난 오늘 그곳에서 당신을 보고 싶네요.

크게 기대하지 않았지만, 결국 그는 결혼식에 와주었다. 하지만 뒤에서 몰래 결혼식을 지켜볼 뿐 좀처럼 모습을 나타내지 않았다. 저러다가 그대로 가버리면 어쩌나 하는 두려운 마음에 애령은 할 수 없이 차 회장에게 다가갈 수밖에 없었다.

"두 사람, 참 잘 어울리죠?"

"흠, 흠."

차 회장은 대답 대신 헛기침만 연신 내뱉었다. 애령은 그것이 차 회장이 최대한으로 표현할 수 있는 동의라는 걸 알고 있었다.

"가요. 애들에게 인사해야죠."

애령이 팔짱을 끼며 앞으로 이끌자, 당황한 차 회장은 빠르게 한 걸음 뒤로 물러섰다.

"됐어. 내가 온 거 알면 불편하기만 할 거야."

"정말 그럴 거라고 생각해요?"

"그거야……."

"당신만 빼놓았다고 마음 한구석으론 불편할 거예요. 오늘만이라도 아이들 마음 편하게 해줄 순 없어요?"

굳게 입을 다물고 고민에 잠겼던 차 회장은 이윽고 긴 한숨을 내쉬더니 천천히 고개를 끄덕였다. 그리고 애령을 따라 피로연장으로 향했다.

"진욱 씨 ……잠들었어요?"

샤워를 마치고 나온 유미는 목욕 가운을 입은 채 침대 위에 꼼짝없이 누워 있는 진욱을 얼떨떨한 눈으로 내려다보았다. 피로연을 마치고 스위트룸까지 가기가 얼마나 멀게 느껴졌는지 모른다. 엘리베이터 안에서부터 치고 들어오려는 진욱을 CCTV가 있다며 겨우 진정시켰는데…….

조금이라도 시간을 아끼려고 함께 샤워까지 했다. 그런데 샤워를 끝내고 먼저 나가서 와인도 따고 이것저것 준비한다던 남자가 지금 뭐 하는 거지? 침대 위에서 곯아떨어졌다는 게 말이 돼?

"진욱 씨, 진짜 자는 거예요?"

유미는 진욱에게 얼굴을 바짝 들이대며 두 손으로 어깨를 슬쩍 밀어보았다. 하지만 깊이 잠들었는지 아무런 반응도 없었다.

―아버님이 그렇게 원하시던 손주, 오늘 밤에 꼭 만들겠습니다!

전혀 예상하지도 못한 차 회장의 참석에 감동하며 터무니없는 약속까지 내걸었던 차진욱인데……. 그런데 이게 뭐냐고! 오늘은 절대 실패하지 않을 거라며? 이건 시작도 하기 전에 완전 기권 패잖아! 좋아, 이래도 안 깨는지 한번 보자!

"야…… 삼시 새끼……!"

약 올리듯 낮게 중얼거리며 진욱의 코를 비틀려는 순간, 진욱이 눈을 번쩍 뜨며 유미와 시선을 마주했다.

헉! 깜짝 놀라 숨을 들이마시며 물러서려는데 진욱은 재빨리 유미를 끌어안고 침대 위를 한 바퀴 굴러 그녀 위에 올라탔다.

"꺄악!"

순식간에 그의 밑에 깔린 유미의 입에서 단마디 비명이 흘러나왔다. 진욱은 토끼를 단번에 포획한 호랑이처럼 의기양양하게 유미를 내려다보았다.

"내가 잠들어버린 줄 알고 완전 실망한 얼굴이던데. 그러다 울어버리는 줄 알고 겁나던걸."

"그 ……그런 거 아니거든요!"

유미는 입에 침을 바르며 도리도리 고개를 내저었다.

"오늘은 피곤하니까 그냥 자라고 이불을 덮어줄 줄 알았는데……."

"그 ……그러려고 했거든요……. 딸꾹!"

순간 유미의 입에서 딸꾹질이 흘러나왔다.

"끄흡."
"거 봐. 거짓말하니까 당황해서 딸꾹질 나오지."
피노키오는 거짓말을 할 때마다 코가 길어진다고 했지? 이유미는 딸꾹질이 터지나 보다.
"아……딸꾹……. 아니라니까…… 딸꾹."
말을 계속할 수 없을 정도로 딸꾹질이 심해지자, 진욱은 그녀의 뺨을 감싸 쥐며 속삭이듯 물었다.
"내가 좀 도와줄까?"
유미가 고개를 끄덕이자 진욱은 그녀의 아랫입술을 깨물 듯 세차게 입술을 겹쳤다. 언제나 그렇듯이 입술이 닿는 순간 심장은 무섭게 날뛰며 딸꾹질은 흔적도 없이 사라졌다.
몇 번의 손놀림만으로 두 사람 사이를 가로막았던 목욕 가운이 힘없이 침대 밑으로 떨어졌다.
온몸으로 전해지는 따뜻한 체온이 긴장한 마음을 아늑하게 녹여준다. 머리끝부터 발끝까지 전해지는 짜릿한 느낌에 두 사람의 숨소리가 저절로 가빠졌다.
"사랑해요."
유미는 두 눈을 감으며 그녀를 가득 채우는 진욱의 등을 꽉 끌어안았다.
세상 여기저기에 널린 편견 따위, 겁낼 필요 없어. 지금 우리 곁에는 진실로 서로를 이해해주는 사랑하는 이가 있으니까.
"유미야."
진욱의 달콤한 숨결이 아늑하게 그녀 안으로 흘러들어 온다.
"사랑해."

그녀의 수줍은 속삭임이,
그의 짙은 고백이,
뜨거운 열기에 휩싸여 찐득하고 짜릿하게
서서히 하나로 섞여갔다.

하나가 된 두 사람의 밤이 서서히 짙어지고 있었다.

당신을 사랑하니까.
그대 그대로 너무나도 사랑하니까.
뜨거운 마음에 애가 탈 정도로…….

우리만의 애타는 로맨스를 위하여.

Epilogue

불타는 로맨스

I

"……으음."

유미는 무거운 눈꺼풀을 힘겹게 깜빡거리며 주위를 둘러보았다. 실내는 사물의 윤곽이 겨우 흐릿하게 보일 정도로 어두웠다. 하지만 창가 쪽은 묵직한 커튼 사이로 환한 햇살이 기어들고 있었다.

손가락 하나 까딱하기 싫을 만큼 온몸이 나른했다. 그래도 피곤하다기 보다는 기분 좋게 늘어지는 느낌이었다.

침대 옆에 놓인 시계로 시선을 돌리니, 시간은 이미 정오를 훌쩍 지나 있었다.

이런, 늦잠을 자버렸네!

밤새도록 진욱에게 시달리다 새벽녘에야 겨우 잠들었으니 그럴 만도 했다. 하루 세 끼를 꼬박꼬박 챙기더니……. 아니, 야식까지 합쳐서 하루 네 끼, 다섯 끼를 챙기더니, 진욱은 사랑을 베푸는 것 역시 한두 번으로 끝내지 않았다.

세 번째 이후로는 정신이 몽롱해져서 진욱을 네 번 받아들였는지 다섯 번 받아들였는지 정확하게 기억나지도 않는다. 그는 일에서만 '시한폭탄'이 아니라 잠자리까지 '시한폭탄'이었다.

유미는 끙, 신음을 흘리며 이리저리 몸을 뒤척였다.

결혼식 들러리로 참석했다가 계획에 없던 결혼식을 올리게 되고 어쩌다 보니 대복 리조트는 신혼 여행지가 되고 말았다. 얼떨결에 온 신혼여행이라지만, 그렇다고 온종일 침대에 누워 있을 수만은 없었다.

침대에서 일어나려고 꿈틀거리는데 갑자기 뒤에서부터 손이 뻗어 나와 그녀의 허리를 낚아챘다.

"……좀 더 자."

진욱이 뒤에서 그녀를 꽉 껴안으며 나직이 속삭였다.

좀 더 자라고 하면서 왜 손은 잠옷 속으로 파고드는 거야? 아침에 눈 뜨자마자 새벽까지 했던 일을 또 하자고 하는 건 아니겠지?

유미는 봉긋한 가슴께로 올라오려는 진욱의 손을 잡아 슬그머니 밑으로 끌어내렸다. 위로 올라가는 것을 제지당한 손길이 이번에는 아랫배를 지나 아래로 미끄러졌다.

헉, 안 돼! 유미는 재빨리 손가락을 그의 손에 밀어 넣으며 깍지를 끼었다. 그리고 다른 손으로는 꼼짝하지 말라는 듯 깍지 낀 진욱의 손을 만지작거렸다. 그녀의 의도를 파악했는지 진욱의 입에서 큭, 짧은 웃음이 흘러나왔다.

"그만 일어나요. 점심때도 지났는걸요."

"배고파?"

"그건 아니지만……."

"그러면 조금만 더 자자."

진욱의 입에서 흘러나오는 뜨거운 숨결이 목덜미를 간질거렸다.

이런 기분에 어떻게 다시 잠들 수 있을까?

"……아직도 잠에서 깰 때마다 깜짝깜짝 놀라."

시트 위로 드러난 유미의 맨 어깨에 입술을 누르며 진욱이 나직이 중얼거렸다.

"……왜요?"

"네가 사라졌을까 봐."

아, 이 남자! 자꾸만 마음 아프게시리……. 아직도 진욱은 종종 짠한 이야기로 그녀의 코끝을 찡하게 만들었다. 아침에 눈 떴는데 엄마가 사라지고, 같이 밤을 지새운 여자가 사라지고. 도대체 언제쯤 되어야 트라우마에서 벗어날 수 있을까?

"……그때 너, 너무하긴 했어. 아무 흔적도 남기지 않고 사라졌잖아."

"음…… 그건 아닌데."

아무 흔적도 남기지 않은 건 아니지. 본의 아니게 뒷좌석에 볼륨업 패드도 흘리고 갔고, 그리도 또……. 앗, 맞다! 유미는 진욱을 바라보기 위해 홱 뒤로 돌아누우며 콧등에 주름을 잡았다.

한번은 정확히 넘겨짚고 싶었다. 분명히 '고마웠어요.'라고 메모를 남기고 갔는데 왜 맨날 연기처럼 사라졌다고 투덜거리느냐고. 전화번호를 남기지 않은 건 미안하긴 했지만…….

"그래도 객실에 메모는 남기고 갔잖아요."

"메모? 무슨 메모?"

진욱은 생전 처음 들어본다는 듯 눈을 가늘게 모았다.

어라? 진짜 메모를 못 본 거야?

"호텔 메모지에 '고마웠어요!'라고 적어놓고 갔었는데. 여기 침대 맡에 놓고 갔다고요. 진욱 씨가 나중에 볼 거라고 생각해서."

"뭐?"

진욱이 황당한 표정으로 침대에서 벌떡 일어났다.

"그 말을 왜 지금에서야 하는 거야?"

"네?"

"그러니까 나에게 뭐라고 한 마디라도 남기고 갔었단 말이지?"

유미는 대답 대신 빠르게 고개를 끄덕거렸다.

진욱은 미간을 좁히며 3년 전, 그날의 기억을 떠올렸다.

아무리 기다려도 유미가 돌아오지 않자, 진욱은 혹시나 하는 마음에 리조트로 차를 돌렸다. 계단으로 5층까지 단숨에 뛰어올라 객실 앞에 도착했는데 잠겨 있어야 할 문이 스르르 저절로 열렸다. 안으로 들어서니 영석 혼자, 객실을 청소하는 중이었다.

—객실 청소하시려고요?

—여기 묵던 손님 어디 갔어?

—네?

—못 알아들어? 이 방에 머물던 여자, 어디 갔느냐고?

—이 방에 묵는 손님이라면, 한참 전에 체크아웃하고 떠나셨는데요.

그럼 그때 녀석이 청소하면서 그 메모를 먼저 봤다는 말인가?

진욱은 침대에서 일어나 서둘러 옷을 챙겨 입기 시작했다.

"진욱 씨, 지금 뭐 하는 거예요?"

"잠깐만 기다려."

진욱은 어리둥절한 유미를 객실에 남겨두고 부리나케 호텔 사무실로 달려갔다.

3년 전, 계약직이었던 영석은 재작년에 정직원으로 채용돼서 지금은 프런트 데스크에서 근무하고 있었다. 함께 근무한 기간은 짧았지만, 첫 직장 동료였던 만큼 진욱은 서울 본사에 올라가서도 영석과 연락을 주고받았다. 진욱처럼 외동아들인 영석은 진욱을 '형님'이라고 부르며 친동생처럼 따랐다.

—이건 다 뭐야?

재작년인가? 진욱은 영석이 정직원으로 채용되었다는 소식에 직접 리조트로 찾아와 축하해주었다.

영석을 도와 새로 배정받은 사무실로 짐을 옮기던 진욱은 책상 밑에서 나온 커다란 상자를 열어보곤 미간을 찌푸렸다. 온갖 잡동사니가 들어 있었기 때문이다.

—아, 이거요? 고객이 객실에 남기고 간 물건들이에요. 이렇게 날짜를 구분해서 모아두면 나중에라도 찾으러 오는 분이 계시거든요.

작은 실 핀, 옷에서 떨어져 나간 단추, 낡은 손수건 등등, 대부분 굳이 찾으러 올 것 같지 않은 사소한 물건들이었다. 그중에서 진욱의 눈길을 끈 건 자잘한 손 글씨로 채워진 메모들이었다.

—이 종이들은 뭐야? 메모 같은데?

—아, 그거요. 고맙다는 인사를 남기고 가는 고객도 가끔 있어요. 버리기 뭐하잖아요. 이런 작은 것도 모아두면 다 소중한 추억이 되는 거니까요.

영석은 조그만 종이 쪼가리조차도 버리지 않고 모아두는 버릇이 있었다. 그렇다면 혹시 유미가 남겨두고 갔다던 메모도 커다란 상자 안 어딘가에 있을지 모른다.

쾅―.

문이 거칠게 열리며 진욱이 호텔 사무실 안으로 뛰어들어왔다.

"본부장님?"

영석은 갑자기 나타난 진욱을 놀란 얼굴로 바라보았다.

어제 결혼식을 마친 신랑이 왜 여기에 있는 거지? 아직 침대 위에서 불타는 시간을 보내야 정상인데…….

"헉…… 그날! 그……날 객실…… 청소…… 네가 했……잖아."

얼마나 급하게 뛰어왔는지 진욱은 말도 제대로 잇지 못하고 숨을 헐떡거렸다.

"……그때, 헉, 헉. ……객실에 있던 메모 못 봤어?"

미아리에 돗자리를 깐 것도 아니고, 다짜고짜 '그날'이라고 하면 누가 알아들을까?

영석이 난처한 표정으로 선뜻 대답하지 못하자, 진욱은 거친 숨을 고르며 재차 물었다.

"……너…… 헉, 헉…… 뭐든지 버리지 않고 모으는 게 취미라고 하지 않았어?"

"네. 그런데요."

"그때 그 상자, 아직도 가지고 있지?"

"아, 그거라면……."

"그 상자. 가져와 봐."

"네. 잠시만요."

사무실 창고로 뛰어간 영석이 커다란 상자를 들고 돌아왔다.
"고맙다."
영석에게서 상자를 건네받자마자, 진욱은 손가락이 보이지 않을 정도로 빠르게 상자 안을 뒤지기 시작했다.
"찾았다!"
얼마 후, 진욱은 세상 다 가진 사람 같은 미소를 지으며 호텔 메모지를 들어 올렸다.

고마웠어요!

달랑 한 줄이었지만, 유미의 필체를 몰라볼 리가 없다. 마치 3년 전, 유미를 다시 보는 것 같은 감격스러움에 목구멍이 뜨끔거렸다.
"아, 기억났다."
진욱의 손에 들린 호텔 메모지를 유심히 바라보던 영석이 가볍게 손가락을 튕겼다.
"고객님, 차암 예의도 바르시지…… 하면서 챙겼던 기억이 나네요."
진욱은 마치 값진 보물이라도 되는 것처럼 호텔 메모지를 가슴에 품으며 영석을 날 선 눈으로 노려보았다.
"이게 왜 너한테 남긴 메모라고 생각하는 거지?"
갑자기 시베리아 북서풍처럼 싸늘하게 변한 진욱의 목소리에 영석은 꿀꺽 마른침을 삼켰다.
"……저, 형님……?"
이 녀석이 이 메모지만 빼돌리지 않았어도 어떡해서든지 유미의 연락처를 알아내서 찾아갔을 텐데. 내가 이 녀석 때문에 가슴앓이하면서 허송세월한 걸 생각하면……. 어휴!

진욱은 한 대 치기라도 할 것처럼 주먹을 불끈 움켜쥐었다. 하지만 솔직히 따져서 영석에게 무슨 큰 죄가 있으랴. 그저 몰라서 한 행동인 것을……. 꼬여버린 얄궂은 운명을 탓해야지. 결국 진욱은 화를 꾹 참으며 주먹질 대신 한 손으로 영석의 어깨를 툭 내려쳤다.

"하여간 이건 내가 가져간다."

"네. 네. 그러십시오, 형님."

당장에라도 한 대 칠 것만 같은 진욱의 살벌한 기운에 영석은 찍소리 한 번 못 하고 빠르게 고개를 끄덕거렸다.

"이거 말하는 거야?"

붉게 상기된 얼굴로 객실에 돌아온 진욱은 유미 앞으로 의기양양하게 호텔 메모지를 내밀었다.

"어머? 진욱 씨? 이걸 어떻게?"

놀라서 커다래진 눈을 굴리며 유미는 자신의 손 글씨가 적힌 메모지를 바라보았다.

"뭐든지 버리지 않고 모아두는 취미를 가진 녀석 덕분에……."

"네? 그게 무슨 말이에요?"

"유미야."

진욱은 대답 대신 양팔을 벌려 숨도 쉬지 못할 만큼 유미를 가슴에 꽉 끌어안았다. 그리고 '컥' 소리를 내며 빠져나가려는 그녀의 어깨에 고개를 묻었다.

"………그때 알았다면……. 네가 한마디라도 나에게 메모를 남기고 갔다는 걸 알았더라면. 나, 지구 끝까지라도 널 찾아갔을 거야."

"……진욱 씨."

그랬더라면 어땠을까? 로맨스 소설 같은 장면이 펼쳐졌을까? 휴양지에서 만난 하룻밤 인연이 갑자기 집 앞에 떡 나타나는 거? 그리고 너 아니면 안 돼? 뭐 이러는 거?

음……. 그건 너무 흔해빠진 설정 아닐까?

"허송한 3년이란 세월이 아깝긴 하지만……."

유미는 손을 들어 어린아이를 달래듯 진욱의 등을 가만히 토닥거렸다.

"진욱 씨를 '삼시 새끼'로 다시 만난 것도 나쁘진 않았어요."

"뭐?"

"우리, 말도 안 되는 오해도 하고 별의별 일 다 겪고도 헤어지지 않고 이렇게 함께 있잖아요."

"유미야."

"어쩌면 떨어져 있던 3년이란 시간은 앞으로 닥칠 고난에 앞서 서로 단단하게 단련하라고 주어진 시간일지도 몰라요."

그래, 그럴지도 모르겠다.

너를 잊지 못하는 그 3년 동안, 제대로 철이라는 게 들었으니까.

진욱은 유미를 살며시 품에서 놓아주며 흘러내린 그녀의 머리카락을 쓸어 넘겨주었다.

내 여자.

이제는 '아내'라는 이름으로 평생 내 곁에 있을 나만의 여자.

그저 바라보는 것만으로도 가슴이 벅차오를 듯 행복했다.

진욱은 깨지기 쉬운 유리 인형처럼 그녀의 뺨을 소중히 어루만지며 고개를 숙여 달콤한 입술을 찾았다. 그러고는 도톰한 아랫입술을 살며시 깨물고 살짝 벌어진 입술 안으로 부드럽게 혀를 밀어 넣었다.

첫 키스도 아니면서 입술이 닿을 때마다 심장이 내려앉는 것처럼 짜릿한 건 무슨 이유일까?

진욱은 두 손으로 그녀의 뺨을 감싸고 입 안 가득한 감미로운 숨결을 마음껏 빨아들였다.

"사랑해, 유미야."

그의 뜨거운 고백이 그녀의 입술 위로 끊임없이 흘러내렸다.

II

"처남."

"네, 매형?"

이번에 유치원에 들어간 동구가 또랑또랑한 목소리로 진욱의 부름에 답했다. 남의 자식은 빨리 큰다더니 말도 제대로 못하던 동구를 본 지가 엊그제 같은데 이제는 간단한 토론을 할 수 있을 만큼 훌쩍 커버렸다. 물론 정치나 종교 등의 심각한 주제가 아닌 만화영화 속 등장인물에 관한 토론 말이다.

"유진이가 처남이랑 놀고 싶다는데 같이 놀아줄래?"

이제 막 3살이 된 유진은 세상에서 아빠, 엄마 다음으로 좋아하는 사람이 동구 삼촌이었다. 어른만 있는 집에서 아무래도 자기와 체격이 제일 비슷한 동구에게 자연스럽게 끌리나 보다.

오늘도 유진은 아침에 눈을 뜨자마자 동구 삼촌부터 찾았다. 삼촌은 유치원에 갔다니까 그럼 언제 집에 오느냐고, 빨리 삼촌 보고 싶다고 유미에게 매달려 훌쩍거렸단다.

그러나 이건 순전히 유진만의 일방적인 사랑이었다. 동구는 진욱의 품에 안긴 유진을 올려다보며 이마에 주름을 잡았다. 솔직히 말해서 동구는 유진과 노는 게 그다지 재미없었다. 말만 노는 거지 실제로는 삼촌이 어린 조카를 돌보는 거와 같았으니까.

우선 유진과는 말이 안 통했다. '스파이더우먼'을 아는 것도 아니고 그렇다고 '원더맨'을 아는 것도 아니다. 대한민국에서 모르면 간첩이라는 안경을 뒤집어쓴 꼬맹이 펭귄도 모른단다! 유진은 그저 동구를 꼭 끌어안고 '엉아, 엉아.' 하면서 까르르 웃기만 했다.

그뿐인가? 유진은 동구를 자꾸만 계속해서 '엉아'라고 불렀다. 형이 아니라고, 삼촌이라고 아무리 설명해도 전혀 이해하지 못했다.

"엉아, 엉아."

그런 동구의 마음도 모르고 유진은 한시라도 빨리 동구에게 가고 싶어 두 팔을 벌리며 진욱의 품에서 몸부림쳤다.

"좋아요, 매형. 대신 오늘 밤 깜순이랑 같이 자도 되죠?"

유진에게 동구가 최고라면, 동구에게는 깜순이가 최고였다. 진욱의 집에서 깜순이를 처음 본 이후로 지금까지 쭈욱…….

오늘도 동구는 유치원에서 돌아오자마자 손을 씻기가 무섭게 소파에서 식빵을 굽는 깜순이에게 달려갔다.

유진이는 동구를, 동구는 깜순이를 졸졸 따라다녔다. 그렇다면 저들의 애정 사슬에선 깜순이가 최고 상위란 소리?

"좋아."

진욱은 허락의 의미로 동구와 손바닥을 짝 소리 나게 마주쳤다. 그리고 유진을 조심스럽게 바닥에 내려놓았다.

"엉아, 보고 띠버떠(형아, 보고 싶었어)."

유진은 자석에 쇠붙이가 끌려가는 듯 동구에게 짝 달라붙었다.

"형아가 아니라 삼촌이라니까!"

"헤헤헤."

유진은 동구가 투덜거리든 말든 눈꼬리를 휘며 배시시 웃었다. 하여간 사내 녀석이 또래 여자아이보다도 더 애교가 많았다. 유미도 진욱도 모두 애교와는 거리가 머니까 이건 분명 외할머니 미희를 고대로 빼닮아서일 것이다.

"엉아, 엉아."

"삼촌이라니까!"

두 아이의 언쟁 아닌 언쟁을 흐뭇한 얼굴로 지켜보던 진욱은 옆에 있던 베이비시터에게 고개를 돌렸다.

"아이들 좀 봐주세요."

"네."

베이비시터에게 동구와 유진을 맡긴 진욱은 유미가 있는 2층으로 올라갔다. 임신 5개월째인 유미는 몸조리를 위해 친정에 머물고 있었다. 아무리 진욱이 퇴근하고 곧바로 집에 온다고 해도 낮 동안 집에는 유미와 유진, 깜순이뿐이었기에 도저히 마음이 놓이질 않았다. 가정 도우미나 베이비시터를 보내준다고 하는데도 유미는 괜찮다며 고개를 내저었다.

결국 진욱은 당분간 친정에 가 있는 게 어떨까 제안했다. 방송 활동으로 바쁜 미희의 집에는 가사도우미와 베이비시터가 항상 상주해 있기 때문이었다. 무엇보다 가족과 함께 지내는 게 육체적으로나 정서적으로 큰 도움이 될 테니까. 하지만 찬성할 줄 알았던 유미는 또다시 고개를 가로저었다.

"하루이틀이라면 몰라도 너무 오래 있으면 민폐예요. 가도 우리만 가나? 깜순이도 함께 가야 하는데."

"친정에서 지내는 게 뭐가 민폐야? 어머님과 아버님은 오히려 반가워하실걸. 처남도 당신이 온다면 좋아할 테고."

"그건 그런데……."

"그런데…… 뭐?"

"거기서 일하는 분들이요. 우리 때문에 일이 늘어나는 거잖아요."

"뭐?"

"특별수당을 더 지급한다고 해도 하는 일이 늘어나면 힘든 건 어쩔 수 없어요. 내가 전에 당신 삼시 세끼…… 아니다, 간식이랑 야식까지 포함하면 삼시 네 끼, 다섯 끼도 했었다고요. 그때 얼마나 힘들었는지 알아요?"

아, 왜 또 과거 흑역사는 들춰내고……. 아직도 그녀는 지난날의 부끄러운 기억을 종종 끄집어냈다. 그럴 때마다 진욱은 슬그머니 눈을 내리깔며 유미의 시선을 피했다.

"좋아, 그럼 이렇게 하자."

가사도우미와 베이비시터에게 특별수당으로 지금보다 2배 더 지급하고 따로 두 사람을 도와줄 도우미 한 명을 더 고용하는 것으로 유미를 설득했다. 그래도 막상 친정으로 옮기고 나니까 얼굴이 제일 밝아진 건 유미였다.

그래서일까? 진욱의 눈에 유미는 하루하루가 다르게 더 눈부시게 아름다워져만 갔다. 그녀는 임신으로 체중이 늘었다고 투덜거렸지만, 진욱은 그녀의 완만해진 곡선이 더욱더 매혹적이고 관능적으로 느껴졌다. 남들이 뭐라고 해도 그의 눈에는 그렇게 보였다. 콩깍지가 씐 눈에 아예 석고를 부어버린 격이랄까?

오늘도 역시 진욱은 아내 사랑의 유혹을 떨치지 못하고 오랜만에 반차를 내어 일찍 퇴근했다. 월요일이 휴일이라 불타는 금요일 밤을 시작으로 길고도 긴 휴식을 취할 계획이었다. 여기서 휴식이란, 식사를 제외하곤 침대 위를 떠나지 않는 달콤하고도 찐득찐득하게 푹 쉰다는 그런 의미였다.

침실 문을 열자, 침대맡에 기대어 독서 중인 유미가 눈에 들어왔다.

"동구 왔어요?"

꽤 심각한 부분인지 유미는 책에서 눈을 뗄 생각을 하지 않은 채 건성으로 물었다.

"응. 유진이가 제일 신났지, 뭐."

진욱은 자연스럽게 그녀의 허리에 팔을 두르며 옆으로 몸을 뉘었다. 역시 유미는 진욱을 위해 조금 자세를 바꿀 뿐, 잠시도 책에서 눈을 떼지 않았다. 무슨 책인데 이렇게 집중해서 읽나? 호기심에 슬쩍 책 표지를 훔쳐보니 어디서 많이 본 제목이었다.

저급한 그대

이 책은 우리가 처음 버스 안에서 만났을 때 가지고 있었던……?

"그거 예전에 다 읽지 않았어?"

"……아, 이번에 개정판이 새로 나왔어요."

"개정판?"

"군데군데 문장이랑 에피소드 내용도 좀 바뀌고 에필로그랑 외전이 더 들어가서 처음 읽는 것처럼 흥미진진해요."

아무리 그래도 그렇지? 오랜만에 반차를 내고 집에 일찍 들어온 남편보다 책이 더 끌린다는 거야? 약간 기분이 상한 진욱은 몸을 일으켜 그녀가 읽는 부분을 슬그머니 훔쳐보았다.

"제발 그런 눈으로 보지 말아줘."

양어깨를 움켜잡는 강하고도 거친 손길과 그 남자의 이글거리는 눈빛에 온몸이 타들어가는 것처럼 목이 마르고 심장이 오그라든다.

"하, 더는 참을 수 없어. 미칠 것 같아."

그녀를 벽에 밀어붙이며 그가 나직이 중얼거렸다.

"하아."

귓가에 닿는 뜨거운 숨결에 그녀는 입술을 열며 여린 신음을 내뱉었다. 어깨에 머물던 손길이 그녀의 풍만한 곡선을 훑어 내리자 오소소 온몸에 소름이 돋았다.

하아, 어떻게 좀 해줘요!

애타는 그녀의 속마음을 읽었는지 그가 재빨리 고개를 숙여 입술을 빼앗았다.

거칠게 빨아들이며 강하게 밀려들어 오는 그의 뜨거운…….

활자를 따라 읽어 내려가던 진욱의 미간에 팔자가 새겨졌다. 도저히 못 참겠다. 이건 마치 내 여자가 다른 남자와 사랑하는 것 같잖아! 진욱은 재빨리 유미의 손에서 책을 낚아채 저 멀리 문을 향해 던졌다.

"앗!"

가장 중요한 장면에서 책을 빼앗긴 유미의 입에서 짧은 탄성이 흘러 나왔다.

"진욱 씨, 왜 이래요?"

"몰라서 물어? 아니, 책에 나오는 남자보다 훨씬 실전에 강한 남자를 옆에 두고 지금 뭐 하는 거야?"

어머나, 로맨스 소설의 남자 주인공을 질투하는 남편이라니! 기가 막힌 유미는 피식 웃어버릴 수밖에 없었다. 이 남자, 가끔 보면 질투심이 장난이 아니다.

"아무리 그래도 그렇지. 지금 그거 아주 중요한 장면이라고요. 이제야 서로의 마음을 확인한 두 사람이……."

"그러니까……."

진욱은 뒤에서부터 유미를 껴안고 유혹하듯 귓가에 입술을 가져가며 나직이 속삭였다.

"그 확인, 지금 나한테 받으라고. 책에서 찾을 필요 없이."

진욱의 손길이 책에 나온 묘사처럼 그녀의 풍만한 곡선을 훑어 내리자, 유미는 깜짝 놀라며 어깨를 비틀었다.

"어머, 진욱 씨! 애들 지금 아래층에 있는데……."

하지만 그런다고 순순히 놓아줄 진욱이 절대 아니다.

"걱정하지 마."

그는 유미의 귓불을 입술로 살며시 깨물며 뜨거운 숨결을 불어넣었다.

"아흐."

전기가 통하는 것 같은 짜릿한 느낌에 유미는 자신도 모르게 두 눈을 꼭 감아버렸다. 그동안 둘이서 뜨겁게 활활 불태운 밤들 때문인지 이제 진욱은 어디를 건드리면 그녀가 반항하지 않고 넘어오는지 너무나 잘 알고 있었다. 진욱은 어린아이 달래듯 나긋나긋한 목소리로 유미를 설득했다.

"애들은 지금 베이비시터가 돌보고 있어. 절대로 2층에 안 올라와. 그리고 아까 들어오면서 문도 확실히 잠갔고."

"그래도 아직 저렇게 밝은데……."

유미는 얼굴을 붉히며 오후의 햇빛이 환하게 들어오는 유리창을 턱으로 가리켰다. 그러나 진욱은 멈추기는커녕 한 손으로 그녀의 턱을 그러쥐며 한 입 베어 물듯 입술을 머금었다. 다른 한 손은 그녀의 어깨를 지나 곡선을 타고 내려가 완만하게 부풀어 오른 아랫배를 쓰다듬었다.

"으음."

조금 전만 하더라도 그를 밀쳐내려고 했으면서 그녀의 입에서는 어느새 환희의 신음이 흘러나왔다. 하아, 너무 좋아.

"이래도?"

그녀가 슬슬 반응을 나타내자, 진욱은 셔츠 안으로 손을 집어넣어 동그란 원을 그리듯 그녀의 맨살을 쓸어 올렸다. 피부에 직접 닿는 따뜻한 손의 촉감이 너무 짜릿해 온몸의 솜털이 곤두서는 기분이었다.

결국 얼마 가지 않아, 유미는 진욱의 손길에 항복하고 말았다. 아니, 이젠 그가 그만둔다고 해도 그녀가 참을 수 없었다.

"알았어요. 그럼 방이라도 좀 어둡게 해줘요."

그녀의 말이 끝나기 무섭게 진욱은 침대 옆에 놓인 버튼을 눌렀다. '우웅' 소리와 함께 햇빛이 들어오던 유리창에 블라인드가 내려오며 침실로 어둠이 내렸다.

곧이어 두 사람의 거친 숨소리가 어둠을 가득 메우기 시작했다.

III

"아가, 정말 수고가 많았다."

유진이 세상에 처음 나왔을 때도 차 회장은 유미의 손을 꼭 잡고 감동의 눈물을 펑펑 흘렸었다.

얼마나 기다리고 기다린 손주인가!

이렇게 자알 생긴 손자 녀석을 정말 약속대로 결혼하자마자 떠억 안겨주다니. 사돈총각 동구를 볼 때마다 미희와 영한이 부러웠는지 얼마나 밤마다 베갯잇을 물어뜯곤 했었다.

그런데 이젠 아니다. 유진에 이어서 눈에 넣어도 아프지 않은 예쁜 손녀딸까지 생겼단 말이다!

"아가, 고맙다. 정말 고마워."

이번에도 차 회장은 유미의 손을 꼭 붙잡고 유진 때와 마찬가지로 감동의 눈물을 펑펑 흘렸다.

"손자에 이어 손녀까지. 나는 지금 당장 눈을 감아도 여한이 없다."

"무슨 말씀이세요, 아버님. 우리 애들 결혼할 때까지 건강하셔서 증손자까지 보셔야죠."

"증손자?"

그 말에 차 회장은 뭔가를 깨달은 듯 눈을 크게 떴다.

그래 맞아, 내친김에 증손자까지 봐야지! 손자, 손녀를 조금 늦게 본

보상으로 증손자까지 보고말고! 암!

"네가 고생이 많구나."

차 회장은 애정이 듬뿍 담긴 눈으로 유미를 바라보았다.

결혼하자마자 떡두꺼비 같은 손자를 안겨줘, 영양사 전문 지식을 살려 균형 잡힌 식단으로 건강까지 챙겨줘, 왕년에는 에로 배우였을지 몰라도 지금은 대한민국 최고 중년 배우인 사돈이 심심하면 그룹 홍보도 해줘, 경영 수업은 나 몰라라 스캔들만 일으키던 진욱이 마음을 잡은 것도 따지고 보면 모두 다 유미 때문이 아닌가!

이런 복덩어리를 몰라보고 서운하게 대한 걸 생각하면 차 회장은 입이 열 개라도 할 말이 없었다. 그래서 조금이라도 더 유미에게 보상해 주고 싶었다.

"아가, 뭐 가지고 싶은 건 없니? 보니까 차가 좀 낡은 것 같던데, 새 차 뽑아주랴? 아니다. '뽑아주랴?'가 아니라 그냥 뽑아줘야지. 김 비서에게 말해놓으마."

"아니에요, 아버님. 그 차, 재작년에 사주신 거예요. 얼마 타지도 않았어요."

"재작년이면 오래됐네. 우리 며늘아기가 타고 다니는 건데 그러면 안 되지. 아 참, 그보다 아예 이 기회에 청담동에 있는 빌딩도 네 명의로 돌려야겠다."

"네? 아버님. 그건……."

"사양하지 마라. 네가 이리도 예쁜 희유를 낳아주었는데 그거에 비하면 아무것도 아니지."

아버지, 저러다간 대복 리조트까지 유미에게 홀딱 다 넘겨주시겠네.

벽에 기댄 자세로 잠자코 지켜만 보던 진욱은 마침내 설레설레 고개를 내저었다. 여기서 멈추지 않으면 차 회장은 대복 그룹까지 모두 유미에게 주겠다고 할 태세였다.

"아버지, 유미 이제 쉬어야 하니까 그만 가보세요."

차 회장은 자신을 내몰려는 진욱을 못마땅한 눈빛으로 힐끔 노려보았다.

"벌써 가라고?"

이제 겨우 엉덩이 붙였는데, 벌써 가라니……. 이 매정한 녀석! 하지만 산모에게 휴식이 중요한 건 사실이었기에 '이번 한 번은 그냥 물러나주마.' 하는 심정으로 자리에서 일어났다.

"그래, 난 이만 가보마. 몸조리 잘해라, 아가."

"네, 아버님. 조심해서 들어가세요."

차 회장은 발걸음을 돌리는 게 아쉬운지, 몇 번이나 뒤돌아본 다음에야 마지못해 병실을 나섰다.

"아버님 계신 지 30분도 안 됐거든요."

"30분이나 계셨던 거야? 하여간 아버지는 눈치도 없으셔."

유미가 살짝 원망 섞인 눈으로 흘겨보자, 진욱은 기가 막힌다는 듯 투덜거렸다.

"유진이 낳았을 때 두 시간도 넘게 머무르셨던 거 기억 안 나? 마침 어머니가 오셨으니까 망정이지 까딱 잘못했으면 밤샐 뻔했다고."

"그만큼 손주를 사랑하신다는…… 거잖아요."

결혼하기 전, 어떤 수모를 당했는지 모두 잊은 모양인지, 유미는 차 회장을 감싸기에 바빴다. 하지만 졸음이 밀려오는 건 어쩔 수 없는지 눈꺼풀을 느릿하게 깜박거리기 시작했다. 유미가 자꾸만 감기는 눈을 뜨려고 하자, 진욱은 흘러내린 이불을 어깨에 덮어주며 작게 속삭였다.

"한숨 자. 나, 여기 있을 테니까."

"……으응. 그러……면 나 조금……만……."

많이 졸렸는지 유미는 순순히 고개를 끄덕이며 혼잣말처럼 중얼거리다 이내 잠들고 말았다. 갓난아이처럼 새근새근 깊이 잠든 유미를 바라보는 진욱의 얼굴에 부드러운 미소가 떠올랐다. 병실 안으로 흘러드는 햇볕이 따뜻하게 느껴지면 느껴질수록 참으로 아늑하고도 행복한 오후였다.

"고맙다, 유미야."

유진을 낳아주었을 때도 감격스러워 눈물이 났었는데 이번에도 천사 같은 희유를 낳아준 유미가 너무나도 고마워 저절로 눈물이 핑 돌았다. 진욱은 조심스럽게 몸을 일으켜 유미의 이마에 다정하게 입을 맞추었다.

IV

"후우."

멍하니 위스키 잔을 내다보던 진욱의 입에서 긴 한숨이 흘러나왔다. 긴장된 얼굴로 옆에 앉은 우진이 그런 진욱을 힐끔힐끔 훔쳐보았다.

언제부터인가 진욱의 얼굴이 어두워진 것 같아 술이나 한잔하자고 한 건데…….

역시나 무슨 일이 있는 게 분명하다.

"우진이 형."

이윽고 진욱의 꽉 다문 입이 열렸다.

"왜?"

우진은 귀를 쫑긋 세우며 진욱에게 상체를 기울였다.

"형수는 아직도 형이 세상에서 제일 섹시하대? 아직도 형만 보면 긴장해?"

"어?"

아니, 이게 무슨 깜순이가 멍멍거리는 소리야? 전혀 예상하지 못한 황당한 질문에 우진은 어처구니가 없다는 듯 입을 벌렸다.

"유미가……."

우진이 아무 말 없이 바라만 보자, 진욱은 다시 말을 이어나갔다.

"……딸꾹질을 전혀 안 해."

"뭐?"

"내 옆에 있어도 딸꾹질을 전혀 안 한다고. 아, 정말 미치겠다."

야! 나야말로 미치겠다. 딸꾹질을 안 하는 게 뭐 그리 큰일이라고! 에라! 상사만 아니었으면 머리를 한 대 쥐어박았을 텐데…….

하지만 우진은 웃는 얼굴을 유지할 수밖에 없었다. 진욱의 얼굴이 너무나도 심각해 보였기 때문이다.

"예전에는 나만 보면 막 긴장해서 얼굴 붉히면서 딸꾹질하고 그랬거든. 꼭 나한테만 반응했어. 그런데 이젠 아니야. 날 아무렇지 않게 대한다고."

속이 타는지 진욱은 단숨에 위스키 잔을 비워버렸다.

"……혹시…… 애정이 식은 걸까?"

"뭐, 그렇다고 애정이 식었다고 할 것까지야."

"더 이상 나에게 긴장하지 않는다니까! 그건 바로 남자로서의 매력이 없어졌다는 소리 아닌가?"

유미와 진욱이 결혼한 지도 벌써 5년이 넘어가고 있었다. 이미 아이도 둘이나 있고 이젠 슬슬 신혼의 달콤함이 사라져갈 법도 하다. 언제까지 깨를 볶고 살 순 없는 것 아닌가?

"너희, 결혼한 지 5년이나 지났잖아. 이젠 서로에게 편해질 때도 됐지."

"형도 그래?"

"오우, 노우!"

언젠가 한번 크게 자랑하고 싶었는데 지금이 바로 기회였다!

"우린 지금도 서로 바라만 봐도 활활 불타올라. 그런데 편하다니? 절대로 있을 수 없는 일이지!"

우진은 위스키 잔을 탕 소리 나게 내려놓으며 강하게 부정했다. 순간 우진을 바라보는 진욱의 눈빛이 날카롭게 번뜩였다.

"……장 비서, 지금 나 약 올리는 건가?"

별안간 변해버린 진욱의 태도에 우진은 흠칫 어깨를 움츠렸다.

뭐어? 왜 그렇게 노려봐? 술 마실 때는 직장 계급 떼버리고 그냥 형, 동생으로 마시자며!

우진은 진욱의 살벌한 눈길로부터 고개를 돌리며 위스키 잔을 단번에 비워냈다.

에잇, 녀석을 믿는 게 아니었는데…….

위로 좀 받으려고 우진과 술을 마셨는데 오히려 짜증만 쌓인 것 같아 진욱은 입 안이 씁쓸했다. 자정에 가까운 시각이라, 집 안의 불은

모두 꺼진 상태였다. 늦을 것 같으니까 먼저 자라고 해서인지 유미는 이미 침대 위에서 곤히 잠들어 있었다. 진욱이 샤워를 마치고 다시 침실로 돌아올 때까지도 그녀는 깨어나지 않았다.

"으음."

이불을 들추고 침대 안으로 들어가서야 유미는 잠결이지만 버릇대로 진욱 쪽으로 돌아누웠다.

이 여자, 가면 갈수록 이렇게 예뻐지면 어쩌자는 건데?

진욱은 천천히 손을 들어 그녀의 뺨을 살살 어루만졌다.

"유미야."

"……으응."

"유미야, 사랑해."

"……응. ……알아요."

자는 와중에도 꼬박꼬박 대답하는 모습이 얼마나 사랑스러운지 모르겠다. 그래, 나에게 더 이상 긴장하지 않으면 뭐 어때? 그냥 이대로 이렇게 지내는 것도 나쁘진 않겠지……. 그래도 조금 불안한 건 어쩔 수 없었다.

잠든 유미를 물끄러미 바라보던 진욱은 나직한 목소리로 그녀를 깨웠다.

"유미야."

"……음."

"유미야."

"……네?"

"우리 셋째 가질까?"

완전히 잠에서 깨어나지 못한 유미가 부스스 힘겹게 눈을 떴다.

"……뭐라고요?"

"우리 셋째 가지자고."

선녀와 나무꾼 이야기처럼 아이를 서넛은 낳아야 마음 편하게 지낼 수 있지 않을까?

"……세, 셋째?"

순간 유미의 눈이 번쩍 떠졌다.

"어머, 진욱…… 큭."

유미는 손으로 입을 막으며 침대에서 벌떡 몸을 일으켰다. 자다가 봉창 두드리는 소리를 들어서인지 정말 오랜만에 딸꾹질이 터져버렸다.

"딸꾹…… 크윽. ……딸꾹."

"유미야?"

진욱도 침대맡에 손을 뻗어 스탠드를 켠 후, 유미를 따라 몸을 일으켰다.

"너, 지금 딸꾹질하는 거야?"

"……끄읍. 보면 몰라……요? 딸꾹……."

유미는 괴로운 듯 가슴을 주먹으로 콩콩 내리치며 미간에 주름을 잡았다. 사람 잘 자고 있는데 왜 난데없는 얘기는 해가지고선. 어라, 그런데 이 남자 좀 봐? 누구는 딸꾹질이 멈춰지지 않아 미치겠는데 진욱은 세상 다 가진 사람처럼 행복하게 웃고 있었다.

"진욱 씨…… 크윽. 왜 그렇게 싱글…… 끄윽…… 벙글하고 있어요? 남은 지금 딸꾹질 나서…… 크윽."

유미는 얄밉다는 눈으로 진욱을 째려보았다. 뭐라고 한마디 쏘아붙이고 싶은데, 멈추지 않는 딸꾹질 탓에 제대로 말이 나오지 않았다.

"걱정하지 마. 내가 도와줄게."

진욱은 뭐가 그리도 기쁜지 환하게 웃으며 단숨에 유미의 입술을 덮어버렸다. 동시에 고개를 옆으로 틀며 그녀의 턱을 밑으로 살짝 잡아당겼다. 저절로 입이 벌어지며 뜨거운 숨결이 그대로 밀고 들어왔다.

"……그리고."

길고도 긴 키스가 끝난 후, 진욱은 아쉬운 듯 입술을 떼어내며 그녀 귓가에 속삭였다.

"오늘 밤에 셋째 만들자."

"……진욱…… 씨!"

그녀가 뭐라고 항의하기도 전에 진욱은 유미의 얼굴과 목덜미에 키스를 퍼부으며 그녀를 다시 침대 위로 쓰러뜨렸다.

"사랑해, 유미야."

진욱의 뜨거운 고백이 어두운 침실에 조용히 울려 퍼졌다.

진욱의 비리 백서

"유미야, 진후 잠들었으니까 유모차에 눕히자."

꽤 오랫동안 유미의 품 안에서 칭얼거리던 아기가 겨우 잠이 들자, 진욱은 조심스럽게 유모차를 옆으로 가져왔다. 하지만 유미는 고개를 저으며 아기의 등을 가볍게 토닥거렸다.

"아직은 안 돼요. 막 잠들어서 지금 눕히면 바로 깰 거예요. 조금 더 깊게 잠들면 그때 눕힐게요."

"그럼 그동안 내가 안고 있을 테니까 좀 쉬도록 해. 팔 아프지 않아?"

진욱이 걱정스럽다는 얼굴로 말했다. 솔직히 그의 말대로 이제 슬슬 어깨가 뻐근해지려 한다. 다행스럽게도 진후는 잠들 때까지만 유미가 안아줘야 하고, 그 이후에는 진욱이나 다른 사람이 안아도 상관없기는 했다.

유미는 진후가 깨어나지 않게 진욱의 팔에 살살 아기를 넘겼다.

"녀석, 도대체 누굴 닮아서 이러는 거야."

익숙한 동작으로 진후를 넘겨받은 진욱은 작게 투덜거리며 아기의 등을 토닥토닥 다독거렸다.

유진과 희유는 안 그랬는데 진후는 유난히 낯을 가렸다. 이제 갓 백일이 지난 아기는 잠잘 때만 천사였다. 깨어 있는 동안 어디 밖에라도 나가게 되면 한시라도 유미의 품에서 떨어지려 하지 않았다.

유미가 조금이라도 시야에서 사라지려 하면 뭐가 그리도 서러운지 얼굴을 새빨갛게 붉히며 '으앵, 으앵' 울어댔다.

"어머님은 진욱 씨 닮아서 그런 거라고 하시던데요?"

"그럴 리가. 난 어릴 때 이렇게 울지 않았어."

"피, 그걸 어떻게 기억해요?"

물론 기억 못 한다. 3살 때 기억도 가물가물한데 어떻게 생후 100일 지난 일을 기억할까?

그래도 체면상 울보였다는 것을 인정하긴 싫었다. 엄마를 찾아 헤매며 허구한 날 엉엉 울어낸 건 사정상 그런 거니까 어쩔 수 없다 치고 말이다.

"진후가 엄마를 너무 사랑해서 그런 거야."

"그럼 유진이랑 희유는 나를 덜 사랑해서 괜찮았던 거고요?"

"아니, 뭐 그런 건 아니지만……."

유미의 반박에 진욱은 피식 웃으며 말꼬리를 흐렸다. 유진과 희유와 비교했을 때 진후가 낯을 좀 많이 가리긴 했다. 그 탓에 유미는 될 수 있으면 외출을 삼가고 집에 머물렀다. 밖에만 나가면 유미에게 꼭 안겨서 훌쩍거리고 애를 먹였으니까.

애령의 말에 의하면 진욱이 딱 이랬단다. 엄마 품에 안겨서 조금이라도 떨어지지 않으려고 했단다. 그러다 돌 좀 지나서 괜찮아졌다고 하니, 진후도 그러길 바랄 뿐이다.

월요일이 휴일인 황금연휴를 맞이하여 철민과 경희 부부는 진욱과 유미를 집으로 초대했다. 온 가족이 함께 외출하는 건 진후가 태어나고 제법 오랜만의 일이었다. 제일 걱정했던 진후는 차에 오르자마자,

그대로 잠들어 출발은 그런대로 순조로워 보였다. 하지만 철민의 집에 도착하는 순간, 잠에서 깨어나 우렁차게 울기 시작했다.

한참 동안 유미의 품에서 칭얼거리던 진후가 겨우 잠들고 나서야 다시 평화가 찾아왔다.

"그런 거 보면 유진이랑 희유는 정말 순했네요."

방금까지 빽빽 울던 게 거짓말인 양 지금 진후는 천사처럼 새근새근 숨을 내쉬고 있었다. 그런 진후를 경희가 사랑스러운 눈길로 바라보았다.

아직 둘 사이에 아이가 없는 경희와 철민은 아이를 셋이나 낳은 유미를 경의의 눈빛으로 바라보곤 했다. 하나도 힘든데 둘이 아니라 셋까지 낳다니, 정말 대단해!

경희와 철민은 아이가 없는 대신 깜순이의 새끼 세 마리를 모두 입양하고 얼마 후, 유기 동물 보호 센터에서 유기견 두 마리를 데려왔다. 고양이 세 마리와 강아지 두 마리가 북적거리는 집은 항상 활기가 넘쳐흘렀다.

유진과 희유는 도착하자마자 곧바로 강아지에게 달려가 반갑게 끌어안았다. 이미 진욱을 따라 여러 번 놀러 왔었기에 강아지들도 꼬리를 흔들며 아이들을 반겼다.

"그러니까 천만다행이죠."

경희가 말한 것처럼 두 아이는 전혀 말썽 부리지 않고 아주 얌전하게 강아지와 노는 중이었다.

"하아."

진후를 진욱에게 넘기고 겨우 자유가 된 유미는 긴 숨을 내쉬었다.

"재들까지 진후 같았으면 엄청나게 힘들었을 거예요."

"음……. 진후 녀석, 막내라서 그런가?"

철민이 혼잣말처럼 중얼거리자 유미는 미간에 살짝 주름을 잡았다.

셋째에서 막내로 그치면 좋게? 지금은 아니지만, 나중에라도 기회가 된다면 진욱은 넷째, 어쩌면 다섯째까지도 원하는 것 같아 은근히 불안했다.

어젯밤에도 진욱은 다산 가족이 나오는 TV 프로그램을 시청하다 난데없이 딸 이야기를 꺼냈다.

"우리 딸 하나만 더 낳을까? 희유가 혼자만 여자라서 시무룩한 거 같지 않아?"

"네?"

말도 안 되는 진욱의 제안에 유미는 기가 막힌 듯 실소를 터뜨렸다.

"그렇다고 꼭 다음이 딸이라는 법 있어요? 아들이면 어쩌려고요?"

"아…… 그러면 뭐…… 하나 더 낳는 것도 나쁘진……."

"진욱 씨!"

"왜? 싫어?"

유미의 목소리가 살짝 커지자, 진욱은 약간 당황한 얼굴로 조심스럽게 물었다.

"……싫은 건 아니지만……."

솔직히 싫은 건 아니었다. 할머니 나이에도 손쉽게 동구를 출산했던 미희를 닮아서인지 유미 자신도 입덧도 거의 없고 진통도 별로 없이 아이를 쉽게 낳았으니까. 아이가 태어날 때마다 하늘로부터 천사를 선물받는 기분이었으니까. 그래도 그렇지. 다섯은 무리일 것 같다.

'아이가 다섯'이 어디 그게 쉬운 일인가?

유미는 속으로 고개를 절레절레 흔들며 맞은편에 앉은 경희와 철민을 빤히 바라보았다.

"네. 아무래도 진후가 '막내'라서 그런가 봐요."

유미는 '막내'라는 단어를 힘주어 말했다. 그녀의 의도를 알아차린 듯 진욱의 얼굴에 서운한 기색이 스쳤지만, 유미는 애써 외면해버렸다.

혹시 나중에라도 생각이 바뀌게 된다면…….

좋아, 넷까지만 낳아본다, 내가. 하지만 그 이상은 무리!

유미는 잠든 진후를 내려다보며 마음속으로 굳게 결심했다.

"잠깐 나갔다 올게."

진욱은 깊이 잠든 진후를 유모차에 태우고 잠시 바람을 쐬겠다며 정원으로 향했다.

"아빠, 나도!"

"나도 갈래."

"왈, 왈, 왈."

진욱이 정원과 연결된 유리문을 열자마자, 유진과 희유, 강아지들도 우르르 뒤를 따라나섰다. 그들이 나가버리자 시끌벅적했던 실내가 갑자기 정적에 가까울 정도로 조용해졌다.

"후우, 이제 좀 조용해졌네요."

잠시나마 마음 편하게 휴식을 즐길 수 있을 것 같다. 유미는 안도의 숨을 내쉬고 포크로 호두 케이크를 작게 잘라 입 안에 넣었다.

"커피 다 식었겠다. 잠시만요. 내가 커피 다시 내릴게요."

경희가 커피를 내리러 주방으로 가버리고 두 사람만 거실에 남자, 철민은 이 순간을 기다렸다는 듯 넌지시 말을 걸었다.

"그런데 제수씨, 왜 한 번도 진욱의 비리 백서에 관해서 안 물어봐요?"

맞다! '비리 백서'.

철민은 본인의 결혼식에 하객으로 참석한 그녀에게 궁금하면 언제든지 물어보라고 했었다.

그게 도대체 언제야? 완전 까마득한 옛날이네…….

"보통은 일주일도 못 가 알려달라고 연락 오거든요. 그런데 제수씨는…… 와, 대단해요. 그만큼 인내심이 강한 겁니까? 아니면 그만큼 진욱 녀석을 믿는다?"

"그건 아니고요."

"진욱이 녀석, 여자관계에 대해서 책을 쓰자면 시리즈가 나오고도 남을 거예요."

"푸웃."

철민의 농담에 유미는 짧게 웃음을 터뜨렸다.

"저기요. 제가 아무리 마음이 넓다고 해도 남편의 과거 여자 이야기 듣고 아무렇지 않을 자신은 없거든요."

"그래서 내가 더 털어놓고 싶은 거예요. 들어보면 그런 마음 싹 사라질 테니까."

"네?"

"진욱이 과거에 여자란 스토커밖에 없었어요. 녀석이 좋아서 사귄 여자가 아니라."

전혀 예상하지 못한 말에 유미의 얼굴에 호기심이 떠올랐다.

무슨 말이지? 진욱 씨가 왕년에 엄청난 바람둥이였다는 건 모두가

다 아는 사실인데. 과거에 여자가 없었다니?

"자, 이래도 듣고 싶지 않아요?"

철민이 다시 물어오자, 유미는 마른침을 꿀꺽 삼키며 천천히 고개를 끄덕였다.

"음…… 어디서부터 이야기해야 하나……."

철민의 입을 통해서 두꺼운 비리 백서의 책장이 서서히 열렸다.

"형, 어떡하지? 연수 누나, 그냥 뻗어버렸는데?"

철민이 잠시 밖에 나가서 담배 한 대를 피우고 온 사이, 무슨 일이 있었는지 진욱은 난처한 얼굴로 테이블 위에 엎드린 연수를 턱짓으로 가리켰다.

오늘따라 이상하게 술을 너무 빨리 마신다 싶었는데 결국 주량을 넘겼나 보다.

아휴, 계집애! 그러니까 작작 좀 마시지. 혼자 감당하지도 못할 술을 왜 그렇게 많이 마시느냐고!

"연수랑 무슨 일 있었어? 아까부터 좀 심각해 보이긴 하던데……."

"……후우."

진욱은 대답 대신 긴 한숨을 내쉬며 한 손으로 흘러내린 앞머리를 쓸어 올렸다.

저 난감한 표정. 이젠 하도 봐서 딱 보면 척이었다. 철민은 고개를 설레설레 내저으며 진욱 옆으로 털썩 궁둥이를 붙였다.

"너, 또 고백받았냐?"

"음…… 비슷한 거."

"비슷한 거?"

"……나 때문에 너무 괴롭대. 내가 다른 여자에게 눈길 주는 걸, 참을 수 없다고."

"아이고, 미치겠다. 자기가 네 여자 친구라도 되냐?"

철민은 인사불성이 된 연수를 한심하다는 듯 노려보았다.

"소꿉친구의 대학 후배나 넘보고 말이지."

철민과 연수는 어릴 때부터 알고 지낸 소꿉친구로서 종종 허물없이 술 한잔하는 사이였다.

연수는 지금 '고아미'라는 예명으로 모델 겸 배우 활동 중이었는데, 일 년 전 출연했던 영화가 천만 관객을 동원하며 대박 치는 바람에 졸지에 유명인이 되어버렸다.

눈코 뜰 새 없이 바쁜 스케줄에도 불구하고 철민이 한잔 마시자고 부르면 한 번도 거절하지 않고 나오기에 '얘가 왜 이렇게 의리를 지키지?' 싶었다.

역시 그녀의 관심은 '차진욱'이라는 파릇파릇한 먹잇감에 있었다.

"그래서 진욱이, 넌 뭐라고 했어?"

"뭐라고 하긴. 연수 누나는 철민이 형의 친구이자, 그냥 친한 누나라고 했지."

"하, 연수 자존심 좀 상했겠네."

최고의 인기 여배우 '고아미'가 고백했는데 깔끔하게 선을 그어버리는 남자가 있다니…….

"형, 내가 어장 관리하는 스타일은 아니잖아."

그렇지. 차진욱이 쪼잔하게 희망 고문이나 하고 어장 관리를 하는 녀석은 아니지. 그냥 칼로 무 자르듯 단칼에 고백을 내쳐버리는 아주 차가운 녀석이지.

그러고 보니 철민은 지금까지 한 번도 진욱이 누구와 사귀는 모습을 본 적이 없었다. 진욱이 좋다고 졸졸 따라다니는 여자는 한 다스 넘게 봤지만, 그가 좋아서 여자와 함께 식사한다든지 영화를 본다든지 하는 일은 전혀 없었다.

이유를 물어보면 진욱은 언제나 '별로 끌리지 않아. 걔랑은 케미가 안 살아.'라고만 했다.

'그놈의 케미. 내가 둘 사이에 기름을 확 뿌려주마!'라고 철민이 투덜거리면 진욱은 킥킥거리며 손사래를 쳤다. 그렇게 진욱은 아주 도도한 싱글 상태를 유지했다. 그러나 그런 사실은 철민처럼 진욱과 아주 친한 지인들 소수만 아는 사실이었다.

허구한 날 클럽에 다니는 녀석이 지금까지 여자와 데이트 한 번 안 해봤다고 하면 과연 누가 순순히 믿어주겠는가?

"그나저나 귀찮게 됐네. 연수 뻗어버려서 어떻게 하냐?"

"집에 데려다줘야지."

"연수, 얼마 전에 본가에서 독립했어. 나 아직 애 집 어딘지 몰라. 진욱이, 넌 알아?"

"아니, 형이 모르는데 내가 어떻게 알아?"

"아이, 씨. 얼마 전에 소속사 옮겨서 새 매니저 전화번호도 모르는데……."

짜증이 확 밀려온 철민은 두 손으로 얼굴을 벅벅 문질렀다. 곰곰이 생각하니 오늘 연수는 지갑도 없이 술값만 들고 맨몸으로 달랑 나왔다고 했다. 그뿐인가? 휴대폰도 깜빡 잊고 챙기지 않았단다. 아무래도 작정하고 술을 진탕 마시려고 혹시라도 잃어버릴까 봐 안 가지고 나온 것 같다.

"야, 고연수! 일어나봐. 너, 지금 여기가 네 집 안방인 줄 알아? 고백하려면 맨정신에 하든지 해야지, 술 취해서 이게 뭐냐? 어?"

"……으……음."

그러나 철민이 아무리 흔들어도 연수는 통 깨어날 생각을 하지 않았다.

"할 수 없지. 연수 누나, 우리 집에 데려가서 재울게. 어차피 나 때문에 이렇게 됐는데……."

진욱의 말에 철민은 자리에서 펄쩍 뛰어올랐다.

꼬리가 아홉 개 달린 불여우를 집으로 들이겠다니! 이 녀석, 고연수를 몰라도 한참 모르는구나!

아무리 연수가 소꿉친구라지만 이런 식으로 도와주고 싶진 않았다.

그녀가 지금 뭘 노리고 있는지 몰라서 물어?

"안 돼. 네 집에 가서 재웠다가는 얘, 김칫국부터 마셔."

"그럼 형 집으로?"

"야, 야! 나 스캔들 휘말릴 일 있냐? 요새 재벌 2세, 3세의 방탕한 사생활 어쩌고 하면서 내 뒤에 찌라시 기자 붙은 거 몰라? 우리 집 앞에 몰래 차 세워놓고 대포 카메라 들이대고 있다고! 가뜩이나 나랑 연수랑 진짜 소꿉친구 맞느냐고 질문하고 그러는데."

진욱은 잠시 고민하더니 재킷을 챙기며 자리에서 일어났다.

"그럼 연수 누나 본가로 데려가자. 형, 어디인지 알잖아."

그러고 싶다. 정말 그렇게 하고 싶다. 하지만 그랬다간 연수가 그녀의 호랑이 같은 아버지에게 다리몽둥이가 부러질지도 모른다. 아무리 짜증이 난다고 해도 철민은 유치원 때부터 차곡차곡 쌓은 우정을 쉽게 저버릴 순 없었다.

"그러지 말고 그냥 민정이네 호텔에 재우자. 내가 민정이에게 연락할 테니까."

그렇게 해서 두 사람은 필름이 완전히 끊긴 연수를 부축하고 호텔로 향했다. 연수를 침대에 눕힌 두 사람은 호텔 측에 모닝콜을 부탁하고 곧바로 호텔을 나와 각자 집으로 향했다. 그때까지만 해도 모든 게 순조롭게 진행되는 것 같았다.

그런데 사건은 일주일이 지나서 터지고 말았다.

분명 철민과 함께 연수를 부축해서 호텔에 갔는데, 철민은 쏙 빠지고 진욱과 연수와의 스캔들이 온라인을 휩쓸었다. 불행 중 다행이라면 온라인 사진에 나온 진욱과 연수의 모습은 누군지 알아볼 수 없게 초점이 흐릿했고 얼굴에는 검은 막대기가 쫙 그려져 있었다. 그래도 알 만한 사람은 다 알 수 있는 이니셜 기사가 온라인을 뜨겁게 달구었다.

속옷 회사 D 그룹 외동아들 C 군과
떠오르는 신인 배우 K 양의 핫 나이트!

"형, 이게 어떻게 된 거야?"

진욱은 어리둥절한 얼굴로 기사가 뜬 컴퓨터 화면을 가리켰다. 분명 철민과 함께 호텔에 들어갔는데 철민의 모습은 감쪽같이 포토샵으로 지워진 채, 연수를 부축하고 있는 진욱의 모습만 눈에 들어왔다.

"미안하다, 진욱아."

철민은 침통한 얼굴로 고개를 떨구었다. 마침 다른 가수의 스캔들을 터뜨리려 호텔 밖에 대기 중이던 찌라시 기자가 연수와 철민을 알아보고 카메라 셔터를 마구 눌렀단다. 철민의 큰형이 먼저 손을 쓰는 덕분에 기사로 나가기 전에 막을 수 있었지만, 찌라시 기자는 대신 진욱을 희생양으로 이용했다.

"기사를 전부 막은 줄 알았는데 그 미꾸라지 같은 새끼가 글쎄……."

"괜찮아, 형."

화는 내지 않더라도 적어도 기분 나빠할 줄 알았는데 진욱은 오히려 싱긋 미소 지으며 철민의 어깨를 툭 내리쳤다. 차 회장이 진욱을 불러다 '이런 못난 녀석, 그룹 이미지에 먹칠해도 유분수지!' 하며 호통쳤다는 것을 잘 아는데, 이상하게도 진욱은 싱글벙글거리며 행복한 미소를 지었다.

녀석, 너무 혼나서 정신줄을 빼놓고 오기라도 했나?

"야, 괜찮긴 뭐가 괜찮아, 인마! 너 오늘 아침에 차 회장님께 불려가서 눈물 쏙 빠지게 혼났다면서."

"응. 그랬지……."

"그런데 왜 그런 표정이야?"

"내 표정이 어떤데?"

"거울 보여줘? 지금 네 얼굴은 막 신난다는 표정이야."

진욱은 어깨를 으쓱해 보이며 의자 등받이에 느긋이 몸을 기대었다.

"아버지가 오늘에서야 내 눈을 빤히 쳐다보면서 말씀하시더라고."

"그게 무슨 뜻이야? 네 눈을 빤히 들여다보는 게 뭐?"

철민은 점점 더 모르겠다는 듯 인상을 찌푸렸다.

"평소에는 우리 아버지, 너무 바빠서 얼굴도 거의 볼 수 없잖아. 나라는 아들이 세상에 있는지 없는지도 모르는 것 같던 양반이 오늘은 날 불러내서 얼굴 붉히며 버럭 소리를 지르시더라고."

"진……욱아."

"뭐랄까? 이제야 내가 차 회장의 진짜 아들이라는 걸 느낄 수 있었다고나 할까? 아, 아들이 속을 썩이니까 그래도 나름 아버지라고 골치 아파하시는구나, 하면서 안도감이 들기도 했고."

그날 진욱은 아주 행복해 보였다. 어쩌면 그에게는 그것만이 아버지와의 유일한 소통이었는지도 모른다.

이것저것 말썽을 부려야 일에 파묻힌 아버지가 그제야 고개를 들어 그를 바라보니까. '저는 당신의 아들입니다!'라는 확신을 가질 수 있으니까.

그 이후로 진욱은 일부러 스캔들을 만들며 방탕한 이미지를 굳혀갔다. 덕분에 수개월에 한 번 얼굴을 볼까 말까 하던 차 회장에게 적어도 한 달에 서너 번은 불려가게 되었다.

진욱의 비리 백서는…… 아니, 정확하게 말하자면 진욱의 억울한 비리 백서는 그렇게 시작되었다.

철민의 이야기가 끝나고도 유미는 한동안 아무 말도 할 수 없었다. 그저 멍하니 철민을 바라볼 뿐이었다.

그럼 지금까지 차진욱이란 남자의 바람둥이 이미지는 다 거짓이었단 말이야? 그가 꾸며낸 이미지라고?

"그래서 진욱 씨는 그런 헛소문이 퍼지게 그냥 놔둔 거라고요? 회장님께 반항하고 싶어서?"

명백히 말하자면 반항이라기보다는 그렇게 해서라도 좀 더 아버지와 함께 있는 시간을 늘리고 싶었던 것이다. 그렇지 않으면 바쁜 차 회장을 만날 일도 없으니까.

과거 혼자 외롭게 지내던 진욱을 떠올리자, 유미는 괜스레 코끝이 찡해졌다.

"녀석에게 유미 씨가 첫 번째이면서 유일한 여자예요. 깜짝 놀랐죠? 그게 바로 진욱이 녀석의 믿어지지 않는 비리예요."

이제야 모든 의문점이 풀리는 것 같았다.

그녀에게 진욱이 첫 남자였던 것처럼 그에게도 그녀가 첫 여자였다니. 그랬는데 다음 날 상대가 말도 없이 사라졌으니 첫 경험이었던 진욱에게 얼마나 큰 충격이었을까. 그래서 그런 거였구나.

유미는 씁쓸하게 웃으며 정원이 훤히 내다보이는 유리창으로 시선을 돌렸다. 아이들과 즐겁게 정원을 거니는 진욱의 모습이 그녀의 시야에 가득 차오르기 시작했다.

왜 진욱이 가족에 연연하는지 알 것 같았다. 아마도 자신이 받지 못한 사랑을 자녀들에게 듬뿍 안겨주고 싶었나 보다. 그렇다면 아이들이 많으면 많을수록 더 좋을 테지.

"흐음……."

그날 이후로 유미는 심각한 고민에 빠져들었다.

조만간 넷째를 가져야 하나, 말아야 하나?

그리고 기회가 되면 다섯째도?

작가의 말

지금까지는 제가 쓴 각본을 각색해서 소설로 완성했지만, 이번 《애타는 로맨스》는 다른 분의 각본을 소설로 각색하는 조금은 색다른 경험이었습니다.

솔직히 등장인물의 마음을 이해하는 데 애로 사항이 많았어요. 제가 탄생시킨 아이들이 아니니까 그 속이 어떤지 들여다보기가 여간 어려운 게 아니더라고요.

각본을 읽고 또 읽으면서 '왜 유미는 이런 말을 했을까?', '왜 진욱은 이렇게 행동했지?', '이런 일로 헤어질 필요까진 없잖아.' 등등 이해하려고 노력하고 저 나름대로 분석에 분석을 거듭했습니다.

결국 드라마 속에서와는 조금 다른 유미와 진욱이 탄생하게 되었네요. 그러다 보니 에피소드도 소설과 드라마에서 약간 차이가 있습니다. 비슷하면서도 어딘가 서로 다른 드라마와 소설을 함께 비교하며 《애타는 로맨스》를 즐기시길 바랍니다.

드라마 촬영이 거의 끝나가는 상태에서, 뒤늦게 각색 제안을 받고 작업에 들어갔기 때문에 느긋하게 집중할 수 있었던 전작에 비해서 주어진 기간이 촉박했답니다. 그럼에도 저의 아이로 거듭난 유미와 진욱의 다사다난한 이야기를 펼치느라 설레고 행복한 시간이었습니다.

이번 작업에서도 테라스북 팀, 네이버 담당자님께 큰 도움을 받았고, 독자님들의 따뜻한 응원으로 큰 힘을 얻었습니다.

언제나 단단한 울타리가 되어주시는 부모님과 가족, 달콤한 로맨스가 실제로 세상에 존재한다는 것을 알게 해준 자상한 남편, 하늘나라 푸들 중에서 제일 깜찍하다는 찬사를 받는 유끼 옹, 얼마 전 천사가 되어서 아직은 하늘나라 모든 것이 낯설기만 한, 세상에서 가장 아름다운 포메라니안 미미 여사, 이제야 스컹크가 무서운 존재라는 걸 깨닫고 스컹크 냄새를 맡으면 슬슬 몸을 사리는 치와와 윌리 군, 언제나 제 등을 토닥거려주는 슈바츠 밤부스(Schwarzer Bambus) 가족과 '첫눈 속을 걷다' 네이버 카페 여러분 모두, 가슴 깊이 감사합니다.

저는 지금 좀 더 설레고 더욱더 두근거리는 짜릿한 글을 쓰고 있습니다.

곧 새로운 아이들을 데리고 돌아오겠습니다. 조금만 기다려주세요.

여러분, 언제나 감사합니다!

Lunar 이지연

애타는 로맨스 2

초판 1쇄 인쇄 2017년 8월 28일
초판 1쇄 발행 2017년 9월 5일

지은이 이지연 | 원안 김하나 | 극본 김하나 김영윤
펴낸이 강성욱 | 책임 기획 전주예 | 기획 편집 송진아 김혜정 고은결 | 디자인 김선경
일러스트 홍예림 | 로고 김미현 | 교정 서진영 류혜선
펴낸곳 테라스북 | 등록 제25100-2013-000012호
주소 (134-826) 서울특별시 강동구 동남로 65길 13 2층
전화 070-4794-5826 | 팩스 0505-911-5826
블로그 http://terracebook.blog.me | 전자우편 terracebook@naver.com
ISBN 978-89-94300-77-1 (04810)
ISBN 978-89-94300-74-0 (SET)

ⓒ 이지연 2017 Printed in Korea

테라스북은 오름미디어의 임프린트 브랜드입니다.

잘못된 책은 구입하신 곳에서 바꾸어 드립니다.
이 책의 전부 또는 일부 내용을 재사용하려면 사전에 저작권자와 오름미디어의 동의를 받아야 합니다.

이 도서의 국립중앙도서관 출판시도서목록(CIP)은 서지정보유통지원시스템 홈페이지(http://www.seoji.nl.go.kr)와 국가자료공동목록시스템(http://www.nl.go.kr/kolisnet)에서 이용하실 수 있습니다. (CIP제어번호 : CIP2017019768)